YSGRIFAU BEIRNIADOL XXIII

YSGRIFAU BEIRNIADOL XXIII

Golygydd:

J. E. Caerwyn Williams

GWASG GEE

Argraffiad Cyntaf 1997

ISBN 0 7074 0304 9

Cyhoeddir y gyfrol hon gyda chymorth ariannol oddi wrth
Gyngor Celfyddydau Cymru

Argraffwyd a chyhoeddwyd gan Wasg Gee, Dinbych

CYNNWYS

Cyflwynir

y Gyfrol hon

i'r

Dr. Brynley F. Roberts

GOLYGYDDOL

Nid yw teitl y ddarlith a draddododd Mr. Dafydd Glyn Jones yn 1996 yng nghyfres Darlithiau Coffa Blynyddol Syr John Morris-Jones, 'John Morris-Jones a'r "Cymro Dirodres",' yn dadlennu cymaint ar ei chynnwys ag y dymunwn i, a byddai'n resyn o'r mwyaf pe na bai'n cael y cyhoeddusrwydd a'r darllen y mae ei phwysigrwydd yn eu haeddu. Efallai y bydd y sylwadau hyn yn sicrhau iddi fwy o sylw nag a gâi ar wahân iddynt.

Mae iddi ddwy thema. Y naill yw'r gwaith neu ran o'r gwaith mawr a gyflawnodd J.M.-J yn ei ddydd; y llall yw'r dirywiad mawr yn strwythuraeth y Gymraeg.

I egluro'r ail thema, cymer D.G.J. bedwar darn o ryddiaith Gymraeg 'wallus', ond y mae'n ein rhybuddio ar yr un pryd ei fod yn deall yn iawn fod rhagor rhwng gwall a gwall.

Dengys y darn rhyddiaith cyntaf (I) wallau orgraff yn fwyaf arbennig. Mae ansawdd y Gymraeg ynddo'n bur dda, a phe lleferid y darn, ni chlywid nemor fai arno wrth iddo ddisgyn ar ein clyw. Sylw'r darlithydd arno ydyw: 'Gwallau orgraff yw'r cyfan bron, a gallai'r darn gynrychioli gwaith Cymro naturiol nad yw'n gyfarwydd â chonfensiynau ysgrifennu'r iaith.' Serch hynny, y mae ynddo drigain o wallau y byddem ni yn unol â'r confensiynau a sefydlwyd gan mwyaf gan J.M.-J., yn eu condemnio. Nid yw D.G.J., yn wahanol i J.M.-J., yn barnu fod gwallau orgraff yn orddifrifol, ond fe fyddai'n eu cywiro ac yn cynghori'r awdur i ymgydnabod â'r orgraff, a byddai yn llygad ei le'n gwneud hynny. Fe ddisgwylir i sgrifenwyr Saesneg, Ffrangeg, Almaeneg, a.y.y.b., feistroli orgraff yr ieithoedd hynny, a pham na ellir disgwyl i sgrifenwyr y Gymraeg hefyd wneud hynny? Gwnaeth J.M.-J. waith rhagorol yn sefydlu orgraff safonol i'r iaith Gymraeg, ac nid ar chwarae bach y dylid ei hanwybyddu.

Mae'r ddau ddarn nesaf yn mynd â ni i fyd tra gwahanol. Noda D.G.J. yn II(a) ddeg patrwm o 'wallau safonol'; 'maent yn digwydd yn rheolaidd, ac yng ngwaith rhai nad ydynt ddibrofiad o drin y Gymraeg. Mae ynddynt gysondeb, pob un yn dangos disodli'r gystrawen Gymraeg gan gystrawen yr iaith arall', h.y., y Saesneg. Fel enghraifft o'r 'gwallau safonol' hyn, y cymal cyntaf yn y frawddeg gyntaf yn y darn yw 'Ni wyddwn os oeddwn yn y lle iawn' yn hytrach 'Ni wyddwn a oeddwn yn y lle iawn.'

Mae gwallau II(b) ychydig yn wahanol. Ni ellir eu priodoli i ddylanwad y Saesneg. 'Eto mae yma wanhau ar y patrymau Cymraeg, ac anodd meddwl am achos i hynny heblaw pwysau'r Saesneg. Nid disodli sydd yma, ond rhyw ansefydlogi.' Fel enghraifft o wall yn tarddu o'r ansefydlogrwydd hwn, noda D.G.J. dreiglo'n feddal gytsain flaen ansoddair ar ôl enw gwrywaidd unigol, e.e., 'adeiladwaith gadarn', 'uchafbwynt gyffrous', neu ar ôl enw lluosog, 'nofelau fyrraf'. Mewn geiriau eraill, ni ŵyr yr awdur pa bryd y dylai dreiglo cytsain a pha bryd na ddylai, ac mewn iaith sy'n dibynnu'n helaeth ar y treigladau i fynegi synnwyr, e.e., i fynegi'r gwahaniaeth rhwng goddrych a gwrthrych (*gwelodd dyn, gwelodd ddyn*), mae anwybodaeth o'i system treigladau'n beth difrifol iawn.

Am wallau III(a), meddai D.G.J., ''dydyn nhw ddim yn yr un sir, heb sôn am yr un cae, â gwallau darnau II(a), II(b). Cymro iawn sydd yma, yn dweud ei stori'n ddigon eglur a chall, ond yn ôl rheolau sydd dipyn bach yn wahanol. Cymro a all fod yn ganol oed i hen, efallai. Gallai'r darn nesaf, a'r olaf, fod yn waith ŵyr iddo.'

Brawddegau cyntaf III(a) yw:

> Nid aiff y digwyddiad hwn o'm cof. Mae'n rhaid na adeg y rhyfel gyntaf oedd hi, a ninnau yn Gaernarfon. Pum gwaith y buo mi yno, ac fe fwynheais fy hun bob tro er gwaetha'r poen yn fy mraich.

Nid wyf yn siŵr fod D.G.J. wedi chwarae'n deg â ni wrth gyflwyno'r darn hwn. Os dangos dirywiad yn ansawdd tafodiaith yr awdur yw'r pwrpas, mae'n ddigon teg, ond atgynhyrchu ei dafodiaith y mae'r awdur yma, ac ar un ystyr, nid 'gwrthod cydymffurfio â'r hyn sydd wedi ei ddiffinio fel y norm llenyddol a ffurfiol.' Wedi'r cwbl, mae'r fath beth â chonfensiwn ysgrifennu tafodiaith.

Eto, mae yna bobl yng Nghymru y gallech daeru wrth eu

dadleuon na ddylai neb ohonom sgrifennu'n wahanol i'r ffordd y llefarwn, h.y., yn dafodieithol. Ond ni wn i am unrhyw iaith y mae ei hiaith lenyddol yn union fel ei thafodiaith, neu'n hytrach yn union fel un o'i thafodieithoedd, oblegid y mae i'r rhan fwyaf o ieithoedd fwy nag un dafodiaith. Yn wir, y mae yna ieithoedd y mae eu hiaith lenyddol yn wahanol iawn i bob ffurf ar eu tafodieithoedd. Meddylier, er enghraifft, am Ladin llenyddol y Rhufeiniaid: yr oedd yn wahanol iawn i'w hiaith lafar.

Mae III(b) yn dangos 'newidiadau' mwy diweddar, newidiadau'n dangos 'rhyw ymystwyrian neu ymbalfalu o fewn y Gymraeg ei hun', megis symleiddio a chywasgu 'oddi wrth' yn 'wrth', 'ac yn dweud' yn 'a'n dweud', a ''dydi hi ddim wedi gwneud' yn ''dydi hi ddim wedi'. Yn sicr y mae'n rhaid cytuno â D.G.J. pan awgryma ei bod yn rhan o natur iaith ddatbygu, fod rhaid i'r Cymraeg ddatblygu, ac na ellir edrych ar bob datbygiad fel gwall. Ar ôl dweud hynny, nid yw hyn yn golygu nad oes gan D.G.J. a minnau'r hawl i 'gywiro' ''dydi hi ddim wedi' ar hyn o bryd gan nad beth bynnag fydd dyfarniad yr iaith ar yr ymadrodd a'i gyffelyb yn y dyfodol. Gallwn honni fod i ni ran yn natblygiad y Gymraeg.

Ond prif fyrdwn thema'r dirywiad yn strwythuraeth y Gymraeg yw mai dylanwad dwyieithrwydd ydyw'n bennaf, h.y., dylanwad y Saesneg ar y Gymraeg, ac ni ellir peidio â chyd-weld ag ef.

Mae'n hen arfer gennym rannu gramadegwyr yn rhai sy'n bodloni ar ddisgrifio ffurfiau iaith a rhai sy'n mynnu cymell ffurfiau arbennig rhagor eraill ar ei siaradwyr, ac fe wyddys mai'r gramadegwyr ffasiynol y dyddiau hyn yw'r rhai cyntaf. Yr oedd J.M.-J. yn perthyn yn bendant i'r ail ddosbarth. Yr arfer yn y gorffennol fu dweud ei fod ef wedi cymryd iaith y cywyddwyr fel yr iaith Gymraeg safonol, ac y mae peth gwir yn hyn, ond gwnaeth D.G.J. gymwynas â ni wrth dynnu ein sylw at y ffaith fod J.M.-J. wedi apelio hefyd at yr iaith a oedd ar dafod leferydd y Cymry a'i fod wedi dal i wneud hynny i raddau drwy gydol ei oes. Mae'n dilyn nad oedd yr iaith lenyddol a argymhellai ef mewn rhyddiaith mor wahanol â hynny i iaith lafar y Cymry uniaith. At hynny nid oedd mor anodd ag y tyb rhai, ymgyfarwyddo â hi. Er enghraifft, bu'n hawdd i mi ei meistroli hyd yn oed fel disgybl yn y chweched dosbarth, ac nid oeddwn yn eithriad. A ydym yn gofyn gormod gan ein plant yn yr oes hon wrth ofyn iddynt ddysgu Cymraeg cywir? Os ydym, paham? Peidied neb â chodi'r ddadl na wyddom beth yw 'Cymraeg cywir'!

Da y gwnaeth D.G.J. ddyfynnu'r geiriau hyn o eiddo J.M.-J.:

> Sieryd Cymro dirodres y Gymraeg â'r gystrawen Geltaidd a ddysgodd gan ei fam. Ond pan gymmer hwnnw bin yn ei law, ysgrifenna chwyddiaith annaturiol y buasai arno gywilydd ei siarad. Paham? meddwch. O blegid sieryd wrth reddf – ysgrifenna wrth ei reswm; ac y mae greddf y gŵr yn hyn, fel llawer peth arall, yn fwy cywir arweinydd na'i reswm. Gorfoda'i reddf iddo fod i ryw raddau yn naturiol wrth siarad – a natur sy'n iawn.

Ychydig ohonom erbyn hyn sy'n gwerthfawrogi gywired yw disgrifiad J.M.-J. o lawer o ryddiaith lenyddol y bedwaredd ganrif ar bymtheg. 'Chwyddiaith annaturiol' ydoedd os bu un erioed!

Mae'n dra dadlennol ac yn ein cynorthwyo i werthfawrogi'r gamp a gyflawnodd J.M.-J. yn newid nid yn unig wedd ein barddoniaeth eithr hefyd wedd ein rhyddiaith yn ystod hanner cyntaf y ganrif hon. I W. J. Gruffydd yr ystyrir *Y Llenor* yn gofadail fel rheol, ond ar un ystyr, a honno'n ystyr wirioneddol, y mae'n llawn cymaint o gofadail i J.M.-J., ac wrth ystyried ansawdd Cymraeg *Y Cymro* a *Golwg,* dyweder, y dyddiau hyn ni all dyn beidio â rhyfeddu at y newid a fu er gwaeth.

Rhaid cofio fod J.M.-J. yn dipyn o artist yn ogystal ag yn ramadegydd. Cymerai drafferth di-ben-draw i lunio'i frawddegau'n gymen yn Saesneg ei Ramadeg yn ogystal ag yng Nghymraeg ei *Gerdd Dafod.* Wrth edrych yn ôl hwyrach y barnwn ei fod wedi bod yn rhy geidwadol, yn ormod o 'burdebydd' yn taranu fel y gwnâi yn erbyn benthyg idiomau Saesneg i'r Gymraeg, ond erbyn hyn y mae gramadegwyr y Ffrangeg a'r Almaeneg yn gwneud yr un peth, bob un yn ei iaith ei hun. Mae'n rhyfedd gymaint o ddrwg a wna rhoi label ar ambell beth! Mae arlliw beirniadol ar yr enw 'purdebydd' a bu ei roi ar J.M.-J. yn ddrwg ei effaith. Ar y llaw arall, mae'r enw 'Cymraeg Byw' yn dwyn arlliw cymeradwyaeth er i'r peth fod, i'm tyb i, ar y cyfan yn ddylanwad drwg: yn sicr y mae wedi cuddio mwy o feiau nag y breuddwydiodd Syr Ifor Williams a roes y term ar ben ei yrfa, erioed amdanynt.

Nid wyf yn anghofio'r pwynt pwysig arall a wna D.G.J. wrth bwysleisio fod safon Cymraeg llafar pan oedd tua hanner can mil o Gymry uniaith yn siarad yr iaith, yn safon y gallai J.M.-J. apelio ati'n ddiogel ac yn safon lawer cadarnach nag unrhyw un sy'n bosibl heddiw pan fo Cymry uniaith bron diflannu o'r wlad.

Ac yma hwyrach y caniateir i mi air o brofiad. Pan oeddwn yng Nghaeltacht Connemara, sylwais droeon ar y balchder a gymerai llawer o siaradwyr yr Wyddeleg yn eu ffordd o drin eu hiaith ac ar y parch a roddai eu cymrodyr iddynt amdano. Mawr brisid 'dawn dweud' ac ni allaf lai na chredu na wneid yr un peth yng Nghymru ers talwm. Ond ni welaf unrhyw reswm paham na choleddir y cyfryw ddawn dweud yn gyffredinol. Pwysleisia D.G.J. y dirywiad yn ein Cymraeg llafar ac anodd meddwl nad oes dirywiad cyfatebol yn ein dawn dweud.

Diwylliant cof gan mwyaf oedd diwylliant y gwerinwr Gwyddeleg ar droad y ganrif hon. Yr oedd diwylliant y gwerinwr Cymraeg yr un adeg yn fwy o ddiwylliant llyfr, ac wrth sôn am y golled a ddaeth yn sgil colled yr hyn a alwn yn 'Gymraeg y Pulpud', dylid cofio am y golled a ddaeth yn sgil colli ein llenyddiaeth enwadol yn ogystal â'n llên Feiblaidd.

Nid yw D.G.J. yn sôn am effaith andwyol y gyfundrefn addysg a wthiwyd ar Gymru gan lywodraeth Lloegr er nad heb help rhai Cymry, ac am effaith darllen mwy o Saesneg nag o Gymraeg, ond ni ellir gwadu'r rhain. Mor wahanol fyddai ein sefyllfa petai'r un nifer o nofelau Cymraeg yn cael eu darllen yma ag o nofelau Saesneg! A dyma ni mewn cyfnod pryd y mae rhai'n gresynu'r lleihad ym mhob math o ddarllen.

Nid yw D.G.J. yn sôn chwaith am effaith anwybodaeth o lenyddiaeth ein gorffennol – ni allai yn y gofod a oedd ganddo – ond y mae'n werth pwysleisio hyn: er bod gramadegwyr y Saesneg yn cydnabod fod y Saesneg yn datblygu a bod newid yn yr hyn a elwir yn Saesneg safonol, nid ydynt, hyd y gwelaf i, mor barod â'r rhai sy'n honni bod yr awdurdodau ar y Gymraeg, i apelio at arfer y tafodieithoedd. Y maent, wrth gwrs, yn derbyn yr egwyddor sylfaenol mai i'w llefaru y mae iaith yn y lle cyntaf, nid i'w sgrifennu. Eu safon yn amlach na pheidio yw Saesneg ysgrifenedig: nid 'dyma'r hyn a ddywedir' ond 'dyma'r hyn a sgrifennir bellach'. Carai rhai o'n cyd-Gymry setlo pob problem â 'dyma'r hyn a ddywedir!' ond ni ddywedir ym mha dafodiaith. Yn anffodus, ni thâl y fath ateb, er nad oes rhaid mynd mor bell â dweud mai'r iaith lenyddol yw'r unig safon cywirdeb – sefyllfa anffodus iawn fyddai honno petai'n bod, er bod D.G.J. yn lled-awgrymu ei bod eisoes yma.

Yn wir, ar nodyn trist iawn y mae ef yn terfynu ei ddarlith. Sonia am y ddau ddarogan, a gofyn pa un a sylweddolir,

> y darogan y gwêl ein plant a'n hwyrion ni, ar draws canol y ganrif nesaf, tua hanner poblogaeth Cymru'n medru rhyw lun o Gymraeg? Ynteu'r darogan na fydd neb yn ei siarad hi erbyn hynny? Gwnaed y ddau yn ddiweddar gan sylwedyddion yr un mor wybodus â'i gilydd. Mae i ni fel aelodau a chefnogwyr Undeb y Gymraeg, dri dewis. Rhoi'r gorau iddi, dal i gredu, neu ddal ati heb gredu. Yn foesol, nid oes unrhyw wahaniaeth rhwng yr ail a'r trydydd, ac mae enghreifftiau mewn hanes o fod yn llwyddiannus iawn ar ôl dal ati heb gredu.

Mae D.G.J. yn ei osod ei hun ymhlith y rhai sy'n dal ati i frwydro dros y Gymraeg heb gredu mewn buddugoliaeth, a thebyg gennyf ei fod yn llefaru ar ran llawer o athrawon ac athrawesau'r Gymraeg. A beth am ein llenorion? A ydynt hwythau'n dal ati i lenydda heb gredu y bydd yr iaith a ddefnyddiant yn eu goroesi ryw lawer? Ond efallai ein bod ni yn byw mewn cyfnod nad yw pobl yn poeni am unrhyw oroesi. Ychydig iawn sy'n credu mewn goroesi personol, mewn tragwyddoldeb. Pa nifer sy'n credu y bydd eu gwaith yn goroesi eu bywydau byr hwy? Ond pan fo un o ymchwilwyr y B.B.C. yn gallu gofyn pa un ai fel nofelydd ai fel bardd yr oedd T. H. Parry-Williams yn llenydda, hwyrach ei bod yn bryd i ni bawb roi'r gorau i gredu y gall neb greu darn o lenyddiaeth a bery i'r oesoedd a ddêl!

Ac eto mae rhyw ystyfnigrwydd yn perthyn i ni fel Cymry. Yr ydym yma o hyd, chwedl Dafydd Iwan, er gwaethaf pawb a phopeth, a'n braint ni yw brwydro dros y Gymraeg heddiw nid yn y gred y cawn ni'r fuddugoliaeth derfynol ond yn y gobaith y caiff ein plant hwythau gyfle i frwydro yfory.

Mae ymdrechion aelodau Cymdeithas yr Iaith yn ennyn balchder a chywilydd ynom: cywilydd ein bod ni fel y genhedlaeth hŷn wedi bod mor amharod i aberthu er mwyn yr iaith, balchder fod llawer ohonynt hwy wedi aberthu'n helaeth. Tra bydd y cyfryw aberthu, nid yw'r frwydr ar ben. Ond mae gan D.G.J. neges i Gymdeithas yr Iaith hithau. Ni fydd goroesiad y Gymraeg i'r ganrif nesaf yn ddigon os bratiaith yn unig fydd hi. Na, rhaid iddi oroesi, os goroesi o gwbl, fel iaith diwylliant a llenyddiaeth, fel iaith gyfled â bywyd ei hun.

J. E. CAERWYN WILLIAMS

CYFIEITHU'R MABINOGION

gan SIONED DAVIES

Hanes o drosglwyddo fu hanes chwedlau'r *Mabinogion* ar hyd y canrifoedd - trosglwyddo o'r cof i femrwn, o femrwn i brint, o Gymraeg Canol i Gymraeg Diweddar, a hefyd o'r Gymraeg i'r Saesneg sef, yn yr achos hwn, trosglwyddo rhyngieithol. Gellid dadlau bod pob trosglwyddiad yn creu fersiwn newydd o'r testun gwreiddiol, ac mai ailgreu a wneir bob tro mewn gwirionedd. Yn yr ysgrif hon ceir cipolwg ar hanes cyfieithu'r *Mabinogion* i'r Saesneg, ynghyd â syniadau'r cyfieithwyr eu hunain, ac adolygwyr, am y broses o drosglwyddo rhyngieithol. Yna codir rhai cwestiynau yn sgil damcaniaethau diweddar ym maes astudiaethau cyfieithu a golygu, ac awgrymir rhai egwyddorion ar gyfer y dyfodol.

Cafwyd sawl ymgais i gyfieithu chwedlau'r *Mabinogion* i'r Saesneg. Blodeuodd y diddordeb ynddynt yn ystod Adfywiad Rhamantaidd blynyddoedd olaf y ddeunawfed ganrif wrth i ysgolheigion 'ailddarganfod' llenyddiaeth ganoloesol. Dan anogaeth canoloeswyr Saesneg megis Sharon Turner, George Ellis a Syr Walter Scott, cyhoeddodd William Owen-Pughe gyfieithiadau o'r gainc gyntaf a'r bedwaredd gainc o'r Mabinogi mewn cylchgronau. Ei fwriad oedd cyhoeddi cyfieithiad o'r un chwedl ar ddeg a adwaenir heddiw fel *Y Mabinogion*.[1] Fodd bynnag, fel y sylwodd Bromwich,[2] mae'n ymddangos nad oedd yr ysgolheigion o Saeson yn hollol hapus ag arddull Pughe, nac â'i feistrolaeth ar ramadeg y Saesneg! Yn 1803, er enghraifft, ysgrifennodd George Ellis:

[1] Gweler Arthur Johnston, 'William Owen-Pughe and the Mabinogion', *Cylchgrawn Llyfrgell Genedlaethol Cymru* 10 (1957-8), tt. 323-8 a Sioned Davies, 'Ail Gainc y Mabinogi - Llais y Ferch', *Ysgrifau Beirniadol XVII* (1990), tt. 15-20. Gweler hefyd erthygl gynhwysfawr Brynley F. Roberts, 'Dosbarthu'r Chwedlau Cymraeg Canol', *Ysgrifau Beirniadol* 15 (1988), tt. 19-46.

[2] Rachel Bromwich, '*The Mabinogion* and Lady Charlotte Guest', *THSC* (1986), tt. 131-2.

> for the purpose of insuring their success with the public it will be necessary to adopt, *in general*, a less servile mode of translation; to remove carefully all the obscurities; and to render the whole... easy and flowing in point of stile. [3]

Yn 1825 cyhoeddwyd prosbectws gan Pughe yn gofyn am danysgrifwyr i'w gyfieithiad - yr oedd y gwaith yn orffenedig ac yn rhannol barod ar gyfer y wasg. Fodd bynnag, bu farw yn 1835 cyn cyhoeddi ei waith.

Dair blynedd yn ddiweddarach cyhoeddodd yr Arglwyddes Charlotte Guest y rhan gyntaf o'i chyfieithiad hi o'r *Mabinogion*.[4] Cafodd y gwaith dderbyniad gwresog, ac yn wir nid oes dim dwywaith nad oedd ei chyfieithiad at ddant darllenwyr y ganrif ddiwethaf. Yn ôl Tennyson, yr oedd ei harddull Saesneg o'r un safon â *Morte D'Arthur* Malory;[5] cyfeiria Alfred Nutt at 'the charm and splendour of her translation'.[6] Yn ddiweddarach canmolwyd ei chyfieithiad gan ysgolheigion megis T. Gwynn Jones oherwydd ei 'literary grace... it shows excellent taste in vocabulary and diction, and preserves much of the charm of the original narratives'.[7] Yn ôl tystiolaeth Charlotte Guest ei hun, ymgymerodd â'r dasg o gyfieithu i raddau helaeth er budd ei phlant, efallai yn sgil damcaniaeth William Owen-Pughe mai chwedlau i blant oedd *Y Mabinogion*.[8] Cyflwyna'r gwaith i'w meibion hynaf, Ifor a Merthyr:

> My dear Children, Infants as you yet are, I feel that I cannot dedicate more fitly than to you these venerable relics of ancient lore, and I do so in the hope of inciting you to cultivate the Literature of 'Gwyllt Walia', in whose beautiful language you are being initiated, and amongst whose free mountains you were born.

[3] Johnston, 'William Owen-Pughe and the Mabinogion', t. 325.

[4] Charlotte Guest, *The Mabinogion from the Llyfr Coch o Hergest, and other ancient Welsh manuscripts, with an English Translation and Notes* (Llundain, 1838-49).

[5] Bromwich, '*The Mabinogion* and Lady Charlotte Guest', t. 138.

[6] *The Mabinogion translated by Lady Charlotte Guest, with Notes by A. Nutt* (Llundain, 1904), t. 324.

[7] Gweler ei adolygiad o *The Mabinogion*. A New Translation by T.P. Ellis, M.A., and John Lloyd, M.A., *Archaeologia Cambrensis* 84 (1929), t. 340. Gweler hefyd, er enghraifft, H. Idris Bell, 'The Golden Cockerel Mabinogion,' *Welsh Review* 7, rhif 4 (1948), t. 298; Gwyn Jones a Thomas Jones (cyf.), *The Mabinogion* (*Everyman*, Llundain, 1949), t. xxxi.

[8] Bromwich, '*The Mabinogion* and Lady Charlotte Guest', t. 131.

Diau mai dyma paham y ceir elfen o sensoriaeth yn ei gwaith - hepgorir yr olygfa rhwng Pwyll a gwraig Arawn yn y gwely, er enghraifft, a'r olygfa lle adunnir Arawn a'i wraig.[9]

Trwy gydol ei bywyd bu Charlotte Guest wrthi'n ddyfal yn cadw dyddiadur, o'r adeg pan oedd yn ddeg oed hyd 1891 a hithau bron yn ddeg a phedwar ugain.[10] Yn wir, gellir cytuno â Bromwich bod yr arferiad hwn wedi cyfrannu at yr arddull rwydd a rhugl sydd yn nodweddiadol o'i chyfieithiad.[11] Trwy gyfrwng y dyddiadur cawn gipolwg ar y ffordd yr aeth ati i gyfieithu'r *Mabinogion*. Bu wrthi am wyth mlynedd, hyd yn oed pan yn teithio ar y cyfandir:

> August 1838: Milan - It was a busy but not very amusing scene. After tea I wrote *Gereint.*
> Sept. 15: Como - Again it was a regular wet day. I employed it in writing Welsh. [12]

Nid oedd genedigaeth mab yn rhwystr o unrhyw fath:

> March 28 1839 - To-day I worked hard at the translation of *Peredur*. I had the pleasure of giving birth to my fifth child and third boy to-day.[13]

Sylwer pa un sydd yn cael blaenoriaeth! Mae dau gofnod o ddiddordeb arbennig:

> Feb. 18 (1843) - I have been reading the first number of my *Mabinogion*, 'Iarlles y ...' [*sic*] to Ivor and Maria [y ddau blentyn hynaf], and I never saw anything equal to their delight. It was so great that it would alone have been sufficient to repay me for all time and trouble I have bestowed upon the book.
>
> Feb. 3 (1844) - I have finished the story of *Pwyll* to the children this evening after tea. They delight in these *Mabinogion* readings. [14]

[9] Cymharer cyfaddasiad Gwyn Thomas, *Y Mabinogi* (Caerdydd, 1984), lle hepgorir hanes ailboblogi Iwerddon.

[10] Golygwyd rhannau o'i dyddiaduron gan Iarll Bessborough, *The Diaries of Lady Charlotte Guest* (Llundain, 1950), a *Lady Charlotte Schreiber 1853-1891* (Llundain, 1952). Gweler hefyd D. Rhys Phillips, *Lady Charlotte Guest and the Mabinogion* (Caerfyrddin, 1921), a Revel Guest ac Angela John, *Lady Charlotte* (Llundain, 1989).

[11] '*The Mabinogion* and Lady Charlotte Guest', t. 138.

[12] Phillips, *Lady Charlotte Guest and the Mabinogion*, t. 21.

[13] ibid., t. 24.

[14] ibid., tt. 35 a 37.

Ai rheswm arall dros ei harddull rwydd oedd y ffaith mai cyfieithiad ydoedd i'w ddarllen yn gyhoeddus, i'w phlant, hynny yw, yr oedd iddo'r un swyddogaeth â'r testun gwreiddiol. Dychwelir at arwyddocâd hyn yn y man.

Yn 1929, cyhoeddodd T.P. Ellis a John Lloyd gyfieithiad o'r *Mabinogion.*[15] Eu nod oedd cynhyrchu fersiwn 'more accurate in details than that which has hitherto been available' (t. x) . Fe'i disgrifiwyd gan Bell fel 'readable and happily phrased' ac ychwanega ei fod yn rhoi syniad mwy cywir o'r Gymraeg na chyfieithiad Guest.[16] Fodd bynnag, ymateb anffafriol i ddweud y lleiaf a dderbyniodd yn y wasg academaidd Gymraeg gan ysgolheigion megis W.J. Gruffydd, T. Gwynn Jones ac Ifor Williams.[17] Mewn adolygiad llym – hunllef o adolygiad i ddweud y gwir – cyhoeddodd Lloyd-Jones yntau, heb flewyn ar ei dafod, fod yma lawer iawn gormod o wallau ieithyddol.[18] Ceir ganddo ddwy dudalen o gywiriadau i ddeuddeg tudalen gyntaf y cyfieithiad! Dyma ei neges, wrth gloi: 'New-comers to the field (must) approach their elucidation with the cautious mind of scientific scholars, not with the precipitate recklessness of amateurs, however well-intentioned' (t. 261). Fodd bynnag, derbyniodd John Lloyd chwe llythyr yn datgan barn wahanol, a hynny'n adlewyrchu'r tensiynau a oedd yn bodoli o dan yr wyneb yng nghylchoedd academaidd Cymraeg y cyfnod.[19] Honnodd Timothy Lewis, er enghraifft, fod adolygiad annheg W.J. Gruffydd yn deillio o'r ffaith fod ei gyfrol ef, *Math*, a oedd hefyd yn cynnwys cyfieithiad o'r gainc, wedi cael derbyniad anffafriol:

> ... y peth pennaf ym meddwl yr Adolygydd ydyw nid gwneud tegwch ach llyfr chwi ond ei glwyfau ef ei hun dan law beirniaid - gweld Math yn gelain gegoer yn y ffos a neb ond efe yn meddwl dim o'r ysgerbwd.[20]

[15] *The Mabinogion. A New Translation* (Rhydychen, 1929).

[16] Gweler ei adolygiad o *The Golden Cockerel Mabinogion*, t. 298.

[17] W.J. Gruffydd, *Western Mail* (20 Mehefin, 1929); adolygiad T. Gwynn Jones yn *Archaeologia Cambrensis* 4 (1929), t. 340; Ifor Williams, 'A New Translation of the Mabinogion', *The Welsh Outlook* 16 (1929), tt. 210-211.

[18] 'The *Mabinogion*. A Review and a Criticism', *Y Cymmrodor* 40 (1929), tt. 251-262.

[19] Fe'u golygwyd gan Geraint Bowen, '*The Mabinogion*: Letters Concerning the Second English Translation (1929)', *Cylchgrawn Llyfrgell Genedlaethol Cymru* 23 (1983-84), tt. 434-9.

[20] ibid., t. 436.

1948 oedd blwyddyn cyhoeddi cyfieithiad Gwyn Jones a Thomas Jones, ac ar unwaith cafodd gymeradwyaeth eang.[21] Fe'i hystyrir hyd heddiw fel y cyfieithiad safonol yn y byd academaidd. Yn wir, gellid honni bod cyfieithiad 'Jones and Jones' yn glasur ynddo'i hun. Canmolwyd y gyfrol i'r cymylau am 'odidowgrwydd yr arddull Saesneg a thrylwyredd yr ysgolheictod Cymraeg a oedd y tu ôl i'r cyfieithu.[22] 'Cyfieithiad gorchestol' ydoedd a 'champ rhyfeddol' ym marn T.J. Morgan,[23] tra mynnai Idris Bell - 'it excellently catches the spirit of the Welsh, and its appropriate archaistic flavour is relieved by an occasional colloquialism or a homely word or phrase culled from current speech'.[24] Yn nhyb y ddau gyfieithydd yr oedd angen cyfieithiad newydd, a hynny oherwydd diffyg ysgolheictod Guest a'r teimlad cyson ei bod yn cyfieithu *ad usum filioli* (t. xxxi), ac er bod cyfieithiad Ellis a Lloyd yn gywirach, teimlent bod lle o hyd i gyhoeddi cyfieithiad a fyddai'n cyfleu llenyddiaeth yn nhermau llenyddiaeth gan ddiogelu safonau ysgolheigaidd ar yr un pryd (t. xxxii). Mae'r cyfieithiad yn ymgorffori llawer o'r syniadau Fictoraidd ynglŷn â chyfieithu, er enghraifft cyfieithu air-yng-ngair, ynghyd ag ymadroddion a ieithwedd hynafol i gyfleu cynharwch.[25] Yn sicr, mae'r cyfieithiad hwn yn dra chywir, er bod ymchwil diweddarach bellach yn cynnig dehongliadau amgen mewn mannau. Gellid dadlau hefyd fod y pwyslais ar gyfieithu'n llythrennol weithiau'n arwain at arddull glogyrnaidd. Yn sicr, gall yr ymdrech i atgynhyrchu 'blas y cyfnod' gan ddefnyddio ieithwedd ac ymadroddion ffug-hynafol daro'n

[21] Fe'i cyhoeddwyd gyntaf gan wasg y *Golden Cockerel*, ac yna gan *Everyman* (Llundain, 1949). Dyfynnir yma o'r ail gyhoeddiad.

[22] Gweler adolygiad T. H. Parry-Williams o'r gyfrol yn *Y Traethodydd*, Cyfres 3, 19-20 (1950-51), t. 47.

[23] 'Cyfieithu'r Mabinogion', *Y Llenor* 28 (1949), tt. 8-15. Ceir sylwadau craff gan T. J. Morgan ar y gwahanol ffyrdd posibl o gyfieithu'r *Mabinogion*: 'Ni ellid cwyno pe byddid yn cyfieithu'r 'ystyr' yn unig, a chyfleu'r ystyr drwy gyfrwng Saesneg uniongyrchol; hynny yw, mewn arddull a chystrawen a geirfa a fyddai'n gweddu'n burion pe byddid yn ysgrifennu o'r newydd mewn Saesneg diweddar... Fe ellid cael '*crib*' o gyfieithiad, yn debyg i gyfieithiad yr Athro W.J. Gruffydd o *Math*; cyfieithiad sydd bron bod yn llythrennol, heb ymgais at Saesneg graenus... Wedyn nid cwbl ddi-fudd ac annymunol fyddai dewis Saesneg cywrain a hynafol ac ysgrifennu yn arddull Malory, er enghraifft... Y peth sy'n wir eithriadol yn y cyfieithiad newydd yw fod ynddo holl ragoriaethau a manteision yr arddulliau hyn i gyd' (tt. 11-12).

[24] Gweler ei adolygiad o *The Golden Cockerel Mabinogion*, t. 299.

[25] Gweler Susan Bassnett-McGuire, *Translation Studies. Revised Edition* (Llundain, 1991), tt. 72-3. Cyflwyniad gwych yw'r gyfrol hon i faes theori cyfieithu.

chwithig heddiw, hanner can mlynedd ar ôl i'r cyfieithiad ymddangos am y tro cyntaf.

Nid cyfieithu llythrennol oedd bwriad Jeffrey Gantz pan aeth ati i gyfieithu'r chwedlau yn 1976.[26] Ei nod oedd cyflwyno trosiad cywir, darllenadwy mewn Saesneg modern (t. 33). Ychwanega:

> The surviving texts of *The Mabinogion* are often tedious, repetitive and unclear, and I have therefore varied sentence structure, eliminated a few duplications and occasionally replaced personal pronouns with proper names (or vice versa); the result, I hope, will sound as natural to the modern reader as the original did to its medieval audiences. (t. 34)

Diau bod ei gyfieithiad yn fwy rhugl a darllenadwy nag eiddo Jones a Jones. Eithr gellid dadlau nad yw Gantz wedi llwyr ddeall cymlethdodau'r testunau gwreiddiol. Mae ailadrodd, er enghraifft, yn hollbwysig yng nghyd-destun llafaredd a chlywededd, ac yn rhan annatod o grefft y cyfarwydd[27] - oni ddylai'r cyfieithiad adlewyrchu'r ailadrodd os am fod yn driw i arddull y gwreiddiol? Gwelir bod Gantz hefyd yn defnyddio isgymalau yn aml, yn hytrach na'r elfennau cysylltiol megis 'a' sydd yn britho'r testunau gwreiddiol. O'r herwydd, mae arddull yr un chwedl ar ddeg yn tueddu i ymddangos yn unffurf a chollir, er enghraifft, yr arddull stacato sydd mor amlwg ar ddechrau *Culhwch ac Olwen* yn y testun Cymraeg gwreiddiol.

Daeth cyfieithiad Patrick Ford o'r *Pedeir Keinc, Lludd a Llefelys* a *Culhwch ac Olwen* yn dynn ar sodlau Gantz.[28] Dadleua nad disodli cyfieithiad Jones a Jones oedd ei fwriad, ond yn hytrach gynnig fersiwn sydd, er yn diogelu arddull ac ystyr y gwreiddiol, yn llai hynafol ei naws (t. ix). Fel y dywed Bollard yn ei adolygiad, mae'r cyfieithiad ar y cyfan yn gywir ac yn dra gofalus; yn sicr, mae'n ddarllenadwy.[29] Cawn ein hatgoffa pa mor bwysig yw astudio'r llawysgrifau eu hunain wrth i Bollard dynnu sylw at gamgyfieithu rhan o'r sgwrs rhwng Culhwch ac Olwen - awgryma mai rhan o ateb Olwen yw un ymadrodd, yn hytrach na

[26] Jeffrey Gantz (cyf.), *The Mabinogion* (Llundain, 1976).

[27] Gweler Sioned Davies, *Crefft y Cyfarwydd. Astudiaeth o Dechnegau Naratif yn y Mabinogion* (Caerdydd, 1995).

[28] Patrick K. Ford, *The Mabinogi and Other Medieval Welsh Tales* (Berkeley, 1977).

[29] J. K. Bollard, *Speculum* 53 (1978), tt. 805-807.

geiriau Culhwch, a bod y prif lythrennau yn y llawysgrif yn ategu darlleniad o'r fath. Gellid dadlau bod Melville Richards a Dafydd a Rhiannon Ifans wedi gwneud camgymeriad tebyg mewn un man yn y golygiad a'r diweddariad o *Breuddwyd Rhonabwy,*[30] oherwydd yn y llawysgrif (sef Llyfr Coch Hergest) defnyddir rhuddellau i nodi newid siaradwr.[31]

Yr hyn a ddaw i'r amlwg wrth fwrw golwg dros hanes cyfieithu'r *Mabinogion* yw bod cyfieithu rhyngieithol, fel golygu, yn broses o fanipiwleiddio. Mae'r cyfieithydd yn dehongli, ac yna'n ailysgrifennu, yn trosglwyddo'r ystyr a geir mewn un sustem ieithyddol i un arall. Mae'r cyfieithydd, felly, yn gwneud llawer iawn mwy na darllenydd y testun gwreiddiol - mae'n mynd at y testun gan ddefnyddio mwy nag un set o sustemau.[32] Fodd bynnag, mae'r broses hefyd yn ymwneud â throsglwyddo rhwng dau ddiwylliant, hynny yw, y mae'n ymwneud ag elfennau allieithyddol, ac yn aml nid yw nodiadau esboniadol yn ddigon i egluro'r cyd-destun. Fel y dywed Aled Griffiths, gan dynnu ar waith Walter Benjamin:

> Wrth drafod, er enghraifft, ystyr y gair 'hwyl', mae'n rhaid bod yn gyfarwydd â'r modd o Fod priodol, sef y diwylliant lle y lleferir y gair hwnnw. Cydnabyddir gan hynny fod y diwylliant Cymraeg fel y'i mynegir trwy gyfrwng yr iaith Gymraeg yn wahanol, yn *arall,* ac nid oes modd ei drafod yn ôl ffon fesur unrhyw iaith neu ddiwylliant arall. [33]

Cymhlethir y sefyllfa ymhellach pan yw testun yn perthyn i sustem ddiwylliannol sydd yn bell, yn amseryddol, o gyfnod y cyfieithydd - mae arwyddocâd y testun ei hun, a'i gyd-destun, yn aneglur yn aml, heb ymchwil pellach i hanes, cymdeithaseg, geirdarddiad i enwi ond rhai meysydd.[34] Un peth sydd yn dylanwadu'n anochel ar natur y cyfieithiad yw ei swyddogaeth, er enghraifft ai cyfieithiad llythrennol yw'r bwriad (sef 'crib'), ar gyfer myfyrwyr ac ymchwilwyr academaidd; neu ai cyfieithiad ar

[30] Melville Richard, gol., *Breudwyt Ronabwy* (Caerdydd, 1948), tt. 8-9; Dafydd a Rhiannon Ifans, *Y Mabinogion* (Llandysul, 1980), t. 120.

[31] Gweler y drafodaeth yn Davies, *Crefft y Cyfarwydd,* t. 226.

[32] Bassnett-McGuire, *Translation Studies,* t. 80.

[33] 'Cyfieithu a Chenedligrwydd', *Tu Chwith* 3 (1995), t. 54.

[34] Bassnett-McGuire, *Translation Studies,* t. 78. Gweler hefyd Iliana Vladova, 'Essential features and specific manifestations of historical distance in original texts and their translations' yn Palma Zlateva gol. a chyf., *Translation as Social Action* (Llundain, 1993), tt. 11-17.

gyfer 'y dyn/ddynes c/gyffredin' (a barnu bod y fath berson); neu ai cyfieithiad ar gyfer plant, fel gwaith Charlotte Guest. Yn wir, gellid dadlau nad oes *un* ffordd gywir o gyfieithu testun! Gan amlaf fe fydd cymhelliad y cyfieithydd yn dibynnu ar nawdd naill ai unigolyn, dosbarth cymdeithasol, gwasg neu sefydliad a all hyrwyddo neu ynteu lesteirio gwaith llenyddol.[35] Yn wir, mae grym y noddwr yn bellgyrhaeddol, oherwydd yn aml sicrheir bod y gwaith a gyfieithir, neu a ailysgrifennir, yn gymwys i ideoleg cyfnod y cyfieithu. Weithiau, wrth gwrs, gall testun, o'i gyfieithu, ennill statws hollol wahanol yn niwylliant yr iaith darged. Gall hefyd ddylanwadu ar ffurfiau llenyddol yr iaith y cyfieithwyd iddi. Fel y dywed Wynn Thomas, 'un o'r rhesymau am hynny yw fod cyfieithiad llwyddiannus o waith sy'n estron o ran ei ddull a'i ddiwyg a'i feddylfryd, yn ogystal ag o ran ei iaith, yn medru cyffroi a chyfoethogi ac ail gyfeirio'r diwylliant'.[36] Amlygir hyn yn glir yng Nghymru'r Oesoedd Canol.

Yr oedd bri mawr ar gyfieithu gweithiau i'r Gymraeg yn y cyfnod ôl-Normanaidd, a hynny efallai'n atgyfnerthu'r ddadl bod diwylliant dan fygythiad yn tueddu i gyfieithu mwy o destunau na diwylliant sefydlog a chryf.[37] Eithr gellid dadlau, ar y llaw arall, mai adlewyrchiad o gryfder yr iaith frodorol oedd y bwrlwm hwn a welwyd yng Nghymru'r Oesoedd Canol. Daw trosglwyddo rhyng-ddiwylliannol i'r amlwg mewn tair o chwedlau'r *Mabinogion*, sef y chwedlau a adwaenir heddiw fel 'y tair rhamant'. Yn nhyb Ceridwen Lloyd-Morgan, yr hyn a geir yn eu hachos hwy yw cyfieithu yn ystyr ehangaf y gair - mae'r rhai a aeth ati i 'addasu' y deunydd Ffrangeg yn dilyn amlinelliad y naratif, ac weithiau'n dilyn Chrétien de Troyes yn agos iawn. Fodd bynnag, ailysgrifennu a geir yma mewn gwirionedd: ychwanegir episodau o'r traddodiad brodorol, a defnyddir technegau naratif brodorol i fynegi'r cyfan.[38] Fel y dywed Lloyd-Morgan, 'the entrance of Chrétien's romances into the Welsh literary context is

[35] André Lefevere, *Translation, Rewriting, and the Manipulation of Literary Fame* (Llundain, 1992), tt. 11-25; hefyd André Lefevere, gol., *Translation/History/Culture* (Llundain, 1992), tt. 19-25.

[36] M. Wynn Thomas, cyf. a gol., *Dail Glaswellt. Detholiad o Gerddi Walt Whitman* (Llandysul, 1995), t. 11.

[37] Bassnett-McGuire, *Translation Studies*, t. xii.

[38] Ceridwen Lloyd-Morgan, 'French Texts, Welsh Translators' yn *The Medieval Translator*, Cyfrol II (Llundain, 1991), tt. 49-51.

a case of free adaptation rather than of slavish imitation or faithful translation'.[39] Er bod mwy o ôl cyfieithu uniongyrchol ar weithiau Cymraeg o'r bedwaredd ganrif ar ddeg a'r bymthegfed, gweithiau a gomisiynwyd gan noddwyr o blith yr uchelwyr, gellid cytuno â Lloyd-Morgan nad oedd 'ffyddlondeb' y cyfieithiad o bwys mawr - camp y 'cyfieithwyr' oedd 'addasu defnydd estron, ac anodd ei ddeall, ar gyfer cynulleidfa newydd, ac, ar yr un pryd, gyfoethogi llenyddiaeth frodorol eu cenedl drwy gyflwyno themâu a syniadau newydd o draddodiadau eraill'.[40] Gruffydd Bola yw'r unig un sydd yn tynnu sylw at y grefft o gyfieithu:

> Vn peth hagen a dylyy ti y wybod ar y dechreu, pan trosser iaith yn y llall, megys Lladin yg Kymraec, na ellir yn wastat symut y geir yn y gilyd, a chyt a hynny kynnal priodolder yr ieith a synnvyr yr ymadravd yn tec. Vrth hynny y troes i weitheu y geir yn y gilyd, a gveith ereill y dodeis y synnvyr yn lle y synnvyr heruyd mod a phriodolder yn ieith ni. [41]

Adlewyrchir yma'r ddadl oesol rhwng cyfieithu llythrennol, air-yng-ngair, ar y naill law, a chyfieithu'r synnwyr ar y llaw arall, gyda'r pwyslais ar gadw ysbryd a naws y testun gwreiddiol, dadl sydd i'w holrhain yn ôl i gyfnod y Rhufeinwyr.[42] Yr un problemau sydd yn wynebu cyfieithwyr y *Mabinogion* yn yr ugeinfed ganrif. Sylwer ar eiriau Patrick Ford, er enghraifft, yn y rhagymadrodd i'w gyfieithiad ef: 'I have tried to remain faithful to the text, but it was not always possible to do so and make sense in English. When that happened, I took liberties while remaining true, I hope, to the spirit of the original' (t. x). Pwysleisio 'ffyddlondeb' cyfieithiad Jones a Jones a wna Parry-Williams ynteu yn ei adolygiad: 'gall y darllenydd deimlo'n hyderus ei fod yn cael y gwir beth, yn llawn ac yn drwyadl ffyddlon'.[43] Ond, fel y

[39] ibid., t. 51.

[40] 'Rhai Agweddau ar Gyfieithu yng Nghymru yn yr Oesoedd Canol', *Ysgrifau Beirniadol* 13 (1985), t. 145. Sylwer nad 'cyfieithu' yw'r ferf a ddefnyddir, eithr berfau fel 'trosi' ac 'ymchoelud', er enghraifft 'Ac uelly y teruyna *Siwrnei y Brawt Odoric* yn India; yr hwnn a drossaws Syre Davyd Bychein o Vorgannwc...' (Stephen J. Williams gol., *Ffordd y Brawd Odrig* (Caerdydd, 1929), t. 57); 'A'r llyuyr hwnn a ymchoeles Madawc ap Selyf o Ladin yg Kymraec...' (Stephen J. Williams gol., *Ystorya de Carolo Magno* (Caerdydd, 1930), t. 41.).

[41] H. Lewis, gol., 'Credo Athanasius Sant', *Bwletin y Bwrdd Gwybodau Celtaidd* 5 (1929), t. 196.

[42] Bassnett-McGuire, *Translation Studies*, tt. 39-40, a 43-5.

[43] T. H. Parry-Williams, *Y Traethodydd*, Cyfres 3, 19-20 (1950-51), t. 47.

dywedwyd eisoes, onid camarweiniol yn ei hun yw'r syniad o 'ffyddlondeb'? Amhosibl yw hafaliaeth lwyr mewn cyfieithiad rhyngieithol;[44] yn wir, gellid dadlau mai 'dehongliad' yn unig yw pob cyfieithiad.[45]

Cyn mynd ati i ddechrau cyfieithu chwedlau'r *Mabinogion*, rhaid yn gyntaf, wrth gwrs, benderfynu beth yn union yw'r 'testun gwreiddiol'. Yn wir, gwelir bod rhai o'r problemau sy'n wynebu'r cyfieithydd yn debyg i broblemau golygydd rhyddiaith ganoloesol. Cyfryngydd yw'r cyfieithydd rhwng y testun gwreiddiol a'r cyfieithiad, a'r hyn a wna yw cynnig delwedd o'r awdur neu o'r gwaith mewn diwylliant arall, yn union fel y gwna'r golygydd. Felly, pa destun a ddylid ei ddefnyddio fel sail i'r cyfieithiad? Pa un yw'r 'testun gwreiddiol'? Yn wir, a oes y fath beth â thestun 'gwreiddiol'? A ddylid cyfieithu'r testun llawysgrifol hynaf, gan gadw anghysondebau'r llawysgrif, neu a ddylid 'cyflwyno darlleniadau gwell i mewn i'r testun' chwedl Ifor Williams,[46] gyda chymorth llawysgrifau eraill, a chreu 'testun safonol' o blith darlleniadau gwahanol?[47] Yr ail ddewis a adlewyrchir ar y cyfan yn y cyfieithiadau o'r *Mabinogion*. Defnyddiodd Charlotte Guest lawysgrif Llyfr Coch Hergest fel ei thestun gwreiddiol; seiliodd Ellis a Lloyd eu cyfieithiad hwy ar ddau destun diplomatig Gwenogvryn Evans o'r Llyfr Coch (1887) a'r Llyfr Gwyn (1907) (t. ix); cyfieithu o Lyfr Gwyn Rhydderch a wnaeth Jones a Jones, oherwydd mai hwnnw oedd 'the older and truer manuscript... Our method can best be described as the preparation of a critical text based on the White Book, with a collation of all other MSS., and the translation of that text' (t.xxxii). Y Llyfr Gwyn yw testun gwreiddiol Gantz a

[44] Gweler Bassnett Mc-Guire, *Translation Studies*, tt. 23-9 am grynodeb o'r prif ddamcaniaethau.

[45] Roman Jakobson, 'On Linguistic Aspects of Translation' yn R.A. Brower, gol., *On Translation* (Cambridge Mass., 1959), tt. 232-9.

[46] Thomas Roberts ac Ifor Williams, gol., *The Poetical Works of Dafydd Nanmor* (Caerdydd, 1923). Dyfynnwyd yn Jerry Hunter, 'Testun Dadl', *Tu Chwith* 3, t.81.

[47] Ynglŷn â'r dadleuon o blaid ac yn erbyn, gweler er enghraifft Jerry Hunter, 'Testun Dadl' a Helen Fulton gol., *Selections from the Dafydd ap Gwilym Apocrypha* (Llandysul, 1996), tt. xix-xxi. Cafwyd arolwg ddefnyddiol dros ben o ddulliau golygu testunau rhyddiaith Cymraeg canoloesol gan Lisa Eryl Jones, ynghyd â sylwadau ar theorïau golygu, yn y Cylch Trafod Rhyddiaith ar *Peredur*, Tachwedd 1996, Prifysgol Cymru, Caerdydd. Bydd y drafodaeth yn ymddangos fel pennod yn ei thraethawd Ph.D., 'Golygiad o Fuchedd Gwenfrewi'.

Ford hefyd er, fel y dywed Ford, 'readings from the Red Book of Hergest have been adopted when they represent, in my view, the more accurate meaning, or when they supplement significantly the readings from the White Book or supply omissions' (t. x). Ond fel y dengys Hunter, yn ddiweddar cafwyd symudiad newydd

> sy'n cynnig ffordd hollol wahanol o weld "testunoldeb" llenyddiaeth yr Oesau Canol. Craidd y symudiad hwn ydy galwad am edrych ar luosogrwydd y fersiynau gwahanol fel hanfod y traddodiad yn hytrach na phroblem a saif rhwng y traddodiad hwnnw a'r sawl a fynno ddarllen ei gynnyrch.[48]

Nid oedd sefydlogrwydd testunol yn rhan o feddylfryd yr Oesoedd Canol, yn wahanol iawn i'r oes hon lle ystyrir 'testun' fel rhywbeth argraffedig na ellir ei newid. Amlygir hyn yn hanes llawysgrifol *Historia Peredur* yn arbennig - ceir y copi cyflawn cynharaf o'r chwedl yn Llyfr Gwyn Rhydderch (c.1350), ond ceir darnau o'r testun hefyd yn llawysgrifau Peniarth 7 a 14, a ysgrifennwyd rhwng c.1275 a 1325. Dadleua rhai mai fersiwn Peniarth 7 oedd y fersiwn 'wreiddiol', ac mai yn ddiweddarch yr ychwanegwyd adran olaf y chwedl, a hynny er mwyn esbonio digwyddiadau'r adran agoriadol. Eithr gellid dadlau mai sawl fersiwn wahanol sydd gennym yma, a phob un mor 'wreiddiol' â'i gilydd. Problem y cyfieithydd yw pa fersiwn i'w gyfieithu, yn arbennig o sylwi bod arddull Peniarth 7 yn bur wahanol i fersiwn y Llyfr Gwyn ac efallai yn fwy 'llafar' ei naws.[49]

Problem arall sydd yn wynebu'r cyfieithydd a'r golygydd wrth drosglwyddo testunau canoloesol i'r byd modern yw atalnodi. Mae'r dewisiadau a wneir yn arwyddocaol, ac yn rhan bwysig o'r broses o greu ystyr yn y testun.[50] Fel y dadleua Helen Fulton, rheolir y dewisiadau gan ffactorau ideolegol a diwylliannol. Gall y llawysgrifau eu hunain fod o ryw gymorth yn aml, er enghraifft yn eu deunydd o lythrennau bras a rhuddellau.[51] Ychydig o gymorth, ar y llaw arall, a geir gan y llawysgrifau Cymraeg wrth

[48] 'Testun Dadl', t. 83.

[49] Gweler y drafodaeth yn Davies, *Crefft y Cyfarwydd*, tt. 88-9.

[50] Gweler erthygl ddiddorol gan Helen Fulton, 'Punctuation as a semiotic code: the case of the medieval Welsh *cywydd* ', *Parergon* 13 (1996), tt. 21-35.

[51] Awgrymwyd hyn eisoes yn Davies, *Crefft y Cyfarwydd*, wrth drafod adeiladwaith y gwahanol chwedlau, tt. 28-103, ac wrth drafod ymddiddan ar dd. 225-6.

bennu teitl chwedl - rhywbeth sydd yn perthyn i'r llyfr printiedig yw'r wyneb ddalen yn dynodi teitl gwaith. Awgrymwyd mai camarweiniol yw'r teitl *Branwen* ar ail gainc y *Mabinogi*, er enghraifft, ac mai dehongliad personol Charlotte Guest o'r chwedl a oedd yn gyfrifol am hyn.[52] A beth am y gair 'cainc' ei hun?[53] Cyfeiria Guest at 'portion of the Mabinogi', ond 'branch' sydd wedi ennill ei dir yng nghyfieithiadau'r ganrif hon. Pwysodd W.J. Gruffydd ar dystiolaeth Ffrangeg, lle ceir chwedlau am un arwr wedi eu rhannu'n episodau o'r enw 'branches'. Defnyddiodd hyn i atgyfnerthu ei ddadl ynglŷn â ffurf wreiddiol y *Pedeir Keinc*, sef mai pedair pennod yn hanes un arwr, Pryderi, oeddynt yn wreiddiol.[54] Defnyddir y gair 'cainc' mewn mannau eraill hefyd, er enghraifft yng *Ngramadegau'r Penceirddiaid* golyga rhan o gyfanwaith, er enghraifft 'Tair kaink yssydd o gerdd davawd, nid amgen: klerwriaeth, tevlvwriaeth, a phrydyddyaeth', a rhennir pob un o'r ceinciau hyn yn dair cainc.[55] Ystyr arall, a gofnodir yn 1588, yw 'llinyn neu edau gyfrodedd (mewn rhaff)', hynny yw 'strand',[56] a cheir hefyd enghreifftiau o'r bedwaredd ganrif ar ddeg o 'cainc' yn gyfystyr â 'cân, alaw, tôn'.[57] Tybed a yw'r Saesneg 'branch' yn gyfieithiad camarweiniol. Yn sicr, y mae ganddo oblygiadau o safbwynt strwythur y pedair chwedl a'r berthynas rhyngddynt. Efallai ei bod yn hen bryd ailystyried union arwyddocâd y gair 'cainc', er mai anodd iawn fyddai disodli'r term 'branch', a hwnnw wedi ennill ei blwyf bellach.

Wrth sôn am deitlau, gellid wrth gwrs gwestiynu addasrwydd y teitl *Mabinogion* ei hun, term a ddefnyddiwyd gyntaf gan William Owen-Pughe, ac a boblogeiddiwyd gan Charlotte Guest.[58] Rhaid cytuno ei fod yn deitl hwylus dros ben, ond eto

[52] Davies, 'Ail Gainc y Mabinogi'.
[53] Gweler Davies, *Crefft y Cyfarwydd*, tt. 47-9 ac erthygl fanwl gan Ceridwen Lloyd-Morgan, 'The branching tree of medieval narrative: Welsh *cainc* and French *branche*' yn Jennifer Fellows, Rosalind Field, Gillian Rogers a Judith Weiss, gol., *Romance Reading on the Book* (Caerdydd, 1996), tt. 36-50.
[54] *Math vab Mathonwy* (Caerdydd, 1928), tt. 324-6.
[55] G.J. Williams ac E.J. Jones, gol., *Gramadegau'r Penceirddiaid* (Caerdydd, 1934), t. 133.
[56] Cymharer y term *þáttr*, sef cainc (mewn rhaff) yn llenyddiaeth Gwlad yr Iâ (gweler Davies, *Crefft y Cyfarwydd*, tt. 3-39.)
[57] Gweler *Geiriadur Prifysgol Cymru*, d.g. 'cainc'.
[58] Gweler Brynley F. Roberts, 'Dosbarthu'r Chwedlau Cymraeg Canol', tt. 19-23.

mae'n gamarweiniol, yn awgrymu undod rhwng yr un chwedl ar ddeg, heb unrhyw sail o gwbl i hynny yn y llawysgrifau. Yn wir â Brynley Roberts mor bell ag awgrymu y 'byddai term disgrifiadol nad oes modd ei droi'n deitl, e.e. chwedlau brodorol Cymraeg Canol, yn ddiogelach'.[59] Daw hyn â ni at bwynt arall, sef trefn y chwedlau. Heddiw y duedd yw dosbarthu'r 'tair rhamant' gyda'i gilydd, a hynny'n bennaf oherwydd eu bod yn cyfateb i dair cerdd Chrétien de Troyes. Eithr gall hyn eto fod yn gamarweiniol. Yn Llyfr Gwyn Rhydderch trefn y chwedlau yw *Pedeir Keinc y Mabinogi*, *Peredur*, *Breuddwyd Maxen*, *Lludd a Llefelys*, *Owein* [Trioedd, Bucheddau'r Saint, Hengerdd], *Gereint*, *Culhwch ac Olwen*. Yn Llyfr Coch Hergest saif *Breuddwyd Rhonabwy* ar ei phen ei hun gyda thestunau doethineb a chyngor a phroffwydoliaethau. Ar ôl *Pererindod Siarlymaen* ceir *Owein, Peredur, Breuddwyd Maxen, Lludd a Llefelys, Pedeir Keinc y Mabinogi, Gereint, Culhwch ac Olwen*. Awgryma Brynley Roberts mai'r prif ddosbarthiadau oedd: (1)*Pedeir Keinc y Mabinogi* (2)*Peredur, Maxen, Lludd, Owein* (honno'n amrywio yn ei safle) (3)*Gereint, Culhwch*.[60] Mae dosbarthiadau Jones a Jones, sef 'The Four Branches of the Mabinogi; The Four Independent Native Tales; The Three Romances' yn gamarweiniol - dylid yn sicr eu hailystyried mew unrhyw gyfieithiad newydd o'r chwedlau.

Un peth sydd yn sicr, sef cyn mynd ati i geisio cyfieithu neu ddehongli unrhyw destun, mae dyletswydd ar y cyfieithydd i wybod cymaint â phosibl am ei destun gwreiddiol, ac i ystyried swyddogaeth y testun gwreiddiol hwnnw. Wrth fanylu ar y *Mabinogion* y gair allweddol, yn fy marn i, yw 'perfformio' - byddai'r storïwr canoloesol yn perfformio fersiynau o'r chwedlau ar lafar ac yn weledol o flaen cynulleidfa; ysgrifennodd yr 'awduron' eu chwedlau ar femrwn, ar gyfer darlleniadau cyhoeddus - perfformiad arall.[61] Oni ellid dadlau, felly, fod dyletswydd ar unrhyw un sydd am fynd ati i gyfieithu y *Mabinogion* i gyfleu nodweddion 'perfformio' y testun

[59] ibid., t. 23.
[60] ibid., t. 22.
[61] Gweler Sioned Davies, 'Written Text as Performance - the Implications for Middle Welsh Prose Narratives', yn Huw Pryce, gol., *Literacy in Medieval Celtic Societies* (Caergrawnt, 1997).

gwreiddiol i'w gynulleidfa darged, nodweddion a anwybyddwyd i raddau helaeth gan Gantz, er enghraifft, yn ei gyfieithiad ef. Buddiol yn y cyd-destun hwn yw troi at y theorïau hynny sy'n ymwneud â chyfieithu testunau dramatig.[62] Y mae testun theatrig yn anghyflawn oherwydd dim ond yn y perfformiad y sylweddolir potensial y testun. Ni ellir gwahanu testunau dramatig oddi wrth y perfformiad, ac onid yw'r un peth yn wir am chwedlau'r *Mabinogion*? Rhaid cymryd i ystyriaeth swyddogaeth y testun fel elfen yn y perfformiad, rhaid ceisio clywed y llais sydd yn darllen y gwreiddiol, yn uchel. Fel y dywed Brynley Roberts am *Culhwch ac Olwen*, 'it is as well to recall that even in its literary form, *Culhwch* remains a tale to be heard...'[63] Cymhlethir y ddadl oherwydd anaml iawn y byddwn heddiw yn darllen yn uchel i grŵp, er bod ymdrech yn ddiweddar gan rai o feirdd Cymraeg i adfer yr elfen gyhoeddus i'w cywyddau trwy ddarllen eu cerddi'n uchel mewn tafarndai a chlybiau.[64] Fodd bynnag, o ddewis perfformadwyedd fel y prif nod wrth gyfieithu'r *Mabinogion*, yr ydym yn dod yn fwy ymwybodol o swyddogaeth rhai o'r technegau arddulliol yn y testun gwreiddiol, ac felly yn fwy gofalus wrth eu dehongli mewn cyfieithiad rhyngieithol a rhyngddiwylliannol.

Nid oes ofod yn yr ysgrif hon i drafod hyn ymhellach, eithr wrth gloi gellir crybwyll rhai pwyntiau sylfaenol y dylid eu hystyried wrth gyfieithu'r *Mabinogion* i'r Saesneg. Dylid rhoi sylw arbennig i dechnegau megis ailadrodd geiriol a fformiwlâu, i gydlyniad cysylltiol, i ddarnau o araith union ynghyd â phresenoldeb tagiau, hynny yw technegau sydd yn hollbwysig yng nghyd-destun perfformio ac sydd yn rhoi cymorth i'r gwrandawr ymgyfranogi yn y digwyddiadau.[65] Tybiaf bod lle i wneud defnydd ehangach o'r Presennol Dramatig wrth gyfieithu i'r Saesneg, dyfais a ddefnyddir yn aml gan storïwyr chwedlau gwerin heddiw.[66] Dangosodd Poppe mai ychydig o enghreifftiau

[62] Gweler Bassnett-McGuire, *Translation Studies* , tt. 120-132.

[63] 'Tales and Romances' yn A. O. H. Jarman a G. R. Hughes, gol., *A Guide to Welsh Literature*, Cyfrol I (Abertawe, 1976), t. 219.

[64] Gweler y ddwy gyfrol *Cywyddau Cyhoeddus* , gol. Myrddin ap Dafydd (Llanrwst, 1994 a 1996). Mae perfformio hefyd yn elfen bwysig yn Nhalwrn y Beirdd.

[65] Gweler y cyfeiriadau at 'ymgyfranogi' yn Davies, *Crefft y Cyfarwydd*.

[66] Gweler, er enghraifft, Richard Leith, 'The use of the historic present tense in Scottish Traveller folktales', *Lore and Language* 13, rhif 1 (1995), tt. 1-31.

o'r ddyfais hon a geir yn y chwedlau brodorol Cymraeg Canol. Fodd bynnag, awgryma bod gan y Gymraeg ddewis arall:

> Welsh would seem to have had at its disposal two stylistically and functionally marked options to narrate past events, the narrative present and the narrative verbal noun. My suggestion is that in Middle Welsh prose the narrative verbal noun - which itself may have spread beyond the confines of a specifically marked narrative device - successfully displaced the narrative present. [67]

Diau y byddai golygfeydd fel clymu Gwawl yn y sach yn y gainc gyntaf yn llawer mwy dramatig ac effeithiol o ddefnyddio'r presennol wrth gyfieithu i'r Saesneg:

> A chyuodi y uynyd, a dodi y deudroet yn y got, a troi o Pwyll y got yny uyd Guawl dros y penn yn y got ac yn gyflym caeu y got, a llad clwm ar y carryeu, a dodi llef ar y gorn. Ac ar hynny, llyma y teulu am penn y llys, ac yna kymryt pawb o'r niuer a doeth y gyt a Guawl, a'y dodi yn y carchar e hun.[68]

Fel y dadleua Fleischman, yr ydym yn tueddu i ddarllen a dehongli testunau canoloesol fel pe baent yn ffuglen fodern, heb roi digon o sylw i'r cyd-destun llafar a chlywedol:

> What I wish to emphasize here is the crucial role I believe oral performance played in shaping the grammar and linguistic structure of vernacular narratives from the Middle Ages. Many of the disconcerting properties of medieval textuality, including its extraordinary parataxis, conspicuous anaphora and repetition, and striking alternations of tense, can, I submit, find more satisfying explanations through appeal to the incontrovertible orality of medieval culture.[69]

Mae dyletswydd ar gyfieithydd i gadw hyn mewn golwg wrth drosglwyddo 'chwedlau brodorol Cymraeg Canol', chwedl Brynley Roberts, i'r Saesneg.

[67] Erich Poppe, 'Notes on the narrative present in Middle Welsh' yn Joseph F. Eska, R. Geraint Gruffydd a Nicolas Jacobs, gol., *Hispano-Gallo-Brittonica* (Caerdydd, 1995), t. 148.

[68] Ifor Williams, gol., *Pedeir Keinc y Mabinogi* (Caerdydd, 1930), tt. 16-17.

[69] Suzanne Fleischman, *Tense and Narrativity. From Medieval Performance to Modern Fiction* (Llundain, 1990), tt. 9-10.

ADEILEDD DIODDEFAINT:

Sylwadau ar rai themâu yn yr Ail Gainc

gan M. P. BRYANT-QUINN

> In *The Four Branches of the Mabinogi* we are aware of a consistent attitude and a thematic unity. The material which these stories use is the most obviously native and traditional of all the *chwedlau*, and yet from it the medieval author has produced a work unparalleled in Middle Welsh literature. His moral view of life, tempered by his compassion for human frailty, has taken up the *cyfarwyddyd* which he has found and has given it significance beyond that of his own time, not along the way of accepted contemporary literary conventions but along the road of personal conviction shaping a unique narrative form.[1]

Ymhlith cyfraniadau ysgolheigaidd yr Athro Brinley F. Roberts y mae, yn ddiau, le nodedig i'w astudiaethau ar natur ac ansawdd y Pedair Cainc[2] a'r goleuni a daflodd ar ddiben y sawl a'u lluniodd. Wrth drafod yr Ail Gainc yn y rhagymadrodd a ysgrifennodd i ddiweddariad Dafydd a Rhiannon Ifans o'r Mabinogi,[3] ceir enghraifft o'i feirniadaeth gelfydd yn y sylwadaeth dreiddgar hon: 'Ni ellir darllen *Branwen* heb ymdeimlo â rhyw ddawn ddinistriol sydd gan y ddynoliaeth i lygru a difa cymdeithas .... Y mae anghymodlonedd dynion yn esgor ar ddifodiant.'[4] Y gymdeithas ddynol a bortreadir, felly, yw un o themâu amlycaf 'awdur' (neu luniwr) y Pedair Cainc; ac ag adeiledd y gymdeithas honno, ei diben a natur fregus ei chlymiad, y mae a wnelo ef.[5]

[1] Brinley F. Roberts, 'The Four Branches of the Mabinogi', *Studies on Middle Welsh Literature* (Lampeter, 1992), 102-3.

[2] Cyfeirir yma at destun a nodiadau Ifor Williams (gol.), *Pedeir Keinc y Mabinogi* ([= *PKM*] Caerdydd 1930, 1951).

[3] Dafydd a Rhiannon Ifans (goln.), *Y Mabinogi* (Llandysul, 1980, 1995).

[4] *ibid*, xviii.

[5] Ni cheisir yma glorianni damcaniaeth newydd y Dr Andrew Breeze ynglŷn ag awduraeth y Pedair Cainc; am drafodaeth bellach gw. ei gyfrol *Medieval Welsh Literature* (Dublin, 1997).

Gobeithir yn y nodyn hwn ystyried sut y gall adeiledd neu strwythur testun yr Ail Gainc, *Branwen Uerch Lyr* ei hun, adlewyrchu agweddau ar rai o'r themâu y cyfeiriodd yr Athro Roberts atynt. Dylid pwysleisio na fwriedir yr ychydig sylwadau hyn fel astudiaeth gyflawn; ac ni ellir, wrth reswm, wneud cyfiawnder ynddynt â ffrwyth yr ymchwil allweddol a wnaethpwyd ar *Branwen*, nac â'r gwahanol dechnegau dadansoddol y bu ysgolheictod diweddar yn manteisio arnynt wrth olrhain twf y chwedl a phwrpas yr awdur.[6] Ceir *locus classicus* un ddamcaniaeth yn erthygl nodedig J.K. Bollard:

> The constant concern of the author of the Four Branches is the modes of personal conduct which are necessary for society to survive and progress.[7]

Ac er na chynnig yr awdur foeswersi inni,

> The interlacing of themes '...shows the interrelated significance of episodes without the need for any explicit comment...'[8]

Disgwylid i'r gynulleidfa fedru ymateb i themâu a motiffau'r chwedl. Ond os trefn gymdeithasol yw ffocws diddordeb yr awdur hwn, felly, teg yw gofyn pa elfennau a bwysleisir yn yr Ail Gainc y byddai ef yn eu hystyried yn fygwth i'r drefn honno, i'w 'llygru' a'i 'difa'. Trwy ddadansoddi'r motiffau hyn, gellir ymglywed ag ergyd y llenydda. Ond fel y dengys yr Athro:

> J.K. Bollard ... sees a thematic interlace as structuring *The Four Branches* .... I would view the thematic structure a little differently and rather than seeing here an interlace I would suggest that the author has found his unifying pattern in his use of keywords .... Each Branch has its own theme and its own significant nouns which epitomise it: [in *Branwen,* it is] the nature of insult *(tremyg, gwaradwydd, sarhad).*[9]

[6] Cf. astudiaeth werthfawr, ond cynnar, yr Athro Proinsias Mac Cana: *Branwen Daughter of Llŷr* (gan ystyried hefyd gasgliadau diweddarach Mac Cana ei hun yn ei gyfrol *The Mabinogi* (Cardiff, 1992), 132-3); Bollard, J.K., 'The Structure of the Four Branches of the Mabinogi', *Trafodion y Cymmrodorion* 1974-75, 250-76; R.L. Valente, 'Merched y Mabinogi: Women and the Thematic Structure of the Four Branches', PhD, Cornell University, 1986; Sakoto Ito, 'The Three Romances and the Four Branches, their Narrative Structure and Relationship with Native Welsh Law', PhD, Aberystwyth, 1989.

[7] Bollard, *op. cit.,* 252.

[8] Dyfynnwyd o erthygl J. Leyerle, 'The Interlace Structure of Beowulf', *University of Toronto Quarterly,* XXXVIII (1967-8), 8; *art. cit.* yn Bollard, *op. cit.,* 253.

[9] B.F. Roberts, *Studies,* 99.

Un o dermau allweddol llyfrau'r Gyfraith oedd *sarhaet*:

> Compensation was due not merely for physical damage done but for the insult afforded by certain offences. Insult, therefore, could be as great a damage as theft of property or attack on person, and had to be comparably treated. This is the notion expressed in the laws as *sarhad* (or very occasionally *wynebwerth*...) and is fundamental to the conceptual structure that informs the laws. The honour of a man–or of a group–was therefore as precious a thing as his body and property, and damage to it was equally compensatable...[10]

Ceir y ddau derm, *sarhaet* a *wynepwerth,* yn yr Ail Gainc. Fel y dadleuodd yr Athro Roberts, ymateb i achosion o sarhad (a'r termau cyfatebol), a chanlyniadau hynny, yw llinyn rhesymegol a chraidd *Branwen.* Ceir pum prif esiampl:

[1] Efnisien yn honni ei fod wedi ei sarhau am na ofynnwyd ei 'ganiad' ynglŷn â phriodas Branwen (PKM 31.28). Felly nid gweithred ddireswm oedd anffurfio'r meirch ganddo, ond ymateb i rywbeth yr oedd ef yn ei farnu'n ymosodiad ar ei safle cymdeithasol.[11]

[2] Y sarhad a wneir i Fatholwch drwy anffurfio'i feirch (*PKM* 32.2-6).

[3] Y *sarahedeu* a wnaeth Llasar Llaes Gyfnewid a'i deulu yn Iwerddon (*PKM* 36.1).

[4] Y sarhad i Franwen yn Iwerddon oherwydd *...y guaradwyd a gawssei Matholwch yg Kymry* (*PKM* 37.20-21).

[5] Er gwaethaf yr hyn a ddywedir am Wern yn *PKM* 43.19 *(kyn ny bei urenhin ar Iwerddon),* barn Ifor Williams oedd mai brenin swyddogol Iwerddon oedd Gwern erbyn hynny, a'i ddeiliaid ef oedd y Gwyddelod yn y tŷ. Trwy ladd Gwern, yr oedd Efnisien felly yn sarhau cenedl y Gwyddelod, a'u gorfodi i ddial eu harglwydd ar y Cymry.[12]

Yn gyntaf, yr oedd sarhad yn ffordd o gyfyngu ar y niwed a wneir i gymdeithas trwy ymrafaelion a chynnen. Yn ail, peth ffurfiol ydoedd. Gan nad yw'n gwbl sicr a oedd gan Efnisien hawl i ddisgwyl bod yn rhan o'r trafodaethau ynglŷn â phriodas Branwen a Matholwch,[13] nid yw'n uniongyrchol berthnasol i

[10] Wendy Davies, *Wales in the Early Middle Ages* (Leicester, 1989), 137.

[11] Gw. hefyd sylwadau C.E. Byfield, 'Character and Conflict in the *Four Branches of the Mabinogi', BBGC* XL (1993), 59; ond cf. nodyn 12 isod.

[12] *PKM,* 208.

[13] Gw. bellach T.M. Charles-Edwards, *Early Irish and Welsh Kinship* (Oxford, 1993), 179.

ddatblygiad y chwedl a oedd Efnisien wedi ei sarhau ai peidio: rhaid darllen y darn hwn yng ngoleuni ymatal Manawydan yn wyneb yr hyn a wnaethpwyd gan Gaswallawn, neu ymateb ffurfiol Lleu Llaw Gyffes yn gofyn i Fath am ganiatâd i ddial ei gam ar Ronw Pebr.[14] Diogelydd yn erbyn canlyniadau cymdeithasol ymrafael ac anghydfod oedd *sarhaet* yn y Cyfreithiau–yn ddamcaniaethol, o leiaf–ac yr oedd gweithredu y tu allan i ffurfioldeb y gyfundrefn honno, fel y gwnaeth Efnisien a Matholwch, yn rhwym o ddinistrio cydbwysedd mecanwaith hunan-amddiffyniad y gymdeithas.

Daw yn eglur yn syth fod cryn wahaniaeth rhwng *sarhaet*, yr offeryn cyfreithiol-gymdeithasol, a dial. Ffrwyth balchder (ac, efallai, rhyw nam seicolegol) oedd ymateb Efnisien; ac er ei fod yn defnyddio dull cydnabyddedig o achub ei gam drwy anffurfio meirch Matholwch, gwelir mai dial y mae Efnisien am na ofynnodd na chyngor na chaniatâd gan Fendigeidfran, ei arglwydd; a phwysleisir mai gweithredu yr oedd y tu allan i gonfensiynau'r gymdeithas.[15] 'Gŵr yn siarad wrtho'i hunan'[16] ydoedd ac, yng ngolwg awdur Branwen, arwain at drychineb a wna cyplysiad o safle cymdeithasol pwysig ac amharodrwydd i ymddwyn yn ôl safonau'r gymdeithas honno. Ond dengys yr Ail Gainc y gall yr un agwedd ddinistriol fod yn beth teuluol a llwythol hefyd. Nid Matholwch ei hun, ond ei frodyr maeth *...a'r gwyr nessaf gantaw*[17] sy'n mynnu dial ar y Cymry ac agor yr hen glwyf. Y mae a wnelo hyn â'r '...interrelated significance of episodes [shown] without the need for any explicit comment': unwaith y bydd ymateb i gam yn peidio â bod yn gyfryw y gellir ei ddatrys rhwng y ddwyblaid berthnasol, gwenwynir cylch ehangach. Ceir Bendigeidfran yn ceisio atal yr haint rhag mynd ymhellach drwy gynnig mwy i Fatholwch na'r hyn y byddid yn ei ddisgwyl fel tâl am sarhad i frenin, ond yn ofer. Cafwyd

[14] Noda Bollard, *op. cit.*, 274: '...in this same vein we might call to mind Lleu's prudence in the Fourth Branch when he is careful to obtain Math's permission before seeking vengeance from Gronw Bebyr, establishing a legal right to seek reparation. Thus this feud is confined and does not disrupt society.' Trwy ddeddfu ynglŷn â wynebwerth gŵr neu wraig, ceisid rhwystro canlyniadau gwaeth na'r sarhad gwreiddiol ei hun.

[15] M.E. Owen, 'Shame and Reparation: Woman's Place in the Kin', *The Welsh Law of Women* (Cardiff, 1980), 47.

[16] Saunders Lewis, 'Branwen', *Meistri'r Canrifoedd,* 17.

[17] *PKM* 37.23

rhybudd o'r cylch alaethus a ddeuai yn *hapax legomenon* Matholwch: *'ni eill ef uy* niwaradwydaw *i o hynny'* [*PKM* 33.8].[18] Fe'n symbylir i gymharu'r dull gofalus y gofynnwyd i Bwyll ysgaru â Rhiannon â'r math o bwysau annheg a roddir ar Fatholwch:

> *A nachaf y dygyuor yn Iwerdon hyt nat oed lonyd idaw ony chaei dial y sarahet* (*PKM* 37.24-5).

Yr oedd safle a dylanwad y brodyr maeth, ac effaith hynny ar Fatholwch, yn arwyddocaol yn natblygiad themâu *Branwen.*[19] Ond nodweddir yr amryfal berthnasau rhwng unigolion a chymdeithasau yn yr Ail Gainc gan y perygl a ddaw o ddefnyddio'r grym a roddir drwyddynt mewn modd dinistriol. Fel y gellid disgwyl, ceir yn sgil hynny ganlyniadau cymdeithasol niweidiol. Trwy gynnwys Llasar Llaes Gyfnewid a'i deulu, creodd Matholwch berthynas ffurfiol â hwy; chwalwyd hyn oherwydd iddynt '*...wneuthur sarahedeu, ac yn eighaw, ac yn gouudyaw guyrda a gwragedda'* (*PKM* 36.1-2) yn Iwerddon. Dylid hefyd gymharu priodas Branwen a Matholwch â phriodas Manawydan a Rhiannon yn y Drydedd Gainc. Yn *Manawydan,* gwelir bod y briodas honno'n fodd i ddatrys anghydfod a oedd wedi datblygu yn y Gainc Gyntaf; ond yn yr Ail Gainc, fel y sylwodd Saunders Lewis,[20] amcan gwleidyddol oedd i briodas Branwen: *...y erchi Branwen uerch Lyr y doeth* [Matholwch]; '... *ac os da genhyt ti* [sef, Bendigeidfran], *ef a uyn ymrwymaw ynys y Kedeirn ac Iwerddon y gyt, ual y bydynt gadarnach.'* I bob pwrpas, felly, amcan gwleidyddol oedd gan y Gwyddelod wrth ddial arni: gan mai bod politicaidd ydoedd, y Cymry ac nid Cymraes yn unig oedd Branwen. Ond yn wahanol i'r gosb a roddir ar Riannon, a gadwodd ei lle a'i hanrhydedd (yn y llys, o leiaf),[21] ymgais gïaidd i ddiraddio un ddiamddiffyn, a'i gwaradwyddo'n llwyr, a welir yn yr Ail Gainc. Ceir enghraifft arall o'r agwedd ddinistriol hon pan wahoddwyd Bendigeidfran i letya gyda Matholwch a lluoedd Iwerddon yn y Tŷ Mawr, gan

[18] B.F. Roberts, *Studies,* 98.
[19] Am drafodaeth ar bwysigrwydd y berthynas arbennig honno yng Nghymru ac Iwerddon yn y cyfnod, gw. T.M. Charles-Edwards, *op. cit.,* 78-81.
[20] *Op. cit.,* 10.
[21] Ond cf. sylwadau Proinsias Mac Cana, *The Mabinogi,* 36.

greu. Perthynas ffurfiol newydd rhyngddynt gyda'r bwriad honedig o gydnabod Gwern yn frenin Iwerddon. Chwalwyd hyn eto gan frad y Gwyddelod, trwy iddynt guddio milwyr yn y sachau.

Dengys awdur *Branwen* hefyd y gall hyd yn oed anrhydeddu statws a hawliau'r gwahanol berthnasau teuluol hwythau arwain at drychineb, fel yn achos Bendigeidfran ac Efnisien. Gan mai meibion i'r un fam oeddynt, ni allai Bendigeidfran ladd Efnisien, na'i gosbi'n hawdd: fe'n hatgoffir am y cymhellion tebyg a barodd i Fath fynd i ryfel yn erbyn Pryderi. Bu'n rhaid i Fath amddiffyn Gwydion oherwydd y ddolen gref honno rhyngddynt; ond lladd cyfaill oedd canlyniad ffyddlondeb Math i'w nai. Yn yr un modd, ni fedrai Bendigeidfran, oherwydd ei berthynas waed ag Efnisien, lwyddo i osgoi'r gyflafan a ddeuai.

Ond y mae, yn ogystal, elfennau dinistriol y tu allan i ffiniau ffurfioldeb strwythur y gymdeithas, ac a gynrychiolir yn yr Ail Gainc gan Efnisien. Fel y sylwyd gan yr Athro P. Mac Cana, '...Efnisien is absolutely essential to the structure and the motivation of the events in Branwen.'[22] Ef sy'n cynrychioli, yn fwy na dim arall, y 'ddawn ddinistriol' lygredigol a difaol sydd gan y ddynoliaeth. Braidd yn eithafol, efallai, yw awgrym Saunders Lewis ynglŷn â pherthynas 'losgachol' Efnisien a Branwen:[23] er gwaethaf hynny o bosibiliad yn achos yr hyn a awgrymir yn gynnil ynglŷn â pherthynas Gwydion ac Aranrhod, anodd derbyn bod tystiolaeth testun yr Ail Gainc yn cynnal y fath ddamcaniaeth. Os rhywbeth, gwelir yn ymateb Efnisien fwy o'i fywyd hunan-ganolog nag o'i gariad at Franwen. I lawn ddeall adeiledd yr Ail Gainc, rhaid mewn gwirionedd ofyn beth oedd Efnisien, a beth oedd ei gymhellion. Gwelwyd droeon nodweddion y cymeriad Gwyddelig Bricriu Nemthenga ynddo; ond yn achos Efnisien, nid ei dafod ond ei weithredoedd sy'n dangos ei falais. Y mae yn sicr elfennau ynddo sy'n debyg i Iddawg Cordd Prydain yn *Breuddwyd Rhonabwy*; ond tybed nad yn y cymeriad hunllefus hwnnw yn *Culhwch ac Olwen,* Gwynn fab Nudd '*...ar dodes Duw aryal dieuyl Annwuyn yndaw*',[24] y

[22] Idem, *Branwen Daughter of Llŷr,* 79.
[23] Ai chwarae ag amwysedd y gair 'chwaer' ar wefusau Efnisien yr oedd Saunders Lewis wrth lunio'r ddamcaniaeth hon?
[24] R. Bromwich a D.S. Evans (goln.), *Culhwch ac Olwen* (Caerdydd, 1988), ll. 714.

gellir gweld un arall o'i gymheiriaid mewn llenyddiaeth Gymraeg.[25] Diau mai enghraifft o fotiff cyffredin yw Efnisien, ond y mae ganddo gymeriad unigryw hefyd, a welir trwy resymeg gwyrdroedig ei ran yn y chwedl.

Ymddengys fod Efnisien yn cynrychioli un o'r pethau yr oedd ar awdur y Pedair Cainc ei ofn fwyaf: yr elfen afreolus, annarogan honno na ellir deddfu yn ei herbyn nac amddiffyn rhagddi. Dyna'r hyn sy'n dinistrio ac yn tanseilio'r gymdeithas, yn ôl yr awdur; er gwaethaf pob ymdrech i wareiddio'r gymdeithas ddynol, y mae byth a hefyd ryw Efnisien '*...a barei ymlad y rwng y deu uroder, ban uei uwyaf yd ymgerynt.* [*PKM* 29.13–4]' Fe geir yr awgrym nad oedd Efnisien ei hun ddim yn deall ei ymateb i wahanol amgylchiadau, nac yn medru esbonio'i resymau o funud i funud. Ymateb rhywun schizoid, bron, a geir ganddo yn y Tŷ Mawr; yn gyntaf wrth ladd ei nai (ac oherwydd hynny, chwalu'r berthynas waed gysegredig a oedd wedi ei achub yntau rhag cosb), ac wedyn, edifarhau–neu ddeffro i ganlyniad ei weithred–a'i ladd ei hun yn y proses. Fel y nododd A.O.H. Jarman:

> Rhaid fod awdur y Mabinogi, pa fodd bynnag, yn synhwyro fod ganddo ym mherson Efnisien gymeriad a yrrid yn ei flaen gan ryw gymhellion cudd, dirgel. Cymeriad niwrotig, paranoid, efallai.[26]

Er mai Efnisien a gychwynnodd y cylch alaethus o drais a dioddefaint, ef hefyd a ddaeth â'r gyfres i ben drwy dorri'r Pair. Cyferbynna awdur testun y chwedl Efnisien â'i frawd Nisien, ond fel y sylwyd gan nifer o feirniaid, ni welir odid ddim o'r ail wedyn. Efallai mai ergyd hyn yw na allasai Nisien (a fu yn sicr yn bresennol pan laddwyd Gwern), wedi'r cwbl, beri '*...tangneued y rwg y deu lu*': yr elfen ddinistriol yn Efnisien, y *gwr anagneuedus*, a orfu. Ond er gwaethaf *topos* y brodyr da a drwg,[27] dichon hefyd na ddylid cymharu'r ddau frawd hyn. Y gwir

[25] Tynnodd Ifor Williams sylw at arwyddocâd yr elfen *efnys* yn ei enw: gw. *PKM,* 163.

[26] Jarman, *op. cit.,* 139. Mynegir rhywbeth tebyg yn llinell enwog Catullus: 'Odio et amo. Quare id faciam, fortasse requiris. Nescio, sed fieri sentio et excrucior' (G.V. Catullus (Loeb Classical Library), rhif lxxxv).

[27] '...Efnysien and Nysien, as their names and the author's comment makes clear, are traditional personifications of the disruptive and peaceable elements in human society (or psychology)'; B.F. Roberts, *Studies,* 108.

gymhariaeth gyfoethog, annisgwyl efallai, yw'r hyn a geir trwy gyfochri'n sefyllfaol ac eiriol y darlun a roddir o Efnisien a'i chwaer, Branwen:

[1] Gwelir bod cyfosodiad rhwng gweithgareddau'r ddau yn adeiledd y chwedl: un y mae pethau yn digwydd iddi yw Branwen; gwrthrych agweddau ac ymddygiadau anghyfiawn y mae gofyn iddi ymateb iddynt. Ymwthiol, ar y llaw arall, yw Efnisien; ef sy'n cychwyn ac yn gorffen y gyfres drychinebus o ddigwyddiadau.

[2] Cyflwynir darlun cyfochrog hefyd o gymeriadau'r ddau: tangnefeddus ac urddasol yw'r argraff a roddir o Franwen, tra y portreadir Efnisien fel *gwr anagneuedus*; yn *orwyllt antrugarawc* (*PKM* 31.21; 42.16)

[3] Pwysleisir rhan Branwen yn ceisio cymod; yn rhoi ei chyngor *...rhag llygru y wlad* (*PKM* 42.8). Agwedd ddinistriol Efnisien, ar y llaw arall, a danlinellir, a'i barodrwydd i *...anfuruaw* [a] *llygru* nid yn unig y meirch, ond hefyd ymgais y cymodwyr i ddatrys yr anghydfod.

[4] Cyfochrir geni a marwolaeth ynddynt: rhoddwr bywyd, ym mherson y mab Gwern, yw Branwen; llofrudd a chwalwr perthnasau yw Efnisien.

[5] Mewn cyfres o gyfatebiaethau geiriol rhwng Branwen ac Efnisien, gwelir arwyddocâd eu rhan yn natbygiad digwyddiadau'r Ail Gainc:

– datgan yn groyw a wnaeth Branwen ei hurddas briodol, a'r cam a wnaed iddi, yn yr ateb a rydd i negeseuwyr Matholwch: *kyn ny bwyf Arglwydes...* [*PKM* 40.3-4]. Ceir rhagflas arswydus o fwriad Efnisien tuag at ei nai mewn geiriau tebyg i eiddo Branwen: *kyn ny bei* [Gwern] *urenhin* [*PKM* 43.19]. Peth oedd Gwern i Efnisien, nid person na bod dynol.

– Gwrthygyferbynnir ymwybyddiaeth Efnisien o'i wir gyfrifoldeb am y ffaith mai ef a fu achos y gyflafan, â diniweidrwydd Branwen, sydd eto'n barod i'w beio'i hun yn ddiachos:

Oy a uab Duw ...gwae ui [da a dwy ynys a diffeithwyt] *o'm achaws i.*
Oy a Duw ...gwae ui .. uy mod yn achaws [y wydwic hon o wŷr]

– Tebyg yw'r disgrifiad o'r modd y buont ill dau farw ac o'u beddau hwy:
...a thorri y chalon ar hynny ... a gwneuthur bed petrual idi
...yny dyrr y galon ynteu ... [*t*]*yrr y peir yn pedwar dryll*

Sylwodd Andrew Welsh ar amwysedd cymeriadau yn y Pedair Cainc: '...the characters within the narrative [of the Four Branches are] haunted by duality.' Ond, fel y nododd P. Mac

Cana, '[this] dualism ... is encompassed within a much larger textual conceptual complexity.[28] Gwelir felly mai rhyw fath o ddiptych, neu luniau positif a negatif, yw cymeriadau Branwen ac Efnisien, yr ymddolennir rhyngddynt y ddeuoliaeth honno. Trwy gyfochri'r ddau, gellir ymdeimlo â rhan o drasiedi'r chwedl. Rhyw swrd yw Efnisien, cymysgedd ryfedd o dywyllwch hunanol arswydus ac, yn y diwedd, goleuni hunan-aberthol annisgwyl. Fel y ddynoliaeth ei hun, mae'n debyg: '...hynny sy'n ei godi'n gymeriad trasiedi, un sy'n marw yng nghanol ei elynion, yn un ohonynt, wedi ei daflu i'r Pair, gan ddryllio'r Pair a'i galon galed, chwerw edifeiriol, yr un pryd.'[29] Ond nid yw hyn yn ddigon i achub y cam a wnaed: canlyniad yr hyn a gychwynnwyd gan falchder Efnisien yw difrod ar y gymdeithas. Dangosir hyn yn effeithiol iawn gan yr awdur drwy gyfeirio at dorri calonnau'r cymeriadau.[30] Dwy gymdeithas y torrwyd eu calonnau yw Iwerddon ac Ynys y Cedyrn yn yr Ail Gainc.

Un o'r prif elfennau a ddefnyddir gan awdur *Branwen* i ddangos maint y golled yw'r cof. Gwelir enghraifft arall o'r ddawn ddinistriol y sonia'r Athro Roberts amdani yn y pericope am Heilyn fab Gwyn yn dewis agor y trydydd drws, ac edrych ar Gernyw ac Aber Henfelen. Wedi'r holl ddioddefaint a fu yn Iwerddon, un cysur yn unig a oedd ar ôl i'r Saith, ac anghofrwydd oedd hwnnw. Ond unwaith eto, yr un aflonyddwch a welir ar waith i ddistrywio dedwyddwch:

> *A phan edrychwys, yd oed yn gyn hyspysset ganthunt y gyniuer collet a gollyssynt eiryoet, a'r gyniuer car a chedymdeith a gollyssynt, a'r gyniuer drwc a dothoed udunt, a chyt bei yno y kyuarffei ac wynt; ac yn benhaf oll am eu harglwyd. Ac o'r gyuawr honno, ni allyssant wy orfowys...* (*PKM* 47.13-18).

Ac atgofion yw adeiledd y cof. Gellid helaethu ar arwyddocâd digwyddiadau 'hanesyddol' yn y Pedair Cainc, a'u perthynasedd mewn cyfosodiad â digwyddiadau 'cyfoes'. Diddorol felly yw ystyried y cyfatebiaethau geiriol, a'r digwyddiadau a bortreadir yn ymddiddan Matholwch a Bendigeidfran (*PKM* 34-26 [lle y

[28] Andrew Welsh, *Speculum* 65 (1990), 344, 347; dyfynnwyd yn Mac Cana, *The Mabinogi*, 132.

[29] Saunders Lewis, *op. cit.*, 17.

[30] Gan gynnwys Cradog: *a hwnnw uu y trydyd dyn a torres y gallon o aniuyged* [*PKM* 46.8-9].

ceir hanes Llasar Llaes Gyfnewid a'i deulu a dyfodiad y Pair i Iwerddon]), fel enghraifft o'r atgofion 'hanesyddol' hyn:

	Hanes y Pair *[Teulu Llasar Llaes Gyfnewid]*	**Digwyddiadau'r Ail Gainc:** *[Teulu Bendigeidfran]*
[1]	Llasar Llaes Gyfnewid [dyn anferth]	Bendigeidfran [cawr]
[2]	Yn dod o'r llyn i dir Iwerddon [*PKM* 35.14]	Yn dod o'r môr i dir Iwerddon (*'y deu lygat ... yw y dwy lynn...'* [*PKM* 40.11]
[3]	*'Gwr athrugar'* [*PKM* 34.15]	*'Llidyawc yw'* [*PKM* 40.13]
[4]	Cael llety gan Fatholwch [*PKM* 35.24]	Cael llety gan Fatholwch [*PKM* 42.10]
[5]	Rhoi'r Pair i Fatholwch [*PKM* 36.25]	Rhoi'r Pair i Fatholwch [*PKM* 34.18]
[6]	Mab Cymidei Cymeinfoll: *gwr ymlad* [*PKM* 35.22]	Mab Branwen (= Gwern): achos rhyfel [*PKM* 43.21-3]
[7]	Blwyddyn: *yn diwarauun* [*PKM* 35.25]	Blwyddyn: *yn glotuawr* [*PKM* 37.14]
	[yr ail flwyddyn:] *gwneuthur sarahedeu* [*PKM* 36.1]	[yr ail flwyddyn:] *ymodwrd* [am y] *sarahet* [*PKM* 37.20]
[8]	*'O hynny allan y dygyuores uyg kyuoeth am ym pen'* [*PKM* 36.2-3]	*'A nachaf y dygyuor yn Iwerdon hyt nat oed lonyd idaw'* [*PKM* 37.24]
[9]	*Kyuyng gynghor* [*PKM* 36.7]	*'nyt oes it gynghor namyn un'* [*PKM* 41.26]
[10]	Adeiladu tŷ haearn (trap) [*PKM* 36.8]	Adeiladu'r Tŷ Mawr (trap) [*PKM* 42.10]
[11]	*'Kynghor...ymherued llawr ystauell'* [*PKM* 36.17-18]	*'Eistedyssant, y bu duundeb'* [*PKM* 43.11]
[12]	Llosgi plant Llasar a Chymidei [*PKM* 36.22]	Llosgi Gwern[31] [*PKM* 43.24-6]

[31] Trafodir hyn gan R.L. Valente, *op. cit.*, 200-3.

[13]	*Neb ny dieghis...namyn* [dau] [*PKM* 36.21-2]	*Sef seithwyr a dienghis* [*PKM* 44.25]
[14]	Rhoi'r Pair i Fendigeidfran yng Nghymru [*PKM* 36.24-5]	Dinistrio'r Pair yn Iwerddon [*PKM* 44.20]

Os oes dawn ddinistriol gan y ddynoliaeth y gellir ymdeimlo â hi, dengys yr Ail Gainc, drwy'r cyfochredd celfydd hwn, fod yr un patrymau dinistriol yn cael eu gweu o hyd ac o hyd. Eto, fel yn achos y darlun a roddir o Franwen ac Efnisien, trwy'r cyfochri y daw'r berygl–a gwir arwyddocâd y cymeriadau yn eu gwahanol oblygiadau–yn gliriach.

Yr hyn sy'n cydio'r gyfres o 'atgofion' a digwyddiadau 'cyfoes' yn yr Ail Gainc yw'r defnydd sumbolaidd diddorol a wneir o ddŵr: moroedd, aberoedd, afonydd, llynnoedd. Plant Llŷr, Brenin y Môr, oedd teulu Bendigeidfran; ond cysylltir tristwch a dinistr â'r elfen honno–

[1] Sylweddolir ar y cychwyn fod cynnwrf ac aflonyddwch yn corddi dan wyneb yr agoriad tawel: eistedd *uch pen y weilgi,* sef 'the torrent', y daeth llongau Iwerddon drosti, yr oedd Bendigeidfran [*PKM* 29.5; cf. tt. 162-3].

[2] Pan oedd yn eistedd ar ben 'gorsedd' *uch penn llyn oed yn Iwerdon,* gwelodd Matholwch Lasar Llaes Gyfnewid a Chimidei Cymeinfoll yn dod o'r dŵr i'r tir [*PKM* 35.12]

[3] Bendigeidfran a'r 'nifer' yn mynd trwy *...y weilgi* [hyd Iwerddon]: *'nyt oed namyn dwy auon, Lli ac Archan.'* Cyfeirir yma hefyd at allu dinistriol y môr: *a gwedy hynny yd amlhawys y weilgi, pan oreskynwys y weilgi y tyrnassoed* [*PKM* 39.12].

[4] *...deu lygad o pop parth* [*t*]*rwyn* Bendigeidfran yw'r ddau lyn a welodd *'meicheit'* Matholwch [*PKM* 39.25]

[5] Ni ellid croesi Llinon oherwydd *...kynnedyf yr auon;* bu gofyn i Fendigeidfran ei hun fod yn 'bont' ar draws y dŵr peryglus [*PKM* 40.27].[32]

[6] Marw Branwen ar lan Afon Alaw [*PKM* 45.19].[33]

[32] *"Nyt oes", heb ynteu, "Namyn a uo penn bit pont. Mi a uydaf pont."* A oes yma adlais o arwyddocâd y gair *pontifex* (gw. *The Oxford Classical Dictionary* (Oxford, 1948) s.v.)?

[33] Cf nodyn Ifor Williams: 'rhed Afon Alaw i'r môr, bron gyferbyn â Chaergybi, dipyn mwy i'r de' [*PKM* 216].

[7] Yr oedd y wledd yn Harlech ...*uch benn y weilgi;* felly'r arhosiad yng Ngwales [PKM 46.16, 21]. Mae'r chwedl yn cloi lle y cychwynodd, trwy gyfeirio at Harlech a Llundain.

Yr oedd y Drws yn wynebu Aber Henfelen, ac ar draws y dŵr i Gernyw: yno y llifodd afon y cof eto i'r môr. Os oedd gan y gynulleidfa a ddarllenai'r Ail Gainc, neu a wrandawai arni, wybodaeth am y traddodiad llenyddol, hwyrach fod i'r gyfeiriadaeth at Gernyw arwyddocâd arbennig. Gan mai o edrych ar Gernyw '*...yd oed yn gyn hyspysset ganthunt y gyniuer collet a gollyssynt eryoet...*'; ac os '*trydyd anuat datcud*' oedd datgladdu pen Bendigeidfran o'r Gwynfyn yn Llundain, gallai'r sumbolau cynnil hyn fod wedi eu hatgoffa am lys Arthur, y brenin a aeth â phen Bendigeidfran o'i gladdfa oherwydd balchder (yn union fel y dewisodd Heilyn fab Gwyn agor y Drws oherwydd balchder) '*...kan nyt oed dec gantaw kadw yr ynys honn o gedernit neb namyn or eidaw e hun.*'[34]

Ymddengys fod dŵr, yn ei wahanol ffurfiau, nid yn unig yn rhan naturiol o ddaearyddiaeth y chwedl, ond hefyd yn sumbol yn yr Ail Gainc am y tristwch a'r golled a ddaeth i ran plant Llŷr a'u dilynwyr yn Ynys y Cedyrn. Ar lan neu ar draws afonydd ac aberoedd, llynnoedd a'r môr, y mae'r Ail Gainc yn myfyrio ar yr '...anghymodlonedd dynion [sy'n] esgor ar ddifodiant'; y '*da a dwy ynys a diffeithwyt...*'

Mae nifer o elfennau, felly, y dylid eu hystyried wrth geisio pwyso a mesur pwrpas awdur y Pedair Cainc ac adeiledd y chwedlau a asiwyd ganddo ynghyd. Efallai y gellid ystyried hefyd sumbolaeth ac arwyddocâd cosmoleg cyfoes, yn ogystal â dylanwad y gyfundrefn foesegol gyfoes ar ei feddylfryd.[35] Yn ddiau, â'r pynciau sy'n ymwneud â ffiniau, terfynau neu amodau pethau; ac â chanlyniadau ystumio neu fynd dros y terfynau hyn, y mae a wnelo'r awdur hwn. Llenor y trothwy, y ffin, ydyw; ac

[34] Gw. trafodaeth Rachel Bromwich, *Trioedd Ynys Prydein* (Cardiff, 1978), 284-6; *PKM*, 222.

[35] Diddorol yn y cyswllt hwn yw ystyried stori creu Blodeuwedd [*PKM* 83] ochr yn ochr â'r gerdd 'Cân Fawr am y Byd' o Lyfr Taliesin a olygwyd yn ddiweddar gan Marged Haycock (*Blodeugerdd Barddas o Ganu Crefyddol Cymraeg* (Llandybïe, 1994), 45-56). At y pedwar deunydd traddodiadol, ychwanegid blodau. Felly, yn ôl cosmoleg yr oes, bod anghyflawn, nid bod dynol o gwbl–er ei hardded–oedd Blodeuwedd. A beth am arwyddocâd y cyfeiriadau yn y Pedair Cainc at weithredoedd a ystyrid yn bechadurus y pryd hynny?

yn yr Ail Gainc fe welir yr hyn a ddaw yn sgil chwalu terfynau gwneuthuriad ac adeiladwaith y gymdeithas: goblygiadau ymarfer y 'ddawn ddinistriol.' A oes fodd dadwneud adeiledd y dioddefaint hwn? Fel y dywed yr Athro Roberts–

> Oni bai am urddas Branwen a thegwch ei brawd, posibiliadau'r ddynoliaeth, tywyllwch anaele fyddai'r Ail Gainc.[36]

Ymatal, disgyblaeth a chyd-ddioddef unigol a chymdeithasol a fynnir i dorri cylch anfad yr Ail Gainc. Gan Efnisien, o bawb, y cafwyd yr aberth a'r edifeirwch sy'n cloi'r gyfres o ddigwyddiadau a gychwynnwyd ganddo, er na all ei unig weithred anhunanol ddileu canlyniadau'r hyn a wnaethpwyd. Chwedl sy'n disgwyl ateb yw *Branwen*. Yn ffyddlondeb 'cymdeithas' Manawydan yn y Drydedd Gainc y ceir cip ar '*...yr holl anhedeu, a'r kyuanhed, ual y buant orau*'.

[36] B.F. Roberts, *Y Mabinogion*, xviii.

YSGRIFYDD ANHYSBYS: PROFFIL PERSONOL

gan CHRISTINE JAMES

Prin iawn – gogleisiol o brin yn wir – yw ein gwybodaeth am ysgrifwyr llawysgrifau Cymraeg a Chymreig yr oesoedd canol, a chylch a chefndir eu gweithgarwch.[1] Cymorth hawdd ei gael mewn cyfyngder yw gosod ysgrifwyr y llawysgrifau cynharaf, o leiaf, mewn mynachlogydd gan mai mewn sefydliadau o'r fath yn unig, debygir, y ceid yn y cyfnod hwnnw yr adnoddau a'r sgiliau angenrheidiol i gynhyrchu 'llyfrau' (ac arddel y term canoloesol ar yr hyn a elwir gennym bellach yn 'llawysgrifau'). Mae'n debyg na fyddem yn bell iawn o'n lle ychwaith petaem yn edrych am ein hysgrifwyr yn bennaf tua'r tai Sistersaidd a fu'n gymaint cefn i'r ymwybod Cymreig yn ei holl agweddau yn y drydedd a'r bedwaredd ganrif ar ddeg, ac yn enwedig efallai abaty'r Hendy-gwyn a'r tai a darddodd ohono;[2] ond rhaid cydnabod mai dyrnaid yn unig o'r 80 llyfr Cymraeg sydd wedi goroesi o'r cyfnod

[1] Afraid dweud mai man cychwyn pob astudiaeth yn y maes hwn yw gwaith mawr J. Gwenogvryn Evans, *Report on Manuscripts in the Welsh Language,* 2 gyf. (Llundain, 1898-1910). Ar lawysgrifau'r cyfnod 1250-1400 yn benodol, gw. ymdriniaeth anhepgorol Daniel Huws, 'Llyfrau Cymraeg 1250-1400', *Cylchgrawn Llyfrgell Genedlaethol Cymru,* cyf. 28 (1993-94), 1-21; fel y gwêl y cyfarwydd, mae rhagymadrodd yr ysgrif bresennol yn ddyledus iawn i'r drafodaeth honno.

Ymhlith y cyfraniadau pwysicaf i'n gwybodaeth am ysgrifwyr llyfrau unigol rhaid nodi yn arbennig, Brynley F. Roberts, 'Un o Lawysgrifau Hopcyn ap Tomas o Ynys Dawy', *Bwletin y Bwrdd Gwybodau Celtaidd,* cyf. 22 (1966-68), 223-8; Gifford Charles-Edwards, 'The Scribes of the Red Book of Hergest', *Cylchgrawn Llyfrgell Genedlaethol Cymru,* cyf. 21 (1979-80), 246-56; Morfydd E. Owen & Dafydd Jenkins, 'Gwilym Was Da', *Cylchgrawn Llyfrgell Genedlaethol Cymru,* cyf. 21 (1979-80), 429-30; Daniel Huws, 'Llawysgrif Hendregadredd', *Cylchgrawn Llyfrgell Genedlaethol Cymru,* cyf. 22 (1981-82), 1-26; Marged Haycock, 'Llyfr Taliesin', *Cylchgrawn Llyfrgell Genedlaethol Cymru,* cyf. 25 (1987-88), 357-86; Daniel Huws, 'Llyfr Gwyn Rhydderch', *Cambridge Medieval Celtic Studies,* cyf. 21 (1991), 1-37. Crynhoir yn hwylus dystiolaeth y coloffonau pwysicaf yn Nesta Lloyd & Morfydd E. Owen, *Drych yr Oesoedd Canol* (Caerdydd, 1986), 222-31.

[2] *Pace* barn Iestyn Daniel, 'Golwg Newydd ar Ryddiaith Grefyddol Cymraeg Canol', *Llên Cymru,* cyf. 15 (1984-88), 215-16, lle y dadleuir o blaid cyfraniad sylweddol gan y Brodyr Duon i weithgarwch llenyddol yng Nghymru; a cf. bellach *idem, Ymborth yr Enaid* (Caerdydd, 1995), xxiii-xxxiv.

*c.*1250-1400 y gellir eu cysylltu – a hynny'n ddigon petrus – ag unrhyw sefydliad penodol, ac na fedrwn fod yn sicr ychwaith ynglŷn â statws mynachaidd y sawl a fu'n gyfrifol am eu llunio.[3]

Eu tarddiad mewn *milieu* mynachaidd yw'r esboniad a roddir fel arfer ar y ffaith fod cynifer o ysgrifwyr ein llyfrau canoloesol wedi dewis aros yn ddienw; mynnai Rheol Bened y dylai pob crefftwr mewn mynachlog ymarfer ei grefft â gostyngeiddrwydd llwyr,[4] a chanlyniad ymarferol hynny yng nghyd-destun celfyddyd y *scriptorium* oedd ysgrifwyr anhysbys.[5] O'r 83 llaw unigol, yn ôl cyfrif diweddar Mr Daniel Huws, a fu'n gyfrifol am gynhyrchu'r 80 llyfr a oroesodd o'r cyfnod 1250-1400,[6] tair yn unig a ddatgelodd eu henwau trwy eu nodi mewn coloffon,[7] a dwy yn unig a fu mor ystyriol o ymdrechion ysgolheigion diweddarach â nodi blwyddyn eu llafur.[8] Er bod gwybod yr enwau hyn yn fodd inni sefydlu ychydig o wybodaeth am yr ysgrifwyr eu hunain (gan gynnwys yr awgrym clir na chyfyngwyd gweithgarwch llunio a chopïo llyfrau i *scriptoria'r* mynachlogydd erbyn y bedwaredd ganrif ar ddeg, bid a fo am y sefyllfa cyn hynny), rhaid cydnabod ar ddiwedd y dydd mai prin yw'r ffeithiau sicr amdanynt.

[3] Daniel Huws, 'Llyfrau Cymraeg 1250-1400', 12-13.

[4] Gw. *The Rule of Saint Benedict,* cap. LVII, golygwyd a chyfieithwyd gan Justin McCann (Llundain, 1952), 128-9.

[5] Nid amherthnasol yn y cyd-destun hwn mo'r nodyn a osododd Ancr Llanddewibrefi ar flaen un o'r llyfrau a luniodd: 'Ny mynegeis ynhev vy en6 vyhvn rac g6allygya6 y g6eithredoed hynn o gennvigenn. Archet hagen y darllea6dyr yscriuennv yn y nef en6 y neb ae g6naeth. ac na dileer y en6 o lyuyr y uuched', gw. John Morris Jones & John Rhys (goln), *The Elucidarium and Other Tracts in Welsh from Llyvyr Agkyr Llandewivrevi* (Rhydychen, 1894), 2. Yn eironig, braidd, trwy fynych ddefnydd, ac arfer priflythrennau, bron na ddaeth 'Ancr Llanddewibrefi' yn fwy na disgrifiad syml o alwedigaeth a lleoliad, ac yn fath ar enw ynddo'i hun.

[6] Daniel Huws, 'Llyfrau Cymraeg 1250-1400', 11.

[7] Sef Gwilym Wasta, Ieuan Ysgolhaig a Hywel Fychan; am restr o'r llyfrau a oroesodd yn llaw y tri, gw. Daniel Huws, 'Llyfrau Cymraeg 1250-1400', 20-1. Ar Gwilym Wasta, gw. Morfydd E. Owen & Dafydd Jenkins, 'Gwilym Was Da'. Ar Hywel Fychan, gw. Gifford Charles-Edwards, 'The Scribes of the Red Book of Hergest', a Brynley F. Roberts, 'Un o Lawysgrifau Hopcyn ap Tomas o Ynys Dawy'. Tynnodd Daniel Huws sylw at y ffaith fod rhyw 'Yewin Scoleyg' yn fwrdais yn Llanbedr Pont Steffan yn 1302/3, gw. 'Llyfrau Cymraeg 1250-1400', 17, n.33. Ar y posibilrwydd fod y Gruffudd Ddu a adawodd ei enw ar ymyl y ddalen yn LlGC Peniarth 10 hefyd yn ysgrifydd y llyfr hwnnw, gw. Daniel Huws, *ibid.,* 12.

[8] Mae LlGC Peniarth 9 (llaw Ieuan Ysgolhaig) yn cynnwys coloffon dyddiedig 1336, a Rhydychen, Coleg Iesu 119 (Llyfr Ancr Llanddewibrefi) yn cynnwys coloffon dyddiedig 1346. Dylid cofio fodd bynnag fod llawer o lyfrau'r cyfnod bellach yn ddiffygiol; nid yw'n amhosibl i rai o leiaf o'r dail a gollwyd gynnwys yn wreiddiol dystiolaeth werthfawr am gefndir a dyddiad eu hysgrifennu.

Ond er prinned y ffeithiau caled am ysgrifwyr ein llyfrau canoloesol, teg yw dweud bod gwaith ysgrifydd ynddo'i hun yn gallu datgelu cryn dipyn amdano, am ei hyfforddiant, ei feddwl a'i bersonoliaeth; ac yn naturiol, po fwyaf o waith sydd wedi goroesi yn llaw rhyw ysgrifydd penodol, mwyaf cyflawn fydd y darlun a adewir ar ei ôl: 'wrth eu ffrwythau yr adnabyddwch hwynt' piau hi yn y maes hwn yn gymaint â sawl un arall. Enghraifft amlwg o'r math o ddatgelu cymeriad y cyfeirir ato yma yw achos yr ysgrifydd anhysbys y daethpwyd bellach i gyfeirio ato fel llaw α, a fu'n gyfrifol am gopïo'r rhan fwyaf o gynnwys Llawysgrif Hendregadredd. Mae dadansoddiad Daniel Huws o lawiau, cynnwys ac adeiledd y casgliad amhrisiadwy hwn o farddoniaeth Beirdd y Tywysogion wedi'n cyflwyno i feddwl trefnus ysgrifydd hyderus a oedd hefyd yn olygydd gwreiddiol a meistrolgar, un a ddidolai gerddi beirdd unigol a'u trefnu'n ddeallus mewn plygion annibynnol, un a barchai wahaniaeth statws yr awdl a'r englyn, ac un a amgyffredasai (a hynny o fewn cenhedlaeth i 1282) yr haniaeth lenyddol 'Beirdd y Tywysogion'.[9]

Enghraifft arall, dra gwahanol, o ysgrifydd sydd yn datgelu cryn dipyn amdano'i hun trwy ei waith yw Hywel Fychan. Er bod hwn yn ei enwi ei hun mewn coloffon i un o'r testunau a gopïodd, gan egluro iddo ymgymryd â'r gwaith o'i ysgrifennu 'o arch a gorchymun y vaester nyt amgen Hopkyn uab thomas uab einawn'[10] – amgylchiadau sydd yn awgrymu'n bendant mai ysgrifydd lleyg ydoedd – dadleuodd Gifford Charles-Edwards fod natur ei law yn cadarnhau nad ysgrifydd mynachaidd mohono, ac y ceir ynddi awgrym o gymeriad yr ysgrifydd cynhyrchiol hwn:

[9] Daniel Huws, 'Llawysgrif Hendregadredd'. Yn ei gyfres o adolygiadau manwl ar gyfrolau 'Beirdd y Tywysogion', gol. cyffredinol R. Geraint Gruffydd (Caerdydd, 1991-96), awgrymodd Dafydd Johnston ar fwy nag un achlysur fod llaw α yn copïo cerddi i Lawysgrif Hendregadredd o'r un gynsail ag a ddefnyddiwyd i gopïo cerddi Beirdd y Tywysogion i Lyfr Coch Hergest; gw. *Llên Cymru,* cyf. 17, 304-14; cyf. 18, 136-40; cyf. 19, 182-9; cyf. 20, 152-9. Nid yw'n glir eto i ba raddau y byddai'r Athro Johnston am briodoli'r weledigaeth athrylithgar a gysylltodd Daniel Huws â llaw α i ysgrifydd y gynsail goll.

[10] Philadelphia, Public Record Company 86800, 68-68b (ceir microffilm ohoni yn LlGC Ffilm 287); gw. Brynley F. Roberts, 'Un o Lawysgrifau Hopcyn ap Tomas o Ynys Dawy', 227. Ar 'lyfrgell' Hopcyn ap Tomas, a'r berthynas rhyngddi a Hywel Fychan, gw. Christine James, ' "Llwyr Wybodau, Llên a Llyfrau": Hopcyn ap Tomas a'r Traddodiad Llenyddol Cymraeg', yn Hywel Teifi Edwards (gol.), *Cwm Tawe* (Llandysul, 1993), 4-44.

A monastic scribe wrote a slow, perfect and well-spaced hand, with a never changing, regular rhythm . . . ; there is no ostentatious display or frivolity, but complete and steady absorption of the scribe. Hywel Fychan, on the other hand, is capable of great variation – all opening passages, rubrics and important listings are executed with careful display, his Latin is always prim, and his Welsh is sometimes executed with such careless brio that one does not recognise him instantly. He allows himself to be bored, witness the degeneration of his hand as he rushes through some long drawn out passage that does not interest him, and he allows himself to be amused and amuse others, witness his grotesques.[11]

Fel y nododd Brynley F. Roberts, mae deisyfiad taer Hywel Fychan ar ei ran ef ei hun a'i noddwr am weddïau pawb 'or a darlleho y llyuyr hwnn. am uadeueint oc eu pechodeu, a channattau gwir lewenyd didiffyc diorffen', ynghyd â'i gŵyn ynghylch brad a thwyll y Saeson yn erbyn ei gyd-genedl a oedd 'yn godef poen ac achenoctit ac alltuded yn eu ganedic dayar', yn ddatganiad personol anghyffredin yn y llawysgrifau, sydd yn bradychu cryn dipyn am safbwynt personol yr ysgrifydd hwn.[12] A chyn gadael Hywel Fychan, cofier disgrifiad enigmatig Peter Wynn Thomas ohono ar gorn rhai o nodweddion ei waith, fel 'a low-noise, form-orientated scribe'.[13]

Bwriad yr ysgrif hon yw cyflwyno portread o ysgrifydd y treuliais gryn lawer o amser yn ei gwmni dros y blynyddoedd, un y cefais fy nghyflwyno iddo gyntaf dan gyfarwyddyd gofalus Dr Brynley F. Roberts, sef copïydd dau lyfr sylweddol o Gyfraith Hywel a gedwir bellach yn BL Add. 22,356 (S), ac LlGC Llanstephan 116 (Tim).[14]

* * *

[11] Gifford Charles-Edwards, 'The Scribes of the Red Book of Hergest', 251.

[12] Brynley F. Roberts, 'Un o Lawysgrifau Hopcyn ap Tomas o Ynys Dawy', 227-8.

[13] Peter Wynn Thomas, 'Middle Welsh Dialects: Problems and Perspectives', *Bwletin y Bwrdd Gwybodau Celtaidd,* cyf. 40 (1993), 43.

[14] Mae'n arferol cyfeirio at lawysgrifau Cyfraith Hywel yn ôl *sigla* a ddyfeisiwyd gan Aneirin Owen yn *Ancient Laws and Institutes of Wales,* cyf. i (Llundain, 1841), xxv-xxxii; mabwysiadwyd byrfoddau hwylus yn ystod y ganrif hon ar gyfer y llawysgrifau hynny nas defnyddiwyd ganddo. Wele'r *sigla*/byrfoddau ar gyfer y llyfrau cyfraith y cyfeirir atynt yng nghorff yr ysgrif bresennol:

Bos	Llawysgrif Gymraeg Boston
C	BL Cotton Caligula A.iii
I	LlGC Peniarth 38

Parhad ar y tudalen nesaf

Mae'r llyfrau cyfraith cynharaf, fel eu cymheiriaid mewn meysydd eraill, yn waith ysgrifwyr anhysbys ac felly yn debygol o fod yn gynnyrch *scriptoria* eglwysig neu fynachaidd.[15] Fodd bynnag, ymddengys y bu ysgrifwyr llyfrau cyfraith y cyfnod ar ôl *c.*1300 yn fwy parod na'r cyffredin i ddatgelu eu henwau, nodwedd sydd yn awgrymu bod amryw ohonynt yn waith ysgrifwyr lleyg. Gwelir llawiau dau allan o dri ysgrifydd 'hysbys' y cyfnod 1250-1400 mewn llyfrau cyfraith, sef Gwilym Wasta yng Nghaergrawnt, Coleg y Drindod 1329 (Tr), LlGC Peniarth 36A (O) a Pheniarth 36B (N), a Hywel Fychan yn Rhydychen, Coleg Iesu 57 (J). Atynt gallwn ychwanegu enw ysgrifydd llyfr cyfraith sydd bellach ar goll ond y llwyddwyd i'w adlunio i raddau helaeth, sef y 'Davyd Escryvennyd' a gopïodd lawysgrif goll Llanforda (Ll) ar gyfer Iorwerth ap Llywelyn ap Tudur, *c.*1325-30.[16] Yn ogystal, mae dau o lyfrau cyfraith y bymthegfed ganrif yn waith ysgrifwyr y gallwn roi enwau arnynt, sef y 'Lewys Yscgolheig' a ysgrifennodd LlGC Peniarth 39 (Lew),[17] a'r bardd hysbys Lewys Glyn Cothi a gopïodd gerddi a thestun

[[14] Parhad]

J	Rhydychen, Coleg Iesu 57
K	LlGC Peniarth 40
L	BL Cotton Titus D ix
Lew	LlGC Peniarth 39
Ll	Llawysgrif goll Llanforda
M	LlGC Peniarth 33
N	LlGC Peniarth 36B
O	LlGC Peniarth 36A
P	LlGC Peniarth 259
Q	LlGC Wynnstay 36
S	BL Add. 22,356
T	BL Harleian 958
Tim	LlGC Llanstephan 116
Tr	Caergrawnt, Coleg y Drindod 1329 (= O.7.1)
Y	LlGC 20143
ε	LlGC Peniarth 258
Lat A	LlGC Peniarth 28
Lat B	BL Cotton Vespasian E. xi. 1
Lat D	Rhydychen, Llyfrgell Bodley, Rawlinson C 821
Lat E	Caergrawnt, Corpus Christi 454

Ceir rhestr hwylus o'r holl lyfrau cyfraith hysbys ynghyd â'u *sigla*/byrfoddau yn T.M. Charles-Edwards, *The Welsh Laws,* Cyfres 'Writers of Wales' (Caerdydd, 1989), 100-2.

[15] Am grynodeb o'r dystiolaeth, gw. Huw Pryce, *Native Law and the Church in Medieval Wales* (Rhydychen, 1993), 17-19.

[16] LlGC Panton 17, ff.8; gw. Dafydd Jenkins, 'Llawysgrif Goll Llanforda o Gyfreithiau Hywel Dda', *Bwletin y Bwrdd Gwybodau Celtaidd,* cyf. 14 (1950-52), 89-104.

[17] Gwenogvryn Evans, *Report,* cyf. i, 373.

cyfraith i LlGC Peniarth 40 (K).[18] Ysywaeth, ni ddilynodd copïydd S a Tim yr arweiniad a roddwyd gan yr ysgrifwyr cyfraith a fu'n llafurio o'i flaen trwy adael ei enw ar unrhyw ddalen a oroesodd;[19] fodd bynnag, o graffu'n fanwl ar y ddau lyfr o'i waith sydd gennym, gellir adeiladu darlun awgrymog o'r ysgrifydd anhysbys hwn.[20]

Ar sail dull ei law, gellir dyddio gweithgarwch ein hysgrifydd i ganol y bymthegfed ganrif,[21] h.y. 1450 ± 25 mlynedd. Defnyddia law destun *(textura)* fawr ac iddi duedd i fod yn grwn, ond nid yw'n rheolaidd iawn ac nid oes iddi'r cysondeb rhythmig sydd yn nodweddu llawiau'r ysgrifwyr gorau, a gysylltir fel arfer â *milieu* eglwysig neu fynachaidd. Yn wir, mae S a Tim fel ei gilydd yn llawysgrifau y gellid credu'n hawdd, o daflu golwg sydyn arnynt, eu bod yn gynnyrch nifer o ysgrifwyr gwahanol, gan fod mynych newidiadau ym maint yr ysgrifen ac arlliw yr inc yn rhoi argraff felly. Mae golwg fanylach, fodd bynnag, yn dangos fod maint y llaw ac arlliw yr inc yn ymdoddi i ryw norm o fewn ychydig ddalennau, a gellir tybio mai effaith ailgydio yn y gwaith copïo ar ôl rhyw doriad ac efallai cael pin newydd sydd yn bennaf gyfrifol am y newid llaw ymddangosiadol.

Nid oedd yr ysgrifydd hwn yn ofni arbrofi â'i law, fel y gwelir o'r llinellau addurn *(flourishes)* a osododd o bryd i'w

[18] ibid., 374-6; cf. Dafydd Johnston (gol.), *Gwaith Lewys Glyn Cothi* (Caerdydd, 1995), xxvii, xxix. Ar union debygrwydd llaw y testun cyfraith a llaw'r cerddi, gw. Huw Pryce, *Native Law and the Church in Medieval Wales,* 20, n.13.

[19] Mae Tim bellach yn bur ddiffygiol, a dalennau wedi'u colli o sawl rhan o'r llyfr, gan gynnwys ei ddechrau a'i ddiwedd; cf. Gwenogvryn Evans, *Report,* cyf. ii, 567. Mae cydiant Tim bellach fel a ganlyn: A^8 (2 yn eisiau), B^8, C^8, D^8, E^8 (8 yn eisiau), F^8 (4 a 5 yn ddalennau digyswllt, 2 ac 8 yn eisiau), G^8 (1 ac 8, 2 a 7 yn ddalennau digyswllt), H^8 (3 a 6 yn eisiau), I^4 (pedair dalen ddigyswllt). Awgryma'r testun fod dau gydiad cyfan yn eisiau o flaen A, ac un cydiad cyfan yn eisiau o flaen D ac E ill dau. Ni ellir ond dyfalu, wrth gwrs, a oedd enw'r ysgrifydd wedi'i nodi'n wreiddiol ar ddalen sydd bellach wedi diflannu.

[20] Yn fy nhraethawd, 'Golygiad o BL Add. 22,356 o Gyfraith Hywel ynghyd ag Astudiaeth Gymharol ohono a Llanstephan 116' (PhD, Prifysgol Cymru [Aberystwyth], 1984), xciii a *passim,* cymerais union debygrwydd llaw S a Tim yn gwbl ganiataol, heb gydnabod fy nyled am yr wybodaeth honno i Miss Morfydd E. Owen, nac i Mr Daniel Huws am ei chadarnhau. Dyma achub ar y cyfle i gywiro'r cam hwnnw, ac i ddiolch i'r ddau am gymwynasau lawer. Ar union debygrwydd llaw S a Tim, cf. T.M. Charles-Edwards, Morfydd E. Owen & D.B. Walters (goln), *Lawyers and Laymen: Studies in the History of Law presented to Professor Dafydd Jenkins on his seventy-fifth birthday* (Caerdydd, 1986), 137.

[21] Daniel Huws, gohebiaeth bersonol; cf. Gwenogvryn Evans, *Report,* cyf. ii, 948, sydd yn dyddio S i'r 'late xvth century', ac *ibid.,* 567, sydd yn gosod Tim yn ail hanner y bymthegfed ganrif. Manylir ar brif nodweddion y llaw yn Christine James, 'Llyfr Cyfraith o Ddyffryn Teifi: Disgrifiad o BL Add. 22,356', *Cylchgrawn Llyfrgell Genedlaethol Cymru,* cyf. 27 (1991-92), 390-3.

gilydd ar esgynyddion ei lythrennau ar frig y ddalen a'r disgynyddion ar odre'r ddalen. Gwelir hyn hefyd o'i arddull bersonol wrth lunio rhai llythrennau, er enghraifft y modd y mae'n peri i'r cyfuniadau **ar** ac **ac** redeg i'w gilydd, neu'r ffordd y mae'n gosod 'troed' ar **n** neu **m** ddiweddol gan beri i strôc olaf y llythrennau hyn ymdebygu i ffurf y ffigur '3'. Mae'r hyder unigolyddol hwn wrth ysgrifennu – ynghyd â'r ffaith iddo ymgymryd â thasg mor fawr â llunio dau lyfr cyfraith sydd gyda'r mwyaf o blith y rhai a oroesodd[22] – yn awgrymu fod yr ysgrifydd dan sylw yn ddyn cyfarwydd â gwaith ysgrifennu a chopïo. Dengys yr ychydig linellau Lladin a gopïodd i ff.144 yn S y medrai ysgrifennu Lladin yr un mor hyderus ag yr ysgrifennai Gymraeg, ac awgryma hyn y posibilrwydd nid yn unig ei fod yn gyfarwydd â thrafod dogfennau yn yr iaith honno, ond hefyd fod ganddo ryw gysylltiadau eglwysig.[23]

Mae maint a diwyg yr ysgrifen fawr ar ff.131v yn S yn ei gwneud yn amhosibl barnu gyda phendantrwydd llwyr a yw'r ddalen hon yn waith yr un ysgrifydd ai peidio, ond a barnu ar sail arlliw yr inc, hyder cyffredinol yr ysgrifydd wrth ei waith a'r ffaith fod y cwbl o weddill y testun yn y naill lyfr a'r llall (gan gynnwys y rhuddellu, y mae'n bur debyg)[24] yn gynnyrch yr un llaw, ni welaf fod rheswm dros briodoli'r ddalen arbennig hon i law arall. Peth diddorol am y ddalen hon yw bod arddull yr ysgrifen sydd arni yn awgrymu'n gryf fod y sawl a'i hysgrifennodd yn gyfarwydd iawn â'r math o ysgrifen a geir ar roliau'r Sesiwn Fawr, y *Plea Rolls,* ac os gwir ei bod yn waith yr ysgrifydd ei hun, tybed a allai hyn awgrymu mai clerc mewn llys ydoedd?

[22] Rhaid cofio gwaith mor araf a llafurus oedd ysgrifennu a chopïo. Amcangyfrifodd Gifford Charles-Edwards y gallai fod wedi cymryd hyd at chwe mis i ysgrifydd unigol gynhyrchu llyfr mor fawr â Llyfr Coch Hergest, 'The Scribes of the Red Book of Hergest', 246. Er nad yw S na Tim yn agos mor sylweddol â'r Llyfr Coch, nid oes dwywaith nad oes ynddynt wythnosau lawer o waith ysgrifennu.

[23] Awgrymodd Huw Pryce pan fo ysgrifydd llyfr cyfraith yn dangos iddo fedru darllen neu ysgrifennu Lladin, neu yn arddangos rhyw ddiddordebau eglwysig arbennig, y gellir yn rhesymol gasglu fod ganddo ryw gyswllt penodol â'r eglwys, a'i fod naill ai'n glerigwr neu wedi derbyn addysg eglwysig; gw. Huw Pryce, *Native Law and the Church in Medieval Wales,* 23. Gw. hefyd n.67 isod.

[24] Dyma oedd yr arfer yng Nghymru, cf. Daniel Huws, 'Llyfrau Cymraeg 1250-1400', 9-10. Y mae'r gwaith rhuddellu yn S a Tim fel ei gilydd yn hynod amaturaidd ar brydiau, ac nid oes yr un rheswm dros gredu y byddai'r ysgrifydd wedi trefnu i'r gwaith addurno gael ei gyflawni gan rywun llai medrus nag ef ei hun.

Byddai tybio fod yr ysgrifydd yn glerc mewn llys yn fodd, o bosibl, i esbonio un arall o nodweddion diddorol S a Tim, sef y ffaith eu bod ill dau yn cynnwys llun yn dangos safleoedd y brenin, y swyddogion a'r pleidiau gwahanol yn ystod achos cyfreithiol.[25] Yn wir, ar lawer ystyr, y llun hwn yw nodwedd fwyaf trawiadol S, gan iddo gael ei osod yn safle anrhydeddus wynebddarlun, gyferbyn â thudalen cyntaf y testun.[26] Er bod nifer o lyfrau cyfraith yn cynnwys cynllun moel neu ddiagram yn dangos safle'r personél amrywiol mewn achos yn ymwneud â thir – cynllun a leolir fel arfer yng nghorff y testun gyda'r traethig (trafodaeth) perthnasol[27] – S a Tim yw'r unig lyfrau y gwyddys amdanynt lle y gwelir datblygu'r diagram yn ddyluniad cyflawn, cymharol soffistigedig a'i osod ar wahân i'r drafodaeth.[28] Tystia'r llu o luniau bychain a adawodd yr ysgrifydd ar ymylon llawer o ddail ei ddau lyfr cyfraith ei fod yn ŵr a hoffai ddylunio, ac mae'r llun o ddyn a weithiodd o gwmpas dwy briflythyren gyfagos ar ff.32v yn S, er enghraifft, neu'r wynebau a osododd ar ff.17-19 yn Tim, a'r llun o wraig ar ff. 51v yn yr un llyfr, yn dangos yn glir y byddai cynhyrchu'r llun o'r llys o fewn ei alluoedd artistig, er ei

[25] Trafodais y maes hwn yn fanwl mewn papur a draddodwyd i Seminar Cyfraith Hywel y Bwrdd Gwybodau Celtaidd yn Aberystwyth, fis Tachwedd 1989; elwais yn fawr ar wybodaeth a chymwynasgarwch yr Athro Dafydd Jenkins wrth baratoi'r papur hwnnw, a da gennyf gydnabod ei gymorth hael. Bwriedir cyhoeddi sylwedd y drafodaeth honno maes o law.

[26] Y mae'n debyg mai'r llun hwn yw'r rhan fwyaf cyfarwydd o S bellach, gan iddo gael ei atgynhyrchu mewn lliw fel wynebddarlun yn Dafydd Jenkins (gol.), *The Law of Hywel Dda,* Cyfres 'Welsh Classics' (Llandysul, 1986), [ii], a hefyd ei gorffori gan Gifford Charles-Edwards yng nghynllun clawr cyfres 'Pamffledi Cyfraith Hywel' (Aberystwyth, 1979-).

[27] Nodwedd a gysylltir â llyfrau cyfraith dull Iorwerth yw hon; gw. Aled Rhys Wiliam (gol.), *Llyfr Iorwerth* (Caerdydd, 1960), §73. Mae rhai llawysgrifau dull Iorwerth yn cynnwys ail fersiwn ar y traethig hwn mewn corff o ddeunydd a atodir i'r prif destun, a digwydd ail gynllun yn aml gyda'r testun atodol.

[28] Teg nodi y ceir peth dylunio artistig o'r llys (o'i gyferbynnu â dylunio diagramatig) mewn dau lyfr cyfraith canoloesol arall, sef Lew, ff.33 a K, 88, ac ar sail LlGC Panton 17, ff. 2, sef y copi rhannol a wnaeth Ieuan Fardd o Ll, gellir tybio y bu elfen artistig bendant yn honno yn ogystal. Yn y tair llawysgrif hyn, canolbwyntia'r sylw artistig ar berson y brenin, a chynrychiolir gweddill personél y llys mewn dull diagramatig, er bod Lew hefyd yn dylunio pen yr offeiriad.

Mae nifer o lyfrau cyfraith eraill yn cynwys lluniau o wahanol fathau nad oes a wnelont â'r drafodaeth hon. Ar luniau enwog LlGC Peniarth 28 (Lat A) o'r brenin a swyddogion arbennig ei lys (yn bennaf), gw. Daniel Huws, *Peniarth 28: Darluniau o Lyfr Cyfraith Hywel Dda* ([Aberystwyth], 1988). Ceir lluniau o arwyddocâd crefyddol yn LlGC 20143 (Y), yn Rhydychen, Llyfrgell Bodley, Rawlinson C 821 (Lat D) ac o bosibl yn BL Cotton Caligula A.iii (C); gw. Huw Pryce, *Native Law and the Church in Medieval Wales,* 22.

bod yn anodd bod yn gwbl ddogmatig ynghylch ei briodoli iddo.[29] Fodd bynnag, ceir prawf digamsyniol o ymwneud yr ysgrifydd â'r gwaith o greu'r llun yn S yn y ffaith mai ei law ef a ychwanegodd y capsiynau rhuddell sydd yn enwi personél amrywiol y llys. Gellir dweud yn ddiogel, felly, iddo fod â rhan yn y gwaith o ddarparu'r llun hwnnw, a'i bod yn debygol mai ef ei hun a wnaeth y dylunio.

Nid yw'r berthynas rhwng y lluniau yn S a Tim yn un syml.[30] Er mai'r un yw'r llun yn ei hanfod yn y naill lyfr a'r llall, peth a gadarnheir gan fanylion cyffredinol y dylunio a'r ffaith bod S a Tim fel ei gilydd yn rhoi'r capsiynau annisgwyl o anramadegol 'llys ynad' a 'cwmwd ynad' am 'ynad llys' ac 'ynad cwmwd',[31] ceir nifer o wahaniaethau rhyngddynt. Ymhlith y gwahaniaethau arwynebol gellir nodi'r ffaith y gosodwyd llun S ar ddalen rydd a leolir (bellach) o flaen y testun cyfraith (ff.3v), lle y mae'n digwydd yng nghefn y llyfr yn Tim, ar *verso'r* ddalen olaf (61v) – safle sydd yn egluro'i gyflwr treuliedig ac aneglur o'i gymharu â'i gymar yn S. Ond mae hefyd nifer o wahaniaethau mwy sylweddol ac arwyddocaol rhwng y ddau:

i) mae rhai gwahaniaethau o ran **manion y dylunio.** Er enghraifft, mae dull ac addurnwaith coron y brenin yn wahanol yn y ddau lyfr, a lle y mae brenin S yn ymddangos ar ei sefyll, dangosir brenin Tim yn eistedd ar orsedd addurnedig;

ii) mae **ansawdd y dylunio** yn wahanol yn y ddau (er y dylid cydnabod y dwyséir yr argraff hon gan gyflwr treuliedig Tim). Ychydig yn aflêr yw fersiwn Tim, a golwg frysiog ar y gwaith. Mae fersiwn S ar y llaw arall wedi'i weithio'n fanwl ofalus, a grisielir yn y modd y rhuddellwyd y capsiynau sydd yn enwi personél y llys a'u gosod yn daclus o fewn hirsgwariau bychain.

iii) lle y mae'r capsiynau yn waith yr ysgrifydd ei hun yn S, llaw arall a'u gosododd ar lun Tim, sydd yn awgrym pellach o gyflwr anorffen Tim.[32]

[29] Yn ôl Daniel Huws (gohebiaeth bersonol), y mae'n bosibl, er enghraifft, nad gwaith yr ysgrifydd yw'r lluniau yn Tim o aradr (ff.53; ceir ffacsimili ohoni yn Timothy Lewis, *The Laws of Howel Dda* (Llundain 1912), a thrafodaeth yn F.G. Payne, *Yr Aradr Gymreig* (Caerdydd, 1954), 59, 78-83), nac ychwaith o ddwylo ymhleth (ff.31) ac o ddyn â chleddyf (ff.10).

[30] Ni ddylid pwyso bellach ar holl fanylion f'ymdriniaeth â'r lluniau yn 'Golygiad o BL Add. 22,356', xciii-xciv; cf. n.32 isod.

[31] Mae orgraff y gwreiddiol fel a ganlyn: *llys yngnat* (S), *llys ygnad* (Tim); *kymot yngnat* (S), *kymyd ygnad* (Tim).

[32] Cyferbynner fy sylwadau yn Christine James, 'Golygiad o BL Add. 22,356', xciii, sydd yn uniaethu'r capsiynau yn y ddau lun â llaw'r ysgrifydd.

Y dehongliad mwyaf tebygol i'w roi ar y nodweddion hyn yn fy marn i yw bod y ddau lun yn tarddu o gynsail gyffredin, a bod fersiwn Tim o bosibl yn ymgais gyntaf neu hyd yn oed yn fersiwn drafft ar ddalen wag yng nghefn y llyfr, ar waith a gyflawnodd yn orffenedig ofalus yn S.

Er bod gwisgoedd y ffigyrau ac arddull y dylunio yn ymddangos ar y cyfan yn gyfoes â'r llawysgrif ei hun,[33] ac er yr awgrym a wnaed uchod fod yr ysgrifydd o bosibl yn glerc mewn llys, go brin y gallwn gredu mai ymgais wreiddiol i ddarlunio golygfa gyfarwydd i'r ysgrifydd mo'r llun hwn yn S a Tim; yn un peth, ni fyddai'r brenin yn gwneud arfer o lywyddu dros achosion tir yng Nghymru'r bymthegfed ganrif! Tebycach o lawer yw bod y llun yn addasiad (neu hyd yn oed yn gopi o addasiad) o lun o lys Seisnig, a wnaed ar sail y cynllun moel a'r disgrifiad geiriol sy'n cyd-fynd ag ef yn Llyfr Iorwerth.[34] Gellid tybio felly mai diben esthetig yn bennaf sydd y tu ôl i gynnwys y llun hwn yn S (bid a fo am Tim), yn arbennig o gofio fod fersiwn S wedi'i osod gyferbyn â thudalen cyntaf y testun;[35] ond ni ddylid anwybyddu'r posibilrwydd fod iddo ryw arwyddocâd mwy ymarferol yn ogystal. Goroesodd cofnodion o 1375 ymlaen ynghylch penodi *dosbarthwyr,*[36] sef gwŷr hyddysg yng Nghyfraith Hywel, i weithredu ar ran y Goron mewn achosion o apêl yn erbyn camfarniadau'r barnwyr amatur neu'r 'brawdwyr o fraint tir' a oedd yn draddodiadol wrth wraidd gweinyddu'r gyfraith frodorol yn llysoedd y De.[37] Gweithgarwch yr arbenigwyr hyn, nad oes sôn amdanynt yn y testunau cynharach, yw un o ddatblygiadau mwyaf diddorol llyfrau cyfraith y bymthegfed ganrif, ac fel y dadleuir isod, mae rheswm cryf dros gysylltu S a Tim ill dau â

[33] Barn Dr George Henderson, yr hanesydd celf o Gaergrawnt, mewn gohebiaeth bersonol â'r Athro Dafydd Jenkins.

[34] Gw. n.27 uchod. Ceir addasiad o'r deunydd Iorwerth perthnasol yn S §§2,195-216, ac y mae Tim nid yn unig yn cynnwys yr addasiad hwn, ff.45[1-23], ond hefyd y deunydd Iorwerth yn gyflawn, ff.58[26] *et seq.*

[35] Dichon nad amherthnasol mo'r ffaith fod tudalen cyntaf y llyfr cyfraith hwn – fel y rhan fwyaf o'r lleill sydd yn gyflawn ar eu dechrau – yn sôn am Hywel Dda 'brenhin kymry oll' yn galw ynghyd gynulliad o wyrda, er nad dyna gyd-destun y llun fel y cyfryw.

[36] Gw. y mynegai i Ralph A. Griffiths, *The Principality of Wales in the Later Middle Ages: 1. South Wales, 1277-1536* (Caerdydd, 1972), s.v. *dosbarthwr.*

[37] Gw. T. Jones Pierce, 'The Law of Wales – the Last Phase', *Trafodion Anrhydeddus Gymdeithas y Cymmrodorion,* 1963, 30-2; Christine James, 'Golygiad o BL Add. 22,356', xxv-xxxiii.

dosbarthwr hysbys. Ar sail y dystiolaeth a oroesodd, gellir tybio yr ymwnâi gweithgarwch y dosbarthwyr yn fwyaf arbennig ag achosion ynghylch tir, gan y parhawyd i arfer y wedd hon ar Gyfraith Hywel mewn amryw rannau o'r wlad ymhell ar ôl i Gyfraith Loegr ei disodli mewn achosion o fathau eraill; yn wir, gellir dangos y parhawyd i arddel y gyfraith frodorol mewn mannau penodol yn ne-orllewin Cymru mor ddiweddar â 1510 (Cydweli)[38] os nad yn wir tan 1540 (Caeo).[39] Gan y gweithredai'r dosbarthwr i bob pwrpas fel dirprwy i'r brenin,[40] gellid tybio y byddai cynllun o eisteddiad y llys mewn achos ynghylch tir yn ddigon perthnasol i weithredu Cyfraith Hywel yn llysoedd de-orllewin Cymru yn y bymthegfed ganrif. O ganlyniad gellir ystyried y weithred o gynnwys y llun o'r llys yn gyson â pholisi golygyddol cyffredinol ysgrifydd y llyfrau hyn, ynghyd ag ysgrifwyr amryw o lyfrau cyfraith eraill y bymthegfed ganrif am hynny, sef gosod rhwng dau glawr unrhyw beth a phopeth, o unrhyw ffynhonnell, a allai fod o ryw werth neu ddiddordeb i'r sawl y lluniwyd y llyfrau hyn ar eu cyfer.[41]

Nodwedd arall ar S a Tim sydd yn datgelu rhywbeth am yr un a'u hysgrifennodd yw'r mynych alw ar enwau seintiau sydd ynddynt. Dyma nodwedd eto sydd ar y naill law yn cysylltu'r llyfrau hyn â'i gilydd tra ar yr un pryd yn eu gosod ar wahân i lawysgrifau Cymraeg eraill, oherwydd arfer pur anghyffredin yw hwn yn y llyfrau canoloesol Cymraeg, ac ni cheir cymaint ag un enghraifft arall ohono ymhlith llawysgrifau Cyfraith Hywel – er ei bod yn deg nodi nad yw cyfarch seintiau yn beth dieithr mewn llawysgrifau canoloesol Gwyddelig.[42] Yn S a Tim fel ei gilydd, mae'r galw ar y seintiau bob amser yn digwydd ar ddiwedd brawddeg, ac fel arfer ar ddiwedd traethig, yn ffordd anghyffredin o ddefosiynol i lenwi gofod gwag. Yn y naill lyfr fel y llall, a

[38] J. Beverley Smith, darlith anghyhoeddedig, yn trafod cofnod o achos llys a gedwir yn PRO Just. 1/1156,6; hoffwn ddiolch i'r Athro Smith am ganiatáu imi weld sgript ei ddarlith.

[39] T. Jones Pierce, 'The Law of Wales – the Last Phase', 7-32.

[40] Cf. y modd y mae'r traethig yn sôn am 'e brenhyn, neu e gur a uo en y le'; gw. Aled Rhys Wiliam (gol.), *Llyfr Iorwerth,* §73.3.

[41] Ar gynnwys ac adeiledd llyfrau cyfraith y bymthegfed ganrif, gw. Christine James, 'Tradition and Innovation in Some Later Medieval Lawbooks', *Bwletin y Bwrdd Gwybodau Celtaidd,* cyf. 40 (1993), 148-56.

[42] Charles Plummer, 'On the Colophons and Marginalia of Irish Scribes', *Proceedings of the British Academy,* cyf. 12 (1926), 11-44.

barnu ar sail arlliw yr inc a dull y llaw, gosodwyd rhai enwau yn eu lle wrth ysgrifennu'r testun, tra bod eraill yn ychwanegiadau diweddarach gan yr un ysgrifydd. Fodd bynnag, mae dosbarthiad yr enwau braidd yn wahanol yn y ddau lyfr. Fel y trafodir yn fwy manwl isod, mae S a Tim yn enghreifftiau o'r hyn a elwir yn ddeddfgronau, sef llyfrau cyfraith cyfansawdd yn cynnwys prif destun o un o'r tri 'dull' traddodiadol ar Gyfraith Hywel (Iorwerth, Blegywryd neu Gyfnerth) ynghyd â deunydd amrywiol atodol.[43] Yn S gwasgarwyd yr enghreifftiau hyn o enwau'r seintiau ar hyd y llyfr, yn y deunydd Blegywryd traddodiadol ac yn y gynffon o ddeunydd atodol fel ei gilydd, ond fe'u cyfyngir i'r gynffon atodol yn Tim. Fodd bynnag, rhaid cofio bod cyfran sylweddol o'r testun Blegywryd traddodiadol bellach yn eisiau o Tim gan fod nifer o ddalennau wedi'u colli,[44] ac nid yw'n amhosibl felly fod dosbarthiad gwreiddiol enwau'r seintiau yn y llyfr hwnnw yn ehangach nag a awgrymir gan y llawysgrif bresennol.

Dewi sydd yn cael prif sylw'r ysgrifydd ar ddalennau S;[45] gelwir arno 28 o weithiau i gyd.[46] Roedd cwlt Dewi yn dra

[43] Aled Rhys Wiliam, 'Y Deddfgronau Cymraeg', *Cylchgrawn Llyfrgell Genedlaethol Cymru*, cyf. 8 (1953-54), 97-103; Christine James, 'Tradition and Innovation in Some Later Medieval Welsh Lawbooks', 152-5.

[44] Gw. n.19 uchod.

[45] Ar fywyd Dewi ynghyd â'r traddodiadau a dyfodd o'i gwmpas, gw. S. Baring-Gould & John Fisher, *The Lives of the British Saints*, cyf. 2 (Llundain, 1908), 285-322; S. Baring-Gould, *The Lives of the Saints*, cyf. 3 (Caeredin, 1914), 10-15; David Hugh Farmer, *The Oxford Dictionary of Saints* (Rhydychen, 1978), 103-4; D. Simon Evans, *Buched Dewi* (Caerdydd, 1959); *idem*, 'Ychwaneg am Ddewi Sant – ei Fuchedd a'i Fywyd', *Trafodion Anrhydeddus Gymdeithas y Cymmrodorion* 1984, 9-29; E.G. Bowen, *The St. David of History. Dewi Sant: Our Founder Saint* (Aberystwyth, 1982).

[46] Nodir isod ac yn nn.50-2 ffurf a lleoliad y cyfarchiadau yn S. Cyfeirir at rif y frawddeg yn nhestun Christine James, 'Golygiad o BL Add. 22,356'. Ychwanegwyd priflythrennau yn ôl yr arfer diweddar, ac estynnwyd pob byrfodd; mae teip *italig* yn dynodi i'r ysgrifydd ddefnyddio inc coch.

De6i – 1864
De6i Brefi – 44, 256, 436, *486*, 545, 553, 880, *1112*, *1146*, 1322, 1386, 1813, 1836, 1966, 2124, 2359
De6i Breui – *1860*
De6i Breuy – 76, 311
De6i Brefi ann kanhorth6y – 1589
De6i Brefi yn(n) kanhorth6y – 139, 833
De6i Brefi yn ganhorth6y – 1337
De6i Breui or Bryn G6yn – *1296*
De6i Brefi ora – 1332
De6i Dyfrwr ora pro nobis – 1350
De6i Breui et cetera – *1914*

phoblogaidd ac eang ei ledaeniad yng Nghymru'r oesoedd canol,[47] ond y mae'n sicr o fod yn arwyddocaol fod pob cyfeiriad namyn dau yn y llyfr hwn yn ei gyfarch yn benodol fel Dewi Brefi, gan awgrymu rhyw ymlyniad cryf neu gyswllt arbennig ar ran yr ysgrifydd â phlwyf Llanddewibrefi.[48] Mewn un man gelwir arno yn y ffurf 'De6i Breui o'r Bryn G6yn'. Digwydd yr enw Bryngwyn hyd heddiw yn enw ar fferm yn ardal Blaenpennal, a fu gynt ym mhlwyf Llanddewibrefi, ond y mae'n fwy tebygol y cyfeirir yma at y bryn gwyrthiol y dywedir iddo godi o dan draed Dewi wrth iddo annerch Synod Frefi ac, yn ôl traddodiad, y codwyd eglwys plwyf Llanddewibrefi arno'n ddiweddarach.[49] Yn ogystal â galw ar Ddewi, gelwir unwaith yr un ar Gwenog (nawddsantes plwyf cyfagos Llanwenog)[50] a Lawrens Ferthyr,[51] a dwywaith ar Dduw ei hun.[52]

Gwenog a gaiff y prif sylw yn hynny sydd yn weddill o Tim: gelwir arni chwe gwaith i gyd, ac mae pedwar o'r cyfarchiadau hyn yn cysylltu ei henw ag eiddo Gwnnen (nawddsantes plwyf cyfagos Llanwnnen).[53] Cyplysir enwau Gwenog a Gwnnen yn Tim â chyfeiriadau at Gwynionydd Uwch Cerdin, sef rhan ogledd-ddwyreiniol hen arglwyddiaeth Gwynionydd yr oedd

[47] E.G. Bowen, *The Settlements of the Celtic Saints in Wales* (Caerdydd, 1956), 50-2; Francis Jones, *The Holy Wells of Wales* (Caerdydd, 1954), 32 a *passim.*

[48] Am y cyswllt rhwng cwlt Dewi a Llanddewibrefi, gw. E. G. Bowen, 'The Cult of Dewi Sant at Llanddewibrefi', *Ceredigion,* cyf. 2 (1952-55), 61-5; Glanmor Williams, 'The Collegiate Church of Llanddewibrefi', *ibid.,* cyf. 4 (1960-63), 336-9; R. Geraint Gruffydd & Huw Parri Owen, 'The Earliest Mention of St. David?', *Bwletin y Bwrdd Gwybodau Celtaidd,* cyf. 17 (1956-58), 185-93.

[49] Gw. D. Simon Evans, *Buched Dewi,* 17. Goroesodd cyfeiriadau yng ngwaith y beirdd at y digwyddiad hwn; gw. Gwynfardd Frycheiniog, 'Canu i Ddewi' yn Kathleen Anne Bramley *et al.* (goln), *Gwaith Llywelyn Fardd I ac Eraill o Feirdd y Ddeuddegfed Ganrif,* Cyfres 'Beirdd y Tywysogion' (Caerdydd, 1994), 441, llau. 27-8, lle y defnyddir yr un ymadrodd yn union, 'brynn gwynn'; Ieuan ap Rhydderch, 'I Ddewi Sant', yn Henry Lewis, Thomas Roberts & Ifor Williams (goln), *Cywyddau Iolo Goch ac Eraill* (Caerdydd, 1972), 244, llau. 23-4.

[50] G6enoc helpa – 1339. Ar Gwenog, gw. S. Baring-Gould & John Fisher, *The Lives of the British Saints,* cyf. 3 (Llundain, 1911), 198.

[51] La6rens verthur – *1887.* Ar Lawrens, gw. S. Baring-Gould, *The Lives of the Saints,* cyf. 9 (Caeredin, 1914), 109-10; David Hugh Farmer, *The Oxford Dictionary of Saints,* 237-8.

[52] Deo gracias – 779; Gwir Duw krea6dr – godre ff.140.

[53] Ar Gwnnen, gw. S. Baring-Gould & John Fisher, *The Lives of the British Saints,* cyf. 3, 230-1.

plwyfi Llanwenog a Llanwnnen yn rhan ohoni.[54] Yn ogystal, gelwir unwaith ar Fair.[55]

Ni ellir ond dyfalu ynghylch yr hyn sydd yn gorwedd y tu ôl i'r ffenomen hon o alw ar y seintiau yn S a Tim. Anodd credu fod iddi unrhyw arwyddocâd litwrgaidd;[56] mae dosbarthiad yr enwau fel petai yn cau allan y posibilrwydd hwnnw. Gellid tybio nad yw'r deisyfiadau amlwg am gymorth – *De6i Brefi ynn kanhorth6y, G6enoc helpa, De6i Dyfr6r ora pro nobis,* etc. – yn fwy nag ebychiadau copïydd blinedig a diflas na welai derfyn ar y dasg oedd o'i flaen.[57] Wedi'r cwbl, fel y nodwyd eisoes, mae S a Tim gyda'r mwyaf o'r llyfrau cyfraith sydd wedi goroesi o'r cyfnod canol. Os felly, dichon y gellir cyplysu'r nodwedd hon o alw ar y seintiau â sylw arall a briodolir i'r ysgrifydd dan sylw, sydd fel petai'n fynegiant pellach o'i flinder a'i ddigalondid. Fel nifer o lawysgrifau eraill sydd yn cynnwys prif destun o Lyfr Blegywryd, mae S yn hepgor y rhan fwyaf o Gyfreithiau'r Llys gyda'r sylw esboniadol:

> Peida6 wethion a 6nna6n a chyfreitheu s6ydogion llys y brenhin, kanyt oes aruer na reit 6rthunt . . .[58]

Fodd bynnag, â ysgrifydd S yn ei flaen i resymoli'i weithred yn fwy penodol:

[54] Gw. William Rees, *An Historical Atlas of Wales* (Llundain, 1951), plât 28. Nodir isod ac yn n.55 ffurf a lleoliad y cyfarchiadau yn Tim. Cyfeirir at rif y ffolio a'r llinell berthnasol yn y llawysgrif. Ychwanegwyd priflythrennau yn ôl yr arfer diweddar, ac estynnwyd pob byrfodd; mae teip *italig* yn dynodi i'r ysgrifydd ddefnyddio inc coch.

G6enoc Gwnnen – 28v[18]
Gwnnionyd y6ch kerdin – 29[28]
G6enoc – 38v[7]
G6enoc ; G6nen – 55v[8]
Gwenoc : Gwnen : Gwinionyd – 56[37]
G6enoc – 56v[8]
Gwenoc : Gwnen Gwinionyd ywch kerdin – 60v[17]

[55] Mair Seren Eglyrach Nar heul – *godre ff.48* (? llaw wahanol).

[56] Ar gwlt litwrgaidd Dewi Sant, gw. Silas M. Harris, *Saint David in the Liturgy* (Caerdydd, 1940).

[57] Nid oedd yr ysgrifwyr Gwyddelig yn swil o fynegi'u diflastod ar dro; gw. Charles Plummer, 'On the Colophons and Marginalia of Irish Scribes'.

[58] Christine James, 'Golygiad o BL Add. 22,356', §30, a cf. O, Tr, I. Am drafodaeth ar y nodwedd hon, gw. Stephen J. Williams & J. Enoch Powell (goln), *Cyfreithiau Hywel Dda yn ôl Llyfr Blegywryd* (Caerdydd, 1942), xl-xli, xliv-xlv, a Christine James, 'Golygiad o BL Add. 22,356', xliv-lxii. Dylid nodi fod N (yn yr un llaw ag O a Tr, sef eiddo Gwilym Wasta, gw. Daniel Huws, 'Llyfrau Cymraeg 1250-1400', 20) hefyd yn hepgor Cyfreithiau'r Llys, ond heb y frawddeg esboniadol, gw. Christine James, *ibid.*, lxiii-lxiv, n.14, a hefyd n.90 isod.

. . . namyn blinder eu hyscrifennu a chosti memr6n a du yn diffr6yth.[59]

Dehongliad arall, mwy ysbrydol a hollol gydnaws ag ysbryd yr oes, fyddai deall yr enghreifftiau o gyfarch y seintiau yn S a Tim fel gweithred ddefosiynol seml, sef saeth-weddïau'r ysgrifydd am fendith a chymorth oddi uchod ar ei lafur ef ei hun ac ar waith y sawl yr oedd yn cynnull y llyfrau hyn ar eu cyfer.[60] Roedd y bymthegfed ganrif, wedi'r cwbl, yn gyfnod o ffynnu mawr ar ddefosiwn yng Nghymru, ac un o nodweddion y bywiogi hwn ar grefydd y werin bobl yn gyffredinol ar drothwy'r Diwygiad Protestannaidd oedd y pwyslais mawr a roddwyd o'r newydd ar y seintiau. Daethpwyd i synio amdanynt ar y naill law fel 'celestial mascots'[61] ac ar y llaw arall fel 'old and comforting friends'.[62] Ac er y gellir yn gyfiawn sôn am yr 'essential triviality'[63] a nodweddai gymaint o ymwneud y werin â'r seintiau ar ddiwedd y cyfnod canol, gwelwyd hefyd wedd fwy sylweddol ar yr ymroi i'w dyrchafu yn y cynnydd arwyddocaol yn y galw am fucheddau, yn y ffrwd o ganu i'r seintiau sydd wedi goroesi o'r cyfnod, ac yn y bri mawr a osodwyd ar bererindota – nid yn unig i ganolfannau mawr Cristnogaeth ryngwladol yn Jerwsalem, Rhufain a Santiago de Compostella, ond hefyd i ganolfannau o

[59] Cf. y dehongliad a roddir ar ei eiriau yn Christine James, 'Tradition and Innovation in Some Later Medieval Lawbooks', 155-6, lle yr awgrymir eu bod yn bradychu safbwynt iwtilitaraidd ar ran yr ysgrifydd tuag at y deunydd a gynullai i'w lyfr cyfraith.

[60] Cadwyd nifer o enghreifftiau o weddïau mwy ffurfiol i'r perwyl hwn yn y llawysgrifau canoloesol Cymraeg. Cyfeiriwyd eisoes at weddi Hywel Fychan drosto ef ei hun a'i noddwr, Hopcyn ap Tomas, gw. n.12 uchod. Mwy arwyddocaol, efallai, o safbwynt ei gefndir a'i darddle yw'r weddi yn Llyfr Ancr Llanddewibrefi:

> Gruffud ap ll[y6elyn] ap phylip ap trahayarnn. o kant[re]f ma6r a beris yscriuennv y llyuyr h6nn. o la6 ketymdeith ida6. nyt amgen. g6r ryoed agkyr yr amsser h6nn6 yn llande6yureui. y rei y meddyanho du6 y heneideu yn y drugared. Amen.
>
> (John Morris Jones a John Rhys (goln), *The Elucidarium and Other Tracts in Welsh*, 2.)

Nid dyma fyddai'r tro cyntaf ychwaith i weddi ymddangos mewn llyfr cyfraith: cf. coloffon Gwilym Wasta i Tr:

> Llyma diwed[da llyfr kyfreitheu Hywel. a yscriuennvyd [gan . . . Gvilym Wasta or Drefnewyd. poet. bendigedic vo y env ef gerbron y Tat ar Mab ar Yspryd Glan. amen. poet gvir. pater noster. a chredo. [ff.68]
>
> (J. Enoch Powell, 'The Trinity College Manuscript of Hywel Dda', *Bwletin y Bwrdd Gwybodau Celtaidd*, cyf. 8 (1935-37), 122.)

Ar weddïau canoloesol Cymraeg yn fwy cyffredinol, gw. Brynley F. Roberts, *Gwassanaeth Meir* (Caerdydd, 1961); *idem*, 'Gweddïo yn y Gymraeg', *Y Cylchgrawn Catholig*, rhifyn 2 (1994), 15-17; M.T. Burdett-Jones, 'Gweddi Anarferol', *ibid.*, rhifyn 3 (1994), 35-6, lle y ceir enghraifft ddiddorol o alw ar seintiau mewn *lorica* (gweddi am noddfa).

[61] Glanmor Williams, *The Welsh Church from Conquest to Reformation* (Caerdydd, 1962), 499.

[62] *ibid.*, 505.

[63] *ibid.*, 499.

bwys cenedlaethol megis Tyddewi ac Enlli a rhai lleol fel Llangynwyd a Llandegla.[64] Mewn awyrgylch defosiynol o'r fath y gosododd ysgrifydd S a Tim enwau seintiau ac enw Duw ei hun ar ddalennau ei ddau lyfr cyfraith, gan ddangos ei fod ef yn y mater hwn yn gynnyrch ei oes o leiaf – ac o bosibl yn ŵr mwy defosiynol na'r cyffredin; cofier hefyd yr awgrym a gafwyd o gyfeiriad arall y gallai fod ganddo gysylltiadau eglwysig o ryw fath.[65]

Cyflawna'r enwau hyn swyddogaeth ragor na chyfleu defosiwn yr ysgrifydd a hinsawdd grefyddol yr oes y lluniwyd y llyfrau ynddi, fodd bynnag; rhoddant arweiniad hefyd ynglŷn â chylch gweithgarwch yr ysgrifydd. Ac anwybyddu'r cyfeiriadau at Dduw, a hefyd y cyfeiriadau at Mair a Lawrens, yr oedd eu parch a'u poblogrwydd yn gyffredin trwy'r byd Cristnogol yn y cyfnod hwn, fe'n gadewir ag enwau tri sant – Dewi, Gwenog a Gwnnen – y gellir eu cysylltu'n benodol â phlwyfi yn neau Ceredigion, a chymerir y rhain, ynghyd â'r cyfeiriadau yn Tim at Gwynionydd Uwch Cerdin, yn awgrym clir mai rhywun a chanddo gysylltiad pendant â dyffryn Teifi a ysgrifennodd y ddau lyfr dan sylw.[66] Ni wyddys pam y bu'r ysgrifydd mor deyrngar (ar yr wyneb o leiaf) i nawddsant plwyf Llanddewibrefi pan gopïodd S, ac i nawddsantesau plwyfi Llanwenog a Llanwnnen pan gopïodd Tim: gallai hyn adlewyrchu newid yn ei fan gwaith, er enghraifft, gan nad oes raid credu iddo gopïo'r ddwy lawysgrif yn yr un lle;[67] posibilrwydd arall yw bod y nodwedd hon ar ei waith

[64] Am ddarlun cynhwysfawr o Gymru grefyddol ar drothwy'r Diwygiad Protestannaidd, gw. *ibid.*, 247 *et seq.*

[65] Gw. n.23 uchod.

[66] Cf. Aneirin Owen, *Ancient Laws,* cyf. i, xxxi; Gwenogvryn Evans, *Report,* cyf. ii, 567. Digwydd un enw lle yn S a allai fod yn arwyddocaol o safbwynt lleoli'r llyfr, sef Glan Marlais. Ar y posibiliadau o safbwynt lleoli Glan Marlais, gw. Christine James, 'Llyfr Cyfraith o Ddyffryn Teifi', 401, n.17.

[67] Mae Llyfr Ancr Llanddewibrefi yn ein hatgoffa na fyddai copïo llawysgrifau yn beth dieithr yn Llanddewibrefi. Roedd Llanddewi yn ganolfan eglwysig o gryn bwysigrwydd yn yr oesoedd canol – nid yn unig fel ffocws i gwlt Dewi, ond hefyd o bosibl fel eglwys glas. Yn 1287 sefydlodd yr Esgob Thomas Bek eglwys golegol yno, gan wneud Llanddewibrefi yn fath ar is-eglwys-gadeiriol ac, o anghenraid, yn ganolfan dysg a defosiwn – er i'w phwysigrwydd leihau, y mae'n debyg, erbyn y bymthegfed ganrif; gw. Glanmor Williams, 'The Collegiate Church of Llanddewibrefi'. Hyd yn oed pe na bu ysgrifydd S a Tim yn uniongyrchol gysylltiedig â'r sefydliad eglwysig yn Llanddewibrefi – hynny yw, yn glerigwr o ryw fath – ni ddylid anwybyddu'r ganolfan hon fel cefndir diwylliannol neu addysgiadol posibl i'w lafur. Yn ddiddorol ddigon, ceir cyswllt penodol rhwng Llanddewibrefi a Llanwenog; dibynnai bywoliaeth canoniaid eglwysi colegol ar gyfran o ddegwm nifer o eglwysi plwyf a neilltuwyd i'r diben hwn, a gwyddys bod plwyf Llanwenog ymhlith y rhai a gynhaliai eglwys golegol Llanddewibrefi.

yn adlewyrchu'n hytrach deyrngarwch crefyddol y sawl y cynullodd y llyfrau cyfraith hyn ar eu cyfer.

Er na ellir esbonio hynny mewn termau daearyddol pendant fel y gellir ei wneud yn achos y cyfeiriadau at Dewi, Gwenog a Gwnnen, y mae rhai ystyriaethau gwerth eu nodi ynghylch y ffaith fod yr ysgrifydd yn galw ar Lawrens Ferthyr. Roedd cwlt Lawrens ymhlith y cynharaf a'r mwyaf poblogaidd yn hanes Cristnogaeth. Roedd bri mawr arno yn Rhufain yn yr oesoedd canol, a gwyddys i bererinion o Gymru heidio i'r ddinas honno ar ôl i fethiant Ail Ryfel y Groes yn 1270 eu rhwystro rhag cyrraedd Jerwsalem.[68] Wrth i'r pererinion ddychwelyd o Rufain, daethant â bri Lawrens adref gyda hwy, ac y mae'n rhesymol credu bod ei gwlt ar ei anterth yng Nghymru tua chanol y bymthegfed ganrif, sef union adeg llunio S a Tim. Yn sicr roedd y bererindod i Rufain mor boblogaidd ag erioed yn y bymthegfed ganrif a dechrau'r unfed ganrif ar bymtheg, fel y tystia gwaith nifer o feirdd y cyfnod, gan gynnwys Lewys Glyn Cothi, Siôn Tudur, Robin Ddu, Lewis Trefnant, Gwilym ap Sefnyn, Llywelyn ap Hywel ab Ieuan ap Gronw, a Huw Cae Llwyd.[69] Mae cerdd Huw Cae Llwyd, 'Y Creiriau yn Rhufain', y gellir ei dyddio i'r flwyddyn 1475, yn arbennig o ddiddorol yn y cyd-destun presennol gan fod y bardd, wrth ddisgrifio ei bererindod i Rufain, yn sôn yn benodol am ferthyrdod Lawrens:

> Gwnaeth ef, o'i ddioddefaint,
> Lawrens wyn lawer yn saint.[70]

Trewir nodyn cyffelyb gan Lywelyn ap Hywel ab Ieuan ap Gronw, yn ei 'Gywydd i'r Creiriau o Rufain': wrth ddisgrifio rhyfeddodau'r ddinas, sonia am

[68] Griffith Hartwell Jones, *Celtic Britain and the Pilgrim Movement* (Llundain, 1914), 149 *et seq.*

[69] Gw. Glanmor Williams, 'Poets and Pilgrims in Fifteenth- and Sixteenth-century Wales', *Trafodion Anrhydeddus Gymdeithas y Cymmrodorion*, 1991, 85-7. Ceir detholiad o'r cerddi amlycaf yn Griffith Hartwell Jones, *Celtic Britain and the Pilgrim Movement*, 165-7, 183-8, 204-5, 220-8. Am olygiadau safonol o gerddi rhai o'r beirdd a enwir, gw. Dafydd Johnston (gol.), *Gwaith Lewys Glyn Cothi* (Caerdydd, 1995), 223-4; Enid Roberts (gol.), *Gwaith Siôn Tudur* (Caerdydd,1980), 239-41; Leslie Harries (gol.), *Gwaith Huw Cae Llwyd ac Eraill* (Caerdydd, 1953), 83-5; Nest Scourfield, 'Gwaith Ieuan Gethin ab Ieuan ap Lleision, Llywelyn ap Hywel ab Ieuan ap Gronw, Ieuan Du'r Bilwg, Ieuan Rudd a Llywelyn Goch y Dant' (MPhil, Prifysgol Cymru [Abertawe], 1993), 44-6.

[70] Leslie Harries (gol.), *Gwaith Huw Cae Llwyd*, 84, llau. 59-60.

Eglwys wen, lle gwelais i
Y llech rudd â'r llewych wres
Y doluriwyd Sant Lawres.[71]

Dyma gyfeiriadau at Lawrens mewn cyd-destun Cymraeg sydd yn ymgysylltu'n berffaith â'r cyfeiriad yn S ac yn lled gyfoes ag ef. Rhodder at hyn y ffaith bod gŵyl Lawrens yn cael ei nodi bron yn ddieithriad yng nghalendrau Cymreig y cyfnod, ac yn aml yn ymddangos ynddynt fel 'Lawrens Ferthyr',[72] a dyna ddigonedd o dystiolaeth i boblogrwydd Lawrens yng Nghymru'n gyffredinol adeg ysgrifennu S a Tim.[73] Wrth geisio amgyffred pam y galwodd yr ysgrifydd ar Lawrens yn S, nid amherthnasol yw cofio'r traddodiad (a bwysleisir mewn ffordd arbennig yn y llyfr hwn), i Hywel Dda ei hun fynd i Rufain i gael bendith y Pab ar ei gyfreithiau,[74] gan y byddai hyn yn debygol o greu cadwyn o gysyniadau ym meddwl yr ysgrifydd: Hywel Dda > Rhufain > Lawrens Ferthyr.

Fodd bynnag, gellir cynnull peth tystiolaeth i boblogrwydd Lawrens yn yr union ardal y mentrwyd cysylltu ysgrifydd S a Tim â hi, sef dyffryn Teifi. Yn ei awdl, 'I Harri Tudur, Iarll Richmwnt',[75] mae Dafydd Nanmor yn rhaffu enwau seintiau gan ddeisyf eu bendith ar Harri, ac yn eu plith y mae Gwnnen a Gwenog ('Gwnnog', ll. 48), Dewi (ll. 60) a Lawrens (ll. 65). Gan fod Dafydd Nanmor wedi treulio'r rhan fwyaf o'i fywyd creadigol yn y De, yng nghartrefi Rhys ap Meredydd a'i dylwyth yn y Tywyn ger Aberteifi,[76] gellir dadlau bod y gerdd hon yn dangos bod Lawrens yn gymaint rhan o ymwybyddiaeth grefyddol dyffryn Teifi yn y bymthegfed ganrif ag oedd y seintiau

[71] Nest Scourfield, 'Gwaith Ieuan Gethin ab Ieuan ap Lleision . . . ', 45, llau. 48-50.

[72] Gw., er enghraifft, y calendrau yn BL Add. 14,912, ff.11v; LlGC Peniarth 27 rhan i, 8; Peniarth 40, 16.

[73] Mae'n bosibl y ceir cadarnhad pellach o gryfder y traddodiad amdano yng Nghymru yn y ffaith y digwydd ei enw ar lafar o hyd mewn ymadroddion sydd yn ei gysylltu â diogi neu ddifrawder; gw. Prys Morgan, 'Gruffudd Lorens', *Bwletin y Bwrdd Gwybodau Celtaidd,* cyf. 21 (1964-66), 305-7.

[74] Christine James, 'Golygiad o BL Add. 22,356', §§2,375; 2,522-3. Gw. Huw Pryce, 'The Prologues to the Welsh Lawbooks', *Bwletin y Bwrdd Gwybodau Celtaidd,* cyf. 33 (1986), 164-5; Christine James, *'Ban wedy i dynny:* Medieval Welsh Law and Early Protestant Propaganda', *Cambrian Medieval Celtic Studies,* cyf. 27 (1994), 61-86.

[75] Thomas Roberts & Ifor Williams (gol.), *The Poetical Works of Dafydd Nanmor* (Caerdydd, 1923), 46-9.

[76] *ibid.,* xix-xx; cf. Gilbert Ruddock, *Dafydd Nanmor,* Cyfres 'Llên y Llenor' (Caernarfon, 1992), 17-22.

a ystyrir yn rhai 'lleol'. Ymhellach, er na lwyddwyd i ganfod unrhyw eglwys a gysegrwyd i Lawrens yn yr ardal hon,[77] diddorol yw sylwi mai ar Ŵyl Lawrens y cynhelid ffair flynyddol yng Nghilgerran erbyn dechrau'r ail ganrif ar bymtheg (er na wyddys pa mor hen oedd yr arfer hwnnw ar y pryd),[78] a hynny fe ymddengys yn adlewyrchu disodli Llawddog, nawddsant a sylfaenydd eglwys y plwyf, gan sant a chanddo enw gweddol debyg ond a gyfrifid yn uwch gan y mewnfudwyr Normanaidd.[79] Os ydym yn gywir wrth awgrymu bod diddordeb arbennig yn Lawrens yng ngwaelod dyffryn Teifi tua chanol y bymthegfed ganrif, yna roedd ysgrifydd S a Tim yn rhannu'r diddordeb hwnnw neu o leiaf yn ei adlewyrchu.

Byddai gosod ysgrifydd y ddau lyfr cyfraith dan sylw yn nyffryn Teifi yn cyd-fynd yn llwyr â rhai nodweddion tafodieithol a welir ynddynt. Wrth ddisgrifio Tim, nododd Gwenogvryn Evans, 'this MS. . . . furnishes an interesting specimen of the Dialectal peculiarities of South Cardiganshire',[80] a datblygodd Timothy Lewis yr un pwynt yn ei ragymadrodd i'w destun ffacsimili o'r llawysgrif honno:

> . . . this text deserves attention for the material it offers workers in this rich field [sef tafodieithoedd y Gymraeg]. Nothing is so conservative as legal phraseology, yet we find almost on every

[77] Mae tair eglwys yn dwyn enw Lawrens yn esgobaeth Tyddewi, sef ym mhlwyfi Gumfreston, St. Lawrence, a Yerbeston; gw. *An Inventory of the Ancient Monuments in Wales and Monmouthshire; vii – County of Pembroke* (Llundain, 1925), 103-4, 377 a 419.

[78] George Owen o'r Henllys, *The Description of Pembrokshire,* gol. Henry Owen, (Llundain, 1892), 143; cf. John Roland Phillips, *The History of Cilgerran* (Llundain, 1867), 46-8. Mae'n debyg nad oes arwyddocâd i'r ffaith na restrir y ffair hon yn y stent a wnaed o eiddo esgob Tyddewi yn 1326, gan mai ffeiriau'r oedd gan yr esgob hawl arnynt yn unig a nodir yno; gw. J.W. Willis-Bund (gol.), *An Extent of all the Lands and Rents of the Lord Bishop of St. David's . . . usually called The Black Book of St. David's* (Llundain, 1902), lxxiii-lxxiv.

[79] George Owen, *The Description of Pembrokshire,* 143, n.6; John Roland Phillips, *The History of Cilgerran,* 50-3.

Mae'n bosibl yr ategir y dystiolaeth dros boblogrwydd Lawrens yng nghyffiniau Cilgerran gan ddau enw lle. Cyfeiria Lewys Dwnn (*Heraldic Visitations of Wales,* gol. Samuel Rush Meyrick (Llanymddyfri, 1846), cyf. 1, 39) at le o'r enw Tyddyn Lawrens ym mhlwyf Llandygwydd (sydd am yr afon â Chilgerran), a cheir yn LlGC Noyadd Trefawr Deeds and Documents 461 (profi ewyllys un David Thomas Parry, dyddiedig 13.2.1628/9) gyfeiriad at 'tire Lawrens', yn yr un plwyf. Er ei bod hi'n bosibl mai'r un lle yw Tyddyn Lawrens a Tire Lawrens, ac er nad oes sicrwydd mai Lawrens Ferthyr a gofféir yn y naill na'r llall o'r enwau hyn, ni ellir anwybyddu'r posibilrwydd bod yr enwau hyn yn olion diddordeb helaethach yn Lawrens Ferthyr yn yr ardal hon.

[80] Gwenogvryn Evans, *Report,* cyf. ii, 568.

page evidence of dialectal differences . . . Words like *arffedawc, bowyd, bwell, boell, kenad, cwed, mwd, towly,* etc. peculiar in meaning or form constantly occur, and they help us often both to fix the meaning of the corresponding terms in other texts as well as to trace the development of the dialect.[81]

Digon cyfyng mewn gwirionedd yw ein gwybodaeth am natur a chyflwr tafodieithoedd y Gymraeg yn y cyfnod canol, ac ni ddylid cymryd yn ganiataol fod patrymau a dosbarthiad nodweddion y tafodieithoedd yn yr ugeinfed ganrif yn adlewyrchu'r sefyllfa yn y bymthegfed, dyweder. Ymhellach, gan mai copïau yw'r rhan fwyaf o'r testunau canoloesol sydd gennym, rhaid cofio y gall nodweddion ieithyddol unrhyw destun penodol adlewyrchu iaith ei gynsail (neu gynseiliau) lawn cymaint â thafodiaith ei ysgrifydd.[82] Eto i gyd mae rhai o nodweddion orgraff S a Tim, ynghyd â'r seinyddiaeth a awgrymir ganddi, mor drawiadol o wahanol i'r testunau cyfraith eraill sydd wedi goroesi nes awgrymu'n gryf eu bod yn adlewyrchu nodweddion ar iaith eu hysgrifydd. Ac y mae yr un mor drawiadol fod y nodweddion hynny yn gyson â'r hyn sydd yn hysbys am dafodieithoedd dyffryn Teifi yn y cyfnod modern.[83] Gan imi

[81] Timothy Lewis, *The Laws of Howel Dda,* xiii.

[82] Trafodwyd rhai o'r prif broblemau sydd yn gysylltiedig â cheisio lleoli testunau canoloesol ar sail nodweddion ieithyddol gan Peter Wynn Thomas, 'Middle Welsh Dialects: Problems and Perspectives'. Mae'r methodoleg a gynigiodd Dr Thomas ar gyfer dosbarthu testunau canoloesol i un o dri phrif rhanbarth, sef gogledd Cymru, y de-ddwyrain a'r de-orllewin, yn anodd ei gymhwyso'n ystyrlon i destunau cyfansawdd fel S a Tim gan eu bod yn tarddu (yn uniongyrchol neu'n anuniongyrchol) o nifer o ffynonellau amrywiol, gan gynnwys dull Blegywryd ar y naill law sydd yn gydnabyddedig ddeheuol ei darddiad, a dull Iorwerth ar y llaw arall sydd yn gydnabyddedig ogleddol (cf. Peter Wynn Thomas, *ibid.,* 27), sefyllfa a fyddai'n sicr o wyro'r canlyniadau a'u gwneud yn annibynadwy. Mae bras ddadansoddiad a wnaed o wahanol adrannau'r gynffon o ddeunydd atodol yn S a Tim gan ddefnyddio criteria Dr Thomas yn argoeli canlyniadau diddorol, fodd bynnag, ac yn bwnc yr hoffwn ddychwelyd ato maes o law.

[83] Wrth geisio diffinio prif nodweddion seinegol tafodiaith yr ardal dan sylw, pwysais yn bennaf ar Evan Jenkin Davies, 'Astudiaeth Gymharol o Dafodieithoedd Plwyfi Dihewyd a Llandygwydd' (MA, Prifysgol Cymru [Aberystwyth], 1955); defnyddir y byrfodd EJD wrth gyfeirio at y gwaith hwn yn y drafodaeth a ganlyn. Gw. ymhellach H.M. Williams, 'The Dialects of Cardiganshire', *Transactions of the Cardiganshire Antiquarian Society,* cyf. 1 (1911), 45-7; E.R. Jones, 'Cymraeg Môn a Chymraeg Godre Ceredigion Ochr yn Ochr', *Y Geninen,* cyf. 32 (1914), 138-41; W. Beynon Davies, 'Ffin Dwy Dafodiaith', *Bwletin y Bwrdd Gwybodau Celtaidd,* cyf. 14 (1950-52), 273-83; David Gerwyn Lewis, 'Astudiaeth Eirfaol o Gymraeg Llafar Gogledd-orllewin Ceredigion' (MA, Prifysgol Cymru [Aberystwyth], 1960); John James Glanmor Davies, 'Astudiaeth o Gymraeg Llafar Ardal Ceinewydd . . .' (PhD, Prifysgol Cymru [Aberystwyth], 1934); Beth Thomas & Peter Wynn Thomas, *Cymraeg, Cymrâg, Cymrêg* (Caerdydd, 1989).

fanylu ar y nodweddion hynny mewn man arall,[84] bodlonir ar nodi rhai ohonynt yn unig yn y fan hon:

- tuedd i /a/ ac /e/ ddiacen wanychu ac ymdebygu i /ə/ – *ydnabod, ygoret, ydifar, prys6ylya6* (cf. EJD, 10, 93);
- tuedd i /e/ droi'n /a/ yn y sillaf olaf ddiacen – *antarth* (cf. EJD, 95);
- tuedd i gymysgu rhwng /o/ ac /u/ – *born, droc, cobyl, komod, attebor, m6ch, g6stec, k6lled, kyng6r* (cf. EJD, 96-7);
- tuedd i /ae/ ac /ai/ droi yn /e/ yn y sillaf olaf ddiacen – *ameth, kaffel, dystolyeth* (cf. EJD, 103-4);
- tuedd i /ei/ ac /eʉ/ amrywio ag /oi/ – *troeledic, adnouaeth, dadloeoed, deuthineb* (cf. EJD, 110);
- tuedd i /ui/, /u͓i/, ac /u͓ə/ droi'n /u/ – *dr6, b6ell, cannh6llyd, ass6, bress6l, g6rion, wh6tho, g6nion* (cf. EJD, 116-18, 122);
- tuedd i /au/ droi'n /ou/ – *ado6ssei, io6naf* (cf. EJD, 106);
- tuedd i /xu͓/ wanychu i /hu͓/ ar ddechrau gair – *h6ech, h6artha6r, 6hefra6r, 6heugeint.*

Yn ogystal â chyfleu nodweddion tafodieithol o'r math hwn, rhaid nodi un peth arall am orgraff S a Tim, sef ei hanghysondeb, a'r un gair yn cael ei ysgrifennu mewn nifer o wahanol ffyrdd; er enghraifft, yn S ceir saith amrywiad ar *anifeil,* saith amrywiad ar *hena6dyryeid,* pum amrywiad ar *ysgolheic* ac wyth amrywiad ar *eithyr,* ac mae orgraff Tim yn amrywio ar raddfa debyg. Er y gellir o bosibl egluro peth o'r amrywio hwn yn nhermau ffurfiau a godwyd o gynseiliau gwahanol neu ffynonellau amrywiol, mewn gwirionedd y mae S a Tim yn arddangos mewn modd clir iawn y tyndra sydd yn gallu bodoli rhwng orgraff a seinyddiaeth. Erbyn canol y bymthegfed ganrif roedd confensiynau orgraffyddol lled sefydlog Cymraeg Canol wedi dechrau dadfeilio, a gwelir ysgrifydd y llyfrau hyn ar y groesffordd megis rhwng y system hwnnw a dull llawer mwy seinegol o ddynodi iaith. Ymddengys iddo ymdrechu i ddilyn ei glust yn hytrach na chonfensiwn, a chan hynny gellir ei gyffelybu i ysgrifydd arall, cynharach, o'r un ardal fras ag ef, sef Ancr Llanddewibrefi, yr awgrymodd Peter Wynn Thomas iddo

[84] Christine James, 'Golygiad o BL Add. 22,356', cxxxviii-clxv. Ni cheisiwyd yn y fan honno ddosbarthu nodweddion seinegol yn ôl gwahanol adrannau'r testun, cf. n.82 uchod; fel yr awgrymwyd eisoes, mae bras ddadansoddiad yn argoeli canlyniadau diddorol, a bwriedir dychwelyd at hyn mewn man arall.

'gyfieithu' nodweddion orgraffyddol ei gynseiliau i gyfateb i'w dafodiaith ei hun, a'r un pryd ei gyferbynnu â Hywel Fychan, a dueddai i gopïo'n ffyddlon o'i gynsail ffurfiau nad oedd yn dwyn unrhyw berthynas â'i dafodiaith yntau.[85] Os yw Hywel Fychan felly yn 'low-noise, form-orientated scribe',[86] rhaid dyfarnu ysgrifydd S a Tim ar y llaw arall yn 'high-noise' a 'content-orientated'.

Yn ddiwethaf oll, medrwn gasglu cryn dipyn am yr ysgrifydd dan sylw o edrych ar natur ac adeiladwaith y testunau cyfraith a gopïodd. Mae S a Tim ill dau, fel y nodwyd uchod, yn ddeddfgronau neu lyfrau cyfraith cyfansawdd,[87] a syrthia eu cynnwys yn dair adran annibynnol yn y naill lyfr a'r llall: (i) prif destun Llyfr Blegywryd (S = o'r dechrau hyd §1,233; Tim = o'r dechrau hyd ff.21v[27]; (ii) rhan gyntaf y gynffon o ddeunydd atodol (S = §§1,234–2,236; Tim = ff.21v[30]–45v[28]); (iii) ail ran y gynffon (S = §2,237 i'r diwedd; Tim = ff.45v[28] i'r diwedd).

(i) *Y prif destun*

Wrth drafod y llawysgrifau a ddefnyddiwyd yn y gwaith o baratoi testun cyhoeddedig *Llyfr Blegywyryd,* nododd J. Enoch Powell ddau wahaniaeth pwysig rhwng O a Tr ar y naill law ac L ar y llaw arall, sef (i) lle mae L yn cynnwys Cyfreithiau'r Llys, fe'u gollyngwyd o O a Tr gyda sylw esboniadol; a (ii) lle mae'r Trioedd mewn dau le gwahanol ar ganol y llyfr yn L, fe'u casglwyd ynghyd tua diwedd y llyfr yn O a Tr.[88] Yr hyn na sylweddolwyd ar y pryd, fodd bynnag, yw y gellir defnyddio'r criteria hyn i ddosbarthu holl lawysgrifau dull Blegywryd i ddau grŵp cyffredinol, fel a ganlyn:[89]

> Math A (= gollwng Cyfreithiau'r Llys a gosod y Trioedd ynghyd ar ddiwedd y llyfr)
> O, Tr, I, S

[85] Peter Wynn Thomas, 'Middle Welsh Dialects: Problems and Perspectives', 42-5.
[86] *ibid.,* 43.
[87] Gw. nn.41, 43 uchod.
[88] Stephen J. Williams & J. Enoch Powell (goln), *Cyfreithiau Hywel Dda yn ôl Llyfr Blegywyryd,* xl-xlii.
[89] Trafodais y maes hwn yn llawn, gan gynnig esboniad posibl am y gwahaniaethau dan sylw, yn Christine James, 'Golygiad o BL Add. 22,356', xlii-lxxxvi.

Math B (= cynnwys Cyfreithiau'r Llys a gosod y Trioedd mewn dau le gwahanol ar ganol y testun)
L, M, N,[90] Bos, T, J, Q, P, Ɛ, Tim, Llan. 29.[91]

Gwelir felly i'r ysgrifydd agor ei ddau lyfr cyfraith trwy gopïo iddynt fersiynau gwahanol a hollol annibynnol o ddull Blegywryd, y naill yn gopi o'r hyn y gellir ei ystyried yn fersiwn traddodiadol neu geidwadol ar ddull Blegywryd (Math B) ar ddechrau Tim, a'r llall yn fersiwn golygedig a diwygiedig ar y dull hwnnw (Math A) ar ddechrau S.

(ii) *Rhan gyntaf y gynffon o ddeunydd atodol*

Egyr yr adran hon yn y ddwy lawysgrif gyda'r geiriau:

> Kyn no hyn y de6esb6yd o so6ydogyon llys benydya6l y brenhin, a chyfreitheu y llys benydya6l. Bellach y de6edir o s6ydogyon y 6lad a'r gyfreith gyffredin a ossoded o bleid y brenhin rong y brenhin a'e 6yr ymhop g6lad o'e deyrnas. Nyd amgen s6ydogyon a ossoded ym pob llys o dadleuoed k6m6d neu gantref yG6yned a Pho6ys: maer, kyghella6r, righill, offeiriad u yssgrifenu dadloeoed, ac vn bra6d6r o vreint s6yd; a phed6ar s6ydoc megis y rei kyntaf ymhop llys o dadleuoed k6m6d neu ganteref yNeheubarth, a llya6s o vra6d6yr o vreint tir, nyd amgen no phob perchen tir, megis yd oedynt kyn Hywel Da, her6yd kyfreith Dyfyn6al.

Yma, mae'r ysgrifydd (neu un o'i ragflaenwyr o bosibl) wedi adolygu'r paragraff sydd yn cysylltu Cyfreithiau'r Llys a Chyfreithiau'r Wlad yn nhestunau Math B o Lyfr Blegywryd,[92] a'i ddefnyddio'n ddolen gyswllt rhwng diwedd y deunydd Blegywryd traddodiadol a dechrau'r gynffon. Ychydig iawn o synnwyr a wna'r geiriau yn y fan hon, fodd bynnag, gan y trafodwyd eisoes yn S a Tim fel ei gilydd yr hyn a addewir yn awr (sef Cyfreithiau'r Wlad), ac ni chynhwyswyd erioed ar ddalennau

[90] Mae N yn enigma: nid yw'n cynnwys Cyfreithiau'r Llys ond o ran trefn ei draethigau perthyn yn gwbl bendant i destunau Math B. A oes modd ei ddehongli fel arbrawf golygyddol ar ran Gwilym Wasta? Gw. n.58 uchod.

[91] Mae Tim a Llan. 29 ill dau bellach yn ddiffygiol ar eu dechrau, a chollwyd y dalennau lle y disgwylid gweld Cyfreithiau'r Llys. Gan fod trefn eu traethigau yn eu gosod yn bendant gyda thestunau Math B, cymerir yn ganiataol iddynt gynnwys Cyfreithiau'r Llys yn wreiddiol; yn achos Tim cadarnheir y rhagdybiaeth honno trwy amcangyfrif faint o ddalennau a gollwyd o flaen y llyfr cyfraith presennol; gw. n.19 uchod.

[92] Stephen J. Williams & J. Enoch Powell (goln), *Cyfreithiau Hywel Dda yn ôl Llyfr Blegywryd*, §§32:21-3.

S (beth bynnag am Tim diffygiol) yr union ddeunydd y mae'n honni iddo'i drafod 'kyn no hyn' (sef Cyfreithiau'r Llys); eto rhydd y paragraff cyswllt hwn awgrym inni o feddylfryd ysgrifwyr y llyfrau cyfraith diweddar, a'r ffordd y defnyddient i'w heithaf y ffynonellau amrywiol a oedd ganddynt o'u blaenau wrth gynnull cynffon o ddeunydd atodol i brif destun.[93] Trafodais mewn man arall y math o ddeunydd a geir yng nghynffon S (ac mae'r sylwadau hynny hefyd yn wir am y rhan o Tim sydd dan sylw yma);[94] gellir crynhoi'r sylwadau hynny trwy ddweud ei fod yn ddeunydd sydd yn tarddu'n bennaf o ddull Iorwerth a thestunau Lladin B ac E, ynghyd â defnyddiau amrywiol eraill, llawer ohonynt ar ffurf damweiniau a thrioedd. Digwydd cyfran uchel o'r deunydd hwn yn ogystal mewn deddfgronau eraill, gan gynnwys J, Q, ac Ɛ, ond ymddengys fod peth ohono o leiaf bellach yn unigryw i S a Tim.[95]

Mae'r gyfatebiaeth rhwng S a Tim yn drawiadol o agos yn yr adran hon, gydag ond ychydig o wahaniaethau rhyngddynt o ran cynnwys, trefn a darlleniadau; cytunant â'i gilydd hefyd o ran gwallau testunol a hynodion orgraffyddol.[96] Er bod y tebygrwydd manwl hwn yn dangos fod perthynas agos iawn rhwng testun y rhan gyntaf hon o'r gynffon atodol yn y naill lyfr a'r llall, ar y llaw arall ceir digon o wahaniaethau rhyngddynt i'n rhwystro rhag credu bod y naill yn gopi uniongyrchol o'r llall: er enghraifft, mae'r fersiwn carbwl a geir yn S §§1,303-4 ar reolau sydd yn berffaith eglur yn Tim ff.25$^{5-11}$, a'r fersiwn aflêr yn Tim ff.34$^{22-5}$ ar ddeunydd sydd yn glir yn S §§1,708-9, yn awgrymu nad yw'r naill yn gopi o'r llall, a chadarnheir hyn gan y ffaith y ceir ambell frawddeg (neu hyd yn oed ddyrnaid o frawddegau ynghyd weithiau) yn y naill lyfr nad ydyw'n digwydd yn y llall, a hynny mewn mannau lle nad oes modd rhoi cyfrif am y diffyg yn nhermau dalennau coll. Y dehongliad amlwg i'w roi ar eu

[93] Gw. nn.41, 43 uchod.

[94] Christine James, 'Tradition and Innovation in Some Later Medieval Welsh Lawbooks', 152-5.

[95] Am fanylion, gw. Christine James, 'Golygiad o BL Add. 22,356', 216-32.

[96] Ar y gyfatebiaeth o ran cynnwys a threfn yn y rhan hon o S a Tim, gw. *ibid.* Fodd bynnag, dylid nodi bodolaeth pedwar *hiatus* yn y rhan hon o Tim (sef ar ôl ff.31, 38, 39 a 44; gw. n.19 uchod), ac y mae'r rhain yn gwneud y gyfatebiaeth yn llai amlwg. Am enghreifftiau o'r gyfatebiaeth rhyngddynt o ran amrywiadau orgraffyddol a gwallau testunol, etc., gw. *ibid.*, xcviii-ci.

perthynas yw eu bod yn tarddu o ffynhonnell gyffredin a oedd, y mae'n debyg, ar ffurf un testun ysgrifenedig. Mae'n bosibl y cadwyd tystiolaeth ynghylch natur y ffynhonnell honno mewn cyfeiriad yn Tim. Yn y llyfr hwnnw, yn rhagflaenu'r darn cyswllt rhwng diwedd y deunydd Blegywryd traddodiadol a dechrau'r gynffon a ddyfynnwyd uchod, ceir brawddeg ychwanegol nas ceir yn S:

> D6eta[t]6y y6 rac lla6 o rol dauid ll6yd sef y6 honno seretein o pyngkeu yssyd gyfreidiol y pob g6r o gyfreith 6rthynt pob amser . . .(ff. 21v[27-9])

Gwyddys am sawl Dafydd Llwyd yng Nghymru'r oesoedd canol,[97] ond y mae un megis yn ymgynnig rhagor na'r lleill y gellir o bosibl ei gysylltu â'r nodyn hwn yn Tim, sef un Dafydd Llwyd ap Gwilym y cadwyd cofnod ohono'n gweithredu yn 1387-8 fel dosbarthwr, ac yn 1388-90 fel plwyfwas yng Ngwynionydd Uwch Cerdin[98] – sef yr union gwmwd a enwir yn Tim yng nghyd-destun y cyfeiriadau at Gwenog a Gwnnen. A ydyw'n bosibl fod ysgrifydd S a Tim yn copïo i'r adran hon o'i ddau lyfr cyfraith ddeunydd a ddeuai'n uniongyrchol neu'n anuniongyrchol o lawlyfr dosbarthwr hysbys a fu'n gweithredu yng Ngwynionydd Uwch Cerdin yn ystod ail hanner y bedwaredd ganrif ar ddeg? Os yw'r awgrym hwn yn gywir, dyma daflu goleuni cyffredinol hynod werthfawr ar natur a tharddiad y deunydd a atodwyd yn gynffon i S a Tim – ynghyd, o bosibl, ag o leiaf rhai o'r deddfgronau eraill.

(iii) *Ail ran y gynffon o ddeunydd atodol*

Nodwyd uchod fodolaeth paragraff cyswllt rhwng diwedd y deunydd Blegywryd traddodiadol a dechrau'r gynffon yn S a Tim fel ei gilydd; ymddengys fod yr ysgrifydd yn y fan honno yn ymwybodol iddo orffen ymdrin â deunydd o fath arbennig a'i fod yn dechrau trafod deunydd o fath gwahanol, ei fod yn troi oddi wrth un ffynhonnell ac at un arall. Fodd bynnag, symudir o ran gyntaf y gynffon lle y mae S a Tim yn cynnwys yr un deunydd yn union, a hynny yn yr un drefn, i ail ran y gynffon lle y mae'r

[97] Gw., er enghraifft, y mynegai i Ralph Griffiths, *The Principality of South Wales in the Later Middle Ages*, s.n.
[98] *ibid.*, 514.

llawysgrifau yn annibynnol ar ei gilydd, heb unrhyw reswm amlwg, a heb i'r naill lyfr na'r llall dynnu sylw at y symudiad – er bod y symudiad hwnnw yn digwydd ar ganol brawddeg:

S: Ni dylir taly t6nck o dir kyfrif; sef acha6s y6 am nad oes er6 diffodedic ynda6. (§2,236)

Tim: Ni dylir taly t6nc o dir kyfrif; sef acha6s y6 6rth na dylir k6ynos ohona6. (ff. 45v [26-8])

O'r pwynt hwn ymlaen, daw'r gyfatebiaeth fanwl rhwng S a Tim i ben.[99]

Mae cryn dipyn o'r deunydd yn yr adran olaf hon o S yn dod o lyfrau cyfraith Iorwerth, er enghraifft y traethigau ar 'Fach' a 'Thir' (§§2,307-29; 2,330-48), neu yn cynrychioli addasiad neu ad-drefniad ar ddeunydd sy'n tarddu yn y pen draw o ddull Iorwerth, er enghraifft y traethig hir ar 'Lwgr Yd' (§§2,237-306). Mae yma hefyd draethigau na ellir eu holrhain i'r un o'r tri dull traddodiadol, ond sydd hefyd yn digwydd mewn deddfgronau eraill, yn enwedig Q, Ɛ a J; er enghraifft y traethig ar 'Holi Lledrad' (§§2,349-59), a rhai o'r 'Amrywion' a'r 'Damweiniau' (§§2,491-517). Ond ceir yma yn ogystal ddefnyddiau sydd, hyd y gellir barnu ar sail y llawysgrifau a oroesodd, yn unigryw i S; er enghraifft, rhannau o 'Ffyrdd y Gyfraith' (§§2,525-46), a'r ymdriniaeth â 'Chydetifeddion' (§§2,377-81). Yr enghraifft *par excellence* o hyn, fodd bynnag, yw'r traethig hirfaith ar 'Wyddor Cyfraith Hywel' (§§2,382-472), sydd yn ffurfio ychydig o dan hanner ail ran cynffon S. Y mae awdur y traethig hwn yn llwyddo i sefyll ar wahân i'w lyfr cyfraith, megis, er mwyn rhoi disgrifiad gwrthrychol a chlir o hanfodion Cyfraith Hywel, a gellir dehongli'r holl drefnu a dosbarthu, crynhoi ac egluro ar y gyfraith sydd yma yn ymgais i gynorthwyo'r defnyddiwr – sef rhyw ddosbarthwr, debygir – i ymgyfarwyddo â holl gymhlethdodau'r gyfraith y disgwylid iddo'i gweinyddu yn ei manylion eithaf mewn achosion o apêl. Mae ail ran cynffon Tim ar y llaw arall yn llawer mwy traddodiadol, ac yn tarddu o ffynonellau hysbys. Mae

[99] Mae'n debyg mai Tim sydd yn cadw darlleniad y gynsail yn gywir yn y fan hon, ac i ddarlleniad S ddod i fodolaeth trwy i lygaid yr ysgrifydd lithro dros ychydig o linellau yn ei ffynhonnell, cf. y frawddeg nesaf namyn un yn Tim, 'Ni byd er6 diffodedic yn tir kyfrif kany dyly neb bryny er6 y vap y gilyd', ff.45v[29-31], a Dafydd Jenkins, *Damweiniau Colan* (Aberystwyth, 1973), §§213, 215.

cyfran helaeth ohoni wedi'i fenthyca o ddull Iorwerth, er enghraifft y traethigau ar 'Gyfraith y Gwragedd' (ff.$51v^{5}$-$52v^{38}$), 'Cyfar' (ff.$52v^{39}$-54^{10}) a 'Holi Tir' (ff.58^{1}-$60v^{18}$); ceir cyfres hir o Ddamweiniau (ff.$45v^{28}$-$51v^{4}$), ynghyd â rhai adrannau sydd yn digwydd ymhlith deunydd 'dull Gwent' *Ancient Laws;* ychydig ddeunydd yn unig sydd yn ymddangos ei fod yn unigryw i Tim, er enghraifft ff. $55v^{4}$-56^{22}.[100]

Wedi ystyried strwythur cyffredinol S a Tim, gellir tynnu – yn betrus – rai casgliadau ynglŷn â'r math o ffynonellau a oedd gan yr ysgrifydd o'i flaen wrth iddo lunio'i ddau ddeddfgrawn. Yn gyntaf, y mae'n glir fod ganddo wrth law ddau fersiwn gwahanol o Lyfr Blegywryd, y naill yn perthyn i ddosbarth testunau Math A a'r llall yn perthyn i ddosbarth Math B. Ymddengys fod ganddo hefyd frawdlyfr (neu gopi o frawdlyfr) dosbarthwr hysbys, a bod deunydd o amryw ffynonellau eraill eisoes wedi dod ynghyd yn y testun ysgrifenedig hwnnw gan gynnwys, o bosibl, y llun o'r llys; copïodd y llyfr hwn ddwywaith, yn gynffon i S a Tim fel ei gilydd. Mae ffynhonnell ail ran y gynffon o ddeunydd atodol yn S a Tim yn anos penderfynu yn ei chylch. Gan nad oes toriad pendant rhwng rhan gyntaf y gynffon a'r ail ran yn y naill lyfr na'r llall, nid yw'n amhosibl fod un o'r ddau yn cynnwys parhad o 'Ròl Dafydd Llwyd', a bod y llall yn tarddu o ffynhonnell (neu ffynonellau) cwbl annibynnol.[101] Ar y llaw arall, nid yw'n amhosibl fod diffyg yn y 'Rhòl' o'r pwynt hwn ymlaen, a bod yr ysgrifydd wedi llunio parhad gwahanol ac annibynnol ar gyfer S a Tim ill dau. Os felly mae'n amlwg fod ganddo wrth law ffynhonnell arall (neu ffynonellau eraill) a oedd yn cynnwys deunydd o ddull Iorwerth neu addasiad ohono, ynghyd â thraethigau cyfraith annibynnol eraill, ar ffurf 'pamffledi' heb eu rhwymo'n llyfrau efallai; a'i fod yn ogystal, o bosibl, yn ddigon hyddysg yn egwyddorion y gyfraith i fedru ysgrifennu ei draethigau ei hun, neu ei fod o leiaf mewn cyswllt â rhai a wnâi hynny.

[100] Rhaid nodi, fodd bynnag, mai anodd yw bod yn sicr ynglŷn â pha rannau yn union o ail ran cynffon Tim sydd yn unigryw iddi, a pha rannau sy'n digwydd hefyd yn y deddfgronau eraill, hyd nes y golygir y testun hwnnw a'i fynegeio'n fanwl.

[101] Am ddadl o blaid derbyn mai diwedd Tim sy'n cynrychioli'r parhad o 'rol dauid llwyd', gw. Christine James, 'Golygiad o BL Add. 22,356', civ.

Rhaid codi un cwestiwn arall, sef pam y bu i'r ysgrifydd ychwanegu cynffonau o ddeunydd atodol hanfodol debyg i ddau fersiwn cwbl wahanol o Lyfr Blegywryd. Diau bod yr ateb i'r cwestiwn hwn yn gorwedd gyda'r sawl y cynullwyd y llyfrau hyn ar eu cyfer. Er ei bod yn bur sicr y lluniwyd rhai llyfrau cyfraith am resymau hynafiaethol a diwylliannol, gan yr ystyrid gwybodaeth am y gyfraith frodorol yn rhan hanfodol o gynhysgaeth y bonheddwr diwylliedig erbyn y bymthegfed ganrif,[102] derbynnir yn gyffredinol fod y rhan fwyaf o'r llyfrau cyfraith sydd wedi goroesi o'r cyfnod canol yn llyfrau gwaith a ddefnyddiwyd yn ymarferol yn y llysoedd barn brodorol,[103] a chyflwynodd yr Athro J. Beverley Smith a'r diweddar Athro T. Jones Pierce brawf diymwad o hynny yn achos deddfgronau'r bymthegfed ganrif trwy dynnu sylw at gofnodion o achosion cyfraith a gynhaliwyd yng Nghydweli yn 1510 a Chaeo yn 1540 sydd yn ymgorffori dyfyniadau o ddeddfgronau pur debyg eu cynnwys i S a Tim.[104] Awgrymwyd uchod fod darn sylweddol o gynnwys S a Tim yn tarddu o lyfr dosbarthwr hysbys – Dafydd Llwyd – ac mae maint corfforol y ddau lyfr hyn yn sicr yn cadarnhau'r dyb iddynt gael eu llunio ar gyfer yr haen uchaf hwn yng ngweinyddiad y gyfraith frodorol, er ei bod yn deg nodi eu bod ill dau hefyd yn cynnwys peth deunydd chwedlonol a ffug-hanesyddol a gysylltir fel arfer â llyfrau 'llyfrgell'. Fodd bynnag, os gwir mai llyfrau at ddefnydd ymarferol dosbarthwyr oedd S a Tim ill dau, tybed onid yr esboniad mwyaf tebygol ar ddwy o'u nodweddion mwyaf enigmatig yw iddynt gael eu cynnull ar gyfer dau ddosbarthwr gwahanol, y naill o bosibl yn byw yn ardal Llanddewibrefi ac am gael y fersiwn 'diwygiedig' ar Lyfr Blegywryd, a'r llall yn byw yn ardal Llanwenog-Llanwnnen ac yn ffafrio'r fersiwn traddodiadol a cheidwadol ar y dull hwnnw.[105]

[102] Huw Pryce, *Native Law and the Church in Medieval Wales,* 28-9; cf. Christine James, ' "Llwyr Wybodau, Llên a Llyfrau"; Hopcyn ap Tomas a'r Traddodiad Llenyddol Cymraeg', 25.

[103] Dafydd Jenkins, *The Law of Hywel Dda,* xxi.

[104] J. Beverley Smith, darlith anghyhoeddedig; T. Jones Pierce, 'The Law of Wales – the Last Phase'. Ar debygrwydd dyfyniadau'r cofnodion i destun S a Tim, gw. Christine James, 'Golygiad o BL Add. 22,356', xxxi-xxxiii.

[105] Er na ellir ar hyn o bryd, beth bynnag, gysylltu S a Tim ag unrhyw wŷr cyfraith penodol, nododd Llinos Beverley Smith rai enwau y tâl eu hystyried o ddifrif yn y cyd-destun hwn yn ' "Cannwyll disbwyll a dosbarth": Gwŷr Cyfraith Ceredigion yn yr Oesoedd Canol Diweddar', *Ceredigion,* cyf. 10 (1986), 245-6.

Ni fyddai dim yn fwy amheuthun o foddhaol na medru cloi'r drafodaeth hon trwy gonsurio'n ddramatig drawiadol, ar sail rhyw ddogfen ddiarffordd a ddarganfuwyd ar hap yn y Llyfrgell Genedlaethol, enw a hunaniaeth bendant ar gyfer ysgrifydd S a Tim a fyddai yn eu tro yn caniatáu inni ei leoli mewn amser a lle, a chyd-destun hanesyddol a chymdeithasol, a gadarnhâi bob peth a gasglwyd amdano ar hyd yr ysgrif bresennol. Nid felly y mae – ac ni waeth hynny, efallai. Er bod rhaid i ysgrifydd S a Tim aros o hyd yn rhengoedd ein hysgrifwyr anhysbys, erys y proffil a adeiladwyd ar ei gyfer yn dystiolaeth ddiddorol i'w bersonoliaeth a'i weithgarwch. Dyma ysgrifydd unigolyddol a fu yn ei flodau tua chanol y bymthegfed ganrif, gŵr a hanai, y mae'n debyg, o ddyffryn Teifi. Er nad crefftwr o'r radd flaenaf mohono, ac er na ellir cyfrif ei waith ymhlith y ceinaf o lawysgrifau Cymraeg yr oesoedd canol, yr oedd yn sicr yn ddigon atebol i'r dasg yr ymgymerasai â hi, a llwyddodd i gynhyrchu dau o'r llyfrau cyfraith mwyaf a phwysicaf sydd wedi goroesi o'r cyfnod. Meddai ar gryn hyder wrth ysgrifennu ac adlewyrchir yr hyder hwn yn y modd yr addurnodd ymylon dalennau ei lyfrau. Dengys hyn, a phresenoldeb y llun o'r llys, ei ddiddordeb yn yr elfennau gweledol ar ei grefft. Ymddengys iddo fedru o leiaf ryw gymaint o Ladin, ac er y gallai hyn fod yn awgrym o'i gyswllt â'r llysoedd ar y naill law, y mae'n fwy tebygol o fod yn arwydd o gefndir neu gyswllt eglwysig o ryw fath; yn sicr, mae pob rheswm dros gredu y bu'r ysgrifydd hwn yn ŵr mwy defosiynol na'r rhelyw. Mae natur gyfansawdd y llyfrau cyfraith a gynhyrchodd yn awgrymu nid yn unig iddo weithio mewn cyd-destun hyfyw a phrysur a ganiatâi iddo gael gafael ar amrywiaeth helaeth a chyfoethog o destunau cyfreithiol o bob math, hen a newydd, ond hefyd fod y sawl a'u comisiynodd yn ymddiddori'n weithredol yn hyd a lled y traddodiad cyfreithiol brodorol. Yn hyn o beth gellir cyfrif ysgrifydd anhysbys S a Tim, uwchben pob peth arall y gellir ei gasglu amdano, ymhlith y tystion mwyaf huawdl i barhad, datblygiad a bywiogrwydd Cyfraith Hywel yn ne-orllewin Cymru tua chanol y bymthegfed ganrif.[106]

[106] Ceir trafodaeth werthfawr ar y maes hwn yn *ibid.*, 229-53.

HAENAU BREUDWYT MAXEN: *YMARFERIAD MEWN ARCHAEOLEG DESTUNOL*

gan PETER WYNN THOMAS

CYFLWYNIAD

Er mai â'r Llyfrau Gwyn (Peniarth 4) a Choch (Jesus 111) y tueddir i gysylltu'r Mabinogion, ffaith arwyddocaol i'r hanesydd llên yw bod dernynnau o rai o'r chwedlau wedi eu diogelu mewn llawysgrifau cynharach.[1] O ran *Breudwyt Maxen,* yn y darn o Beniarth 16 sy'n perthyn i ail hanner y drydedd ganrif ar ddeg y ceir y testun hynaf. Gwir mai anghyflawn yw'r fersiwn honno eithr os cynhwysai bopeth sydd yn P4 a J111 dim ond rhyw 600 gair – oddeutu 18% – sydd ar goll; gallwn, felly, gymharu'r rhan fwyaf o'r tair fersiwn gynnar â'i gilydd.[2] Mae gennym hefyd fersiwn BM Addl 31,055, yn llaw Thomas Wiliems (1545/6-1622), gryn ddwy ganrif yn ddiweddarach na'r Llyfr Coch ond er hynny o'r pwys mwyaf wrth olrhain hynt traddodi'r chwedl hon yn ystod yr oesoedd canol.[3]

Gan Brewer (1965) y cafwyd yr unig drafodaeth estynedig am gydberthynas y pedair prif fersiwn o *Breudwyt Maxen.* Hawdd fyddai ganddo dderbyn mai copi o'r Llyfr Gwyn sydd yn y Coch eithr am fod rhai ysgolheigion o'r farn bod cynsail cyffredin i fersiynau o chwedlau eraill yn y ddwy lawysgrif hynny y mae'n cyffredinoli'r dybiaeth honno i *Breudwyt Maxen* hefyd – strategaeth anghyfrifol. O ddynodi'r fersiynau coll tybiedig ag X ac Y, y stema a ymhlygir gan ei gasgliadau (1965: 193-194) yw:

[1] Rwy'n ddiolchgar i'r Dr Sioned Davies am ei sylwadau ar fersiwn gynharach o'r papur hwn.

[2] At golofnau golygiad Evans (1907) y cyfeirir isod wrth ddyfynnu o P4 a P16.

[3] At drawsgrifiad Brewer (1965: 178-186), a ddynodir gan TW, y cyfeirir wrth ddyfynnu isod. Copïwyd y testun eilwaith gan Wiliems (Mostyn 110), a gwnaeth John David, Pentre Fidog, gopi o Addl 31,055 yn y ddeunawfed ganrif (LlGC 5284). Rhydd Brewer ddarlleniadau amrywiol y ddwy fersiwn hynny yn ei olygiad.

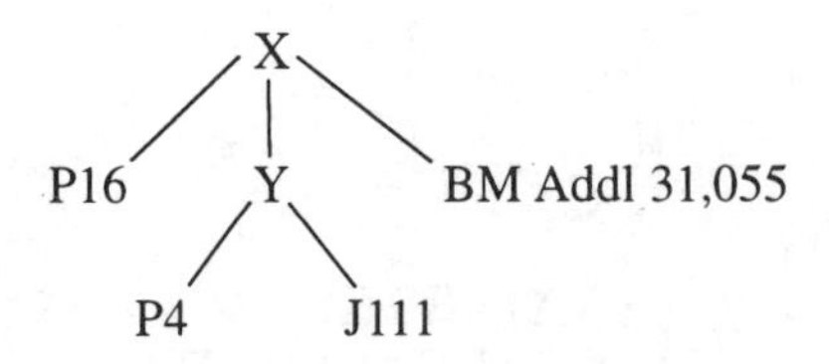

Model A: *Stema ymhlygedig Brewer*

Fel y dadleuir isod, nid dyna'r unig ddehongliad posibl.

CYNNWYS Y GWAHANOL FERSIYNAU

Dim ond mewn dau fan y ceir olyniadau sylweddol yn fersiwn P16 o *Breudwyt Maxen* nas ceir yn P4 a J111. Tri Chymal nad ydynt yn cyfrannu at effeithlonrwydd y stori yw'r darn cyntaf:

(1) Ba negesseu bennac a wnelit urthaw, ny cheffit ateb amdanadunt rac y dristet a'e anhygaret. Ac ena e doeth e gaer Ruvein. (P16: 91.b.35-38)

Mae'r ail ddarn yn hwy ac yn bwysicach i'r strwythur am ei fod yn cynnwys episod sy'n adrodd am genhadau yn ceisio darganfod Elen yr eildro (dim ond unwaith yr eir yn P4 a J111):

(2) Ac ena e kerdus kennadeu ereill o newyd e geissyau er eill rann o'r byt. Pan doethant dra cheuyn em pen e vlwydyn ny chewsynt vn geir e urth e breudwyt mwy no'r dyd kentaf. Ac ena tristav er amperauder o debygu na chyvarvydei ac ef tyghetven caffael e wreic uwyaf a garei en e vywyt. (P16: 92.b.9-17)

Un o'r nodweddion sy'n cyfrannu at arwyddocâd copi Thomas Wiliems yw bod fersiynau o'r ddau ddarn uchod yn ei lawysgrif ef er eu bod yn absennol o P4 a J111. Yr hyn a geir ganddo ef yw:

(1a) A pha neges bynac a wnelit wrthaw, ny chephit attep am danvnt rhag ei dristet. (TW: 180.11-12)

(2a) Ac yna y gyrrwyt cenattau o newydh ac yr aethant y'r ail rhann o'r byt. A phan dhaethant drachefn ny chowsent dhim y wrth y wraic vwya' garai. Yno y tristaodh ef yn vwy o debygu na chaphai ef vyth y wraic vwya garai. (TW: 181.7-10)

Dyma un o brofion Brewer fod copi Thomas Wiliems yn annibynnol ar P4 a J111. Ategir y dystiolaeth hon mewn sawl man arall sy'n dangos sut y gall fersiwn Wiliems ymdebygu mwy i eiddo P16 nag i P4 a J111. Caiff y dyfyniadau canlynol enghreifftio'r amrywio:

(3a) P16: Yd oedynt hagen gyt ac ef *deng* brenhin ar ugeint o vrenhined coronogyon (90.a.12-14)
TW: yr oedh gydac ef *dhec* ar hugein o vrenhinedh coronoc (178.6-7)
(3b) P4: Yd oed hagen gyt ac ef *deudec* brenhin ar hugeint o vrenhined coronawc (179.7-10)
J111: Yd oed gyt ac ef hagen *deudec* brenhin ar hugeint o vrenhined coronawc (1.8-10)

(4a) P16: ac e doeth kyscu arnaw (90.a.22-23)
TW: Ac y deuth cysgu arnaw (178.9)
(4b) P4: a chyscu a doeth arnaw (90.a.17-18)
J111: a chyscu a doeth arnaw (1.15)

(5a) P16: Ac nyt oed gyvyngach udunt ell deu e gadeir (91.b.10-11)
TW: ac nyt oedh gyfyngach vdhvnt ylh tau yn y gadair (180.4-5)
(5b): P4: Ac nyt oed gyfygach y gadeir udunt ell deu (182.7-9)
J111: Ac nyt oed gyuyghach y gadeir udunt ell deu (4.8-9)

Os yw fersiwn TW weithiau'n nes at eiddo P16, gall hefyd fod yn debycach i'r ddwy arall; cf.

(6a) P16: 'Argluyd,' hep ef, 'kechwyn e hely e *forest* e gwelut dy vot en menet' (92.b.19-21)
(6b) P4: 'Arglwyd,' heb ef, 'kychwyn y hela y fford y gwelut dy vot yn mynet' (184.8-10)
J111: 'Arglwyd,' heb ef, 'kychwyn y hela y fford y gwelut dy uot yn mynet' (6.2-4)
TW: 'Cychwyn di, Argluydh,' eb ef, ' y hely y dyphryn a'r phordh y gwelyt dy vreudhwyt a'r phordh y gwelvt dy vot yn myned' (181.10-12)

(7a) P16: Odena e *kerdassant* racdunt ene welsant enys Von (93.a.21-23)

(7b) P4: Wynt a doethant racdunt hyny welynt Mon (185.10-11)

J111: Wynt a doethant racdunt yny welynt Mon (7.1)

TW: A hwynt a dhaethant rhagdhvnt oni welsant Von. (182.4-5)

Prin iawn a chymharol ddibwys yw'r enghreifftiau o TW yn cytuno â P4 yn unig. Er enghraifft, dim ond presenoldeb amrywiol rhagenw sy'n clymu'r parau o destunau â'i gilydd yn yr olyniad canlynol:

(8a) P16: o achaus henne e gelwir *wy* Fyrd Elen Lluydawc (94.b.12-14)

J111: o achaws hynny y gelwir *wynt* Ffyrd Elen Luydawc (9.18-19)

(8b) TW: Achos hyny y gelwir phyrdh Helen Luydhoc (184.6-7)

P4: o achaws hynny y gelwir Ffyrd Elen Luydawc (188.4-5)

Anarferol hefyd yw bod TW yn cytuno â J111 ond nid â'r ddwy fersiwn arall; enghraifft bosibl yw:

(9a) P16: A gwneuthur teir prif gaer idi hitheu *en e tri lle* a dewissei en Enys Brydein. (94.a.31-33)

P4: A gwneuthur teir prif gaer idi hitheu *yn y tri lle* a dewissei yn ynys Prydein. (185.19-21)

(9b) TW: A gwneuthur tair prif gaer ydhi yn y lhe y dewisai o'r ynys. (183.18-19)

J111: A gwneuthur teir prif gaer idi hitheu yn y lle y dewissei yn ynys Prydein. (9.3-5)

Fel (1) a (2), dichon mai amlygu un o'r mathau gwannaf o berthynas ryngfersiynol – hepgor posibl – y mae (8b) a (9b) fel mai peryglus fyddai pwyso arnynt (cf. Thomson 1968: xiv).

Dim ond un cyfeiriad estynedig sydd gan Ifor Williams at berthynas fersiynau P4 a J111 o *Breudwyt Maxen,* sef yn ei sylwadau ar yr olyniad *gweisson seuyll* yn y Llyfr Coch, sy'n cyfateb i *gweisson sṭefyll* yn y Gwyn (Williams 1908: 16). Gellir ymglywed yn llawnach ag ymhlygiadau'r gyfatebiaeth hon drwy ystyried hefyd eiriad P16:[4]

(10) P16: Sef a wnaeth y weissyon ysteuyll, castellu taryaneu en e gylch (90.a.23-24)
P4: A sef a wnaeth y weisson sṭefyll kastellu taryaneu yn y gylch (179.18-19)
J111: Sef a wnaeth y weisson, seuyll, kastellu eu taryaneu yn y gylch (1.16)

Ar yr olwg gyntaf gellid tybied bod datblygiad y frawddeg uchod yn adlewyrchu nid yn unig drefn cynhyrchu'r tair fersiwn, ond hefyd ddibyniaeth y naill a'r llall o'r ddwy ddiweddaraf ar ei rhagflaenydd. Yn fwyaf arbennig, y tebyg yw bod presenoldeb y punctum delens o dan y <t> yn P4 yn tystio'n uniongyrchol i addasu personol Llaw D, sef copïwr y Llyfr Gwyn yn y man hwn (Huws 1991: 4);[5] yr ymhlygiad yw bod Llaw D yn anghyfarwydd â'r ffurf luosog gynnar ar *ystafell* yn ei wreiddiol. Fel y dengys atalnodi Ifor Williams yn ei olygiad (y cyfeirir ato fel BM o hyn ymlaen), canlyniad i'r addasu oedd newid yr ystyr: enghraifft wiw o'r copïydd-olygydd wrth ei waith.[6] Gan mai'r berfenw (yn hytrach na'r enw lluosog) a geir yn J111 hefyd, casgliad Syr Ifor oedd mai P4 oedd cynsail J111 yn y man hwn. Ond nid dyna'r unig bosibilrwydd: y mae o leiaf dri llwybr lleiafol posibl i'r trawsnewid o *ysteuyll* i *seuyll:*

```
     a                          b                            c
ysteuyll                    ysteuyll                     ysteuyll
     |                        /    \                         |
sṭefyll (P4)       sṭefyll (P4)   seuyll (J111)           steuyll
     |                                                    /     \
seuyll (J111)                                    sṭefyll (P4)  seuyll (J111)
```

[4] Unwaith eto y mae geiriad TW yn tystio bod ei fersiwn ef yn nes at eiddo P16 nag at y ddwy arall:
Sef a oruc gwyr i ystavelh, castelhu tarianau yn ei ogylch (178.9-10).

[5] Posibilrwydd llai tebygol yw mai ôl golygu cydweithiwr sydd yma.

[6] Ni roes golygyddion odid ddim sylw i atalnodi'r cyfnod canol eithr y mae'n wẹrth nodi mai dim ond ar ôl *weisson* y ceir atalnod yn y Llyfr Coch ei hun. Nid oes unrhyw atalnodau yn y dyfyniad o P4.

Ni allwn, felly, wybod mwy na bod fersiwn y Llyfr Coch yn ymgorfffori cyfnewid sydd hefyd yn ymddangos yn y Gwyn, casgliad sydd yn cyd-daro ag amseriad cymharol y ddwy lawysgrif hynny ond nad yw'n dibynnu arno. Yn hytrach na bod J111 yn gopi o P4, felly, y mae'n bosibl eu bod ill dwy'n tarddu yn y man hwn o leiaf o gynsail cyffredin a ddeilliai yn ei dro o lawysgrif yn olyniad P16 onid o P16 ei hun. At hynny, y mae'n eglur bod fersiwn TW nid yn unig yn rhannu'r un dras gyffredinol â'r tair arall ond ei bod hefyd yn ymgorfffori cyfnewidiadau a geir yn P4 a J111. Y mae'r model sy'n deillio o'r ystyriaethau hyn yn ein sensiteiddio i'r posibilrwydd bod o leiaf ddau gam ychwanegol yn y llwybr lleiafol rhwng y pedair fersiwn a ystyrir yma. Galwn y dolenni coll tybiedig hyn yn A a B, a'u llunwyr yn α a β:[7]

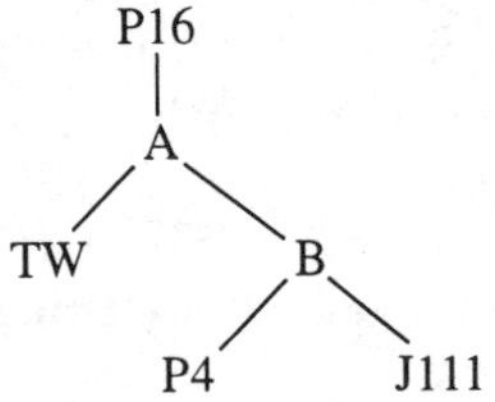

P16
A
TW
B
P4
J111

Model B: *Cydberthynas bosibl y pedair fersiwn*

Y NEWIDYNNAU IEITHYDDOL

Fel y gellid disgwyl, adlewyrchu rhai o ddatblygiadau a ffasiynau eu priod gyfnodau y mae orgraff a sillafu'r pedair llawysgrif dan sylw. Ymddengys nad oes unrhyw ymhlygiadau i hynny o ran safle testun Thomas Wiliems yn yr olyniad eithr y mae yn y tair llawysgrif arall dystiolaeth ieithyddol ddadlennol am elfennau yn eu hanes.

p(a)

Yn y cyfnod canol gallai elfen lafarog y banodol diweddar *pa* gael ei chynrychioli gan <a> neu <y>; yr amrywio hwnnw a grynhoir gan *p(a)*. Yr amrywio llafar rhwng /pa/ a /pə/ pan fyddai'r elfen hon yn ddiacen a adlewyrchir gan y newidyn

[7] Ofer damcaniaethu am fodolaeth copïau eraill.

orgraffyddol hwn ac nid yw'n ymddangos bod iddo arwyddocâd taleithiol. Dim ond saith enghraifft o *p(a)* sydd yn gyffredin i'r tair fersiwn o *Breudwyt Maxen* eithr yr hyn sy'n arwyddocaol am ei ymbatrymu yw mai yn yr un mannau'n union y daw'r ddwy enghraifft o *py* yn fersiynau'r Llyfrau Gwyn a Choch:

CYFEIRIAD (BM)	P16	Y LLYFRAU GWYN A CHOCH
2.5	pa hyt	*py hyt*
5.3	pa le	pa le
5.20	pa dyd	pa dyd
5.20	pa nos	pa nos
6.13	pa ryueldir	pa ryueltir
7.18	pa watwar	*py wattwar*
9.24	pa amperauder	pa amherawdyr

Fel y gwelir, *pa* yw unig ffurf P16 ac nid oes unrhyw sbardun ieithyddol amlwg i'r amrywio uchod yn y Llyfrau Gwyn a Choch: gall *pa* a *py* oleddfu enwau unsill a lluosill. Gan hynny, y mae'r ymbatrymu hwn nid yn unig yn tystio i ofal cymharol y ddau ysgrifydd am o leiaf rai manylion wrth gopïo'u testun ond y mae hefyd yn awgrymu bod perthynas agos iawn rhwng y ddwy fersiwn hyn.

(-j-)

Un o'r tri newidyn ieithyddol grymus sy'n ein galluogi i adnabod cefndir taleithiol testunau'r cyfnod canol yw (-j-), sef presenoldeb amrywiol cynrychioliad ysgrifenedig i /j/ mewn set sylweddol o eiriau, fel rheol yn elfen fôn-ffurfiol (Thomas 1993: 26-28). Amlygir y newidyn hwn yn *Breudwyt Maxen* gan 10 gair – rhai ohonynt yn digwydd mwy nag unwaith – sy'n gyffredin i'r tair fersiwn ganoloesol:

DIWEDDAR	PENIARTH 16 (N)	Y LLYFR GWYN (N)	Y LLYFR COCH (N)
aml-liwiog	amliwyauc, amliwyawc	amliwawc	amliwawc
anwyliaid	anwylyeit	annwyleit	annwyleit
arwyddion	arwydyon	arwydon (2)	arwydon (2)
breichiau	breichyeu	breicheu	breicheu
ceisio	keissyau (2), keissyaw (1)	keissaw (2)	keissaw (2)
doethion	doetheon (2)	doethon (3)	doethon (3)
heliai	helyei	helei	helei
gweision	gweissyon	gweisson (3)	gweisson (3)
llifiau	lliwyeu	llifeu	llifeu
meibion	meibeon	meibon	meibon

Yr un yw tystiolaeth pob un o'r micronewidynnau uchod: yr amrywyn gogleddol (sef presenoldeb cynrychioliad i /j/) a geir yn P16 a'r un deheuol cyfatebol (sef absenoldeb yr elfen fôn-ffurfiol) yn y ddwy arall.[8] Neges glir (-j-), felly, yw mai gogleddol yw fersiwn P16 ond mai deheuol yw'r ddwy arall.

(-a)

Elfen ddiweddol y berfenwau *dala/daly* a *hela/hely* a gynrychiolir gan y newidyn (-a) yn *Breudwyt Maxen.*[9] Y mae gwaith ar y gweill yn awgrymu'n gryf mai nodwedd ddeheuol yw bod <a> yn sylweddoli (-a), ac mai <y> ac <e> yw'r amrywion gogleddol cyfatebol.[10] Er nad oes ond pedair enghraifft o'r elfen newidiol ym mhob un o'r tri thestun dan sylw, y mae'r rhaniad taleithiol yn adleisio eiddo (-j-): yr amrywion gogleddol a geir yn P16 a'r un deheuol yn y ddau arall:

PENIARTH 16 (N)	Y LLYFR GWYN (N)	Y LLYFR COCH (N)
dale (1)	dala (1)	dala (1)
hely (3)	hela (3)	hela (3)

(-th-)

Elfen fôn-ffurfiol ffurfiau trydydd person *gan* a *rwng* a gynrychiolir gan (-th-); y mae'r newidyn hwn, felly, yn crynhoi'r amrywio rhwng parau fel *ganthaw* a *gantaw,* a *ryngthi* a *ryngti.* Gan mai yn nhermau amlygrwydd yr <th> ogleddol y mesurir (-th-), dynodi testun gogleddol y mae sgôr o 100% ac un deheuol a arwyddir gan 0% (Thomas 1993: 28-31).

Fel gydag (-a), prin yw'r enghreifftiau o (-th-) yn y tri thestun dan sylw: dim ond chwe gwaith y'i ceir ynddynt. Er hynny, y mae

[8] Dim ond mewn un gair y ceir ymbatrymu croes i'r disgwyl: gall *einioes* gynnwys <y> neu beidio yn fersiynau'r Llyfrau Gwyn a Choch. (Y ffurfiau yw: P16: *einnyoes* (3), P4: *einyoes, einoes, einos,* J111: *einyoes* (2), *einoes.*) Gan mai mewn morffem syml y daw'r elfen newidiol yn y gair hwn ac nad yw ymbatrymu'r nodwedd yn y cyfnod canol yn y cyd-destun hwn yn hysbys eto, ni phwysir arni yma. Hyd yn oed pe baem yn ei chynnwys yn y set fwy, ni newidiai'r darlun cyffredinol.

[9] Y mae'r set gyfan yn helaethach ac yn cwmpasu parau tebyg fel *coly/cola* a *llary/llara.*

[10] Adlewyrchir y ffurfiau ysgrifenedig canoloesol ar *dal* yn y ffurfiau tafodieithol presennol: /dala/ yn y De, /dal/ yn y Gogledd. Er mai'r /hela/ rheolaidd a geir yn y De, y mae hynny'n cyfateb i ddwy ffurf ogleddol sy'n ymwahaniaethu'n semantaidd: /hel/ 'casglu', a /hela/ 'erlid'. Nid yw'n glir eto i ba gyfnod y gellir priodoli datblygu /hela/ yn y Gogledd ond y tebygolrwydd yw ei bod wedi tyfu erbyn y cyfnod canol. Eithr os felly, nid adlewyrchir y datblygiad yn P16.

i ymbatrymu'r amrywion arwyddocâd arbennig. Sgorau canrannol y newidyn ar gyfer y tair fersiwn yw:

FERSIWN	% <th>
Peniarth 16	100
Y Llyfr Gwyn	67
Y Llyfr Coch	17

O gofio am ymbatrymu (-j-) ac (-a) yn P16, nid syndod cael mai testun (-th-)-<th> ydyw, cadarnhad pellach mai cefndir gogleddol sydd iddo. Yn ôl yr un llinyn mesur gellid disgwyl mai 0% deheuol fyddai sgôr (-th-) y ddau destun arall, ond, fel y gwelir, y mae'r ddau hyn yn gwyro o'r norm hwnnw. Gan nad oes ond chwe enghraifft o (-th-), nid hawdd ymgodymu â'r broblem hon ar ei phen ei hun. Y mae, fodd bynnag, newidyn arall – cenedl *breudwyt* – sydd yn goleuo'r mater.

EXCURSUS: CENEDL *BREUDWYT*

Newidiodd cenedl sawl enw ers yr oesoedd canol (Evans 1951: 20) eithr yn wahanol i'r rhan fwyaf o'r enwau hynny y mae cenedl *breuddwyd* yn dal i amrywio. Sail daearyddol sydd i'r newidyn diweddar: gwrywaidd yw'r enw yn y Gogledd, benywaidd yn y De.[11] O ran *Breudwyt Maxen,* y genedl wrywaidd a ddisgwylid gan ogleddwr o'n cyfnod ni sydd i'r tair enghraifft o *breudwyt* yn P16 a nodir ar gyfer cenedl.[12] Y mae yn J111 a P4 bedair enghraifft o'r enw sydd wedi eu marcio ar gyfer cenedl eithr nid ydynt yn gytûn:

CYFEIRIAD (BM)	Y LLYFR COCH	Y LLYFR GWYN
5.15	b	b
5.23	b	g
6.7	b	g
6.23	g	g

(b: benywaidd; g: gwrywaidd)

Fel y gwelir, tueddu i adlewyrchu deheuedd nodweddiadol y fersiwn hon y mae cenedl *breudwyt* yn J111. Ond gogleddedd annisgwyl sydd yn P4.

[11] Os bu un genedl i *breuddwyd* yn wreiddiol, ni all y geirdarddwyr ein goleuo amdani (gw. GPC d.g.); ni allwn, felly, wybod a fu neu a oes cyfeiriad hanesyddol i'r amrywio.

[12] Gwrywaidd ydyw hefyd gan TW yn 181.14.

DEHONGLI (-th-) A CHENEDL *BREUDWYT*

Er mwyn gweld a oedd patrwm mwy cyffredinol yn isorweddol i ymbatrymu (-th-) a chenedl *breudwyt,* fe grynhowyd sylweddolion y ddau newidyn ynghyd a thrawsffurfio'r data drwy ddynodi'r amrywion deheuol â D, a'r rhai gogleddol cyfatebol ag G:

CYFEIRIAD (BM)	Y LLYFR COCH	Y LLYFR GWYN
2.22	D	D
4.22	D	G
4.27	D	D
5.15	D	D
5.23	D	G
6.7	D	G
6.23	G	G
8.27	G	G
10.15	D	G
11.6	D	G

O safbwynt trefn yr amrywion uchod fe sylwir mai dim ond mewn dwy enghraifft olynol yn yr ail hanner i'r testun y ceir eithriadau i ddeheuedd disgwyliedig J111. Wrth ddehongli arwyddocâd yr enghreifftiau hynny, priodol cofio mai Hywel Fychan a gopïodd *Breudwyt Maxen* i'r Llyfr Coch (Charles-Edwards 1979: 255). Er mai deheuwr oedd Hywel – o Fuellt yr hanai – un o nodau amgen ei gynhyrchion yw ei duedd gref i barchu nodweddion taleithiol ei gynseiliau (Thomas 1993); annodweddiadol ohono, felly, fyddai cyflwyno'r nodweddion gogleddol uchod i'w destun. Y tebygolrwydd, yn hytrach, yw mai yn ei gynsail y cafodd Hywel yr enghraifft annisgwyl o *ganthaw* a hefyd, fe ddichon, y ffurf wrywaidd ar *breudwyt.* Gan hynny, a chan fod (-j-) ac (-a) – ac (-th-) a chenedl *breudwyt* ar wahân i'r eithriadau – yn fersiwn J111 yn cyd-dystio mai testun deheuol oedd y cynsail hwnnw, awgrymir bod i'r fersiwn honno gefndir gogleddol, hanes nad oedd haen ddeheuol ddiweddarach wedi ei lwyr guddio. O gofio am y cyfatebiaethau cyffredinol rhwng fersiynau J111 a P4, y cyfeiriwyd atynt uchod, yr ymhlygiad yw mai deheuwr a luniodd y cynsail i P4 a J111 ond mai gogleddwr a fu'n gyfrifol am gynsail hwnnw.

Digon gwahanol yw ymbatrymu (-th-) a chenedl *breudwyt* yn y Llyfr Gwyn: daw enghraifft grwydr ogleddol ymhlith y pedwar amrywyn cyntaf, eithr o 5.23 ymlaen dim ond y sylweddolion gogleddol a geir.[13] Pan lunnir proffiliau ieithyddol cyflawn o arferion Llaw D y mae'n bosibl y bydd modd casglu mwy am arwyddocâd yr elfennau gogleddol yn fersiwn P4 o *Breuddwyt Maxen.* Yng nghyd-destun y casgliad uchod, fodd bynnag, yr awgrym yw bod y copïwr hwn yn tueddu i atgynhyrchu ieithwedd ei wreiddiol tua dechrau ei dasg. Ond erbyn 5.15 yr oedd yr ymlacio a oedd eisoes yn ei amlygu ei hun yn yr ail enghraifft yn llawnach ac fe drechwyd yr ysgrifydd gan ffurf y nodwedd yn ei iaith ei hun. O ganlyniad, ac yn ddiarwybod iddo ef ei hun, fe adferodd ffurfiau gogleddol cynsail y gellir tybied na fyddai'n ymwybodol ohono. Os felly, ac o gofio am ddeheuedd (-j-) ac (-a) yn fersiwn P4, fe gesglir bod Llaw D yn fwy sensitif i amrywedd (-th-) a chenedl *breudwyt* nag i (-j-) ac (-a). Y mae'n bosibl, felly, mai o ardal drawsnewid ieithwedd ddeheuol a gogleddol y deuai Llaw D (cf. Thomas 1993: 38-39).

(-odd)

Yr amrywio rhwng yr ôl-ddodiaid Gorffennol U3 *-ws/-wys* ac *-aud/-awd* a grynhoir gan y newidyn ieithyddol (-odd). Yng nghyd-destun y nodweddion a ddisgrifiwyd hyd yn hyn y mae hon yn unigryw am fod dimensiynau'r amrywio y mae'n ei ymgorffori yn cyd-amrywio nid yn unig â daearyddiaeth ond hefyd ag amser. Arwydd o hynafedd yw dewis *-ws* yn hytrach nag *-awd* mewn testunau gogleddol; gallai hynny fod yn wir am destunau deheuol hefyd, eithr ail bosibilrwydd yw mai dynodi cefndir de-ddwyreiniol (yn hytrach na de-orllewinol) y mae *-ws/-wys* (Thomas 1993: 39-40).[14]

Amlygir (-odd) gan wyth berf sy'n gyffredin i'r tair fersiwn ganoloesol o *Breudwyt Maxen;* digwydd rhai o'r rhain fwy nag unwaith gan roi cyfanswm o 14 enghraifft ym mhob llawysgrif. Y mae chwech o'r berfau'n ddiamrywio o destun i destun (ac oddi

[13] Y mae'r rhain yn cynnwys y ddwy enghraifft ogleddol yn y Llyfr Coch, ateg (nid cryf) i'r ddamcaniaeth mai atgynhyrchu nodweddion taleithiol ei gynsail yr oedd Hywel Fychan.

[14] Fel y dengys ffurfiau'r tair llawysgrif a ystyrir yma, gall cynrychioliad yr elfen lafarog fod yn arwyddocaol hefyd: <w> sydd yn P16, y testun gogleddol cynnar, ac <wy> yn y ddau ddiweddarach.

mewn i destun pan fo mwy nag un enghraifft ohonynt): pump yn gyson yn *-ws/-wys,* ac un yn *-aud/-awd:*

BERFENW	P16	N	P4	N	J111	N
cerdded	-ws	5	-wys	4	-wys	4
cysgu	-ws	2	-wys	2	-wys	2
goresgyn	-ws	1	-wys	2	-wys	2
gyrru	-ws	1	-wys	1	-wys	1
meddwl	-ws	1	-wys	1	-wys	1
dewis	-aud	1	-awd	1	-awd	1

Er bod ymbatrymu'r nodwedd yn P16 yn cyd-daro â'r hyn a geir mewn testunau gogleddol cynnar eraill,[15] dim ond yn arwynebol y mae'r cysondeb trawstestunol uchod yn atgyfnerthu'r dystiolaeth gyffredinol am gefndir daearyddol y tair fersiwn oherwydd, fel y nodwyd eisoes, gallai mwy nag un ffactor fod wedi cyflyru dewis y terfyniadau yn P4 a J111. Er hynny, y mae cael *-awd* yn derfyniad Gorffennol U3 i *dewis* yn y tair fersiwn yn rhoi inni gipolwg ar y modd y gallai'r ôl-ddodiad hwn fod wedi ymledu drwy'r eirfa fesul berf.[16] Cawn ein hatgoffa am gymhlethdod tebygol y broses gan ffurfiau cyfatebol *esgyn* a *cychwyn:*

BERFENW	P16 (N)	P4 (N)	J111 (N)
esgyn	-ws (1), -awd (1)	-wys (1)	-wys (1)
cychwyn	-ws (1)	-wys (2)	-wys (1), -awd (1)

Ni ellir pwyso gormod ar nifer mor fach o enghreifftiau ond yr hypothesis a awgrymir yw:

i. bod rhai berfau – a gynrychiolir yma gan *esgyn* – yn mabwysiadu *-awd* erbyn diwedd y 13g yn y Gogledd ond yn dal i gadw *-wys* ryw ganrif yn ddiweddarach yn y De;
ii. bod set arall o ferfau – a gynrychiolir yma gan *cychwyn* – yn fwy ceidwadol na rhai fel *esgyn* yn y math gogleddol a gynrychiolir gan destun P16; er hynny, yr oedd *cychwyn* a'r set yr oedd yn aelod ohoni) ar y blaen i *esgyn* (a'i set

[15] Er enghraifft, proffil digon tebyg sydd gan *Freuddwyd Macsen* i eiddo *Historia Gruffud vab Kenan,* a gofnodwyd yn Peniarth 17 yn yr un cyfnod (Huws 1993: 19; Thomas 1993: 37-38).

[16] Berf arall a fabwysiadodd *-awd* yn gynnar yw *lladd: lladawd* yw ffurf nodweddiadol y cyfnod canol.

gyfatebol) yn natblygiad cyfochrog ond diweddarach y math deheuol a ddiogelwyd yn *Breudwyt Maxen* y Llyfr Coch neu fath gogleddol un o'i gynseiliau.

CREFFT Y COPÏWYR COLL

Yn y modd y tagiwyd Araith Union y ceir un o'r gwahaniaethau arddulliol amlycaf rhwng fersiwn P16 o *Breudwyt Maxen* a'r lleill: y mae'r llawysgrif hynaf yn cynnwys wyth tag nas ceir yn yr un o'r fersiynau eraill a dau bellach sy'n absennol o'r Llyfrau Gwyn a Choch (cf. Davies 1995: 224). O ran eu cystrawen, dau gyfluniad sydd i'r Cymalau hyn:

OLYNIAD	NIFER	ENGHREIFFTIAU
cysylltyn (+ Adferfol) + *dywedut* + Goddrych	7	ac e dywaut; ac ena e dywedassant
heb + Goddrych (+ Adferfol)	3	hep wynt; heb e gwas en atep

I'n dibenion ni, fodd bynnag, pwysicach na'r union gyfluniadau yw eu cydberthynas yn y testun.[17] Ac italeiddio'r tagiau nas ceir yn y tair fersiwn arall, yr olyniadau yn P16 yw:

> 'Paham e cablant wy vyvy?' hep er amperauder. *Heb e gwas en atep:* 'O achaws na chafant...' (92.a.15-18)
>
> *Ac e dywaut:* 'Lleman,' hep ef, 'e doethum...' (92.b.25-26)
>
> *Ac ena e dywedassant:* 'Lleman,' eb wynt, 'e tir a weles an argluyd ni.' (93.a.3-4)
>
> *Ac ena e dywedassant:* 'Lleman etwa,' heb wynt, 'breudwyt an argluyd ni.' (93.a.13-15)
>
> *Ac ena e dywedassant:* 'Lleman,' hep wynt, 'e tir amdyfrwys a weles an argluyd ni.' (93.a.19-21)
>
> *Ac ena e dywedassant:* 'Lleman,' heb wynt, 'e tir a weles an arglwyd ni.' (93.a.24-26)
>
> *Ac e dywedassant urthaw val hyn:* 'Arglwyd,' hep wynt, ni a vydun gyvarwyd yt ar vor a thir...' (93.b.32-35)

[17] Y maent hefyd wedi eu crynhoi i gwmpas cymharol fyr.

Ac eithrio'r enghraifft gyntaf uchod, nodwedd gyffredin i'r dyfyniadau hyn yw'r tagiau tawtolegol. Digon naturiol onid normal fyddai hynny mewn llafar digymell; sylwer, er enghraifft, ar y trawsgrifiad canlynol o ddarn o lafar cynhyrfus a glywyd yn ddiweddar:

> a 'ma 'i'n gwe' 'tho fe, 'John,' mydde 'i, 'beth gythrel ti'n neud?' a ma fe'n troi atiddi, a fe wedodd yn gas reit: 'yr 'en ast,' my fe, 'pwy ddiawl ti'n feddwl ŷt ti?'

Er bod y geiriau'n wahanol, yr un strategaeth ddisgyrsiol a geir yn y trawsgrifiad uchod ag yn y dyfyniadau o P16:

STRATEGAETH	LLAFAR 20g	PENIARTH 1 6
i.cyflwyno'r siaradwr	a 'ma 'i'n gwe' 'tho fe	Ac ena e dywedassant
ii.atgyfnerthu ac atalnodi llafar	mydde 'i	hep wynt

Bydd atgyfnerthu'n digwydd yn gyson mewn llafar anffurfiol eithr strategaeth ddiangen a thrafferthus ydyw o safbwynt y llenor, yn enwedig pan fo'n cyfleu darnau cymharol fyr o lafar. O ddefnyddio tagiau i gyflwyno siaradwr yn y cyfrwng ysgrifenedig, felly, nid yw'n arferol gwneud hynny fwy nag unwaith; dyna a gawn yn fersiynau P4, J111 a TW o'r dyfyniadau uchod. Yn nhermau Model B y ceir y dehongliad mwyaf boddhaol i'r sefyllfa hon: yr hyn a gynigir yw bod α wedi ymglywed â'r beichio arddulliol a'r arafu mynegiannol a ddeilliai o or-dagio fersiwn P16 ac iddo ymateb drwy ddileu'r dyfeisiadau diangen; wrth wneud hynny fe symudodd hefyd elfennau a fradychai gefndir llafar y chwedl.[18]

Mae'r dyfyniadau canlynol yn tystio ymhellach i briodoldeb Model B: yn ogystal â dangos bod α wedi dad-dagio mewn man pellach, dadlennant ei fod wedi gadael dau dag nad oeddent yn dawtolegol. Ond pan ddaeth tro β i gopïo'r testun, fe ddileodd hwnnw'r ddau dag hynny hefyd;[19] cf.

(i) P16: Ac ystung a wnaethant ar dal eu glinyeu *a dywedut val hyn urthi:* 'Amperodres Ruvein,' *hep wynt,* 'hanbych well.' (93.a.40-93.b.4)

[18] Awgrym gwahanol Sioned Davies (1995: 224) yw bod y tagiau'n peri i fersiwn P16 fod yn debycach i destun cyfieithiedig nag i chwedl lafar.

[19] O hyn ymlaen ni ddyfynnir ond o BM pan fo geiriad P4 yn adleisio eiddo J111.

TW: A gestwng ar eu glinieu a wnaethant y cenadav, **a dywedyt wrthi,** 'Imerotres Ruvain, henpych welh.' (182.10-11)

J111: A gostwng ar tal eu glinyeu a wnaethant y kennadeu. 'Amherodres Ruuein! hanpych gwell.' (7.14-16 = P4 185.30-33)

(ii) P16: 'A wyrda,' hep e vorwyn, 'ansaud gwyr dyledauc a welaf vi arnauch chwi, ac arwydon kennadeu. Pa watwar a wneuch chwi amdanaf fi?' 'Na wnawn, arglwydes,' *hep wynt,* 'vn gwatwar amdanat...' (93.b.5-11)

TW: 'Cresso, wyr da,' eb y vorwyn. 'Ansawdh gwyr dyledoc sydh arnoch ac arwydh cenadav. Pa watwar a wnewch am danafi?' 'Na wnawn, arglwydhes,' **eb hwynt,** 'vn gwatwar am danat ti...' (182.11-14)

J111: 'Ha, wyrda!' heb y uorwyn, 'ansawd gwyr dylyedawc a welaf arnawch, ac arwyd kenadeu. Py wattwar a wnewch chwi am danaf i?' 'Na wnawn, arglwydes, vn gwattwar am danat...' (7.17-22 = P4 185.33-38)

Pam, tybed, y diddymodd β y ddau dag a dduwyd uchod? Ai oherwydd ei fod yntau'n llenor wrth ei grefft a'i fod yn creu testun mwy llenyddol fyth? Neu ai am ei fod yn gyfarwydd â chlywed y chwedl yn cael ei hadrodd – neu yn ei hadrodd ei hun – a'i fod yn gwybod y byddai llais y cyfarwydd yn cyfleu'r gwahanol gymeriadau (cf. Davies 1995: 206)?

Nid dim ond dilëwr tagiau clogyrnaidd oedd α: un enghraifft o blith nifer o symud dyfeisiadau tawtolegol oedd gwaredu'r Cymalau tagio trafferthus. O gymharu fersiynau'r Llyfrau Gwyn a Choch ag eiddo P16 fe amlygir sawl enghraifft arall o ddiwygio a chaboli mynegiant ac arddull y fersiwn gynharaf. Er enghraifft, dilewyd un o dair ffurf olynol ar *nodi* 'nodi':

> Ac enteu a erchis idi hi *nodi* y haguedi. Hitheu a'e *nodes* val hynn: Enys Brydein a *nodes* y'u that, o vor Vd hyt vor Ywerdon. (P16 94.a.26-28)

Er bod y tair ffurf uchod yn anghelfydd yn y cyfrwng ysgrifenedig, byddent yn ddigon derbyniol ar lafar. Cymharer crynodeb llenyddol cymharol y fersiynau eraill:

J111: ac yntev a erchis idi nodi y hagwedi. A hitheu a nodes ynys Prydein y'w that, o Vor Rud hyt ym mor Iwerdon. (9.1-2 = P4 187.14-16)

TW: Ac yr erchis ynteu ydhi noti i hvn. A hithau a notes o Vor Rudh hyt vor Iwerdhon. (183.16-18)

Mynd hefyd fu tynged arddodiad sy'n digwydd ddwywaith yn yr un frawddeg:

> Ac a dywaut gwas ystauell *idaw* urthau diwyrnawt (ac er e vot en was ystavell *idaw,* brenhin *heuyt* en Romani oed). (P16 92.a.10-14)[20]

ac un o ddau arddodiad olynol y gellid tybied eu bod yn lled gyfystyr:[21]

P16: dwc ditheu doetheon Ruvein *ataf vi* ac e'm kylch (92.a.22-24)

J111: dwc ditheu doethon Ruvein y'm kylch i (5.10-11 = P4 183.18)

TW: dwg di doethion Ruvain y'm cylch (180.18-19)

Y mae'n arferol i ddisgrifiadau o ddillad yn y Mabinogion gynnwys dwy brif elfen oleddfol: y naill yn disgrifio'r defnydd (a'i briodoleddau), a'r llall yn cyfeirio at y rhan o'r corff a ddilledir (gweler y rhestr yn Davies 1995: 150-151), e.e.

> dwy hossan o vrethyn gwyrdvelyn teneu am y traet *(Breudwyt Ronabwy)*
> modrwy eur vras ar y llaw *(Peredur)*

[20] Italeiddiwyd y geiriau nas ceir yn P4 a J111. Fel y dengys yr italeiddio, dilewyd *heuyt en* yn ogystal; effaith dileu'r arddodiad *en* oedd priodoli cenedligrwydd yn hytrach na gwlad i'r brenin. Dim ond y Cymal cyntaf a geir yn TW:

> Ac yno y dywad gwr eanc o'i stavelh wrthaw... (180.16-17)

[21] Gallai ystyr wreiddiol bosibl *kylch,* sef 'cwmni dethol gwahoddedig' yr arweinydd fod wedi gwanhau fel y gellid tybied mai arddodiad cyfansawdd yn hytrach nag Ymadrodd Arddodiadol oedd *y'm kylch.*

Er gwaethaf hualau tebygol ymadroddi fformiwlaig o'r fath, gwyddai α o'r gorau mai dim ond ar y pen y gwisgid rhactal: pa eisiau datgan yr amlwg! Cymharer:

P16: a ractal *am benn pob vn onadunt* o rudeur en kynnal eu gwallt (91.a.11-12)
J111: a ractaleu o rudeur yn kynnal eu gwallt (3.10-11 = P4 181.7-8)
TW: a rhactala' o'r rhudhaur yn cynnal eu gwalht (179.10-11)

P16: a ractal eur *am e ben* en kynnal y wallt (91.a.25-26)
J111: a ractal eur en kynnal y wallt (3.19 = P4 181.21-22)
TW: a rhactal avr yn cynnal [llsgf ? *cymcal*] ei walht (179.15)

Fel gyda dileu'r tagiau, dyma elfen bosibl arall yn yr ymbellhau oddi wrth y fersiwn lafar.

Un o'r prif wahaniaethau rhwng Cymraeg ffurfiol ac anffurfiol yr oes bresennol yw'r defnydd a wneir o'r rhagenwau ategol dibwyslais, nodwedd a fodolai yn y cyfnod canol hefyd er nas amlygir ymhob testun (Mac Cana 1976). Yn y cyd-destun hwn, y mae'n ddiddorol nodi bod P16 yn cynnwys sawl enghraifft o ragenw ategol dibwyslais nas ceir yn y fersiynau eraill:[22]

P16: 'ansaud gwyr dyledauc a welaf *vi* arnauch *chwi.*' (93.b.6-7)
J111: 'ansawd gwyr dylyedawc a welaf arnawch.' (7.17-18 = P4 185.34-35)
TW: 'ansawdh gwyr dyledoc sydh arnoch.' (182.12)

P16: Ac enteu a erchis idi *hi* nodi y haguedi. (94.a.26-27)
J111: ac yntev a erchis idi nodi y hagwedi. (9.1 = P4 187.14-15)
TW: Ac yr erchis ynteu ydhi noti i hvn. (183.16-17)

Fel y gwelir, y mae olyniadau di-ragenw-ategol J111, P4 a TW – ac Araith Union yr enghraifft gyntaf uchod yn arbennig – yn fwy ffurfiol na rhai cyfatebol P16. Tybed ai am mai Elen sy'n siarad yn y darn cyntaf uchod y dilewyd y rhagenwau o'r Araith Union

[22] Enghraifft arall yn P4 a J111 sy'n absennol o fersiwn TW yw:
P16: 'A llyna achaus e cabyl y syd arnat ti.' (92.a.20-21)
J111: 'A llyna yr achaws a'r cabyl yssyd arnat.' (5.9-10 = P4 183.16-17)

yn y man hwn? Os felly, un o'r diwygiadau arddulliol a gyflwynodd α oedd peri i ffurfioldeb ei llafar hi gyferbynnu ag anffurfioldeb llafar y gweision a gynghorai Macsen: nid dileu ond ychwanegu rhagenwau ategol a wnaethpwyd yn achos eu llafar hwy; cymharer:

P16: 'canys arnam e bwryeist dy gyngor, ni a'th gynghorwn.' (92.a.33-34)

J111: 'kanys arnam *ni* y berneist *ti* dy gyghor, ni a'th gyghorwn *di.'* (5.17-18 = P4 184.27-30)[23]

Dim ond yn yr enghraifft gyntaf yr oedd angen y rhagenw er mwyn cyfleu pwyslais cyferbyniol.

Nid dim ond caboli fesul Ymadrodd neu Gymal a wnâi α: y mae ambell ddiwygiad yn awgrymu bod y gŵr hwn yn adnabod ei destun mor drylwyr fel y gallai gynllunio ei gyfnewidiadau ymlaen llaw. Er enghraifft, rhaid ei fod wedi ymglywed ag astrusi'r frawddeg ganlynol, sy'n deillio o gyflwyno'r gymhariaeth ar ôl dau ferfenw cyfystyr:

> nyt oed haus edrech arnei na disgwyl noc ar er heul pan vyd taeraf a thecaf (91.a.32-34).

Cymharer fersiwn y Llyfr Coch, sydd nid yn unig wedi dileu un o'r berfenwau tawtolegol ond sydd hefyd yn gohirio cyflwyno gwrthrych y gymhariaeth:[24]

> mwy noc yd oed hawd disgwyl ar yr heul pan vei teckaf nyt oed haws disgwyl arnei hi (3.24-25 = P4 181.28-30)

Cyfnewid elfennau rhagenwol a gafwyd yn yr olyniad canlynol, diwygiad cymharol ddibwys a ysgogwyd, fe ddichon, gan awydd i wella'r rhediad:[25]

[23] Gan mai dim ond yr ail ddiwygiad rhagenwol sydd yn fersiwn TW, ac y gallai Thomas Wiliems fod wedi dileu'r ddau arall, ni ellir gwybod pwy a fu'n gyfrifol am y rhagenwau eraill yn P4 a J111; cf. TW:

'canys arnom y dodaist am hynny, ninau a'th gynghorwn di.' (181: 1-2)

[24] Diwygio diweddarach mae'n debyg, a geir erbyn fersiwn TW:

Haws oedh edrych ar yr haul noc ar y vorwyn rhag ei theccet. (179.17-18)

[25] Newidiwyd yr ail Gymal yn llwyr yn fersiwn TW:

Pan elynt y wrando cerdheu a didhanwch, y gysgu yr ai ynteu. (180.13-14)

P16: Pan elynt e warandaw kerdeu a didanuch nyt aei ef y gyt a neb. (92.a.2-4)
J111: Pan elhynt hwy y warandaw kerdeu a didanwch, nyt aey ef y gyt ac *wynt.* (4.25-26 = P4 182.38-183.1)

Mwy arwyddocaol yw bod y frawddeg uchod yn cael ei dilyn yn P16 gan un arall sydd hithau'n cynnwys yr arddodiad y *gyt a:*

e wreic uwyaf a garei a welei trwy e hun y gyt ac ef. (92.a.6-8)

Ond yr hyn a gawn yn y fersiynau eraill yw:
J111: y wreic vwyhaf a garei a welei trwy y hun (4.28 = P4 183.3-4)
TW: y wraic vwyaf a garai a welai ef drwy i hun (180.15)

Tybed ai poeni am ailadrodd y *gyt a* mewn brawddegau olynol a ysgogodd α i hepgor yr Ymadrodd Arddodiadol diweddol er bod hynny'n newid ychydig ar y synnwyr? Yn yr un modd, tybed ai gwybod bod yr un Adferfol yn union yn digwydd yn y Cymal blaenorol, fel nad oedd angen iddo gael yr amlygrwydd a ddeuai iddo o fod ar ddechrau'r Cymal, a sbardunodd ei symud yn y cyd-destun canlynol:[26]

P16: a phrif dinas a welei *en aber er avon* a phrif gaer yng kylch e dinas a phrif dyroed amyl amliwyauc a welei ar e gaer. Ac *en aber er avon,* llynges a welei (90.b.4-8)
J111: a phrif dinas a welei yn aber yr auon, a phrif gaer yn y dinas, a phrif dyroed amyl amliwawc a welei ar y gaer, a llynghes a welei *yn aber yr auon* (2.6-9 = P4 179.38-180.3)

Nid dyna'r unig Adferfol i'w symud: cymhwyswyd yr un strategaeth at y ddwy enghraifft ganlynol o Adferfolion sy'n sengi rhwng elfennau eraill yn P16:

Pont a welei o'r *llong hyt e tir* o asgurn moruil (90.b.15-17)
A thynnv pebyll *eno* a oruc er amperauder (94.a.4-5)

[26] Dirywiodd yr arddull erbyn copi TW, sy'n ailadrodd *aber yr avon* yn llafurus:
a phrif dhinas a welai ynglan Aber yr Avon, a phrif Gaer yn dinas a welai yn Aber yr Avon, a phrif dyrae amliwiawc a welai yn Aber yr Avon.

Cefndir ffurfiol – ysgrifenedig yn ein traddodiad diweddar ni ond na ruthrwn i briodoli hynny i'r cyfnod canol hefyd – a awgrymir gan leoliad yr Adferfolion hyn. Yn y fersiynau eraill ad-drefnwyd yr olyniadau hyn fel y deuai'r Adferfolion yn eu safle niwtral, sef ar ddiwedd y Cymal:

J111: Pont a welei o ascwrn moruil o'r llong hyt y tir (2.13-14 = P4 182.10-11)[27]
TW: Pont a oedh o asgwrn morvil o'r lhong hyt y tir (178.20-21)
J111: A thynnv pebyll a wnaeth yr amherawdyr yno (9.11-12 = P4 187.32-33)
TW: a thynnu pebylh yr Imerawtr yno (184.4)

Gan fod y diwygio safleol uchod yn J111, P4 a TW, ymddengys mai i α y mae ei briodoli. Ond dengys yr enghraifft nesaf fod β yntau'n sensitif i safle Adferfolion: ef a newidiodd drefn yr elfennau canlynol:

P16 nyt oed gyvyngach udunt ell deu e gadeir (91.b.10-11)
TW: nyt oedh gyfyngach vdhvnt ylh tau yn y gadair (180.4-5)
J111: nyt oed gyuyghach y gadeir udunt *ell deu* (4.8-9 = P4 181.7-8)

Sylwer yn y cyd-destun hwn hefyd sut y rhoes β bwyslais i Oddrych berfenwol y Cymal canlynol drwy ei flaenu:[28]

P16: ac e doeth kyscu arnaw (90.1)
TW: Ac y deuth cysgu arnaw (178.9)
J111: a chyscu a doeth arnaw (1.15 = P4 179.17-18)

Ceir diwygio arddulliol cyffelyb ar lefel yr Ymadrodd pan addesir safle ambell ansoddair. Yng Nghymraeg y cyfnod diweddar y

[27] Er i'r ymadrodd disgrifiadol *o ascwrn moruil* symud gam yn nes at yr enw a oleddfir, y mae'r ferf yn dal i wahanu'r ddwy elfen.

[28] Y mae'n bosibl hefyd fod dymuniad i reoli nifer yr elfennau a ddeuai rhwng berfenw a berf semantaidd gynorthwyol yn llywio trefn yr elfennau mewn ambell Gymal; cymharer:

P16: ystung a wnaethant *ar dal eu glinyeu* (93.1)
P4: gestwg *ar tal eu glinyeu* a wnaethant (185.30-31)
J111: gostwng *ar tal eu glinyeu* a wnaethant (7.14-15)

Dyma faes y mae angen ei archwilio'n ofalus.

mae'n arferol i ansoddair lliw ragflaenu un sy'n cyfeirio at oedran, ac i ansoddair yn *-edig* ragflaenu un sy'n cyfeirio at ansawdd mwy cyffredinol (Thomas 1996: 4.213). Nid afresymol tybied bod cyfyngu tebyg ar drefn ansoddeiriau yn y cyfnod canol hefyd, ac mai hynny a ysgogodd addasu'r Ymadroddion Enwol canlynol:[29]

P16: Kant e neuad a debygei e vot en vaen gwerthuaur llewychedic (91.a.1-2)
J111: Cant y neuad a tebygei y uot yn vein *llywychedic gwyrthuawr* (3.4 = P4 180.34-36)[30]

P16: deu vakwy yeueing wineuon (91.a.7)
J111: deu *vackwy wineuon, ieueinc* (3.7-8 = P4 181.2-3)
TW: *dau wineuion ieuainc* (179.9)

Y mae'r addasu arddulliol yn cwmpasu nodweddion geirfaol hefyd: ar brydiau byddai copïwr yn ymglywed â dewis gair arall yn lle'r gwreiddiol. Enghraifft drawiadol o'r fath yw:

P16: avon a welei en redec ar draus e wlat en kyrchu e mor (90.b.33-34)
J111: avon a welei yn *kerdet* ar traws y wlat yn kyrchu y mor (2.14-16 = P4 180.27-29)

Gyda'r cyfnewid berfenwol fe arefir llif yr afon a thrwy hynny ychwanegu at ysblander yr olygfa a'r wlad y breuddwydiai Macsen amdani.[31]

Dim ond mewn mannau prin iawn y cawn ddarlleniad unigryw yn y Llyfr Coch a phan ddigwydd hynny ni fydd mwy na mân wahaniaethau rhyngddo a'r lleill; cymharer, er enghraifft:

[29] Y mae'r Ymadroddion Enwol a restrir gan Davies (1995: 148-150) yn tueddu i gadarnhau hyn eithr y mae hefyd eithriadau. Dyma faes arall y mae angen gwaith pellach arno.

[30] Y mae testun TW ychydig yn wahanol yn y man cyfatebol:
lhawr y neuadh oedh vain lhewychedic (179.7-8)

[31] Dichon mai cynnyrch camddarllen y ddeugraff gyntaf a welir yn nhroi *lloryeu* yn *doreu:*
P16: lloryeu e neuad a debygei e vot en eur coeth (91.1)
P4: doreu y neuad a tebygei eu bot yn eur oll (90.2)
J111: doreu y neuad a tebygei eu bot yn eur oll (3.5-6)

P16: byrdeu aryanneit (91.a.5)[32]
P4: byrdeu aryaneit (180.40-181.1)
J111: byrdeu *aryant* (3.6-7)

P16: mein gwerthuaur (91.a.13)
TW: main gwerthvawr (179.11)
P4: mein gwerthuawr (181.8)
J111: mein *mawrweithawc* (3.11)

P16: arnam e bwryeist dy gyngor (92.a.33-34)[33]
P4: arnam ni y byryeisti dy gyghor (183.28-29)
J111: arnam ni y *berneist* ti dy gyghor (5.17)

Yn wahanol i'r diwygiadau a briodolir yma i α a β, nid newid er mwyn gwella'r synnwyr neu'r arddull a amlygir uchod. Yn hytrach, cyfnewid cyfystyron (neu led gyfystyron) sydd yma, proses y mae'n haws ei chysylltu ag ysgogiad isymwybodol. Gan mor debyg yw fersiynau P4 a J111 fel arall, ymddengys yn debygol mai diwygiadau a wnaethpwyd gan Hywel Fychan ei hun yw'r uchod. Yr hyn a gesglir, felly, yw bod copïwyr digon gwahanol eu tueddiadau wedi gadael eu hôl ar *Breudwyt Maxen:* golygu'r arddull a'r synnwyr yn ofalus fwriadus y byddai α a β; addasu geirfaol isymwybodol a wnâi Hywel Fychan. O'r safbwynt hwn y mae'r ddwy enghraifft ganlynol yn ddadlennol am eu bod yn amlygu cymhwyso'r prosesau'n olynol o'r naill fersiwn i'r llall:

ENGHRAIFFT		PROSES
P16:	a'e ysgwyd urth e taryaneu en kyuarvot y gyt (91.b.15-17)	
P4:	ac *yscwydeu* y taryaneu yn ymgyfaruot ygyt (182.13-15)	addasu'r ystyr
J111:	ac yscwydeu y taryaneu yn *ymgyhwrd* ygyt (4.12)	cyfnewid geirfaol
P16:	ar hyt e bont e tebygei e vot en kerdet ene delei y'r llong e mewn (90.b.17-19)	
P4:	ar hyt y pont y tebygei y vot yn *kerdet y'r llog* (180.11-13)	golygu arddulliol
J111:	ar hyt y bont y tebygei y vot yn *dyuot y'r llong* (2.14-15)	cyfnewid geirfaol

[32] *byrdhau eureit* sydd gan TW (179.8)
[33] *arnom y dodaist am hynny* sydd gan TW (181.2).

STRWYTHUR Y CYFANWAITH

Cymharu a chyferbynnu mân elfennau a arweiniodd at y casgliadau uchod ynglŷn â rhai o'r camau yn hanes traddodi *Breudwyt Maxen*. Er mwyn gwerthuso llwyddiant llenyddol y cyfanwaith, fodd bynnag, rhaid ystyried hefyd rai o'i nodweddion strwythurol brasaf. Bu hynny'n faes trafod i sawl astudiaeth flaenorol eithr nid yr un yw'r casgliadau. Uniad yr arwr ag Elen fyddai terfyn gwreiddiol y stori i Bromwich (1974: 146) a Roberts (1992: 49), nad ydynt yn gweld y gweddill yn ddim mwy nag atodiadau digyswllt.[34] Digon gwahanol yw gogwydd Hunter (1988, dyfynnir a chymeradwyir gan Davies 1995: 75): o werthuso'r strwythur yn nhermau gofynion ac amgylchiadau tybiedig y perfformiwr, yr hyn a wêl ef yw cyfanwaith dwyran, gyda'r rhan gyntaf yn diweddu nid gyda'r uniad ond gyda'r manion onomastig sy'n ei ddilyn ac y bernir eu bod yn cyflawni swyddogaeth nemonig hanfodol. Ni fynnwn innau wadu pwysigrwydd cyd-destun ehangaf y traddodi, eithr i mi gwendid y theori newydd yw nad yw'n rhoi cyfrif digonol am rai o'r gwahaniaethau arddulliol sylfaenol rhwng y gwahanol adrannau.

Yr oedd traddodiadau am Facsen a'i hiliogaeth wedi ymwreiddio'n ddwfn ym meddylfryd y cyfnod canol yn eglwysig a seciwlar (er y dichon nad cwbl briodol ceisio gwahanu'r ddwy wedd). Mae'r cysegriadau niferus i aelodau o'r teulu yn y gogledd-orllewin, y de-orllewin a'r de-ddwyrain – yn union ddalgylchoedd Caernarfon, Caerfyrddin a Chaerllïon (ar Wysg yn y chwedl, mae'n debyg, nid ar Ddyfrdwy) – yn tystio'n groyw i Facsoffilia'r cyfnodau cynnar (Bowen 1954: 21-25; Jones 1954: 32). Nid llai brwdfrydedd achyddwyr Gwynedd, Dyfed a Phowys, y cyffrowyd eu dychymyg hwythau gan yr hanes a gysylltai dywysogion Cymru â grym ymerodraeth Rhufain (Bromwich 1991: 452; Jarman 1967: 21-33). Gellid disgwyl i boblogrwydd o'r fath adlewyrchu neu gynhyrchu llu o draddodiadau fel mai'r tebyg yw mai dim ond cyfran fach o'r cyfoeth hanesion canoloesol am Facsen a Helen a ymgorfforwyd yn y chwedl.

[34] Y mae'n drueni na ellir gwybod pa bryd yr aethpwyd i alw *Breudwyt Maxen* ar y cyfanwaith oherwydd dim ond deunydd y rhan gyntaf a gwmpesir gan y teitl cyfarwydd.

Un o baradocsau *Breudwyt Maxen* yw natur amrywiol rhyddiaith y tair rhan ganlynol, y gellir yn weddol annadleuol eu rhengu o'r fwyaf caboledig i'r lleiaf:

i. y freuddwyd a'r uniad;
ii. goresgyn a gwladychu Llydaw; a
iii. y mân hanesion onomastig.

Yr hyn sy'n arwyddocaol yn y cyd-destun hwn yw mai nid â safle'r episodau yn y testun eithr â'r cyfnewidiadau yn eu hyd a natur y rhyddiaith y mae'r newid arddulliol yn cydamrywio. Y freuddwyd, gyda'i ffocws amlwg ar Wynedd, yw'r rhan hwyaf a mwyaf caboledig; yna daw'r clwm o straeon onomastig byr a darniog sy'n cyfeirio at Gaerfyrddin a'i chyffiniau a Ffyrdd Elen; ac yn olaf cawn yr hanes milwrol, sy'n lleoli Macsen yng Nghaerllïon cyn cychwyn ar ei ymgyrchu. Gellir tybied nad damweiniol yw trefn yr elfennau yn y fersiwn gyfansawdd: mae'r cyfeiriadau lleoliadol yn ymbellhau'n ddaearyddol drefnus o ffocws gogleddol y freuddwyd drwy Gaerfyrddin ac i Gaerllïon cyn symud i'r Cyfandir. Er hynny, anodd derbyn dyfarniad Hunter (a ddyfynnir yn Davies 1995: 75) fod gennym yma gyfanwaith llwyddiannus sy'n gynnyrch 'cywreinrwydd strwythurol'.

Ni fyddai bwrw bod ansawdd y rhyddiaith yn cydamrywio â chynefindra cymharol y storïwr â'i ddeunyddiau yn anghydnaws ag ymhlygiadau tystiolaeth y dadansoddiad ieithyddol, sef mai o Wynedd y tarddodd y cyfanwaith a oroesodd.[35] Y mae'n bosibl, yn wir, nad dim ond cymhelliad llenyddol a ysgogodd lunio'r cyfansoddiad; yn hytrach, gallai fod yn ymgais gan storïwr profiadol i impio traddodiadau Macsenaidd o ardaloedd eraill neu (yn achos yr hanes milwrol, efallai) o feysydd eraill ar gyff y freuddwyd leol ei tharddiad. Gydag ehangu'r *Breudwyt Maxen* wreiddiol fe ddatblygodd ei neges wleidyddol isorweddol: troes y chwedl darddu gymen ond lleol yn glytwaith llai caboledig ond yn un a allai gynhyrfu'r gwrandawr i gysynied yn fuddugoliaethus am unoliaeth hanesyddol a phosibl gwlad ranedig.

[35] Posibilrwydd arall yw bod yr adran onomastig yn llai cyflawn am mai ar ffurf nodiadau y mae. Ond o ystyried ansawdd y rhyddiaith flaenorol ymddengys hynny'n annhebygol.

CASGLIADAU

Pan nad ystyriais ond fersiwn y Llyfr Coch o *Breudwyt Maxen* fy nghasgliad – nid afresymol! – oedd mai testun de-ddwyreiniol ydoedd (Thomas 1993: 43). O astudio ieithwedd copi Hywel Fychan yng nghyd-destun y fersiynau eraill sydd ar glawr, fodd bynnag, fe welir mai dim ond ar yr wyneb y mae'r testun hwnnw'n amlygu nodweddion ieithyddol de-ddwyreiniol. Yn fwyaf penodol, y mae'n debygol bod arwyddocâd deublyg i'r enghreifftiau o *-wys* yn y fersiwn hon. Ar yr wyneb – ac, mae'n bosibl, i gyfoeswyr i Hywel Fychan hefyd – nodwedd dde-ddwyreiniol oedd *-wys*. Yn isorweddol ac o safbwynt diachronig, fodd bynnag, y mae'n fwy tebygol mai nodwedd ogleddol gynnar a drosglwyddwyd o gopi i gopi oedd y forffem hon. Gwarged pellach o ogleddedd isorweddol fersiwn J111 yw'r enghreifftiau crwydr ynddi o (-th-)-<th> a chenedl wrywaidd *breuddwyd*. Gellir, hefyd, ddehongli strwythur cyffredinol y chwedl yn nhermau cynefindra amrywiol rhyw storïwr o ogleddwr â'r gwahanol ddeunyddiau.

Tua chanol y 13g yr ysgrifennwyd y llawysgrifau Cymraeg hynaf sydd ar glawr (Huws 1993) a dichon nad damweiniol yw cael bod *Breudwyt Maxen* ymhlith cynnyrch ail hanner y ganrif honno, yn Peniarth 16. Gan hynny, y mae'n bosibl bod gan rywun yng Ngwynedd Llywelyn ap Gruffudd, onid yng nghyfnod Llywelyn Fawr, gofnod o'r hanes cynnar – efallai'n gymar i'r bywgraffiad o Ruffudd ap Cynan (hen daid y Mawr) y bernir iddo gael ei ysgrifennu yn y Lladin oddeutu 1165 ac y mae'r fersiwn Gymraeg hynaf ohono'n perthyn i ail hanner y 13g (Evans 1977: ccxlix; Huws 1993: 19). Yn y Llyfrau Gwyn a Choch fe ragflaenir *Breudwyt Maxen* gan *Peredur* y mae iddi hithau gysylltiadau gogleddol (Huws 1995; Thomas 1995). Onid – fel y sylwodd y Dr Brynley Roberts yn ochelgar yng Nghylch Trafod Rhyddiaith yr Oesoedd Canol yn 1995 am *Peredur* – gwaddol llys Gwynedd yw'r testunau hyn?[36]

Yn ystod y ganrif rhwng llunio P16 a chynhyrchu'r Llyfr Gwyn ymddengys i *Breudwyt Maxen* gael ei chaboli ddwywaith

[36] Sylwer, hefyd, ar farn y Dr Bromwich (1996: 213) fod 'rhyw ddiddordeb arbennig yn yr hen draddodiadau chwedlonol a hanesyddol yn ffynnu yn llys Madog [ap Maredudd, ewythr Owain Cyfeiliog]... yn ystod blynyddoedd canol y ddeuddegfed ganrif.'

gan lenorion a oedd yn ymwybodol o'r gwahaniaethau rhwng confensiynau'r cyfryngau llafar ac ysgrifenedig: y tro cyntaf gan ogleddwr (α), a'r eildro gan ddeheuwr (β). Collwyd eu llawysgrifau cyfryngol hwy ac unrhyw rai canoloesol eraill a gynhwysai'r chwedl, eithr diogelwyd fersiwn yn yr olyniad gan Thomas Wiliems. Ac er mor anfedrus yw ei *Freuddwyd Macsen* ef, ymgorfforwyd ynddi ddeunyddiau sydd, o'u hystyried yng nghyd-destun tystiolaeth y newidynnau ieithyddol, yn ein galluogi i adlunio rhai o'r haenau arwyddocaol yn hanes traddodi'r fersiynau ysgrifenedig o'r chwedl hon.

LLYFRYDDIAETH

Brewer, George W. (1965). *Astudiaeth feirniadol o'r chwedl* Breuddwyd Macsen. M.A. Cymru: Bangor.

Bowen, E.G. (1954). *The Settlements of the Celtic Saints in Wales.* Caerdydd: Gwasg Prifysgol Cymru.

Bromwich, Rachel (1974). Traddodiad Llafar y Chwedlau. tt.46-64 yn Geraint Bowen (gol.), *Y Traddodiad Rhyddiaith yn yr Oesau Canol.* Llandysul: Gomer.

—— (1991). *Trioedd Ynys Prydein.* Caerdydd: Gwasg Prifysgol Cymru.

—— (1996). Cyfeiriadau Traddodiadol a Chwedlonol y Gogynfeirdd. tt. 202-218 yn B.F. Roberts a Morfydd E Owen (goln.), *Beirdd a Thywysogion: Barddoniaeth Llys yng Nghymru, Iwerddon a'r Alban.* Caerdydd: Gwasg Prifysgol Cymru.

Charles-Edwards, Gifford (1979). The Scribes of the Red Book of Hergest. *Cylchgrawn Llyfrgell Genedlaethol Cymru* 21: 246-256.

Davies, Sioned (1995). *Crefft y Cyfarwydd.* Caerdydd: Gwasg Prifysgol Cymru.

Evans, D. Simon (1951). *Gramadeg Cymraeg Canol.* Caerdydd: Gwasg Prifysgol Cymru.

—— (1977, gol.). *Historia Gruffudd vab Kenan.* Caerdydd: Gwasg Prifysgol Cymru.

Evans, J. Gwenogvryn (1907, gol.). *Y Mabinogion o Lyfr Gwyn Rhydderch.* Pwllheli.

Huws, Daniel (1991). Llyfr Gwyn Rhydderch. *Cambridge Medieval Celtic Studies* 21: 1-37.

—— (1993). Llyfrau Cymraeg 1250-1400. *Cylchgrawn Llyfrgell Genedlaethol Cymru* 28: 1-21.

—— (1995). *Peredur:* Y Llawysgrifau. Papur a draddodwyd i Gylch Trafod Rhyddiaith yr Oesoedd Canol, Prifysgol Cymru, Caerdydd.

Jarman, A.O.H. (1967). *Ymddiddan Myrddin a Thaliesin.* Caerdydd: Gwasg Prifysgol Cymru.

Jones, Francis (1954). *The Holy Wells of Wales.* Cardiff: University of Wales Press.

Mac Cana, Proinsias (1976). Notes on the Affixed Pronouns in Welsh. *Sudia Celtica* X/XI: 318-325.

Roberts, Brynley F. (1992). *Studies on Middle Welsh Literature.* Lewiston: Edwin Mellen.

Thomas, Peter Wynn (1993). Middle Welsh Dialects: Problems and Perspectives. *Bwletin y Bwrdd Gwybodau Celtaidd* XL: 17-50.

—— (1995). *Peredur*: Iaith a ieithwedd y testunau canoloesol. Papur a draddodwyd i Gylch Trafod Rhyddiaith yr Oesoedd Canol, Prifysgol Cymru Caerdydd.

—— (1996). *Gramadeg y Gymraeg.* Caerdydd: Gwasg Prifysgol Cymru.

Thomson, R.L. (1968). *Owein or Chwedyl Iarlles y Ffynnawn.* Dublin: The Dublin Institute for Advanced Studies.

Williams, Ifor (1908). *Breuddwyd Maxen.* Bangor: Jarvis & Foster.

B'LE BU'R YMRYSON RHWNG SIÔN CENT A RHYS GOCH ERYRI?

gan D. J. BOWEN

Yr ydym yn gyfarwydd â'r syniad fod cywyddau mawl neu serch yn cael eu datgan gerbron bord dâl uchelwr, a gwyddom am yr arfer o wneud cyff clêr o bencerdd yn y neuaddau a'i destunio ar bwnc gosodedig. Erbyn ystyried, byddai'r un mor naturiol synio y datgenid cywyddau ymryson yng ngŵydd penteulu a'i geraint, a bod y cywyddau hynny wedi eu noddi ar adegau, os nad bob amser. Gallasai hynny fod yn wir am yr ymryson enwog rhwng Siôn Cent a Rhys Goch Eryri. Beth bynnag am Siôn Cent, yr oedd Rhys yn amlwg yn clera ar hyd ei oes, ac yn hytrach na thybied yn ein cyfer fod rhyw negesydd wedi cludo'r cywyddau rhwng cartrefi'r naill a'r llall, byddai'n werth dyfalu a fu iddynt gael eu cyfansoddi pan oedd y ddau fardd ynghyd dan ryw gronglwyd neu'i gilydd. Wedi'r cyfan, lluniodd Saunders Lewis yrfa filwrol lew i Guto'r Glyn,[1] ac os gellir cyfrifeg greadigol pam nad ymchwil cyffelyb ambell waith?

Dadl ddysgedig sydd gennym yn y cywyddau hyn, wrth gwrs, ond yr oedd y pwnc o gryn ddiddordeb yn y cyfnod, a diau y buasai noddwyr diwylliedig yn ymddiddori'n arbennig yn y mater dan sylw, sef geirwiredd y canu mawl, – ac nid y canu mawl yn unig.[2] Felly dychmyger bod yr ymryson wedi ei gynnal yn Rhaglan, gyda Syr Wiliam ap Tomas, tad yr Iarll Wiliam Herbert (m. 1469), yn noddwr, a derbyn hynny fel man cychwyn.

Saif y castell tua hanner ffordd rhwng Trefynwy a'r Fenni, a Syr Wiliam oedd yr adeiladwr cyntaf. Iddo ef y priodolir y porth

[1] Saunders Lewis, *Meistri a'u Crefft,* gol. Gwynn ap Gwilym (Caerdydd, 1981), tt. 107-23.

[2] Gw. *truth-telling* yn y mynegai i David Aers (gol.), *Culture and History, 1350-1600* (London, 1992), ac o dan *"Trewthe"* yn y mynegai i Steven Justice, *Writing and Rebellion in England in 1381* (London, 1994).

deheuol a'r tŵr mawr, ynghyd â'r neuadd a'r cyfleusterau tu hwnt iddi. Perthynai i un o fân deuluoedd bonheddig Sir Fynwy, ac yn 1406 priododd Elizabeth Bloet (hithau o dras Gymreig), etifeddes maenor Rhaglan o du ei thad, a gweddw Syr James Berkeley, a thebyg i Wiliam a hithau drigo yn y maenordy tan i Elizabeth farw yn 1420. O hynny ymlaen yr oedd Wiliam yn ddeiliad yno, nes iddo brynu'r faenor gan y teulu Berkeley yn 1432, a bwrir mai dyna pryd y dechreuodd godi'r castell. Ei ail wraig oedd Gwladus ferch Syr Dafydd Gam, gweddw Rhosier Fychan o Frodorddyn, yn Swydd Henffordd. Lladdwyd Rhosier a Dafydd yn Agincourt yn 1415 wrth gadw einioes Harri V, ac yr oedd Wiliam ap Tomas hefyd yn y frwydr. Urddwyd ef yn farchog gan Harri VI yn 1426 – fe'i hadwaenid fel y Marchog Glas o Went – a daeth yn ŵr o rym a dylanwad yn y De. Pan fu farw yn Llundain yn 1445, ducpwyd ei gorff yn ôl i'w gynefin i'w gladdu, ac y mae ei feddrod alabastr ef a Gwladus Gam, a fu farw yn 1454, i'w weld yn Eglwys y Santes Fair yn y Fenni.[3]

Yr oedd Syr Wiliam yn gyfarwydd â noddi beirdd, fel y gwelir oddi wrth gywydd Guto'r Glyn iddo.[4] Ond ei ymwneud â Rhys Goch Eryri sydd o ddiddordeb yn awr: buasai Rhys tua thrigain oed yn 1426, yn ôl fel y bernir.

Cysylltir Rhys Goch â Hafodgaregog, yn Nanmor, trefgordd ym Meddgelert, a dywedir ei fod wedi ei gladdu yn y plwyf hwnnw.[5] Cynigiwyd gan Ifor Williams ei fod yn canu o tua 1385 hyd 1448, ond y mae'r ail ddyddiad yn seiliedig ar ei gywydd marwnad i Faredudd ap Cynfrig o Borthaml, yn Llanidan, a gwyddom bellach fod Maredudd wedi marw erbyn 1428.[6] Fodd bynnag, y mae 1440 fel dyddiad ei gywydd marwnad i Lywelyn ab y Moel yn safadwy, a chan fod Gruffudd Llwyd yn cyfeirio at

[3] Ar Syr Wiliam, gw. Ralph A. Griffiths, *The Principality of Wales in the Later Middle Ages: The Structure and Personnel of Government,* I (Cardiff, 1972), tt. 147-8; ar y castell, gw. *Raglan Castle* (Cadw, Cardiff, 1988). Disgrifir y beddrod yng nghywydd marwnad Lewys Glyn Cothi i Gwladus; gw. Dafydd Johnston (gol.), *Gwaith Lewys Glyn Cothi* (Caerdydd, 1995), rhif 110, tt. 247-8.

[4] John Llywelyn Williams ac Ifor Williams (gol.), *Gwaith Guto'r Glyn* (ail argraffiad, Caerdydd, 1961), XLVII, tt. 126-8. Erys darn o gywydd marwnad iddo gan fardd anhysbys; gw. Eirian E. Edwards, 'Cartrefi Noddwyr y Beirdd yn Siroedd Morgannwg a Mynwy', *Llên Cymru,* XIII (1974-81), 204.

[5] Ymdrinnir â'i fywyd yn *IGE*^{2}, tt. xxxviii-xlix. Disgrifir sut i gyrraedd ei gartref yn Alun Llywelyn-Williams, *Crwydro Arfon* (Llandybïe, 1959), t. 132.

[6] Yr oedd yn fyw yn 1426; gw. A. D. Carr, *Medieval Anglesey* (Llangefni, 1982), t. 211.

Rys fel 'Un o'r rhai gorau ieuainc' o blith y beirdd yn 'Y Cwest ar Forgan ap Dafydd o Rydodyn', cywydd a ganwyd rhwng 1387 a *c*.1388, rhydd hynny syniad inni am ei oedran ar y pryd.[7] Y mae'r Athro Williams yn rhoi 1439-40 fel dyddiad cywydd marwnad Rhys Goch i Gwilym ap Gruffudd o'r Penrhyn, ond gwyddys yn awr mai yn 1431 y bu ef farw, ac efallai mai a'r gwrthrych eto'n fyw y canwyd y cywydd, arfer nid anghyffredin yn y cyfnod. Ar wahân i hynny, y mae canu Rhys i Gwilym ac i'w aer yn codi ystyriaethau a allasai fod yn berthnasol i'w ymryson â Siôn Cent (ac i'w gyswllt â Rhaglan, fe ddichon), ac felly ceisir manylu ychydig isod.

Er bod gan dad Gwilym ap Gruffudd diroedd helaeth yng Ngwynedd Uwch Conwy, daliai i drigo ar ei ystad yn Sir y Fflint, ac nid yw'n debygol y byddai ef a Gwilym wedi ymuno â lluoedd Glyndŵr tan i'r Gwrthryfel ledu i'r sir honno tua diwedd haf 1403. Lladdwyd ei dad a'i ewythr Bleddyn yng nghwrs y brwydro, ond yn Awst 1405 aeth Gwilym a'i frodyr i garchar Caer i ymostwng, ac yr oeddynt ymhlith y rhai cyntaf i gefnu ar Owain. Rhaid fod Gwilym wedi cael pardwn yn ystod 1407, oherwydd ar 26 Tachwedd cafodd drwydded gan y Tywysog i ailfeddiannu ei diroedd fforffed ei hun ac i gymryd meddiant o diroedd fforffed 27 o wrthryfelwyr Môn. Ond yr oedd llinach ei wraig gyntaf yn gefnogwyr brwd i Owain Glyndŵr, – priodasai Forfudd ferch Goronwy ap Tudur o Benmynydd tua 1390. Cipiwyd Castell Conwy gan ei hewythredd, Rhys a Gwilym ap Tudur, yn 1401, a dienyddiwyd Rhys yng Nghaer yn 1411, yr unig aelod o'r teulu i ddioddef y penyd eithaf am ei ran yn y Gwrthryfel. Yr oedd tiroedd ei frawd, Gwilym, wedi eu trosglwyddo i Gwilym ap Gruffudd yn 1410, yn ychwanegol at y tiroedd eraill a gawsai ym Môn yn 1407, ac y mae'n rhaid nad oedd yn chwithig ganddo eu derbyn.

Yr oedd ei ail wraig, Sioned, yn ferch i Syr William Stanley o Hooton, yn Swydd Gaer: y mae bron yn sicr i'r briodas ddigwydd yn 1413. Yn nes ymlaen, gwnaeth Gwilym gais y câi ef a'i blant

[7] *IGE*², XXXIX, t. 117. 3. Cyfeirir at Syr Dafydd Hanmer fel marchog ar ddechrau'r cywydd – fe'i hurddwyd yn 1387 – a bu farw *c*. 1388; gw. *BC*, t. 315. Yn 1385, llofruddiwyd John Lawrence, dirprwy brifustus gweithredol y De, ar y ffordd rhwng Caerfyrddin ac Aberteifi gan Forgan ap Dafydd; gw. Ralph A. Griffiths, op. cit., t. 116, a chymerir gennyf mai cyfeirio at hynny a wneir yn y cywydd; ond 'seems to have been involved in the murder' a ddywedir am Forgan ar d. 319.

a'u hetifeddion hwythau brynu tiroedd yn Lloegr ac yn y bwrdeistrefi Cymreig, ac y caent eu heithrio rhag y deddfau penyd, gan ddadlau iddo ef a'i blant fod yn deyrngar i'r Goron adeg y Gwrthryfel ac wedyn, a'i fod yn briod â Saesnes ddiledryw, ac yn Sais ei hun, bron iawn. Yr oedd hynny'n gelwydd golau, wrth gwrs, ac anghofiodd yn gyfleus am ei gefnogaeth i Lyndŵr rhwng tua 1403 a 1405. Ni chrybwyllir Tudur Fychan nac Angharad, ei blant o'i briodas gyntaf, yn yr ewyllys a luniodd ym Mhenmynydd ryw flwyddyn cyn ei farw, ond gadawodd ei ystad i'w ail wraig a'i fab o'r briodas honno, a symiau o arian i ddwy ferch Sioned ac yntau a fyddai'n gynhaliaeth ddigonol ar eu cyfer. (Ond rhaid fod rhyw ddarpariaeth wedi ei gwneud ar gyfer Tudur Fychan, a'i fod wedi etifeddu rhai o diroedd ei fam ar farwolaeth Gwilym.)[8]

I droi at gywyddau Rhys Goch Eryri i Gwilym ap Gruffudd a'i fab. Yn un o'r ddau gywydd i Gwilym, y mae'n dathlu codi ei neuadd yn y Penrhyn, ac yn cyfeirio'n raslon at Sioned a'r aer a aned iddynt: 'Tyfid gras i'w hetifedd'; felly fe'i canwyd yn ystod ei ail briodas.[9] Ond maes o law bydd Rhys yn olrhain achau'r etifedd hwnnw – Wiliam Fychan – o'r ochr Gymreig, ac wrth gyfeirio at Ednyfed Fychan yn ychwanegu: 'gwnaeth i Eingl feichiaw'.[10] Cynigiodd Ifor Williams y sylw ei bod yn rhaid fod y cywydd hwn wedi ei ganu 'pan oedd ei wrthrych yn prysur geisio profi ei fod yn fwy na hanner Sais',[11] oherwydd yn 1439 a 1442 petisiynodd Wiliam y Senedd am fraint dinasyddiaeth Seisnig ar y tir ei fod yn Sais ar ochr ei fam, ac i'w dad fod yn 'trewe Liegeman' i Harri IV adeg y Gwrthryfel.[12] Nid dyma'r unig dro i'r bardd ddangos ei liwiau gwleidyddol.

Deuwn felly at fater dyrys y cywydd marwnad i'r tad.[13] Ynddo, y mae Rhys Goch yn ymddiheuro am ei ganu, ac yn apelio at ei gyhoedd i beidio â dal 'drwg na chenfigen' tuag ato o'i blegid. Câi dal amdano, meddai, ac yr oedd wedi mesur ei eiriau:

[8] A. D. Carr, 'Gwilym ap Gruffydd and the Rise of the Penrhyn Estate', *Cylchgrawn Hanes Cymru*, 15 (1990-1), 1-20; R. R. Davies, *The Revolt of Owain Glyn Dŵr* (Oxford, 1995), tt. 119, 218-19, 296, 314-16.

[9] *IGE*², CIII, tt. 310-13.

[10] Ibid., CII, tt. 307-9.

[11] Ibid., t. xlv.

[12] Glyn Roberts, *Aspects of Welsh History* (Cardiff, 1969), t. 210.

[13] *IGE*², CIV, tt. 314-17.

'Gwawd i Wilym y'i gedir' (a thebyg fod *gwawd* yn amwys yma: gallai olygu 'clod' gynt). Yr oedd yn arfer i ddwyn marwnadau adref fis wedi'r angladd ac i'w datgan gerbron y teulu,[14] ond prin y byddid wedi cynnwys y darn hwn ar achlysur o'r fath, nac mewn copi o'r cywydd a adewid gyda'r etifedd. Ymhellach, at deulu Morfudd, gwraig gyntaf Gwilym, y cyfeirir yn y cywydd, ac nid at Sioned, fel yn y cywydd i'r 'neuaddlys newyddlawr', a dywedir na bu neb cymaint ei barch yn y tair sir â Gwilym er amser ei 'daid o gyfraith', sef Tudur ap Goronwy (m. 1367) o Benmynydd, arweinydd y fintai a lofruddiodd Henry Shaldeford, atwrnai y Tywysog Du yn y Gogledd, yn 1345.[15] Ac ar ddiwedd y cywydd dywedir na bu neb cyffelyb i Gwilym ap Gruffudd yn cydeistedd gyda phrifustus Gwynedd ar ei fainc er pan fu feirw 'yr hen geirw gynt', meibion 'Alexander mawr Môn', sef meibion Tudur yn ddiau. (Bu Goronwy ac Ednyfed farw yn 1382, a gwelsom i Rys gael ei ddienyddio yn 1411.)

'Y mae Rhys fel petai cywilydd arno ganu i un o hen elynion Glyndŵr', meddai Ifor Williams wrth drafod y cyfeiriadau hyn.[16] Ond yr oedd Gwilym wedi ymladd ar du Owain am ysbaid, a bu ymostwng i'r Goron yn gyffredin ymhlith yr uchelwyr – gwnaed hynny gan Faredudd ap Cynfrig o Borthaml yn 1406, er enghraifft, er iddo fod yn bleidiol i'r achos yn flaenorol.[17]

Tybed, felly, nad yn nyddiau Morfudd, gwraig gyntaf Gwilym ap Gruffudd, y canwyd y farwnad, neu pan oedd ef yn weddw ar ei hôl, sef cyn 1413, a'i bod wedi ei bwriadu'n rhannol (o leiaf) fel beirniadaeth arno ar adeg o dyndra a brad? Byddai tua 1410-11 yn taro, pan ddaeth tiroedd fforffed Gwilym ap Tudur i'w feddiant ac y dienyddiwyd ei frawd Rhys. Amhriodol fuasai cyfeirio at Dudur ap Goronwy fel 'taid o gyfraith' mewn marwnad a luniwyd i Gwilym ap Gruffudd wedi iddo ailbriodi â Sioned ferch Syr William Stanley, oni fwriadwyd hynny fel sen. (Y mae Rhys Goch yn ei ddisgrifio ei hun fel 'llwydfardd' yn y cywydd, ac os oedd yn tynnu at ei hanner cant ar y pryd ni buasai hynny'n annhebygol.)

[14] Am y cyfeiriadau, gw. D. J. Bowen, 'Beirdd a Noddwyr y Bymthegfed Ganrif', *Llên Cymru*, XIX (1996), 10-11.
[15] Glyn Roberts, op. cit., tt. 194-7.
[16] *IGE*², t. xlv.
[17] A. D. Carr, op. cit., 1982, t. 211.

Y mae ystyriaeth bellach sy'n peri amau ai pan fu Gwilym farw yn 1431 y cyfansoddwyd y cywydd hwn. Dymuna'r bardd y byddai Duw'n caniatáu i'w blant gynnal llysoedd 'lle bu Wilym eu tad.' Ond gan ei fod wedi dietifeddu ei fab o'i briodas gyntaf yn ei ewyllys, a chan y byddai telerau'r ewyllys yn debygol o fod yn gyffredinol hysbys ymhen mis wedi ei farw, nid yw'r dymuniad yn gweddu'n dda i'r amgylchiadau. Yn wir, efallai mai coegni yw hyd yn oed y mawl sydd yn y cywydd, a bod y cwbl wedi ei fwriadu ar gyfer rhai o gyffelyb fryd i Rys ei hun, neu o leiaf fod y fersiwn sydd ar glawr wedi ei fwriadu felly. Buasai'n well ganddo weld Gwilym o flaen plant 'Y ddraig lewychgraig luwchgroen' (sef y Saeson) hyd yn oed pe lladdasai ei dad, medd Rhys Goch, – gosodiad digon rhyfedd am fwy nag un rheswm, ond dichon mai sylw slei ar naturiaeth fileinig y gŵr hwnnw ydyw. (A buasai'n osodiad hynod i'w gynnwys mewn marwnad a ganwyd yn nyddiau ei ail wraig.) A thybed sut yn union yr oedd Gwilym wedi ymddwyn pan eisteddai'n 'gadarn' gyda'r prifustus ar ei fainc, mainc a oedd yn arwydd o oruchafiaeth y Gorchfygwyr a'u trahauster, pa un bynnag? Ond yr oedd rhywun neu rywrai wedi rhoi 'rhoddged cyfarwyddgall' i'r bardd am blethu'r cywydd. Pwy tybed?

Yn ei ewyllys, gorchmynnodd Gwilym ap Gruffudd ei fod i'w gladdu ym Mhenmynydd neu Landygái neu Lan-faes,[18] ond dywed Rhys Goch Eryri'n benodol mai yn Llan-faes yr oedd ei fedd. Nid yw hynny o reidrwydd yn gwarafun dal y gallai'r cywydd fod wedi ei ganu'n gynt o lawer, oherwydd byddid yn nodi'r man claddu mewn marwnadau a genid a'r gwrthrych eto'n fyw, fel y gwelir yng nghywydd marwnad Dafydd ap Gwilym i Ruffudd Gryg.[19] Buasai Llan-faes yn ddewis naturiol ar gyfer Gwilym ap Gruffudd os canwyd y cywydd cyn iddo godi ei neuadd newydd ym mhlwyf Llandygái, – a hyd yn oed wedyn. (Dichon iddo nodi eglwys Penmynydd fel dewis cyntaf yn ei ewyllys am fod beddrodau teulu Morfudd yn Llan-faes, hynny yw, os oes arwyddocâd i'r drefn.)

Y mae'n farn fod y beirdd yn fwy o genedlaetholwyr na'r

[18] Idem, op. cit., 1990-1, 17.

[19] Thomas Parry (gol.), *Gwaith Dafydd ap Gwilym* (trydydd argraffiad, Caerdydd, 1979), rhif 20. 38, t. 57.

noddwyr adeg Rhyfeloedd y Rhosynnau, ac y mae'n amlwg oddi wrth ganu Rhys Goch Eryri i deulu'r Penrhyn b'le'r oedd ei deyrngarwch yntau. Erys ar glawr ddau gywydd i Owain Glyndŵr gan Ruffudd Llwyd, cywyddau a ganwyd cyn y Gwrthryfel,[20] ac nid oes amheuaeth nad oedd gyrfa Llywelyn ab y Moel fel herwr a phleidiwr i achos Owain yn gymeradwy gan Rys. Wrth ymryson ag ef, y mae'n ei gyfarch fel 'llew brwydr'[21] ac fel 'Dewrddrud Lywelyn daerddraig'.[22] Yn ôl Syr John Wynn o Wedir, canwyd un arall o gywyddau Rhys i Robert ap Maredudd o Eifionydd pan oedd hwnnw 'allan' gyda Glyndŵr, ac er nad enwir Robert yng nghorff y cywydd ni welaf fod dim yn erbyn derbyn gair Syr John mai ef yw'r gwrthrych.[23] Ni thybiaf ychwaith ei bod yn rhaid tybied mai wedi iddo briodi (pan oedd tua phedwarugain) y canwyd y cywydd, er nad yw hynny'n ein dwyn yn nes i allu profi mai adeg y Gwrthryfel y canodd Rhys iddo.[24]

Felly byddai Siôn Cent a Rhys Goch Eryri yn eneidiau cytûn yn wleidyddol, oherwydd ni ellir ond cytuno â Saunders Lewis pan ddywedodd am gywydd mawr Siôn Cent, 'Gobeithiaw a ddaw ydd wyf', ei bod yn anodd ei ddarllen heb ymgynhyrfu, 'canys dyma'r farwnad fwyaf a ddaeth o fethiant Glyndŵr.'[25] Y mae'r cwpled 'Wellwell mae Cymry wylliaid/Dydd rhag ei gilydd a gaid' fel pe'n ymgysylltu â gyrfa Llywelyn ab y Moel,[26] a chyda'r llinell 'Gwelaf waethwaeth ein galon' (sef gelynion) yn dilyn ym mraich gyntaf y cwpled nesaf y mae'n ddealladwy pam y dyfalai Mr. Lewis a oes yma awgrym i Siôn ei hun 'fod yn un o fintai o filwyr Owain na fuont fodlon i daflu ymaith eu harfau ar ôl y cyrch ar ffiniau Amwythig'.[27] Pa un bynnag am hynny, y mae'r cytgord gwladgarol a fuasai rhwng Siôn Cent a Rhys Goch

[20] *IGE*², XLI-XLII, tt. 122-7.
[21] Ibid., LV, t. 163.1.
[22] Ibid., LVII, t. 169.1. Am y farn ddiweddaraf ar ddyddiadau cywyddau herwa Llywelyn, gw. R. Iestyn Daniel, 'Agweddau ar Waith Llywelyn ab y Moel', *Dwned,* rhif 2 (1996), 31-50, yn enw. 41-3.
[23] *IGE*², C, tt. 301-3, a gw. t. xlii; hefyd Colin A. Gresham, *Eifionydd* (Cardiff, 1973), tt. 18, 20, 82, 85, 372.
[24] Ifor Williams a awgrymodd hynny; gw. *IGE*², t. xliii. (Mentrus fuasai i'r bardd dybied y gallai gŵr o'r oedran hwnnw genhedlu cyn iddo ei brofi ei hun!)
[25] Saunders Lewis, op. cit., t. 150.
[26] *IGE*², LXXXVIII, t. 267. 13-14.
[27] Saunders Lewis, op.cit., t. 150.

yn gosod yr ymryson enwog a fu rhyngddynt ynghylch tarddiad awen beirdd Cymru mewn cyd-destun rywfaint yn wahanol i'r hyn a dybir fel arfer, gan nad oeddynt benben ar bob pwnc o bell ffordd. Ac yn ei ganu i deulu'r Penrhyn dangosodd Rhys Goch Eryri na wnâi yntau blygu i ofynion yr awen gelwyddog yn ddibrotest.

Yr unig awgrym ynglŷn â'i gynefin sydd yng nghanu Siôn Cent yw'r cywydd clodforus a ganodd i Frycheiniog,[28] gwlad yn cynnwys Cantref Selyf (i'r de o Epynt yn y gogledd), y Cantref Mawr (bro'r Bannau), a chantref Talgarth (i'r dwyrain o'r ddau gantref hyn).[29] Yn 1536, unwyd cantref Buellt â'r rhain i ffurfio'r sir newydd; perthynai Buellt i wlad Rhwng Gwy a Hafren. Ond yn oes Siôn Cent yr oedd Cantref Selyf a'r Cantref Mawr yn ffurfio arglwyddiaeth Eingl-Normanaidd Brycheiniog hefyd, ac i'r dwyrain yr oedd arglwyddiaeth Blaenllyfni (yn cyfateb yn fras i gantref Talgarth), gydag arglwyddiaeth y Gelli rhwng Blaenllyfni ac Elfael i'r gogledd.

Er mai dim ond tri chopi o'r cywydd i Frycheiniog sydd ar glawr, perthyn un ohonynt i ddiwedd y bymthegfed ganrif a digwydd copi arall yn Llyfr Amrywiaeth Syr Siôn Prys o Aberhonddu, awdur *Yny lhyvyr hwnn* (1546), felly nid rhaid amau ei awduriaeth na'i fod yn dystiolaeth dra safadwy ynglŷn â chynefin tebygol y bardd, o leiaf ar ryw adeg o'i fywyd, – oni bai ei fod wedi ei ganu ar arch un o'r brodorion, a Siôn heb fod yn drigiannol yno neu rywle'n rhesymol gyfagos.[30]

[28] Gw. *IGE*², LXXXIX, tt. 268-9.

[29] Gw. y disgrifiad hudolus yn John Edward Lloyd, *A History of Wales from the Earliest Times to the Edwardian Conquest* (2 gyfrol, trydydd argraffiad, London, 1939), I, 270-3.

[30] Cyfeirir at Ll.G.C., Llsgr. Peniarth 55, 141, a Rhydychen, Llsgr. Balliol 353, 96r (llungopi yn Ll.G.C. Llsgr. 9048).

Am enghrau o feirdd yn canu i'w cylch cynefin, gw. 'Cywydd Clera Sir Aberteifi' gan Deio ab Ieuan Du; gw. A. Eleri Davies (gol.), *Gwaith Deio ab Ieuan Du a Gwilym ab Ieuan Hen* (Caerdydd, 1992), rhif 11, tt. 26-8; Gruffydd Aled Williams, 'Cywydd Gruffydd Gryg i Dir Môn', *Ysgrifau Beirniadol,* XIII (1985), 146-54.

Yr oedd amryw feirdd yn dwyn enwau lleoedd fel 'cyfenwau', megis Gwynfardd Brycheiniog, Lewys Glyn Cothi, Llywelyn Brydydd Hoddnant, Owain Cyfeiliog a Rhys Goch Eryri, ac esboniwyd enw Siôn Cent droeon drwy ei gysylltu â *Kent*church (Llangain), yn Ergyng (yn Swydd Henffordd). Eto y mae'r ffurfiau ysgrifenedig ar *Kentchurch* a gafwyd mewn dogfennau o oes y bardd heb y *t* (e.e., *Kenschirch,* 1300), er y gall enghrau amgen ddod i olau dydd. Y mae'r ynganiad llafar i'w ystyried hefyd, gan mai 'hawdd fuasai i *nch* mewn ardal Gymreigaidd, fel yr oedd Kentchurch y pryd hwnnw, droi yn *nts*'; gw. *IGE*², tt. lxxviii-lxxix, am ymdriniaeth.

Parhad ar y tudalen nesaf

Nid oes amheuaeth ychwaith nad yw Siôn Cent yn un o brif benceirddiaid yr iaith: y mae'r astudiaeth o'i ganu a luniodd Saunders Lewis yn 1979 yn ffrwyth myfyrdod dwys a threiddgar, ac yn fan cychwyn anhepgor i unrhyw astudiaethau pellach.[31] Cyfeiriais eisoes at ei awgrym ar gyfer dehongli dau gwpled yn 'Gobeithiaw a ddaw ydd wyf', a byddaf yn pwyso ar yr hyn a ddywed am ddyddiadau Siôn yn y foment, ond nid yw cymaint â hynny'n mynd â ni i drysorau ei gyfraniad.

Nid oes nemor ddim gwybodaeth ynglŷn â phryd yr oedd Siôn Cent yn ei flodau, mwy nag ynglŷn â'i gynefin. Y mae'r dystiolaeth honno'n deillio o 'Hud a Lliw nid Gwiw ein Gwaith', cywydd nas tadogir ar neb arall, ac yr erys ymron ddeugain copi ohono ar glawr yn y llawysgrifau.[32] Cynnwys y cywydd hwn nifer o gyfeiriadau sy'n gymorth i ddyddio'r bardd yn fras, fel y dangoswyd gan Ifor Williams.[33] Gofynnir ynddo 'Mae'r ddau, mawr Babau?', ac felly fe'i canwyd wedi 1394, a gofynnir 'Mae Risiard frenin?', sy'n ei ddyddio wedi 1399. Enwir dug Iorc ymhlith y rhai a fu hefyd, – bu Edmwnd farw yn 1401. Gan mai Rhisiart II a enwir ac nid Harri IV (m. 1413) na Harri V (m. 1422), y ddau'n orchfygwyr y buasai'n drawiadol eu henwi yn y cyd-destun, y mae'r Athro Williams yn dadlau o blaid dyddio'r cywydd rhwng 1401 a 1413. Gofynnir hefyd 'Mae Owain? Iôr archfain oedd' (sef lluniaidd), ond daliai'r Athro fod y cyfeiriad at Risiart Frenin yn ffafrio tybied mai Owain Lawgoch (m. 1387) a olygir ac nid Glyndŵr (? m. 1415). Fodd bynnag, y mae cyfnod bri Owain Glyndŵr yn nes at y dyddiadau eraill, ac odid nad yw'r

[30 Parhad]
Ond dangoswyd nad rhaid amau a allai meistr bardd olygu noddwr iddo, fel y gwnaethai Ifor Williams ynglŷn â'r nodyn yn Caerdydd, Y Llyfrgell Ganolog, Llsgr. 3.11, 379; gw. *IGE*², tt. lxxix-lxxx; gw. nodyn Ffransis G. Payne, 'Siôn Cent', *Bwletin y Bwrdd Gwybodau Celtaidd,* IX (1937-9), 36-7. Dyddir y nodyn 1560-1620, ac y mae'n werth ei ddyfynnu'n llawn: 'John Kent a fv varw ynghwrt llan gayn yn sir henffordd ac [yn] llan gayn y kladdwyd. Mr. Skidmore oedd i feisder.' Cwrt Llan-gain (Kentchurch Court) oedd hen gartref y Sgidmoriaid, teulu a noddai ddiwylliant Cymraeg; gw. idem, *Crwydro Sir Faesyfed* (2 ran, Llandybïe, 1966, 1968), 1, t. 18. Ond nid llun Siôn Cent sydd yn y Cwrt, fel yr arferid tybied; gw. Nicholas Rogers, 'The so-called portrait of Siôn Cent', *Bwletin,* XXXI (1984), 103-4.

[31] Saunders Lewis, op. cit., tt. 148-60. (Dywed yn ei erthygl nad oes nemor ddim a draethodd yn y *Braslun* yn 1932 nad oedd yn barod i'w arddel a'i amddiffyn; gw. t. 148.)

[32] Yn ôl y mynegai newydd yn y Llyfrgell Genedlaethol; gw. R. Arwel Jones, 'Mynegai i Farddoniaeth Gymraeg y Llawysgrifau', *Cylchgrawn Llyfrgell Genedlaethol Cymru,* XXIX (1995-6), 126.

[33] *IGE*², tt. lxv-lxvi; XC, tt. 270-2.

disgrifiad 'iôr archfain' yn gweddu'n well yn ei achos ef, ac yn adleisio cyfeiriad Gruffudd Llwyd ato fel 'Owain, . . ./Iôr Glyn daeardor Dyfrdwy'.[34] Dilynir y cwpled sy'n holi hynt Owain a Rhisiart gan gwpled sy'n gofyn 'Mae'r gwyrda fu Gymry gynt?', ac yna daw'r cwestiynau pellach 'Mae'r perchen tai? Mae'r parchau/Yn fab a welais yn fau?'. Fe etyb ei gwestiynau ei hun: ni wyddai cennad credadwy na 'herod gwynt' beth a ddigwyddodd iddynt. Yr oedd Siôn Cent felly'n mynd i oed pan ganodd y cywydd hwn, ac wedi profi newid byd, fel Eben Fardd ar ei ôl. Barnai Saunders Lewis hefyd mai at Owain Glyndŵr y cyfeiriai, ac, fel y dywed, y mae yma awgrym mai adeg y Gwrthryfel y colledwyd y bardd neu'i dad. Nododdd Mr. Lewis ymhellach arwyddocâd posibl y ffaith fod enwau Owain a Rhisiart yn digwydd yn nesaf at ei gilydd, oherwydd yr oedd Glyndŵr yn bleidiol i achos y brenin hwnnw.[35]

Amserai Ifor Williams y ddadl rhwng Siôn Cent a Rhys Goch Eryri tua 1425-30, gan ei bod yn ddiogel dal i hynny ddilyn yr anghydfod a gododd rhwng Rhys Goch a Llywelyn ab y Moel am i Lywelyn gamdybied bod sen i Bowys yn y cywydd marwnad a ganodd Rhys i Ruffudd Llwyd, y bernir iddo farw o gwmpas 1425.[36] Ond y mae hynny'n anwybyddu'r posibilrwydd fod y cywydd wedi ei ganu a Gruffudd eto'n fyw (yn enwedig gyda'r ddau fardd yn gyfoeswyr), fel y canodd Dafydd ap Gwilym a Gruffudd Gryg farwnadau i'w gilydd ymlaen llaw.[37]

Tueddai Saunders Lewis at 1412-45 fel cyfnod canu Siôn Cent.[38] Ond erys y dasg o'i ddyddio'n rhesymol fanwl, os byth y gellir gwneud hynny. Ni wyddom odid ddim am ei yrfa fel bardd ychwaith, ac y mae hynny'n rhoi penrhyddid i ddychmygu bod Rhys Goch Eryri ac yntau'n taro ar ei gilydd yn neuadd Syr Wiliam ap Tomas a Gwladus Gam yn Rhaglan o tua 1420 ymlaen, efallai'n weddol gyson, ac mai yno y bu'r ymryson rhyngddynt

[34] Ibid., XLII, t. 127. 1-2. Ceir yr ail linell yn un o gywyddau Iolo Goch i Lyndŵr hefyd; gw. ibid., XII, t. 34. 12; D. R. Johnston (gol.), *Gwaith Iolo Goch* (Caerdydd, 1988), IX. 16, t., 43.

[35] Saunders Lewis, op. cit., t. 149; gw. R. R. Davies, op. cit., t. 176.

[36] *IGE*², tt. xxxix-xl; lxv.

[37] Gw. Thomas Parry (gol.), op. cit., rhif 20, tt. 56-9; III, tt. 427-8. (Clywir adleisiau clir o'r marwnadau hyn yn eiddo Rhys Goch.)

[38] Saunders Lewis, op. cit., t. 148.

(beth bynnag am ein rhyfyg am y tro). O leiaf, edrycher ar sut y gallasai hynny ddigwydd –

Y mae'r cywydd a ganodd Gruffudd Llwyd, athro barddol Rhys, i ddanfon yr haul i annerch Morgannwg yn brawf tra diogel ei fod yn gyfarwydd â'r broydd 'O dir Gwent lle mae da'r gwŷr' hyd Lyn Nedd,[39] oherwydd fel y dengys cywydd 'Ymddiddan yr Enaid a'r Corff' gan Iolo Goch, âi'r beirdd ar deithiau clera estynedig.[40] Y mae'n debygol i Rys Goch ddilyn gwahanol lwybrau ei athro barddol laweroedd o weithiau, ac mai dyna pam y ceir ef yn 1433 (neu'n weddol fuan wedyn) yn gyrru'r Ddraig Goch at Syr Wiliam i ofyn gwregys euraid yn rhodd, gan gyfeirio at ei wraig Gwladus fel 'cannwyll wlad Frycheiniawg'.[41] Atebwyd y cywydd gan Lywelyn ab y Moel.[42] Ond buasai'r cywyddau hyn yn llawer mwy ystyrlon pe baent wedi eu canu gerbron bord dâl y Marchog Glas o Went – yr oedd moliant iddo'n rhan o'u cynnwys – yn hytrach na bod y beirdd wedi dibynnu ar negesydd neu latai.

Yn ôl yr Ystatud, yr oedd angen caniatâd y perchennog cyn canu cywydd gofyn,[43] a hawdd y gallasai hynny fod yn arfer yng nghyfnodau cynnar y Cywydd. Ond y tro hwn, dichon fod y seren gynffon a ymddangosodd ym Medi neu Hydref 1433 wedi ehedeg uwchben Gwent pan ddigwyddai'r ddeufardd fod yn Rhaglan, a bod Rhys Goch wedi ei dwyn i mewn i'w gywydd gofyn yn llatai drosto, fel pe buasai yng Ngwynedd ar y pryd, a'i dyfalu i'r Ddraig Goch, yn ogystal â dyfalu'r gwregys a geisiai, yn unol â'r arfer wrth geisio rhodd unwaith y ceid cennad i ganu.[44] Fel Rhys, y mae Llywelyn ab y Moel, yntau, yn moli Syr Wiliam ap Tomas yn ei gywydd ateb, ac yn dyfalu'r rhodd. Pe bai wedi cwrdd â'r Ddraig, meddai, buasai'n berygl iddo ddwyn y gwregys a'i roi am ganol Euron, ei gariad. O hynny ymlaen, odid na bu datganu ar gywyddau i Euron i ddiddanu mab a merch, ac i gymell serch.

[39] *IGE*², L, t. 144. 24-6.

[40] Ibid., XXVI, tt. 76-8; D. R. Johnston (gol.), op. cit., XIV, tt. 64-8.

[41] *IGE*², LVIII, tt. 173-5. (Tybiaf mai at y neuadd ac nid at dŵr mawr y castell newydd y cyfeirir gan Rys; gw. t. 173. 21-2.)

[42] Ibid., LIX, tt. 176-8.

[43] T. Gwynn Jones (gol.), *Gwaith Tudur Aled* (2 gyfrol, Caerdydd, 1926), I, xxx (8).

[44] I graffter Ifor Williams yr ydym yn ddyledus am ddehongli'r Ddraig ac amseru'r ymryson; gw. *IGE*², tt. xl-xli; 365 n.173.14.

(Nid Rhys Goch yn unig a oedd ynglŷn â'r cywyddau a fu rhyngddynt ynghylch marwnad Gruffudd Llwyd ychwaith. 'Rhai a geisiodd . . ./. . . fy nwyn mi a thi/. . . i ymhalogi', meddai Llywelyn,[45] ac yma drachefn y mae'n demtasiwn meddwl mai mewn neuadd y digwyddodd hynny, a'r cynulliad yn ymddigrifo yn ymryson y beirdd, fel yn ein dyddiau ni.)

Gyda Rhys Goch Eryri yn canu i Syr Wiliam ap Tomas a Siôn Cent yn fardd o Frycheiniog neu Ergyng (dyweder), nid yw'n afresymol dyfalu a fu iddynt gyfarfod yn Rhaglan. Gwelsom i Rys Goch gyfeirio at Gwladus, gwraig Syr Wiliam, fel 'cannwyll wlad Frycheiniawg': yno yr oedd ei chynefin, a hithau'n ferch i Ddafydd Gam. Ac yn ystod ei phriodas gyntaf, byddai trigo ym Mrodorddyn wedi rhoi cyfle pellach iddi i ennill adnabyddiaeth o'r Gororau i'r gogledd o Went, ac o'r traddodiad barddol yno. Y mae ei marwnadwyr yn sôn am ei duwioldeb a'i defosiynau a'i gweithredoedd da. 'Galw ar Iesu tra fu fyw/ac ar y Grog a oryw', meddai Lewys Glyn Cothi,[46] a chyfeiria Hywel Dafi at ei hymlyniad wrth weddwdod wedi iddi gladdu ei hail ŵr: 'Duwiol ar ôl Syr Wiliam/Oedd gorff merch Syr Dafydd Gam' (cyfrifid aros yn weddw yn rhinwedd mewn gwraig, – bu'n weddw am o leiaf bum mlynedd ar ôl colli ei gŵr cyntaf).[47] Gallasai cyfeiriadau o'r fath fod yn ystrydebau, eto yr oedd cadw defosiynau a cheisio cyflawni'r Saith Weithred o Drugaredd yn arfer ymhlith gwragedd bonheddig, a dichon fod rhai ohonynt wedi comisiynu cywyddau duwiol neu i'r saint.[48] Ar y tir hwnnw, Siôn Cent fuasai'r bardd amlwg i Gwladus Gam i'w noddi.

[45] Ibid., LVI, t. 166. 7-10.

[46] Dafydd Johnston (gol.), op. cit., rhif 110. 9-10, t. 247.

[47] W. Gwyn Lewis, 'Astudiaeth o Ganu'r Beirdd i'r Herbertiaid hyd Ddechrau'r Unfed Ganrif ar Bymtheg' (2 gyfrol, Traethawd Ph.D. Prifysgol Cymru, 1982), I, rhif 7. 17-18, t. 28.

(Gwelir bod Hywel Dafi'n cyfeirio at Ddafydd Gam fel marchog; felly Lewys Glyn Cothi; gw. Dafydd Johnston (gol.), op. cit., rhif 112. 22, t. 251, er nas gwnaeth yn y penawdau i idem, rhifau 110 a 134, yn y copïau ohonynt sydd yn ei law ef ei hun yn Llsgr. Peniarth 109; gw. E. D. Jones (gol.), *Gwaith Lewis Glyn Cothi,* I (Caerdydd ac Aberystwyth, 1953), rhif 41, t. 80, a rhif 49, t. 95. Ond nid yw haneswyr yn derbyn yr hanes am ei urddo yn Agincourt yn ddigwestiwn, mwy na'r hanes am urddo Rhosier Fychan o Frodorddyn; gw. D. H. Thomas, 'The Herberts of Raglan as Supporters of the House of York in the Second Half of the Fifteenth Century' (Traethawd M.A. Prifysgol Cymru, 1967-8, t. 2.)

[48] Gw. D. J. Bowen, op. cit., 15-16; J. E. Caerwyn Williams, 'Rhyddiaith Grefyddol Cymraeg Canol (1)', *Y Traddodiad Rhyddiaith yn yr Oesau Canol,* gol. Geraint Bowen (Llandysul, 1974), tt. 330-5.

Gyda chymaint o gerddi ar goll, amherffaith iawn yw'n gwybodaeth am y noddwyr ar y gorau. Fel y mae pethau, nid oes canu i hynafiaid Syr Wiliam ap Tomas yn hysbys, ond yr oedd cartrefi meibion Gwladus Gam a'i gŵr cyntaf, Rhosier Fychan, yn gyrchfannau i'r beirdd: etifeddwyd Brodorddyn gan Watcyn, Tomas oedd y cyntaf o'r Fychaniaid i ymsefydlu yn Hergest, yng Ngheintun, Swydd Henffordd, a daeth Tretŵr, yn Llanfihangel Cwm Du, yn gartref i Syr Rhosier Fychan, – ei ail fab, Rhosier eto, oedd sefydlydd cangen Porthaml, yn Nhalgarth. Ymhellach, noddai Morgan Gam, brawd Gwladus, yn y Peutun, yn Llanddew, ger Aberhonddu, felly yr oedd croesawu beirdd yn nodweddu ei theulu hi ei hun, beth bynnag am deuluoedd ei dau ŵr. Efallai mai hi a gyflwynodd yr arfer i Raglan, lle y magwyd ei phlant o'i phriodas gyntaf gyda'u brodyr unfam, Wiliam a Rhisiart, a adwaenir wrth y cyfenw Herbert, a'u chwe chwaer. (Ni bu i Syr Wiliam ap Tomas blant o'i briodas gyntaf ef.) Daeth Wiliam Herbert, etifedd Rhaglan, ac iarll Penfro'n ddiweddarach, yn gynheiliad gwiw i'r beirdd, ac felly ei frawd Syr Rhisiart yng Ngholbrwg, yn y Fenni, a'u meibion ar eu hôl, – cadwyd 71 o gerddi i'r tair cenhedlaeth hyn, gan ddechrau gyda Syr Wiliam a Gwladus Gam. Syrthiodd Tomas Fychan o Hergest a'r ddau Herbert ym mrwydr Banbri yn 1469, a dienyddiwyd Syr Rhosier Fychan o Dretŵr gan Siasbar Tudur yng Nghastell Cas-gwent yn 1471, onid e y tebyg yw y byddai mwy o gerddi iddynt ar glawr.[49]

Yr oedd Lewys Glyn Cothi'n gyfarwydd ag ymweld â'r cartrefi hyn, ac y mae ei awdl foliant i Syr Tomas Fychan o Dretŵr, etifedd Syr Rhosier, i'w chael yn ei law ef ei hun yn Llyfr Coch Hergest, ac felly ei awdl i'w feibion.[50]

Cododd Gwladus Gam do nodedig o noddwyr ar aelwyd Rhaglan, yn wir. Eto, nid hwyrach mai rhyfedd yw meddwl am ferch i Ddafydd Gam fel ffigur allweddol yn y traddodiad nawdd,

[49] Gw. Dafydd Johnston (gol.), op. cit., tt. 584 n.124; 589 n.134; W. Gwyn Lewis, op. cit.; idem, 'Herbertiaid Rhaglan fel Noddwyr Beirdd yn y Bymthegfed Ganrif a Dechrau'r Unfed Ganrif ar Bymtheg', *Trafodion Anrhydeddus Gymdeithas y Cymmrodorion,* 1986, 33-60; Tegwen Llwyd, 'Noddwyr Beirdd yn Siroedd Brycheiniog a Maesyfed' (2 gyfrol, Traethawd M.A. Prifysgol Cymru, 1987), cyf. 2, 724-5 (Peutun), 726-7 (Porthaml), 728-30 (Tretŵr), 751 (Brodorddyn), 751-3 (Hergest); *BC,* tt. 932, 936, 938, 940.

Gw. hefyd Peter C. Bartrum, *Welsh Genealogies AD 300-1400* (8 cyfrol, Cardiff, 1974), cyf. 2, 243 yml., 425 yml.

[50] Gw. Dafydd Johnston (gol.), op. cit., t. 587 n.130. (Ni chadwyd cerddi ganddo i deulu Porthaml.)

o gofio am wladgarwch y beirdd a'r pris y bu'n rhaid i'w theulu ei dalu oherwydd eu hymlyniad wrth y Goron adeg y Gwrthryfel.[51] Yr oedd Dafydd Gam, ei fab Morgan, a'i frawd Gwilym yn ysgwieriaid i Harri IV yn gynnar yn ei deyrnasiad, ac yn elwa ar eu teyrngarwch iddo o ran derbyn blwydd-daliadau a thiroedd fforffed. Ond dioddefodd ystadau a meddiannau Dafydd yn enbyd ar law ei elynion, ac mor ddiweddar â 1412 fe'i cipiwyd gan fintai o 'Gymry wylliaid' a'i ddwyn gerbron Owain Glyndŵr, a bu'n rhaid iddo dalu pridwerth sylweddol am ei ryddid. Cyffelyb fu hanes ei dad, Llywelyn ap Hywel. Dyfarnwyd blwydd-dâl o £20 iddo yn Chwefror 1403 (neu 1404) am ei wasanaeth i'r Goron ac fel iawn am ei golledion. Hyd yn oed wedi i'r Gwrthryfel ostegu'n ddirfawr yn 1406, erlynwyd ef drwy'r llysoedd gan ei wrthwynebwyr, a defnyddiwyd pob ystryw i geisio sicrhau y câi ei brofi yn ôl Cyfraith Hywel, ac yntau bellach mewn gwth o oedran, a dim ond pardwn brenhinol cynhwysfawr ar 25 Mai 1411 a'i harbedodd.[52]

Eto gallai Rhys Goch Eryri a Llywelyn ab y Moel ganu clodydd Gwladus Gam a Syr Wiliam ap Tomas yn hyderus tua 1433, gyda Rhys yn cyfeirio at Gwladus fel 'Arglwyddes ferch . . ./Dafydd, benrhaith i'n iaith ni'.[53] Ac er bod Llywelyn, 'bronfraith Owain', yn herwr anturiaethus yn ei ddydd – nid oedd ond ifanc pan fu farw yn 1440 – ac er i deulu Gwladus ddioddef ar law 'goreuwyr Owain', chwedl y bardd,[54] nid oedd yn ysgymun yng ngolwg Rhaglan, mae'n amlwg. Y mae'n wir i laweroedd o'r uchelwyr gefnu ar Lyndŵr ac ymostwng, ond yr oedd Dafydd Gam yn elyn marwol o'r dechrau, tra oedd Rhys Goch a Llywelyn ab y Moel yn ddigamsyniol ymrwymedig i achos ein tywysog. Yr oedd y beirdd yn canu i gefnogwyr y ddwy ochr adeg Rhyfeloedd y Rhosynnau, bid siŵr, ond pleidiau Seisnig a

[51] Yr unig ddarn o brydyddiaeth i'w thad sy'n hysbys yw'r englyn canlynol gan Ruffudd ab Owain Gethin:

Dafydd gam lingam fileingi'n golesg
gelyn Rhisiart frenin
llwyr i [ ]roes bawl hawl hwylwin
fassw ei waith fŷs ith din.
Ll.G.C., Llsgr. Llanstephan 119, 138.

(Cefais y cyfeiriad yn nhraethawd Tegwen Llwyd, op. cit.)

[52] R. R. Davies, op. cit., tt. 206-7, 226-7, 302.

[53] *IGE*², LVIII, t. 174. 33-4.

[54] Ibid., LXII, t. 189.18; hefyd t. lv. 35.

oedd yn ymryson y pryd hwnnw; brwydr oesol y Cymry a ymleddid yn ystod degawd cyntaf y ganrif. Sut bynnag y dehonglir y sefyllfa, y mae yma wersi inni i'w dysgu ynglŷn â pherthynas y beirdd a'r noddwyr. Meddylier eto am Rys Goch Eryri, cystwywr teulu'r Penrhyn, yn cyfeirio at Ddafydd Gam fel 'penrhaith i'n iaith ni' (sef pennaeth i'n cenedl ni), yn enwedig os yn 1431 y bu iddo lunio ei gywydd marwnad i Gwilym ap Gruffudd.

I ddychwelyd at y dyfalu ai yn Rhaglan y bu Sion Cent a Rhys Goch Eryri'n ymryson (a thrwy hynny greu cyrch-gymeriad o fath). Y mae'n amlwg bellach fod yno aelwyd a goleddai ddiwylliant a barddas, ac felly yr ydym ar dir diogel o ran cynsail. Gwelsom hefyd fod ei marwnadwyr yn sôn am Gwladus Gam fel gwraig ddefosiynol, ac os oedd mwy i hynny na chonfensiwn gellid datblygu'r mater drwy ddwyn ar gof gred y beirdd fod eu hawen yn tarddu o'r Ysbryd Glân. Dyna oedd safbwynt Gruffudd Llwyd yn ei gywydd yn amddiffyn derbyn tâl am gerddi mawl: 'Ysbryd Glân a'm cyfyd cof,/Difai enw, a dyf ynof', meddai; mater o gyfnewid 'da dros da' oedd y berthynas rhwng bardd a noddwr, ac felly yr oedd yn ddibechod.[55] Cyffelyb oedd y berthynas pan genid cywydd gofyn, fel y dywedodd Llywelyn ab y Moel am y cyfnewid pan ganodd Rhys Goch i ofyn gwregys gan Syr Wiliam ap Tomas: 'Prynu anrheg o wregys/A'i roi dros gywydd i Rys'.[56] A chytunai Rhys a Llywelyn yn eu hymryson oherwydd y farwnad gan Rys Goch i Ruffudd Llwyd mai o'r Ysbryd Glân y daethai'r awen, – adeg y Sulgwyn cyntaf, yn ôl Llywelyn, ond o'r nef at Adda yng Nglyn Hebron, yn ôl Rhys, 5,200 o flynyddoedd ynghynt.[57] Yna torrodd Siôn Cent ar eu traws, gan ddadlau bod dwy awen, y naill o Grist ac yn dyddio'n ôl i'r Creu, a'r llall gan feirdd Cymru, sef yr awen gelwyddog, ac o hyn y cododd yr ymryson rhyngddo a Rhys Goch Eryri.[58]

Nid yw'r fersiynau o'r ymryson sydd ynghadw yn y llawysgrifau yn gyflawn. Yr hyn sydd ar glawr yw un cywydd gan Siôn Cent a chywydd i'w ateb gan Rys Goch, ond y mae'n amlwg fod rhan o gywydd Siôn Cent ar goll, os nad oes cywydd

[55] Ibid., XL, tt. 119. 23-4; 121. 17-18.
[56] Ibid., LIX, t. 176. 17-18; cymh. LVIII, t. 174. 27-30.
[57] Ibid., LVI, t. 167. 19-24; LVII, t. 170. 15-28; gw. hefyd tt. lii-liii.
[58] Ibid., LX, t. 181. 7-16.

cyflawn yn eisiau, oherwydd y mae Rhys yn cyfeirio yn ei ateb at faterion nad oes sôn amdanynt yng nghywydd Siôn fel y daeth i lawr inni. Eto, nid oes amheuaeth am bwysigrwydd eu dadl.[59]

Yn anffodus, y mae'r unig gyfeiriadau sydd gennym ar gyfer ceisio dyddio Siôn Cent yn digwydd o fewn yr un cywydd, sef 'Hud a Lliw nid Gwiw ein Gwaith'. Ond y mae Siôn yn dweud hyn am y Cywyddwr celwyddog yn ei ymosodiad ar awen ei gyd-feirdd:

Hefyd taeru geir hoywfainc
Yn ffrom torri cestyll Ffrainc.
Rholant, ail Arthur rhylew,
Ym mrwydr ymladd, lladd mal llew.[60]

Parhaodd y Rhyfel Can Mlynedd o 1337 hyd 1453. Daeth y cyfnod cyntaf i ben gyda Chytundeb Brétigny yn 1360, a dilynwyd hynny gan ymyrraeth y Tywysog Du yn rhyfel cartref 1366-7 yng Nghastîl, a bu ymladd achlysurol yng Ngasgwyn hyd at ymgais Rhisiart II i wella'r berthynas rhwng Lloegr a Ffrainc. Cafwyd heddwch o hynny ymlaen tan esgyniad Harri V i'r orsedd, gydag ymgyrch Agincourt yn 1415 yn agor yr ail gyfnod o ryfela. Yr oedd llwyddiant Lloegr bron yn ddi-dor hyd at 1429, pan ailgipiwyd Orléans gan Ffrainc, a hynny'n arwain ymlaen at ei buddugoliaethau yn Formigny yn 1450 a Castillon yn 1453. (Yr oedd Syr Wiliam ap Tomas ym mrwydr Agincourt, fel y gwelsom.)

Nid yw'n debygol o gwbl mai cyfeirio'n ôl at y canu yn amser Syr Hywel y Fwyall na dim felly a wneir yn y dyfyniad uchod. Yr ydym yn nes at gywyddau Guto'r Glyn i Fathau Goch a Syr Rhisiart Gethin o Fuellt.[61] Mathau Goch oedd yr enwocaf o'r milwyr Cymreig ar y Cyfandir y dwthwn hwnnw, wrth gwrs, ac y mae'n bosibl fod Siôn Cent wedi clywed cryn dipyn amdano. Yr oedd Syr Rhisiart ac yntau ym mrwydrau Cravant a Verneuil,

[59] Ceir dau gwpled ychwanegol yn fersiynau rhai llsgrau o gywydd Siôn Cent, yn dilyn *IGE*[2], LX, t. 181. 16:

pob prydydd a newydd nod
perigl ai weniaith parod
medry dwy art nid mydr da
mogel araith am glera.

Ll.G.C. Llsgr. 13,062, 586v.

[60] *IGE*[2], LX, t. 181 . 23-4 – t. 182. 1-2.

[61] John Llywelyn Williams ac Ifor Williams (gol.), op. cit., I-III, tt. 3-10.

1423-4, ac yn 1423 yr oedd Mathau'n gapten Montaiguillon. Wedi brwydr Verneuil yr oedd yn gapten Château l'Ermitage, ger Le Mans, ac yn 1427 bu iddo ran bwysig yn ailgipio Le Mans. Ond yn 1429, bu'n rhaid i Syr Rhisiart ac yntau ildio Beaugency ychydig cyn i Syr John Fastolf gyrraedd i'w cynorthwyo, ac yn 1432 cymerwyd Mathau'n garcharor yn S. Denis.[62] Meddai Guto'r Glyn am y digwyddiad: 'Bu ar glêr bryder a braw/Ban ddaliwyd, beunydd wylaw'.[63] Y glêr hyn a fyddai'n taeru gerbron meinciau'r cyn-filwyr iddynt dorri cestyll yn Ffrainc, ac iddynt ymladd mor ddewr â Rolant ac Arthur. A chan yr ymddengys fod y capteiniaid unigol yn llawer mwy amlwg yn awr nag yn y ganrif flaenorol, rhôi hynny fwy o gyfle i'r beirdd i reffynnu eu celwyddau.

Dyweder bod hyn wedi mynd rhagddo er tua 1415. Erbyn y dauddegau byddai gan Siôn Cent le i feirniadu (os daliai ar dir y rhai byw), ac wedi i Elizabeth Bloet, gwraig gyntaf Syr Wiliam ap Tomas, farw yn 1420 y daeth Gwladus Gam i drigo yn Rhaglan. Erbyn hynny, byddai wedi bod yn weddw ym Mrodorddyn am ryw bum mlynedd neu ragor, ac wedi ysgwyddo'r cyfrifoldeb am redeg yr ystad ac am godi tri bachgen a phedair merch ifainc. Ac efallai iddi noddi yno yn ystod y blynyddoedd hyn, fel y gwnâi ei brawd yn y Peutun. Ond o gofio am y brudwyr ac agwedd y beirdd at y Gwrthryfel, buasai'n ddealladwy os gwnaeth beirniadaeth Siôn Cent gyffwrdd â rhyw dant yn ei chalon, er y nawdd ar ei haelwyd yn Rhaglan (ac efallai ynghynt), ac er iddi hyfforddi ei phlant ym mhen eu ffordd. Oherwydd os nad yn Rhaglan y bu Siôn Cent a Rhys Goch Eryri'n ymryson, ymh'le?[64]

§

Yn nes ymlaen, bu Guto'r Glyn a Hywel Dafi'n ymryson yn neuadd Morgan ap Rhosier yng Ngwynllŵg, gyda Guto'n

[62] Ar yrfa Mathau Goch, gw. A. D. Carr, 'Welshmen and the Hundred Years' War', *Cylchgrawn Hanes Cymru*, 4 (1968-9), 39-41; Howell T. Evans, *Wales and the Wars of the Roses* (Cambridge, 1915), tt. 48-65; Ynyr Probert, 'Matthew Gough, 1390-1450', *Trafodion Anrhydeddus Gymdeithas y Cymmrodorion*, 1961, Rhan II, 34-44; *BC*, t. 266. (Ceir Rhagymadrodd gan Ralph A. Griffiths i'r argraffiad newydd o lyfr Howell T. Evans (Stroud, 1995), tt. ix-xiii.)

[63] John Llywelyn Williams ac Ifor Williams (gol.), op. cit., III. 43-4, t. 9.

[64] Gobeithio y daw cyfle yn y man i drafod y cefndir i'r ymryson.

cyhuddo Hywel o wenieithio i Forgan 'O chwant cael ariant clera.' 'Tawed Siôn y Cent ieuanc', meddai Guto yn ei gywydd ateb. Adlais o'r ymryson a fu yn Rhaglan?[65]

BYRFODDAU

BC *Y Bywgraffiadur Cymreig hyd 1940,* gol. John Edward Lloyd, R. T. Jenkins a William Llewelyn Davies (Llundain, 1953).

IGE[2] *Cywyddau Iolo Goch ac Eraill,* gol. Henry Lewis, Thomas Roberts ac Ifor Williams (ail argraffiad, Caerdydd, 1937).

[65] John Llywelyn Williams ac Ifor Williams (gol.), op. cit., LXV-LXVI, tt. 173-8.
Yr oedd yr erthygl hon wedi ei chyflwyno i'r Golygydd cyn i destun Dylan Foster Evans o waith Rhys Goch Eryri ymddangos.

PORTREAD ELIS GRUFFYDD O'R BRENIN ARTHUR

gan CERIDWEN LLOYD-MORGAN

Un o ffynonellau Arthuraidd pwysicaf yr unfed ganrif ar bymtheg yw *Cronicl* Elis Gruffydd.[1] Tua 1548-9 y dechreuodd Elis Gruffydd gyfansoddi'r *Cronicl,* sydd yn olrhain hanes y byd o'r Cread hyd at ddyddiau'r awdur ei hun. Digwyddiadau'r flwyddyn 1552 yw'r olaf a gofnodir ganddo, ac fe dybir iddo ddirwyn y gwaith i ben tua'r adeg honno. Cedwir y *Cronicl* mewn un llawysgrif o waith yr awdur ei hun, a honno wedi ei rhannu bellach yn bedair cyfrol swmpus, sef llawysgrifau LlGC 5276Di a ii, yn cynnwys hanes hyd at 1066, ac LlGC 3054Di a ii (gynt Mostyn 158), sydd yn cynnwys gweddill y testun. Yn LlGC 5276Dii, ff. 321^{r}-42^{r} y ceir hanes Arthur. Collwyd o leiaf un ddalen rhwng ff. 340 a ff. 341, ond yn ffodus iawn ceir adysgrif ddiweddarach o ddarn coll y testun gan Dafydd Parry, un o gynorthwywyr Edward Lhuyd, yn Llsgr. LlGC 6209E, tt. 84-7. Nid copi uniongyrchol o lawysgrif Elis Gruffydd yw hwn, fodd bynnag: cododd Parry ei destun o adysgrif gynharach o waith John Jones, Gellilyfdy, sydd bellach wedi diflannu.

Yn yr ysgrif hon amlinellir cynnwys a ffynonellau fersiwn Elis Gruffydd o fywgraffiad Arthur, er mwyn dangos sut y gweodd y croniclwr yr hanes at ei gilydd, cyn ystyried pa fath o frenin a gyflwyna i'r darllenydd, ac agwedd yr awdur at yr arwr, yn enwedig yng ngolau dadleuon cyfoes am ddilysrwydd hanesyddol y traddodiadau Arthuraidd.

Yn ei *Gronicl* dewisodd Elis Gruffydd ddilyn patrwm poblogaidd iawn gan haneswyr yr Oesoedd Canol, sef cronicl y

[1] Am arolwg diweddar o fywyd a gwaith Elis Gruffydd, gw. Ceridwen Lloyd-Morgan, 'Elis Gruffydd a thraddodiadau Cymraeg Calais a Chlwyd', *Cof Cenedl,* xi (1996), tt. 29-58, lle y ceir cyfeiriadau llyfryddol pellach. Ceir astudiaeth fanylach o'r rhan Arthuraidd o'r *Cronicl* a'i ffynonellau yn y golygiad yr wyf yn ei baratoi ar hyn o bryd.

Chwech Oes.[2] Yn ôl y patrwm hwn, gyda geni'r Crist y cychwynnodd y Chweched Oes, ac yn y rhan honno y lleolir bywgraffiad Arthur. Y dylanwad pennaf ar yr rhan hon o'r *Cronicl,* heb os, oedd *Historia Regum Britanniae* Sieffre o Fynwy, weithiau'n uniongyrchol ond dro arall yn anuniongyrchol, trwy gyfrwng cyfieithiadau ac addasiadau mewn ieithoedd eraill, yn enwedig Saesneg a Ffrangeg. Cefndir stori Arthur, felly, yw hanes Brutus yn dianc ar ôl cwymp Caer Droea ac yn sefydlu llinach a chenedl newydd ym Mhrydain. Olrheiniodd Sieffre hynt a helynt y brenhinoedd a ddilynodd Brutus, nes cyrraedd uchafbwynt gyda gyrfa Arthur ei hun. Dirywiad yn unig a welir ar ôl ei ddyddiau gogoneddus ef.

Dilyn yn fras Sieffre o Fynwy a wna Elis Gruffydd wrth adrodd hanes tad Arthur, Uthyr Pendragon, gan gychwyn bywgraffiad Arthur gyda manylion ei genhedlu. Ond er mai Sieffre ei hun a ddarparodd y fframwaith a rhai elfennau yn y stori, yn bur aml codi'r manylion o destunau eraill a wnaeth Elis Gruffydd, fel y cawn weld. Nid yw'n hawdd adnabod ei ffynonellau bob tro, fodd bynnag, oherwydd tueddai i aralleirio neu grynhoi'r testun o'i flaen. Gan ei fod hefyd yn aml yn cyfieithu o'r Saesneg, Ffrangeg neu Ladin, diflanna nifer o amrywiadau arwyddocaol fel canlyniad, ac yn yr unig achosion hynny lle y ceir amrywiadau mawr ym manylion yr hanes y gellir nodi'n hyderus pa ffynhonnell a ddefnyddiai ar y pryd. Weithiau bydd yn amhosibl profi pa un o ddau neu dri thestun cynharach yr oedd yn ei ddefnyddio ar adeg arbennig.

Man cychwyn hanes Arthur yw'r wledd a gynhaliwyd yng Nghaer Ludd i ddathlu coroni Uthyr Pendragon yn frenin, pryd yr ymserchodd Uthyr yn Eigyr, gwraig Gwrliws, iarll Cernyw. Arwain hyn at y stori adnabyddus am Uthyr yn rhith Gwrliws yn ymweld ag Eigyr yng nghastell Tintagel, gan genedlu Arthur y noson honno, tra lleddir Gwrliws ar faes y gad. Priodwyd Uthyr ac Eigyr ac yn y man ganed Arthur, a'i roi yn fab maeth i Gynnydd Gain Farfog. Cymysgedd sydd yma o'r hanes yn ôl Sieffre a'r fersiwn a geir yn *The Chronicles of England* (1480),

[2] A. Luneau, *L'Histoire du salut chez les Pères de l'Église: la doctrine des âges du monde* (Paris, 1964), Hildegard L. C. Tristram, *Sex Aetates Mundi. Die Weltzeitalter bei den Angelsachsen und den Iren. Untersuchungen und Texte* (Heidelberg, 1985).

sef addasiad Saesneg o'r *Historia Regum Britanniae* gan yr argraffwr William Caxton. Ond ceir ychwanegiadau hefyd o destunau Cymraeg, sef Y Pedwar Brenin ar Hugain a farnwyd yn gadarnaf,[3] a'r hanes hwnnw am eni Arthur a gadwyd yn Llawysgrif Llansteffan 1A (gynt Llansteffan 201).[4] Teyrnasa Uthyr am rai blynyddoedd eto cyn ei farw, ac wedi adrodd peth o hanes y Ffranciaid yn y cyfamser try Elis yn ôl at broblem yr olyniaeth yn dilyn marwolaeth sydyn y brenin Uthyr. Yma cawn hanes enwog y cleddyf yn y maen, ac unwaith eto y fersiwn a geir yn Llansteffan 1A yw'r agosaf at naratif Elis Gruffydd.

Wedi i Arthur gael ei dderbyn yn frenin a mynd i ryfela yng ngogledd Prydain, ymgorfforir yn y *Cronicl* ddarn o *Ddarogan yr Olew Bendigaid,* testun rhyddiaith o'r bymthegfed ganrif sydd yn cyfuno hanesion am Arthur a Thomas Becket.[5] Gollyngodd Elis Gruffydd y deunydd amherthnasol o'r *Darogan* er mwyn canolbwyntio ar hanes Arthur. Daw angel at yr Archesgob Dyfrig a'i orchymyn i gysegru Arthur yn frenin trwy iro'i ben â'r olew sanctaidd a gludwyd i Brydain gan Joseff mab Joseff o Arimathea, a rhydd y Forwyn Fair groes aur i Arthur ei hun - manylyn a ddefnyddir i egluro arfbais Arthur. O'r *New Chronicles of England and France* gan Robert Fabian (1504, argraffwyd 1516)[6] y codwyd manylion coroni Arthur, ond rhaid cofio fod Fabian yn ei dro'n ddyledus i nifer o groniclwyr cynharach, gan gynnwys *Polychronicon* Ranulf Higden.

Yn syth ar ôl ei goroni rhaid i Arthur ymgyrchu yn erbyn Colgrin a'r Sgotiaid, a gafodd gymorth gan Sieldrig, brenin yr Almaen. Daw Hywel, brenin Llydaw, i gynorthwyo Arthur, ac ar ddiwedd cyfres o frwydrau, llwyddant i orchfygu'r gelyn, ynghyd â Gwilmor, brenin y Gwyddyl. Unwaith eto Sieffre ac yn enwedig Caxton oedd y prif ffynonellau ond mae'n debyg i'r awdur yn ogystal godi ambell fanylyn o'r *Roman de Brut* Eingl-Normaneg gan Wace. Ond trodd at draddodiadau brodorol wrth adrodd

[3] Copïwyd fersiwn o'r testun hwn gan Elis Gruffydd yn gynharach yn ei yrfa, yn 1527, yn Llsgr. Caerdydd 5 (bellach Caerdydd 3.4). Gw. Peter C. Bartrum, 'Y Pedwar Brenin ar hugain a farnwyd yn gadarnaf', *Études Celtiques,* xii (1968-9), tt. 157-94.

[4] J. H. Davies, 'A Welsh version of the birth of Arthur', *Y Cymmrodor,* xxiv (1913), pp. 247-64.

[5] Gw. R. Wallis Evans, '*Darogan yr Olew Bendigaid* a *Hystdori yr Olew Bendigaid*', *Llên Cymru* xiv (1981-2), tt. 86-91; a Ceridwen Lloyd-Morgan, '*Darogan yr Olew Bendigaid;* chwedl o'r bymthegfed ganrif', *Llên Cymru,* xiv (1981-2), tt. 64-85.

[6] Gol. Henry Ellis (Llundain, 1811).

hanes priodas Arthur â Gwenhwyfar, gan ddisgrifio'r frenhines newydd fel merch Gogran Gawr.[7] O gronicl Saesneg Robert Fabian y daw'r rhestr o ddeuddeg prif frwydr Arthur ac felly hefyd y darn canlynol, lle y ceir hanes Serdickws, brenin Saeson y gorllewin, yn dod i gytundeb ag Arthur ar ôl rhyfel rhyngddynt.

Yn y fan hon y penderfynodd Elis Gruffydd ymgorffori hanes a glywsai, mae'n debyg, ar dafod leferydd, sef stori Huail ap Caw.[8] Chwedl onomastig yw hon, a'i diben yw esbonio enw Maen Huail a welir hyd heddiw yn nhref Rhuthun. Wedi iddo ddigio Arthur am beidio â thewi am eu helyntion mercheta, dienyddir Huail ar y Maen. Ond er mai o'r traddodiad llafar y cododd y croniclwr yr hanes hon, o ramant Ffrangeg o ddechrau'r drydedd ganrif ar ddeg, y *Lancelot en prose,* y daw'r darn nesaf. Cyfeiria Elis Gruffydd at y rhamant hon fel 'Ysdoria y Sang Reial' – hanes y greal sanctaidd – oherwydd un yn unig oedd y *Lancelot* mewn cyfres o bum testun rhyddiaith lle y cydblethir chwedl y Greal â hanes datblygiad a dirywiad y llys Arthuraidd. Heb unrhyw amheuaeth, o'r *Lancelot en prose* y daw'r hanes ryfedd am Arthur yn breuddwydio am golli ei wallt, ei fysedd a bysedd ei draed.[9] Wedi methu â chael eglurhad boddhaol o'i freuddwyd gan wŷr mwyaf dysgedig y deyrnas, aeth Arthur i hela yn Sir Ddinbych, ac yn y fan hon gadewir y rhamant Ffrangeg a throi unwaith eto at draddodiadau brodorol Cymraeg. Stori werin, yn ddi-os, yw'r episod nesaf, lle y carcherir Arthur dros nos gan deulu o gewri. Dim ond ar ôl iddo lwyddo math o brawf drwy ddweud 'tri gair gwir', y caniateir iddo fynd yn rhydd. Er mor wahanol yw naws y stori hon i rai o'r episodau blaenorol, ceisiodd Elis Gruffydd ei hymgorffori yn rhediad ei naratif trwy ei dehongli yn unol â manylion y freuddwyd a gawsai Arthur.

Troi eto at y *Lancelot en prose* a wnaeth yr awdur yn yr episodau canlynol, lle y daw meudwy i lys Arthur i roi iddo esboniad arall ar y freuddwyd, a chychwynnir rhyfel yn erbyn gelyn newydd, y brenin Gawnes. Gyda chymorth y marchog

[7] Gw. Rachel Bromwich, *Trioedd Ynys Prydein* (Caerdydd, 1978), tt. 363-4, 380-5, 551-2, 553.

[8] Thomas Jones, 'Chwedl Huail ap Caw ac Arthur', yn Thomas Jones (gol.), *Astudiaethau Amrywiol a gyflwynir i Syr Thomas Parry-Williams* (Caerdydd, 1968), tt. 48-66.

[9] Elspeth Kennedy (gol.), *Lancelot do Lac. The Non-cyclic Old French prose romance* (Rhydychen, 1980), i, t. 260.32-262.18.

Lansilott, daw buddugoliaeth eto i Arthur, ac wedi i bawb gymodi urddir Gawnes yn un o farchogion y Ford Gron. Cytunir ar reolau ar gyfer ymddygiad y marchogion a phenodir pedwar clerc i gyfnodi eu hanturiaethau. Yna rhydd Elis Gruffydd y rhamant Ffrangeg o'r neilltu, gan ddychwelyd at Sieffre o Fynwy ac yn bennaf William Caxton, er mwyn adrodd sut yr aeth Arthur i Iwerddon, lle y gorchfygodd y brenin Gwilmor cyn cychwyn am Wlad yr Iâ a dod â'r ynys honno dan ei awdurdod. Wrth nodi fod bri Arthur trwy Ewrop yn denu marchogion di-rif at ei lys, rhaid i'r croniclwr grybwyll y Ford Gron unwaith eto, â'r tro hwn fe gododd hanes ei sefydlu o fwy nag un ffynhonnell. Anodd dweud ai gan Wace ai gan Caxton y cafodd rai o'r manylion, ond yn sicr gwelir yma hefyd ddylanwad rhamant Ffrangeg arall, sef *Merlin* gan Robert de Boron. Wedi cynnwys cyfeiriad o'r *Lancelot en prose* am Arthur yn mynd i Ffrainc i ddial am ladd tad y marchog Lansilott, trodd y croniclwr eto at Caxton am hanes Ffrolow, a leddir gan Arthur ym Mharis, ac am anturiaethau'r brenin yn gorchfygu pobloedd Galia. Ond pan cynhelir gwledd ysblennydd yng Nghaerllion-ar-Wysg, er mwyn i Arthur dderbyn gwrogaeth y rhai y daeth bellach i deyrnasu drostynt, fe ymddengys fod Elis Gruffydd wedi manteisio cymaint ar ei wybodaeth o draddodiadau Cymraeg ag o waith Sieffre a'i ddilynwyr. Ond dilyn Sieffre a Caxton a wnaeth wrth adrodd sut y daeth negeseuon i'r wledd oddi wrth Lushiws, dirprwy i ymerawdwr Rhufain, yn hawlio teyrnged gan Arthur ar ran yr ymerawdwr. Wedi i Arthur godi byddin anferth o faint a gadael y deyrnas yng ngofal ei nai, Morddred, daw newyddion iddo yn Newsder (Normandi) am gipio Elen, nith Hywel, brenin Llydaw, gan y cawr Dinabws a'i chadw'n garcharor ym Mont St Michel. Er bod Sieffre a Caxton ill dau'n cynnwys y chwedl hon yn eu gwaith, gan Wace y cafodd Elis Gruffydd rai o'r manylion mwyaf annymunol am dreisio a lladd y ferch ifanc. Gyda chymorth Kai a Bedwyr, fodd bynnag, llwydda Arthur i ladd Dinabws, torri ei ben a chludo hwnnw yn ôl i'w wersyll i'w ddangos i'w filwyr.

Dilynodd Elis Gruffydd Caxton yn y rhan fwyaf o'r episodau nesaf, wrth adrodd sut y trechwyd Lushiws a'i ddilynwyr paganaidd gan fyddin Arthur, a hynny gyda chymorth Duw, a sut yr anfonwyd corff Lushiws i Rufain yn lle'r deyrnged a hawliwyd gan yr ymerawdwr. Caxton eto yw ffynhonnell yr hanes am frad Morddred, a gymerodd y goron iddo ef ei hun, a'r frenhines yn ordderch iddo, unwaith yr oedd ei ewythr wedi croesi i'r Cyfandir. Unodd hefyd mewn cyngrair â Serdickws, brenin Saeson y gorllewin ac un o hen elynion Arthur. Ar ôl i Arthur ddychwelyd i Brydain ac ennill y frwydr gyntaf yn erbyn Morddred, ffodd hwnnw i Gaer Wynt. Yn y cyfamser, wrth sylwi fod ffawd yn ffafrio Arthur, penderfynodd y frenhines ffoi o Gaer Efrog i Gernyw ac yn y man i Gaerllïon, lle y treuliodd weddill ei dyddiau mewn lleiandy. Yr un hanes yw hon ag y geir gan Caxton, ond gyda rhai manylion yn tarddu o bosibl o waith Sieffre a'i ddilynwr Wace, a hefyd, o bosibl, fersiwn Saesneg Layamon o'r *Historia Regum Britanniae.*

Cytuna rhan nesaf yr hanes â fersiwn yr un tri chroniclwr, wrth i Arthur osod gwarchae ar Gaer Wynt ac ennill brwydr yn erbyn Morddred a Serdickws; ciliant hwythau i Gernyw. Ond wrth gyrraedd y frwydr olaf, 'ar vaes eang ger mynachlog Lasenbri' (ff. 340^{r}), defnyddiodd Elis Gruffydd ffynhonnell anhysbys, un a berthynai'n agos i destun Saesneg Canol, y *Stanzaic Morte Arthur,* ac i gronicl Sbaeneg, ill dau wedi eu cyfansoddi yn ystod y bymthegfed ganrif.[10] Cytuna'r testun Saesneg, yr un Sbaeneg a'n Cronicl Cymraeg mai cychwyn ar ddamwain a wnaeth y frwydr: wrth i'r ddwy fyddin baratoi, anfonodd Morddred negesydd i drafod ag Arthur, ond wrth i'r naill geisio lladd sarff - 'pryf' yn ôl Elis Gruffydd – a welai'n bygwth y llall, camddehonglwyd fflach y cleddyfau gan y milwyr a dechreusant ymladd. Ond fersiwn Sieffre a geir gan y Cymro o hanes diwedd y frwydr, pan laddodd Arthur ei nai, ond nid cyn i Morddred ei anafu yntau'n ddrwg yn ei glun. Wrth i angau nesáu, trosglwyddodd Arthur ei deyrnwialen i Gonstantein, mab Cadfor, iarll Cernyw. Ond nid dyna ddiwedd yr hanes. Gan ddilyn yn fras *La Mort le Roi Artu,* rhamant Ffrangeg yn perthyn i'r un gyfres

[10] Olion stori debyg sydd yn fersiwn Thomas Malory, lle y tynnodd marchog ei gleddyf i ladd gwiber, gyda'r canlyniad fod y ddwy fyddin wedi deall mai hwn oedd yr arwydd i gychwyn y frwydr (E. Vinaver & P. J. C. Field (gol.), *The Works of Sir Thomas Malory* (Rhydychen, 1990), iii, t. 1235). Gw. Kirkland C. Jones, 'The Relationship between the versions of Arthur's last battle as they appear in Malory and in the *Libro de las Generaciones', Bibliographical Bulletin of the International Arthurian Society,* xxvi (1974), tt. 197-205, a Richard Barber, 'The *Vera Historia de Morte Arthuri* and its place in Arthurian tradition', *Arthurian Literature,* i (1981), tt. 62-82, yn enwedig t. 74.

â'r *Lancelot en prose,* adroddir sut y gofynnodd Arthur i Gonstantein (Girflet yn y Ffrangeg) daflu ei gleddyf i'r llyn gerllaw. Wedi methu'r tro cyntaf, dychwelodd Constantein i'r llyn a thaflu'r cleddyf i'r dŵr. Gwelodd law yn codi o'r dŵr i ddal y cleddyf a daw 'llu o ferched' i lan y llyn i gyrchu corff Arthur. Ond yn y frawddeg olaf, lle y dywed Elis mai 'ynn y modd yma y newidiodd Arthur ei vowyd naturiol', ceir adlais o *Morte Darthur* y Sais Syr Thomas Malory, sydd yn defnyddio'r un ymadrodd amwys. Nid oes brawddeg debyg yn y rhamant Ffrangeg, *La Mort le Roi Artu,* lle y cleddir corff y brenin Arthur mewn beddrod hardd a'i enw arno.

Gwelir felly fod fframwaith bywgraffiad Arthur yng Nghronicl Elis Gruffydd yn seiliedig, yn y pen draw, ar Sieffre o Fynwy, ond manteisiodd yr awdur ar lawer o ffynonellau eraill. Yr oedd rhai o'i ffynonellau ysgrifenedig eto'n ddyledus i Sieffre, megis croniclau Saesneg William Caxton, Robert Fabian a Layamon, a *Brut* Eingl-Normaneg Wace. Ond codwyd deunydd ychwanegol o destunau Cymraeg sydd ar y ffin rhwng hanes a chwedl, yn ogystal â benthyca episodau cyfan o ramantau Ffrangeg, yn enwedig y *Lancelot en prose.* Mae'n amlwg i'r croniclwr ddarllen yn eang cyn iddo weu'r holl elfennau at ei gilydd, ond pan ddechreuodd ar ei waith tua 1548-9 yr oedd eisoes wedi treulio deunaw mlynedd yng Nghalais, lle y cawsai gyfle euraidd i gasglu deunydd perthnasol. Rhaid cofio safle daearyddol, gwleidyddol a masnachol tref Calais, fel pont rhwng Lloegr â gwledydd cyfandir Ewrop. Treuliai llawer o foneddigion a swyddogion gyfnodau yng Nghalais yng ngwasanaeth brenin Lloegr a meddai rhai ohonynt ar lyfrgelloedd preifat a fyddai'n cynnwys nifer o destunau a fuasai'n ddefnyddiol i'r croniclwr o Gymro. Cyfeiria Elis Gruffydd ei hun at fenthyca llyfrau gan 'hynafgwyr' yn y dref, mewn nodyn yn llawysgrif Cwrtmawr 1, y casgliad o destunau meddygol a gyfieithiwyd ganddo ac y gorffennodd ei gopïo yn union cyn cychwyn ar y *Cronicl.*[11] Mae'n bosibl mai un o'r trigolion a agorodd ei lyfrgell iddo oedd yr Arglwydd Berners, llenor Saesneg a fu'n byw yn y dref o 1520 tan ei farwolaeth yn 1533. Yr oedd yn ddirprwy-lywodraethwr

[11] '. . . henn lyure megis ac J gwelais J mewn henne lyuyr ynghalais, yr hwnn a viasai ymeddiant vi ne vii o hennafgwyr ac a viasai ynn gymeradwy am i pwyll a'i synwyr o vewn y dref' (t. 836).

Calais erbyn i Elis Gruffydd gyrraedd yn 1530. Mae rhestr o eiddo'r Arglwydd Berners, a baratowyd pan fu farw, yn cynnwys teitlau pedwar ugain o lyfrau, nifer ohonynt yn Lladin a Ffrangeg. O ystyried y ffynonellau a ddefnyddiasai wrth baratoi ei weithiau llenyddol ei hun, ni ellir ond casglu bod ganddo rai o'r union lyfrau yr oedd eu hangen ar Elis Gruffydd.

O gymharu *Cronicl* Elis Gruffydd â'i ffynonellau, lle y gellir eu hadnabod, gwelir nad codi talpiau o destun a'u copïo neu'i cyfieithu gair am air a wnâi. Mae'n bosibl iddo godi nodiadau o'r llu o groniclau a rhamantau a fyddai o ddefnydd iddo, a hynny dros gyfnod hir. Yn sicr, o sylwi cynifer o wahanol destunau y bu'n cloddio ynddynt, rhaid casglu mai pur annhebygol, onid amhosibl, fyddai i'r cwbl fod wrth ei benelin pan oedd yn cyfansoddi'r *Cronicl.* Ond nid testunau ysgrifenedig yn unig a ddefnyddiai. Gwelsom iddo gynnwys yn ei hanes Arthuraidd chwedlau a darddai o'r traddodiad llafar yng Nghymru, sef chwedl Huail ap Caw a'r stori am Arthur yn cael ei gaethiwo gan y tri chawr.[12] Mae'r ffaith na cheir fersiynau eraill o'r chwedlau hyn mewn ffynonellau ysgrifenedig cyn neu yn ystod oes Elis Gruffydd yn awgrymu mai straeon poblogaidd ydynt, ac ategir hyn gan eu hadeiladwaith a'u dulliau naratif. Ac ar wahân i chwedlau cyfan fel y rhain, manteisiodd y croniclwr ar wybodaeth eang o draddodiadau Cymraeg, gan ychwanegu manylion a fyddai'n rhoi blas Cymreiciach i'r hanes – nodi bod Gwenhwyfar yn ferch i Ogran Gawr, er enghraifft, ac mai Hangwen oedd enw llys Arthur.[13] Ar adegau dyfynna draddodiadau o'i ardal enedigol yng ngogledd-ddwyrain Cymru, pan gyfeiria, er enghraifft, at Arthur yn codi llys yn Nannerch.

Proses greadigol oedd cyfansoddi hanes Arthur, a'r *Cronicl* i gyd o ran hynny, o gynifer o ffynonellau ysgrifenedig a llafar, o wahanol ieithoedd a gwledydd. Nid yn unig y bu rhaid dethol, trefnu a chydblethu'r deunydd a gasglwyd ynghyd, ond hefyd ceisio creu undod llenyddol i'r gwaith. Fel arall ni fyddai ond

[12] Ar ddefnydd Elis Gruffydd o draddodiadau llafar, gw. Thomas Jones, 'Chwedl Huail ap Caw ac Arthur'; ibid., 'A Sixteenth Century Version of the Arthurian Cave Legend'; a Ceridwen Lloyd-Morgan, 'Oral et écrit dans la chronique d'Elis Gruffydd', *Kreiz. Études sur la Bretagne et les Pays Celtiques,* v (1996), tt. 179-86.

[13] Cymharer 'Ehangwen neuad Arthur', Rachel Bromwich & D. Simon Evans (gol.), *Culhwch ac Olwen* (Caerdydd, 1988), ll. 263-4, a D. Gwenallt Jones (gol.), *Yr Areithiau Pros* (Caerdydd, 1934), t. 80.

clytwaith blêr, a'r darnau wedi eu gwnïo'n anghelfydd wrth ei gilydd. I raddau helaeth fe lwyddodd Elis Gruffydd i oresgyn y broblem hon, yn enwedig trwy daenu ei arddull unigryw ei hun dros y cyfan. Ac y mae diddordeb y croniclwr yn ei naratif yn amlwg wrth iddo garlamu â brwdfrydedd heintus o un antur i'r nesaf, nes colli rheolaeth ar adegau ar hyd ei frawddegau. Defnyddia nifer o ffurfiau llafar ar eiriau, gan hepgor llafariaid gwan, er enghraifft, ac y mae hynny, ynghyd â'i arfer o gyfarch y darllenydd yn uniongyrchol, yn gymorth i guddio'r gwniadwaith.

Os gellir ystyried y *Cronicl* yn ei grynswth, ac felly hefyd y rhan Arthuraidd, yn waith creadigol a llenyddol, rhaid gofyn i ba raddau y llwyddodd Elis Gruffydd i asio'r deunydd a godasai o ffynonellau mor amrywiol, lle yr amlygid gwahanol safbwyntiau, yn ogystal â chyflwyno fersiynau tra gwahanol o hanes yr arwr. Ni cheisiodd y croniclwr guddio'r amrywiadau ychwaith, eithr tynnu sylw'r darllenydd o bryd i'w gilydd at yr anghydweld rhyngddynt. Ond yn aml pwysleisia hefyd y ffeithiau y cytunir arnynt, gan ddefnyddio fformiwlâu arbennig, fel y dengys yr enghreifftiau canlynol:

> 'Neithyr eraill o'r awdurion ysydd ynn dangos mae o'i gwir vodd J kymerssantt twy J helyntt o'r gogledd J Dottines, yr hyn sydd debycka J vod ynn wir, kanis J mae pawb o'r awdurion ynn kordio gymerud ohonnauntt twy dir ynn hauyn Dodtines ...' (ff. 327v)

> 'Ac wrth opiniwn hrai o'r bobyl yvo a yroedd yr esdron genedyl oll allan [o]'r dyrnas, onid hrai eraill ysydd ynn dangos y gwrthwyneb. Onid y mae pawb o'r awdurion yn kordio gaffel ohonnaw ef xii o vatteloedd nodedig ...' (ff. 329r)

Wrth ddod â deunydd at ei gilydd o gynifer o wahanol ffynonellau, yn tarddu o Gymru, Lloegr a Ffrainc, rhaid oedd ceisio sicrhau darlun cyson ac unedig o'r arwr, ac ar y cyfan fe lwyddodd Elis Gruffydd i gyrraedd y nod. Fersiwn Sieffre a'i ddilynwyr a ddylanwadodd fwyaf arno, oherwydd trwy'r bywgraffiad i gyd canolbwyntir ar y brenin fel rhyfelwr ymerodraethol, yn gorchfygu gelynion o fewn Prydain i ddechrau cyn ymestyn ffiniau ei deyrnasoedd i Iwerddon, Gwlad yr Iâ a chyfandir Ewrop. Cristion o frenin ydyw, sydd yn ennill brwydrau oherwydd ei ffydd yn ei Dduw ac yn derbyn gorchmynion yn uniongyrchol gan y Forwyn Fair, ond fe berthyn hefyd i fyd hŷn, lledrithiol. Yn y byd hwnnw daw Merddin (Myrddin) i fwrw hud ar Uthyr er mwyn iddo ymweld ag Eigyr yn rhith ei gŵr, a chyferfydd Arthur ei hun â chewri yn Sir Ddinbych a Normandi: yma y mae'r goruwchnaturiol paganaidd yn cyd-fyw â Christnogaeth, ac mae'n werth sylwi nad oes yr un awgrym fod hyn wedi peri anesmwythder i Elis Gruffydd, a oedd erbyn hyn wedi troi'n Brotestant selog.

Er iddo ganolbwyntio ar y ddelwedd ryfelgar, ambell waith ceir gan y croniclwr olwg llai arwrol ar y brenin Arthur, ac mae'n arwyddocaol mai yn y rhannau sydd yn ddyledus i ramantau Ffrangeg ac i draddodiadau Cymraeg y gwelir yr enghreifftiau hyn. O ran y testunau Ffrangeg, cylch y *Lancelot en prose* a ddylanwadodd fwyaf ar Elis Gruffydd yn ei hanes Arthuraidd, ac yn y rhamantau hynny pwysleisir gwendidau dynol y brenin yn ogystal â'i rinweddau anarferol pan yn anterth ei ddyddiau. Mae hyn yn gydnaws â'r chwedlau Cymraeg a ddyfynnir yn y *Cronicl,* lle na amlygir llawer o arwriaeth nac o ysbryd cwrteisi. Yn hanes Huail ap Caw, er enghraifft, portreadir Arthur fel merchetwr, yn ymrafael ag un o'i filwyr am ffafrau un o'i 'ordderchadon'. Clwyfir ef yn ei glun gan Huail – rhagarwydd bwrlesg o'i anafu gan Morddred yn ei frwydr olaf – ac yn nes ymlaen cawn ddisgrifiad o olygfa anhygoel lle y mae Arthur, sydd wedi ymserchu mewn merch o Ruthun, yn mynd i'r dref honno 'wedi ymddinodi mewn dillad merch'; yno gwêl Huail ef 'ynn chware dawns ymhlith merched' (ff. 330^{r}). Dyma un o'r darluniau lleiaf urddasol o Arthur yn holl lenyddiaeth Ewrop, ond eto ni chollodd y brenin ei awdurdod yn gyfangwbl, oherwydd ar ôl i Huail ei watwar am ei gloffni wrth ddawnsio, fe'i gwysir i lys Arthur, lle y dedfrydir ef i farwolaeth am dorri llw i gadw'n ddistaw am fistimanars y brenin.

Cymysgedd o'r dynol a'r brenhinol a geir eto yn yr episod nesaf, sef breuddwyd Arthur, a fenthyciwyd o'r *Lancelot en prose.* Daw'r freuddwyd hon â mwy o bryder iddo na wynebu'r gelyn ar faes y gad, ond eto defnyddia ei rym fel brenin i alw'r doethion ynghyd i esbonio'r freuddwyd, ac i'w carcharu pan na chynigir dehongliad boddhaol ganddynt. Yn y chwedl am y tri chawr, a ddaw yn syth ar ôl hanes y freuddwyd, gwelir Arthur ar drugaredd y rhai a'i carcharodd, sydd yn ei sarhau trwy ei orfodi i droi'r bêr wrth y tân, gwaith israddol iawn. Defnyddia ystryw glyfar, fodd bynnag, er mwyn boddhau'r amod â chael ei draed yn rhydd.

Wrth gyflwyno delweddau llai arwrol o Arthur, cynigiodd Elis Gruffydd bortread o Arthur sydd yn hynod o debyg i'r un a geir yn *Culhwch ac Olwen,* lle na chwestiynir ei statws brenhinol ond lle nad yw bob amser yn rheoli'r digwyddiadau; yn y disgrifiad ohono'n lladd y wrach yn y chwedl honno ceir hyd yn oed elfen fwrlesg nid annhebyg i stori Huail ap Caw.[14] Efallai fod yr Arthur y clywodd Elis Gruffydd amdano am y tro cyntaf, pan yn llanc ifanc yn Sir Fflint, yn ffigur amwys; er bod y croniclwr wedi darganfod hanesion mwy anrhydeddus amdano yn ddiweddarach, a hynny mewn testunau ysgrifenedig megis yr *Historia Regum Britanniae,* ni allai, o bosibl, ollwng y straeon poblogaidd hynny a glywodd yn yr iaith Gymraeg ym more oes. Yn wir, yr oedd mor hoff ohonynt fel na lwyddodd i gyfyngu straeon poblogaidd am Arthur i'r rhan o'i *Gronicl* sydd yn cyflwyno bywgraffiad y brenin hwnnw. Ildiodd i'r temtasiwn i gynnwys ambell un hyd yn oed wrth drafod digwyddiadau ei oes ei hun. Wrth sôn am y cyfnod rhwng 1518 ac 1524, er enghraifft, gwelodd gyfle i adrodd stori arall a glywsai, gan ei chyflwyno fel enghraifft o'r 'chwedle hryuedd' a ffynnai 'ymhlith kyffredin y dyrnas' yn y blynyddoedd dan sylw. 'Hrai a ddywedai', meddai, 'weled ymrauaelion weledigaethau hryuedd, megis gweled gwyr ynn ymladd ynn ddwy vyddin ar serttein o veussudd ynn hran y gorllewin'. Gyda hyn yn unig o ragymadrodd aeth ati i adrodd stori o Sir Gaerloyw am Arthur yn cysgu mewn ogof a gwraig yn cael ei thywys yno gan un o'i weision a brynodd geffyl ganddi. Pan aeth y wraig adref dangosodd i'w gŵr yr arian dieithr a gafodd am y ceffyl.[15]

Er i'r croniclwr fynnu ei fod yn amau'r stori hon - 'kanis, wrth vy nhyyb a'm hamkann, jr ydoedd y chwedl hwn kynn wiried a bod y kerig ynn dywedud ne'r moor yn llosgi' – serch hynny nid yw'n fodlon collfarnu'r sawl sydd yn ei chredu. Prysura i

[14] *Culhwch ac Olwen,* ll. 1205-29.

[15] Cyhoeddwyd y chwedl hon a thrafodaeth arni yn Thomas Jones, 'A Sixteenth Century Version of the Arthurian Cave Legend', yn M. Brahmer, S. Helsztyński & J. Krzyżanowski (gol.), *Studies in Language and Literature in honour of Margaret Schlauch* (Warszawa, 1966), tt. 175-85.

ychwanegu sylw pellach i leddfu ychydig ar y feirniadaeth: Neithyr val kynt ir ydoedd lawer gwr pwyllog o vewn llys y brenin ac o vewn y dyrnas yn koylio bod y chwedlav hynn kynn wiried a'r Pader'.

Rhaid gosod y sylwadau hyn gan Elis Gruffydd, a bywgraffiad Arthur ei hun, yng nghyd-destun y dadlau ffyrnig a fu yn y cyfnod ynghylch dilysrwydd hanes Arthur. Tua 1512-13 fe ymddangosodd, mewn llawysgrif, yr ymgais gyntaf i danseilio hygrededd Sieffre o Fynwy a'i *Historia Regum Britanniae.* Polydore Vergil oedd awdur y gwaith chwyldroadol hwn, yr *Anglicana Historie,* a gyhoeddwyd mewn print yn 1534. Ceisiodd nifer o ysgolheigion amddiffyn Sieffre wedi i Polydore Vergil honni nad oedd unrhyw sail hanesyddol i'r traddodiadau am Frutus ac Arthur ac nad oeddent ond chwedlau.[16] Un o'r cyntaf i geisio achub cam Sieffre oedd John Leland, un a oedd fel Elis Gruffydd yn Brotestant ac yn ffyddlon i frenin Lloegr;[17] yr oedd hefyd wedi ei benodi'n rheithor i blwyf Pepeling ger Calais yn 1530, yr union flwyddyn pryd y daeth y Cymro i'r drefedigaeth, er nad oes prawf pendant fod y Sais wedi byw yno. Hollol naturiol, felly, oedd i Elis Gruffydd yng Nghalais ddod i glywed am y ddadl fawr, trwy Leland neu eraill, ac o bosibl gael cyfle i ddarllen gwaith Polydore Vergil. Naturiol hefyd oedd iddo benderfynu bod angen iddo ychwanegu epilog ar ddiwedd bywgraffiad Arthur yn ei *Gronicl,* lle y gallai fynd i'r afael â chwestiwn dyrys ei ddilysrwydd hanesyddol. Ni allai neb bellach adrodd hanes y brenin heb gyfeirio at y ddadl ac o bosibl gymryd ochr.

Ar ôl disgrifio sut y daeth gyrfa Arthur i ben ar ôl iddo deyrnasu am chwe blynedd ar hugain, ychwanegodd y croniclwr mai dyna yw barn 'y rhann fwyaf o'r awdurion' (LlGC 6209E, t. 85), a gyda'r sylw hwnnw y cychwyn ei drafodaeth am gywirdeb *Historia* Sieffre a gwaith yr awduron a gytunant ag ef. Cred rhai,

[16] Ar Polydore Vergil a'i waith, gw., e.e., Antonia Gransden, *Historical writing in England II* (London, 1982), tt. 430-43; am amlinelliad o'r ymgyrch i amddiffyn yr hanes yn ôl Sieffre, gw. T. D. Kendrick, *British Antiquity* (London, 1950), tt. 78-98. Ar yr ymateb Cymreig, gw. Brynley F. Roberts, 'Ymagweddau at *Brut y Brenhinedd', Bwletin y Bwrdd Gwybodau Celtaidd,* xxiv (1970-2), tt. 122-38.

[17] Gw. James P. Carley, 'Polydore Vergil and John Leland on King Arthur. The Battle of the Books', *Interpretations,* xv (1984), tt. 86-100.

meddai, 'mai rhodd ne anrheg gan y Tad o'r Nef' oedd Arthur, wedi ei anfon gan Dduw i gosbi'r bobl 'am eu kam vuchedd', ac y mae rhai hefyd 'yn dal tyb na bu ef farw etto ac y daw ef yn vyw i reoli yr dyrnnas honn drachefn'. Er mwyn sicrhau'r darllenydd nad yw'n credu hyn, ychwanega'n syth fod y gred hon 'yn anghyffelib i'r gwir'. Yn ôl eraill, fodd bynnag, fe laddwyd Arthur ar faes y gad 'a chladdu ei gorff ef mewn ty o grefydd a oedd [m]ewn pannwl neu nant, yr hwnn a oedd yn gorwedd garllaw yr maes ac a elwid Glynn neu Nant y Gofalon' (LlGC 6209E, t. 85); dywed rhai ffynonellau fod Gwenhwyfar wedi ei chladdu yn yr un man, ac i'w cyrff gael eu symud wedyn i fynachlog 'Glassynberi', lle y cafwyd hyd iddynt tua 1180 (tt. 85-6). Dyma'r fersiwn o'r hanes a geir yn *New Chronicles* Robert Fabian. Ond prysura Elis Gruffydd i'n hatgoffa fod Merddin 'yn dangos yn ei brud' mai 'ei ddiwedd ef a vydd pedrys' – cyfieithiad llythrennol o eiriau William Caxton yn ei gronicl.[18] Gall hynny fod yn wir, meddai, gan fod rhai yn dweud fod Arthur wedi marw ac eraill yn credu ei fod yn fyw. Ac ychwanega, eto'n hollol ddilys, fod 'llaweroedd o bobyl o bob nassiwn yn kymerud difyrwch a solas mawr yn darllain ac yn klywed ei darllaint wynt' (LlGC 6209E, t. 86).

Daw hyn â ni at graidd y broblem. Er gwaethaf y gred gyffredin, 'mae ymrafaelion awdurion wedi ysgrifennu ac wedi dangos yn gadarn na bu ermoed ddim o'r kyfriw wr ac Arthur ac y mae Galffreidus wedi ysgrifenno ohonaw' (t. 86). Crynhoir dadleuon yr amheuwyr wedyn: nid yw Beda yn crybwyll Arthur yn ei *Historia ecclesiastica gentis Anglorum,* er mor gynhwysfawr yw'r llyfr hwnnw; mynnodd 'Wilhelimus de Regibus' (Wiliam o Malmesbury) mai 'ffuent' ac 'enwiredd' oedd yr hanesion amdano, ac nid oes sôn amdano ychwaith yng *Nghronicl y Ffrančod* nac yng ngweithiau awduron Rhufeinig. Ac nid oes yn yr olaf unrhyw gyfeiriad at Lushiws, gelyn Arthur. Fel canlyniad, dewisodd y Saeson ac eraill wfftio hanes Sieffre o Fynwy, gan honni 'mae Jr klod a mawrhad a moliantt J'r Bryttaniaid Jr ysgriuenodd Galffreidws yr ysdori hon', gan ei fod yntau'n Gymro

[18] '... but certes this is the proficie of Merlyn he said that his deth shall be doubtous' (Caxton, *Chronicles* [*STC* 9991], lxxxviii).

(LlGC 5276Dii, ff. 341r).[19] Hawdd fyddai dychmygu mai Elis Gruffydd ei hun sydd yn dadlau yma, eithr mewn gwirionedd codwyd y cwbl o gronicl byr yn Saesneg, *The Pastyme of People* gan John Rastell, a argraffwyd yn 1530 (pennod ciii).

Cyfieithu geiriau Rastell fwy neu lai air am air a wnaeth y Cymro yn y rhan nesaf o'i ddadl, lle y trafodir dilysrwydd dogfen a gadwyd a sêl Arthur arni ar y pryd ar fedd y brenin Edward Gyffeswr yn San Steffan.[20] Rhaid i Elis Gruffydd gydnabod fod y ddogfen a'r sêl fwy na thebyg wedi eu ffugio: mae'r ddogfen yn tystio i Arthur gyflwyno eiddo i'r mynachlog, ond nid oedd y fynachlog wedi ei sefydlu yn ei amser ef, ac mae'n hysbys nad oedd yr arfer o osod sêl ar ddogfen i'w dilysu wedi dechrau tan amser Gwilym Goncwerwr. Eto i gyd, er gwaethaf pwysau'r holl dystiolaeth yn erbyn hanes Sieffre, methodd Elis Gruffydd â mynd mor bell â'i gwrthod yn gyfan gwbl. Wedi'r cwbl, ystyriai Sieffre'n Gymro fel ef ei hun, ac wrth wfftio'r *Historia Regum Britanniae* byddai hefyd yn tanseilio awdurdod y naratif y mae newydd ei osod o flaen ei ddarllenwyr. Ymhellach – ac yma gallwn ddweud yn hyderus mai llais y croniclwr a glywn yma, nid un o'i ffynonellau – 'nid ysgr[i]uenais ddim o'r llyuyr yma J hroddi kyssur a hryuig J ddyn ynn y bydd J amav ac J anghoelio ysdori Galffreidws'(ff. 341v). Serch hynny, rhaid iddo gadw'r ddysgl yn wastad: 'ni roddaf annog a hryuig J neb J gredv yn sickyr wir J bood hi yn ysdorri gywir'(ff. 341v). Rhaid i bob darllenydd gredu neu beidio 'megis ac J bo kymwys a da gantho'. Cyn gadael y mater, fodd bynnag, achubodd Elis Gruffydd ei gyfle i roi proc ychwanegol i'r Saeson. Mae'r Saeson, meddai, yn beirniadu'r Cymry 'am ynn hryuig ni am Arthur', ond mewn gwirionedd 'mae yn vwy J son wyntt amdanno ef no nnyni' (ff. 342r). Mae'n amlwg nad oedd ei flynyddoedd o wasanaeth ffyddlon i feistri o Loegr wedi oeri teimladau gwladgarol y Cymro. Tystiodd fod y Saeson hwythau yn credu y daw Arthur drachefn i fod yn frenin ac yn honni ei fod yn cysgu 'mewn

[19] Pwysleisiodd Elis Gruffydd yn gynharach yn ei *Gronicl* mai cyfieithu o'r Gymraeg yr oedd Sieffre: '... yr ysdori yma mewn hen lyuyr a viassai ysgriuenedig yn hen Jaith y bryttaniaid . . . ac J mae Galffreidws yn dangos a ddamunodd arno ef ddarllain y llyuyr a dangos . . . J ysdyr ef oblegid J vod ef yn Gymro [. . .] A'r llyuyr o'r ysdori hon a droes y Galffreidws yma o Gymraeg yn Lading'(LlGC 5276Di, ff. 81r) .

[20] Gwyddai William Caxton am y sêl hon a chyfeiriodd ati yn ei ragair i *Morte dArthur* Malory. Gw. Vinaver & Field, *The Works of Sir Thomas Malory*, i, t. cxliv.

googof dan vryn garllaw Glasynbri', lle yr 'ymddangoses ac a ymddiuannodd a llawer o bobyl mewn llawer modd hryuedd ers trychant o vylynyddoedd' (ff. 342^r^).

Mewn cyflwyniad i ail ran ei *Gronicl,* dywed Elis Gruffydd mai ei nod oedd 'dwynn llawer o bethav nodedig o ysdoriay ardderchion, dyledog o bartthe'r dwyrain, o'r hrain ni bu gyswyn amdanaunt o vewn Kymru ymysg y kyffredin Jrmoed ynn y blaen' (LlGC 3054Di, ff. 2^r^). Ond fel y dengys ei fersiwn ef o hanes Arthur, os cadwodd ei air a chyflwyno deunydd newydd o Loegr a'r Cyfandir i ddarllenwyr yng Nghymru, ni lwyddodd er hynny i hepgor traddodiadau Cymraeg. Mae'n bosibl mai ymgais oedd hon i gysoni'r straeon a gadwyd mewn ieithoedd eraill â'r rhai a oedd yn boblogaidd yng Nghymru, ac, yn wir, yn Lloegr hefyd. Ond mae'n fwy tebygol mai ei ddiddordeb personol yn y chwedlau a glywsai am Arthur a barodd iddo benderfynu cynnwys deunydd o'r traddodiad llafar. Llwyddodd Elis Gruffydd i gyflwyno i Gymry'r unfed ganrif ar bymtheg grynodeb hwylus o hanes Arthur wedi ei seilio ar y prif ffynonellau a oedd ar gael yn nhref gosmopolitaidd Calais, yn ogystal â'r dadleuon cyfoes ynghylch dilysrwydd y fersiwn hwnnw o hanes Prydain. Ond i'r darllenydd heddiw y mae ei gyfraniad yn amhrisiadwy, oherwydd ar wahân i roi inni syniad o feddylfryd yr oes honno a'r testunau Arthuraidd a fyddai ar gael i'r hanesydd, cofnododd nifer o draddodiadau poblogaidd na thrafferthodd eraill i'w cofnodi ac na fyddent fel arall ar gael inni.

COFFÂD I HERWR O GANTREF ARWYSTLI

gan D. H. EVANS

Dyn wyf (ni wn ydyw'n well)
a'i fywyd dan y fwyell.[1]

Fy mwriad gwreiddiol wrth ymateb i wŷs y golygydd am gyfraniad i *Festschrift* yr Athro Brynley Roberts (gŵr y mae gennyf barch mawr i'w ysgolheictod) oedd llunio erthygl ar un o'r amryfal feysydd a fu o ddiddordeb iddo yn ystod ei yrfa. Meddyliais i gychwyn am osod trefn ar y dystiolaeth a gesglais ynghylch cyfeiriadau'r cywyddwyr at gymeriadau'r *PKM* sydd weithiau yn awgrymu ffurfiau llafar ar y ceinciau; a bûm hefyd yn meddwl mai diddorol o beth fyddai astudio'r fersiwn Gymraeg o'r chwedl am gwymp Morgannwg i'r Normaniaid a ddiogelwyd yn llaw Morgan Llywelyn o Gastell-nedd (m.*c.*1778).[2] Yn y diwedd, sut bynnag, dyma benderfynu ar destun a oedd yn fwy cydnaws â'm hysbryd ar y pryd, ac y gellir hwyrach ei ddehongli mewn termau alegorïaidd o gofio am sut yr hawlir ufudd-dod llwyr ymhlith staff ein Prifysgolion heddiw gan reolwyr y sefydliadau hynny, yn sgil y chwyldro Thatcheraidd.

Fe geryddwyd beirdd ei gyfnod gan Siôn Cent, mewn modd cofiadwy ddigon, am eu gweniaith, wrth gyfarch noddwyr:

Heuru bod gwin teuluaidd,
A medd, lle nid oedd ond maidd.
Hefyd teuru geir hoywfainc
Yn ffrom torri cestyll Ffrainc[3]

a'r un gwyn yn ei hanfod a leisiwyd yn erbyn aelodau'r gyfundrefn gan y dyneiddiwr Siôn Dafydd Rhyṣ yn ddiweddarach, 'honni . . . wneuthur o honynt . . . lladd milioedd

[1] Cwpled o'r eiddo Dafydd Benwyn o Langeinwyr (*fl.c.*1560/1 – *c.*1600).
[2] Gw. *TLlM* 309-15.
[3] *IGE* 182, 21-4.

o wyr mywn rhyfel, neu fwrw cestyll i'r llawr . . . a'r gwyr hwynteu yna ynn eu gwelyeu ynn cysgu yn ddiofal'.[4] Dywedir yn aml i'r gyfundrefn gael ei seilio ar y syniad o gyfnewid gwasanaeth rhwng bardd a'i noddwr,[5] ond mewn gwirionedd perthynas ddigon anghyfartal oedd hon ac anaml yr anelid beirniadaeth gan y beirdd yn erbyn arweinwyr cymdeithas am eu bod mor ddibynnol arnynt am eu cynhaliaeth. Yn wir, cynnal safbwynt y sefydliad yn bur slafaidd a wna cywyddwyr yr Oesoedd Canol, ac y mae hyn yn gallu gwneud eu cynnyrch yn boenus o undonog ar brydiau; ychydig iawn o feirdd a welwn yn barod i herio'r drefn gymdeithasol, ac nid ystyrid hynny'n rhan o'u dyletswydd. O bryd i'w gilydd, sut bynnag, gwelwn ambell gywyddwr dewr yn amlygu parodrwydd i arddel achos amhoblogaidd, neu amddiffyn gŵr dan gabl. Yn hyn o beth, mae'n iawn tynnu sylw at y cywyddau cysur cwbl arbennig a luniwyd gan Iorwerth Fynglwyd (*fl.c.*1490-1527) i'w noddwr Rhys ap Siôn o Aberpergwm 'yn ei drwblaeth' – yr olaf ar herw, ac yn cael ei erlid yn chwyrn i bob golwg gan Syr Mathias Cradog, dirprwy – siryf Morgannwg, gŵr pwerus a weinyddai'r gyfraith yn hollol ddi-drugaredd.[6] Er gwaethaf hyn, ni ddewisodd Iorwerth Fynglwyd droi ei gefn ar ei gyfaill, dan y don; yn wir, i'r gwrthwyneb, dewisodd sefyll ysgwydd yn ysgwydd â Rhys ap Siôn yn ei drafferthion gan ennyn dicter Syr Mathias Cradog a gorfod treulio cyfnod ei hun o'r herwydd yng ngharchar Abertawe.[7] Cofiwn amdano a mawrygwn ei safiad fel un o'r dewraf o blith urdd y cywyddwyr: i rai gwŷr prin y mae cwlwm cyfeillgarwch, ac egwyddor, yn bwysicach o lawer na'u hunan-lês. Nid ar chwarae bach y mae herio'r sefydliad fel y gŵyr amryw ohonom, ac y mae tynged gwŷr megis Tomos Glyn Cothi a Saunders Lewis mewn cyfnodau diweddarach yn brawf digamsyniol o'r malais a weinyddir yn rhy aml o lawer yn enw'r broses gyfreithiol:

[4] *Rhagymadroddion* 76.

[5] Crisielir y syniad mewn cwpled gan Dafydd ap Gwilym yn sôn am Ifor Hael; gw. *GDG* 19, 9-10.

[6] Delia rhyw dri chywydd yn benodol â'r helynt; gw. *GIF* 11-16. Ynglŷn â hi gw. *ibid* 5-6 a *TLlM* 57-9.

[7] Gw. *GIF* 102, rhif 4 (*ibid* 20-1). Sylwer hefyd ar y cwpled:

Ni mynnaf fyth – mi â'n fud –
dy wadu dra fwy'n dwedud.

wrth ddau beth yr aeth y byd:
wrth ofn, ac wrth werth hefyd.[8]

Fe gwyn y Mynglwyd yn erbyn llygredd yr ustus a'r siryf (heb sôn am y Pab!) yn ei gywydd gwych, 'Pand hir na welir ond nos?', a rhaid cydnabod ysywaeth mai gwŷr uchelgeisiol, hunan-dybus, ac hollol anghymwys, sy'n cyrraedd safleoedd o bŵer a dylanwad mewn cymdeithas (a choleg) yn gyffredin iawn – gwŷr di-ddynoliaeth sy'n ystyried mai braint y gweddill ohonom yw ufuddhau'n dawel i'w gorchmynion, neu ddioddef y canlyniadau. Amarch y mae gwŷr felly yn ei deilyngu, ac amarch yn y diwedd y maent yn ei gael.

Fel y soniwyd uchod, yn anaml y gwelwn gerddi gan y cywyddwyr sy'n herio'r safbwynt swyddogol, ond yn yr erthygl fechan hon carwn dynnu sylw at ddwy gerdd gan Huw Arwystl (m.1583)[9] i herwr y gellid eu gosod hwyrach yn nhraddodiad 'annibyniaeth barn' y Mynglwyd. Yr oedd yntau hefyd, yn ôl Lewys Dwnn, yn ŵr cywir ei rodiad ('duwiol'), a dewr:

Diwedd yr jaith, dyddiwr oedd,
diwair od, da wr ydoedd:
dewr ytoedd, dvr ai atyn,
dewr o bai ddewr, diareb ddyn.[10]

Fe fu statws Arwystli, fel cantref annibynnol, dan fygythiad cyson o gyfeiriad Gwynedd a Phowys, o gyfnod cynnar,[11] ac ardal aflonydd ydoedd hefyd o ran cyfraith a threfn ar hyd y 16eg ganrif. Cododd cweryl ynglŷn â stiwardiaeth Arwystli a Chyfeiliog yn nhridegau'r ganrif rhwng Iarll Caerwrangon a Walter Devereux Arglwydd Ferrers, gyda'u dilynwyr yn creu'r fath gynnwrf wrth ymosod ar ei gilydd nes gorfodi Rowland Lee, Llywydd Cyngor y Gororau, i ymyrryd ym Mai 1537 i geisio tawelu'r sefyllfa: carcharwyd amryw o'r terfysgwyr, 'a certen cluster or company of theives and murderers' yn ôl Lee.[12] Ychydig i'r gogledd, wrth gwrs, uwchlaw Cyfeiliog, ymgartrefai nythaid

[8] Cf. *ibid,* 13, 19-20.
[9] *BC* 377.
[10] P96, 378.
[11] Gw. *WATU* 7, 239.
[12] Gw. *CCSF* XII, 230.

enwog o ladron yn Nugoed Mawddwy, lle llofruddiwyd Lewys Owain, siryf Meirionydd, ar 12 Hydref 1555.[13] Sylwn wedyn mai anelu am Arwystli, a'i wartheg wedi eu dwyn, a wna Twm Siôn Cati, (?) tua'r un adeg, wrth ymffrostio yn ei alluoedd fel lleidr:

Lledrata a fedraf i, a gyry
o Gornwel i Rwysdli:
i tai eraill, i torri,
a chael yn esmwyth i chwi.[14]

Ymhellach, gwelwn sefydlu comisiwn gan Gyngor y Gororau, mewn perthynas â sir Drefaldwyn, 20 Ionawr 1576, i ddelio â herwyr, neu 'offenders [who] wander in secret places'; cymerwyd camau pellach gan y corff hwn, 11 Medi 1577, gan enwi 170 o wŷr a ddrwgdybid o gamymddwyn (dwyn gwartheg yn bennaf), mewn 33 plwyf yn y sir (*Reg. C.W.* 146, 174-77).

Yn nwyrain Maldwyn wedyn, nepell o Bishop's Castle (ar y ffordd i Lanidloes), sylwn ar lecyn o'r enw Cwm Lladron,[15] a gwiw cofio hefyd am gyfeiriad George Owen o Henllys at yr herwyr a lechai yng Nghwmystwyth a llethrau Pumlumon ar ffiniau gorllewinol cantref Arwystli yn ei waith *A Dialogue of the present Government of Wales* (1594).[16]

Un o brif amcanion y Ddeddf Uno (1536/42) oedd gosod trefn ar ardaloedd megis Arwystli, a hynny drwy ymddiried y gwaith o gynnal cyfraith a threfn i'r uchelwyr lleol, a arferai gwrdd â'i gilydd yn y sesiynau chwarter i ystyried achosion. Y mae hanes gweinyddiad y gyfraith yn sir Drefaldwyn yn ystod ail hanner yn 16eg ganrif yn annatod glwm wrth yrfa uchelwr mwyaf grymus yr ardal, sef Edward Herbert o Gastell Trefaldwyn (1513-93),[17] a

[13] Ynglŷn â'r digwyddiad gw. erthygl J. Gwynfor Jones, 'Lewis Owen, sheriff of Merioneth, and the "Gwylliaid Cochion" of Mawddwy in 1554-55', yn *CCSF* XII, 221-40. Lluniwyd marwnad i'r barwn gan Huw Arwystl ei hun:

Och Ddûw lwyd, fyth rhwyddlyd fû,
fwrw dichel, y'w fredychû:
hwynthwy yn gael yn ael nos:
yntau, yn wr, hwnt yn aros.
Ni chai, wr tal, och o'r twnn,
einioes wedi nos Sadwrn. (NLW 719, 92v)

[14] Gw. ymhellach *Yr Aradr* 7, 183-4.

[15] *O/S* 32 / 2490; *MC* XL 208. Gw. erthygl G. G. Evans, 'Stream Names of the Severn Basin in Montgomeryshire' yn *MC* LXXIII, td. 94. Hefyd nant o'r enw 'Cwm Lladron', *O/S* 32 / 2793.

[16] Delir â'r rhain yn rhannol yn fy erthygl 'Herwr o Gwmystwyth' yn *Y Traethodydd* (1987), 222-3.

[17] Ynglŷn ag ef gw. *BC* 326. Hefyd *DNB* XXVI, 173.

chystal rhoi sylw i hon am ychydig islaw. Y mae'r ffeithiau moel am yrfa Edward Herbert yn ddigon hysbys. Fe'i ganed yn 1513, yn fab i Syr Richard Herbert, ac yn sgil cyfnod diffrwyth ynghlwm wrth lys Harri VIII yn Llundain, dewisodd yrfa fel milwr, dan nawdd ei gyfyrder Iarll Penfro (m.1570), gan gynorthwyo yn y gwaith o chwalu Gwrthryfel gwŷr Dyfnaint a Chernyw yn 1549, a chan ennill clod arbennig ym mrwydr fawr St Quentin, 10 Awst 1557, yn erbyn y Ffrancod: sylwer ar gofnod Lewys Dwnn yn 1586, 'Captain General over 500 men at St Quinten'.[18] Yng nghwrs y milwra hwn llwyddodd i gasglu peth cyfoeth, arian a ddefnyddiwyd ganddo i ychwanegu at ei stadau ym Maldwyn – yn 1553 yn wir, cafodd arglwyddiaeth Cherbury, sir Amwythig, yn rhodd gan ei gyfyrder William. Yng Nghastell Trefaldwyn y treuliodd Herbert yr ail hanner o'i oes yn bennaf, gan anelu at sefydlu ei hun fel un o uchelwyr mwyaf dylanwadol y sir. Sylwer ar y swyddi y bu'n eu dal: bu'n ustus yn sir Drefaldwyn rhwng 1554 a 1588 (aelod o'r *quorum* o 1572 ymlaen), gan wasanaethu fel siryf ar ddau achlysur, yn 1557 a 1568. Anerchwyd ef gan Huw Arwystl yn ystod y cyntaf o'r tymhorau hyn mewn cywydd cyngor, a'i gyfarch fel 'llew drvd ar fwng lleidyr', ond mwy diddorol yr anogaeth gynnil isod i arfer trugaredd ac i beidio â chosbi'r diniwed:

> Roi nerth, kynn lladd, oedd addas
> i'r dyn drwg a doi'n dy ras:
> n'ad byth, lle mae'n d'obeithiaw,
> roi'r iav'n drom ar wirion draw.
> Na ddos draw'n ddwys i drvann,
> na ddwg wg ney weddi gwann.[19]

(Fe ymhelaethir mewn eiliad ar natur ddigyfaddawd ac erlidgar y gŵr hwn.) Gwyddys am swyddi eraill y bu Herbert (Pabydd selog) yn eu dal: ef oedd uchel stiward a chwnstabl Castell Trefaldwyn, ac uchel stiward (dan y Goron) hwndrydau Halceter, Ceri, Cedewain, Arwystli a Chyfeiliog, ynghyd â'r *custos*

[18] *LD* i 293. Hefyd, NLW 5270, 417 'drwy Gornwal draig ai arnynt'. Cyfeirir at orchestion milwrol Edward gan y cywyddwr Owain Gwynedd (*fl.c.*1545-1601), mewn marwnad:

> Edward a'i wŷr ai drwy'r tân
> Yn y cledi'n Ffrainc lydan.
> Ei wŷr ef a wyrai wal
> Fu'r genod fawr i Gornwal. *GOG* 218, 55-8

[19] Dyfynnir o 'Kowydd kyngor ed harbart esgwier' gan y bardd, yn Brog 1, 163-5.

rotulorum ym Maldwyn. Ymhellach, bu'n aelod seneddol dros sir Drefaldwyn rhwng 1552 a 1572, gan gadw gafael hynod o dynn ar y broses etholiadol. Yr oedd ef a'i wraig Elizabeth, merch Mathew Pryce o'r Drenewydd, yn nodedig am eu lletygarwch a'u hymborth (i rai) yn Nhrefaldwyn, yn ôl y sôn, ond tua diwedd ei oes cododd blasdy newydd, hir ac isel, sef y Llys Mawr neu Blackhall, ar gyfer y teulu. Bu farw yn 1593 yn 80 oed, a'i gladdu'n ddi-goffád yn eglwys Trefaldwyn.

Fe seiliwyd cryn dipyn o'r wybodaeth uchod am Herbert ar y darlun a gawn ohono yn *Hunangofiant* ei ŵyr talentog Syr Edward Herbert, barwn Cherbury, (1583-1648) yr athronydd Deistaidd[20] a brawd hŷn y bardd defosiynol George Herbert (1593-1633).[21] Diddorol hefyd yw'r darlun a gawn o Syr Richard Herbert o Drefaldwyn (1468-1539), tad Edward, yn y gwaith hwn, un arbennig o lawdrwm (fel aelod o Gyngor y Gororau) ar wrthryfelwyr a lladron yn nwyrain, gorllewin a gogledd Cymru,[22] gan ennill parch gŵr mor filain, hyd yn oed, â Rowland Lee – 'the best of his name that I knew'. Y mae'n amlwg i'r awydd hwn i sicrhau trefn yn y Canolbarth gael ei etifeddu gan y mab a

[20] Ynglŷn ag ef gw. *DNB* XXVI, 173-80. Diddorol y cyfeiriad ganddo yn ei *Hunangofiant* i'w deulu, o Eyton yn sir Amwythig, drefnu iddo aros am ychydig gydag Edward Thelwal o Blas-y-ward, sir Ddinbych, er mwyn dysgu Cymraeg, yn naw oed:

> my Parents thought fitt to send mee to some place where I might learne the Welch Tongue as beleeving it necessary to enable mee to, treate with those of my freinds and Tennants who vnderstood noe other Language, wherevpon I was recommended to Mr Edward Thellwall of Placeward in Denbighshire.

Bu yno am naw mis, ond di-fudd fu'r cyfan, oherwydd afiechyd ('a Tertian Ague'):

> I did as litle profitt in learning the Welch or any other of those Languages that worthy Gentleman vnderstood . . .
>
> (*LLHC*, 14-15)

Bid a fo am hyn, diddorol gweld Ieuan Tew Ieuanc yn ei annog i arddel ac arfer y Gymraeg:

> Yn wrol o'th faboliaeth
> Ymddyro'n Gymro, nid gwaeth.
> Am ŵr, o gwnei ddim erof,
> Arfer iaith Gamber i'th gof.
> Iaith gwlad a'th dad a'th deidiau
> Ac yn hen n'ad ei gwanhau.
> Dywaid Gymraeg a deall,
> Dod hon wrth dy galon gall.
> Gŵr y'th gaf, gwŷr a'th gyfyd,
> Gwna dy dŷ o Gymry i gyd.
>
> *GIT* 73, 99-108

[21] Gw. *DNB* XXVI, 185-88.

[22] '. . . of him I can say little more than that he likewise was a great Suppressor of Rebells, Thieves, and Outlaws, and that he was just and conscionable . . .' *LLHC* 4-5.

bwysodd yn drwm ar ei brofiadau cynnar fel milwr wrth erlid drwgweithredwyr yn ddi-drugaredd ym Maldwyn, fel ustus a siryf, yn ystod ail hanner yr 16eg ganrif. Gwelir ei enw'n gyson wrth Ffeiliau Carchar y sir, ac arbennig o ddiddorol yw'r hanesyn bach hwn, a gofnodir gan ei ŵyr, sy'n sôn am ffrwgwd rhwng Herbert a grŵp o herwyr yn y mynyddoedd uwchben Llandinam:

> My Grand-Father was noted to be a great enemy to the Outlaws and Thieves of his time, who robbed in great numbers in the Mountains of Montgomeryshire, for the suppressing of whom he went often both day and night to the places where they were, concerning which though many particulars have been told me, I shall mention one only. Some Outlaws being lodged in an Alehouse upon the hills of Llandinam, my Grand-Father and a few servants coming to apprehend them, the Principal Outlaw shot an Arrow against my Grandfather which stuck in the Pummel of his Sadle, whereupon my Grandfather coming up to him with his sword in his hand, and taking him Prisoner, he showed him the said arrow, bidding him look what he had done, whereof the Outlaw was no farther sensible than to say he was sorry that he left his better bow at home, which he conceiv'd would have carryed his shot to his Body, but the Outlaw being brought to Iustice suffer'd for it.[23]

(Yn eironig ddigon, ac yn groes i amcan yr awdur, yr herwr di-enw a grogwyd maes o law, nid Herbert, a ddaw allan orau o'r stori hon, a hynny ar gyfrif ei feiddgarwch, mewn sefyllfa o anobaith, yn gwawdio'i elyn di-dostur.) Fe gawn uchod wrth gwrs ddarlun byw o awyrgylch yr oes yn Arwystli, ynghyd â natur di-gyfraith y cantref, a chawn ein hatgoffa ymhellach am hanesyn arall gan Cherbury sy'n ymwneud â'i dad y tro hwn, Richard Herbert (mab Edward) o Llysyn: cofnodir i'r olaf ddioddef ymosodiad ffiaidd gan dorf ym mynwent Llanerfyl, Caereinion, wrth geisio arestio drwgweithredwr, a'i benglog yn cael ei hollti gan filwg 'through to the Pia Mater of the Brain': bu'n ffodus i allu dychwelyd adref a gwella'n wyrthiol o'r anaf ymhen amser.[24] Yng nghyd-destun cynyrfiadau o'r fath, a

[23] Gw. *ibid.*, 3.

[24] Ibid., 2. Y mae'n werth dyfynnu'r hanesyn yn ei gyflawnder:

> my Father . . . of a great courage, whereof he gave proof, when he was so barbarously assaulted by many Men in the churchyard at Lanervil at what time he would have apprehended a man who denyed to appear to justice, for defending himself against them all by the

[Parhad ar waelod y tudalen nesaf]

gweithgaredd Herbert, ymhlith eraill, fel erlidiwr di-arbed ar herwyr yn y Canolbarth, (?) ar gychwyn ail hanner y ganrif, y dylid ystyried cynnwys y ddau gywydd gan Huw Arwystl a anelwyd at ŵr ar ffo.

Ychydig iawn o gopïo a fu ar y gweithiau hyn (am resymau go amlwg, hwyrach), ac nis cawn hwy wedi eu cyplysu â'i gilydd ychwaith mewn llsgr.; eto, ymddengys i mi mai ymwneud â'r un gŵr y maent, rhyw Wiliam o Drefeglwys – anogir ef i ddianc yn y cyntaf, ac yn yr ail ofnir ei fod wedi ei ladd. Yn y ddau gywydd hefyd, fel ei gilydd, arferir yn effeithiol y ddelwedd o garw yn cael ei ymlid gan gŵn i ddynodi'r herwr yn gorfod ceisio osgoi'n gyson gwŷr y gyfraith – 'herwriaeth hydd', chwedl Tudur Penllyn.[25]

I

Gwelwn yr awdur, Huw Arwystl, yn datgan yn gwbl agored ei gefnogaeth yn y ddau gywydd i'r herwr, ac yn wir deallwn oddi wrth y cyntaf (lle sonnir am gynnig lloches i'r ffoadur) ei fod yn gâr ifanc i'r bardd a'i adwaenai o ddyddiau plentyndod:

> Ḳest, er yn vab, fy 'dnabod:
> kar y*d* fym i, kred fy mod.[26]

[[24] – Parhad]

> help only of one John ap Howell Corbet, he chaced his adversaries untill a Villain coming behind him did over the shoulders of others wound him on the head behind with a forest Bill until he fell down, though recovering himself again, notwithstanding his skull was cutt through to the Pia Mater of the Brain, he saw his adversaries fly away, and after walked home to his house at Llyssyn, where after he was cured, he offered a single Combat to the chief of the Family, by whose procurement it was thought the mischief was committed, but he disclaiming wholy the Action as not done by his consent, which he offered to testifie by Oath; and the Villain himself flying into Ireland, whence he never returned, My Father desisted from prosecuting the business any farther in that kind, and attained, notwithstanding the said hurt, that health and strength, that he returned to his former exercises in a country Life, and became the Father of many children.

Tystir gan Ieuan Tew i ymrwymiad Edward a Richard Herbert at achos y gyfraith:

> Rhisiart ac Edwart gadarn
> Roeson' dra fuon' y farn
> *GIT* 70, 9-10

[25] Gw. *GTP* 3, 12.
[26] I, 9-10.

Ychydig a wyddys am dylwyth Huw Arwystl, ond tystia Lewys Dwnn yn 1583 mai mab ydoedd i ryw Llywelyn ac mai yn Nhrefeglwys y trigai: diau mai o'r un ardal yr hannai 'Wil', neu Wiliam yr herwr. Cawn wybod oddi wrth y gerdd i Wiliam orfod ffoi o'i gynefin i ymyl arglwyddiaeth Mawddwy, a'i gwylliaid, ond dioddef twyll a malais a wna yng Nghyfeiliog hefyd: enwir ei brif elyn yn wir fel un a drigai ym mhlwyf Darowen, sef rhyw Owain (?) ab Ieuan Llwyd, gŵr y rhybuddir ef yn daer rhagddo, a'i ddarlunio â'i wŷr fel ymlidiwr di-arbed. Cysylltir Wiliam yn gyson â llecyn o'r enw y Llwyn Bach, (?) ei gartref/rhodfa, ac yn rhan olaf y gerdd fe'i anogir i ddychwelyd i'w fro yng nghyffiniau Trefeglwys, o Gyfeiliog, at ei fam: cyfeirir ef, liw nos, i groesi Afon Iaen, (?) o Glegyrnant, gan ymlwybro i fyny Cwm-y-calch ac anelu ar draws yr ucheldir am flaen yr Afon Ceirniog, cyn disgyn wedyn i ymyl y Graig Wen a threfgordd Glyntrefnant; sonnir wedyn am groesi'r Afon Trannon, a dringo i fyny Allt-y-brain yr ochr draw – coedwig a gysylltir â'r herwr ar gychwyn y gerdd. Rhybuddir Wiliam, wrth ddiweddu, i beidio byth â gosod ei hun ar drugaredd ei erlidiwr Owain, beth bynnag fo'r amgylchiadau – yr olaf, hwyrach, ynghlwm wrth blaid yr Herbertiaid yn y sir.

K i gyngori y karw i ddiank

Y llwdn a i gwr Allt, dan gil,
a'r og, o'i warr y'w wegil:
kryf i dodwyd, korf d'adain,
4 karw gwyllt brest kraig Allt-y-brain.
Kedwest warr, llwybr a charreg,
Gwenffrwd, hûdd, gwinev ffriw teg;
kelais dy benn, is klyst bank,
8 i'th nawosgl, a thi yn *ieuank.*
Kest, er yn vab, fy 'dnabod:
kar y*d* fym i, kred fy mod;
drwg kenyf y*d*, er kwyn faith,
12 drwy dwymo, i droedio ymaith.
Klowes dy fod, chwrnglod chwant,
y*m* min Mowddwy mewn meddiant:
treilliaist i gael tir holliach,
16 traill ai'n bell, tor y Llwyn Bach.
Kei yno dwyll kynn y dydd:
kei'n chwanog kwn a chynydd;
ofn Huw yw na fynni haint

20 ond hyny yn dy henaint.
Yt i rhoed, nis gad Dûw rhawg,
drwg falais drwy Gyfeiliawg:
llei'r wyd, fy ngharw bagllwyd benn,
24 llid a rydd llew Darowen.
Mogel Wil, magl a welwyd,
Owain llew, jng *Ieuan* Llwyd:
llwyn helynt (pwy'n llann haelach?),
28 lle *Ieuan* byth, yw'r Llwyn Bach;
a'i lys goed i leisio'n gyrn,
a'i *lwybr* iachûs, lew breychwyrn.
Dithav y*m* min dol, dreiglffol dro,
32 nid ei vnawr ond yno:
ni orffwys, anyfrwys naid,
fyth Owain a'i fytheiaid:
maen bob dri, lle i'th ysbiir,
36 milgwn hwnn, y*m* mol Gwavn Hir.
Mae ymhob llwyn, hvd fin Gwynedd,
bwae *y*'r mab a y'r medd:
tyrd, mae'n rhaid trin kyfrinach,
40 allan i benn y Llwyn Bach.
Tyrd, mae a'th gar yn d'aros,
trwy Lynn Iaen, adre liw nos:
troedia saintwair, tyrd fwynwalch
44 o'th grwm i warr Kwm-y-kalch.
Koedfron fferf, kadw frynn a ffant:
gwyl o Garno i Glegyrnant;
kais fwlch, fy llafn ysgafndroed
48 clevddv chwyrn, rhwng clawdd a choed.
Tro'n glav, tann warr osglav'r og,
fry ywch Karno i fraych Keirniog:
tyred i wared o'r daren
52 i gyriav gwyll y Graig Wenn.
Treillia i flaen Glvn, trvllflin glog,
Trefnant, na fydd tra ofnog:
troedia fry, ywch Troed-y-fronn,
56 troedia, ar vnnaid, trwy Dranon.
Trotia riw, traetvr Owain,
i wellt a brig Allt-y-brain;
na ddos di, pan ddistewych,
60 hwnt ar farn Owain, tra fych,
gwaetha'r sir gre*f* yt hefyd,
ag o thrv bar, gwaetha'r byd.

Hûw Arwystl a'i kant

Ffynhonnell:

Bd. I, 182v-183r

Darlleniadau:

8 ifank. 10 yt. 11 yt. 26 ifan. 28 ifan. 30 lwybvr. 38 bwae/r/.

NODIADAU

1 *Allt:* gw. y nod. ar ll. 4.
: twyll caled a meddal

4 *kraig Allt-y-brain:* Cyfeirir at y safle fel un o dair coedwig yng nghwmwd Arwystli Uwch Coed, mewn ymchwiliad dydd. 1561:

> within the said Commode of Vchcoied there be three forests or ffreythes whereof one called ffreyth Allt y Brayn and is situate between the river called Trannon and a place called Maes y Gwaylod which is partly replenished with woods and underwoods . . .
>
> (*MC* LI, 30)

Gw. ymhellach y nod. isod.

5 *Kedwest:* 1af unig. gorff. 'kadw'. Ffurf lafar.

5-6 *Kedwest warr . . . Gwennffrwd, hûdd:* ffrwd yng nghyffiniau Allt-y-brain, yn nhrefgordd Dolgwden. Cyfeirir ati mewn yndeintur 16 Chwefror 1635/6 yn ymwneud â lês tiroedd:

> all that pte and pcell of the fourest or ffrith Called allt y Brayne wch nowe lyeth . . . in the Towneshipp of dolegooden in the pishe of Trevegloes . . . betwene the water or brooke called Gwenfroode at th one ende . . . in bredth lyeing betwene the water then running called [?] Tranyion . . . an ancient ditch leading from a place called Maes gwaylod
>
> (Llsgrau. Chirk V, rhif 6949)

Dynodir y ffrwd fel 'Gwenfreinde' mewn cwyn yn 1596/7; gw. *Excheq. Proc. C. W.* 288.

7 *kelais dy benn:* ymddengys i Huw guddio'r herwr yn Nhrefeglwys ar un adeg. Cf. II 23.
is klyst bank: sylwn ar 'banc' fel elfen gyffredin ddigon mewn enwau ar fryniau, ledled y wlad.

8 *a thi yn ieuank:* cyfeiriad at oed yr herwr. Cf. llau. 9-10.

9 *Kest:* ffurf lafar ar 'kefaist'.

9-10 *Kest, er yn vab, fy 'dnabod: / kar yd fym i:* tystir yma fod Wiliam yn adnabod Huw Arwystl oddi ar ddyddiau ei blentyndod, ac yn wir fod y ddau yn perthyn i'w gilydd. Cofnodir yr unig wybodaeth am ach Huw, a drigai yn Nhrefeglwys, ym marwnad Lewys Dwnn iddo yn 1583:

> aer llywelyn wr lliwlwyd
> vewythr huw fyth air Rrwyd
> trefeglwys tyrfa waglan
> treied i nerth troed yw wann
>
> (*GBHA* xvi, 11-16)

11 : croes o gyswllt.

11-14 *drwg kenyf yd . . . i droedio ymaith. / Klowes dy fod . . . ym min Mowddwy:* cyfeiriad at y ffaith i'r herwr orfod ffoi o'i gynefin a chwilio am loches nepell o ffin arglwyddiaeth Mawddwy, h.y. yng nghwmwd Cyfeiliog. Ymdrinnir ag arwyddocâd Mawddwy fel canolfan i herwyr mewn erthygl a ymddangosodd yn ddiweddar, gan J. Gwynfor Jones, yn *CCSF* XII, tdau. 221-40, 'Lewis Owen sheriff of Meirioneth.'

Cofier hefyd am y cyfeiriad yn y gerdd Coed Glyn Cynon am geirw yn ffoi i Ddugoed Mawddwy: *OBWV* 207.

12 *drwy dwymo:* pethau wedi mynd yn rhy boeth i Wiliam yn ei fro. Ni chofnodir sut y tramgwyddodd yn erbyn yr awdurdodau.

13 Klowes: ffurf lafar ar 'klywais'.

16 *tor y Llwyn Bach:* llecyn neu ardal (? coediog) a gysylltir â'r herwr, yng Nghyfeiliog, ger Mawddwy, i bob golwg; gw. llau. 28 a 40, ynghyd â II 6. Yma y ffoes, hwyrach o Drefeglwys, a sylwer mai'r lle hwn a enwir gyntaf gan y bardd yn ll. 40, wrth ei annog i ddychwelyd i'w gynefin.

Digwydd Llwyn Bach fel enw lle ger Llandysul, yng Nghedewain, yn ôl Mr. Tomos Roberts,* ond go brin mai hwn a ddynodir. Ystyr 'tor' yw 'bol' neu 'canol'.

17 *Kei yno dwyll:* h.y. yn y Llwyn Bach. Cf. ll. 32. Hefyd, cofier am y cyfeiriad yn ll. 22. Rhaid o'r herwydd dychwelyd i blwyf Trefeglwys.

*Carwn gofnodi fy nyled yma, mewn perthynas ag amryw o'r enwau lleoedd a nodir yn y cerddi hyn, i Tomos Roberts, archifydd Bangor bellach, ond un a fu'n gyd-fyfyriwr â mi ym Mhrifysgol Lerpwl ar ddiwedd y chwedegau.

19-20 *ofn Huw . . . yn dy henaint:* Huw Arwystl yn ofni mai cael ei erlid a wna'r herwr hyd at ddiwedd ei oes.

21-2 *Yt i rhoed . . . drwg falais drwy Gyfeiliawg:* y mae'n amlwg mai ychydig o gydymdeimlad oedd â'r herwr yn y cwmwd hwn, wedi ei leoli rhwng Mawddwy ac Arwystli (*WATU* 54, 259). Cawn eglurhad ar hyn yn ll. 24.

24 : cynghanedd wallus.

24-6 *llid a rydd llew Darowen . . . Owain llew, jng Ieuan Llwyd:* hwn yw'r gŵr a ddynodir fel prif erlidiwr yr herwr, ynghyd â'i wŷr, sef Owain (?) ab Ieuan Llwyd o blwyf Darowen (*O/S* 23 / 8301) yng Nghyfeiliog. Fe'i enwir eto, a'i ddilynwyr, yn llau. 34 a 60, ac yn wir yn ll. 57, ond methais adnabod gŵr o'r enw ymhlith achau P. C. Bartrum. Yr unig ffigur o blwyf Darowen a gyferchir gan Huw Arwystl, hyd y gwyddys, yw Owain ap Dafydd ap Rhys 'hydd Darowen hael', ond go brin y gellir ei uniaethu ef ag Owain y gerdd. Gw. WG (2), 1442. Gellid cynnig ei fod yn ŵr a chanddo gyfrifoldebau ymarferol am gynnal cyfraith a threfn yn y sir, a hwyrach hefyd o gofio am gynnwys y cywydd arall ei fod yn gweithredu yn enw Edward Herbert o Gastell Trefaldwyn. Yn sicr, fe'i darlunnir fel gŵr bradwrus mewn perthynas â Wiliam yn ll. 57, a chofiwn eto am y sôn am dwyll yn ll. 17.

Dylid nodi, hefyd, fel mater o ddiddordeb, fod trefgordd ym mhlwyf Darowen o'r enw Noddfa (*WATU* 167), a thraddodiad yma am lecyn a gynigiai loches i ddrwgweithredwyr o bobtu'r eglwys: dynodid eithafion ei ffiniau gan dair carreg – gw. Maen Llwyd yn *O/S* 23 / 8303 a 23 / 8200, a Carreg y Noddfa. Ynglŷn â'r seintwar hon (cf. y nod. ar ll. 43), a Bryn Crogwr gerllaw, gw. *MC* III, 193. A ffoes Wiliam yma am gyfnod, tybed, gan ddod i gysylltiad â'i ymlidiwr Owain?

25 *Mogel Wil:* yr unig gyfeiriad at yr herwr, wrth ei enw, yn y gerdd, gyda'r bardd yn ei annog i fod yn wyliadwrus. Fe'i dynodir eto fel Wiliam yn yr ail gerdd (II, 32, 36), ond ni ellir sefydlu fawr ddim am ei gefndir, ond ei fod yn berthynas i Huw Arwystl ac yn hanfod hwyrach o blwyf Trefeglwys.

Y mae gweld arfer ffurf fel 'Wil' gan Huw, wrth gwrs, yn tystio fod y berthynas rhyngddo a'r herwr yn un agos.

27 *'n llann:* ? Darowen. Cf. ll. 24.

28 *Ieuan:* ? cf. ll. 26.
: *r* ganolgoll.

29 : *n* berfeddgoll.

30 *lew breychwyrn:* cf. ll. 24.

33-5 *ni orffwys . . . Owain a'i fytheiaid . . . lle i'th ysbiir:* cyfeiriad at natur dibaid yr erlid ar Wiliam gan Owain a'i wŷr, b'le bynnag y'i gwelid. Felly hefyd gwŷr Pinkerton c. 1899-1901 wrth erlid Butch Cassady a'r Sundance Kid yn Wyoming nes eu gorfodi i ffoi yn y diwedd i Dde America!

36 *ym mol Gwavn Hir:* gwyddys am lecyn o'r enw hwn ym mhlwyf Trefeglwys, sef yn *O/S* 22 / 9592 (h.y. 'Long Hill'), ond ni ellir bod yn sicr mai'r man hwn a olygir a thaith yr herwr yn ôl i'w gynefin o Gyfeiliog heb ei darlunio hyd at hyn.
Gw. y Map Degwm, rhifau 1437-50.

37 *hvd fin Gwynedd:* ffiniai Cyfeiliog, e.e. â Gwynedd.

38 : croes o gyswllt.

40 *y Llwyn Bach:* gw. y nod. ar ll. 16. Onid oddi yma y cychwyn yr herwr ar ei daith yn ôl i'w fro?

41-2 *Tyrd . . . trwy Lynn Iaen:* cyfeiriad yn ddi-os at Afon Iaen a red o Talerddig (neu Cwm-y-calch) i lawr hyd at Llanbryn-mair: *O/S* 23/ 9200-8902. Fe barheir â'r disgrifiad o siwrnai'r herwr yn dychwelyd adref o ymylon Mawddwy, yng Nghyfeiliog (a'i erlid yno gan ŵr o blwyf Darowen), gan ymlwybro (?) o Clegyrnant (ll. 46) i lawr hyd at lannau Iaen. Ynglŷn â'r afon gw. *AELlSD* 468.

41-2 *mae a'th gar yn d'aros . . . adre liw nos:* cyfeiriad, o bosib, at Huw ei hun a drigai yn Nhrefeglwys, neu'n fwy tebygol at fam yr herwr a enwir yn II 31. Yn y nos wrth gwrs yr oedd yn ddiogel i herwr deithio.

42 : twyll caled a meddal. Y mae'r cymeriad yn erbyn diwygio 'trwy' i 'drwy'.

43 : cynghanedd wallus. ? Llygredd testunol.
troedia saintwair: Saes. sanctuary. Dynoda'r term 'seintwar' eglwys, neu le cysegredig, fel rheol, a gynigiai loches i ffoaduriaid neu herwyr rhag crafangau'r gyfraith, yn ôl deddfau'r eglwys ganoloesol – yr enghraifft fwyaf adnabyddus o seintwar felly yng Nghymru oedd Ysbyty Ifan, yn Nolgynwal sir Ddinbych 'receptacle of thieves and outlaws' yn ôl Syr John

Wynn o Wedir. Cyfyngwyd ar hawliau mannau o'r fath gan statudau a basiwyd yn nheyrnasiad Harri VIII.

Cyfeirir yma yn ddigwestiwn at Ysbyty Marchogion S. Ioan yng Ngharno, yn eiddo i Ysbytwyr Halston yn sir Amwythig (hwy hefyd a redai'r Ysbyty yn Nolgynwal uchod, ac un arall yn Llanwddyn). Sefydlwyd yr urdd adeg y Croesgadau gyda'r nod o gynnig llety a nawdd i'r pererinion a âi yn ôl ac ymlaen i Balesteina, a gofalwyd yn gyffredinol am deithwyr ganddi yn y wlad hon, mewn mannau diarffordd. Coffeir safle'r ysbyty yng Ngharno, i bob golwg, gan yr enw Gaer-y-noddfa (*O/S* 22 / 9696), a gwyddys hefyd am Croes-y-noddfa ar y ffin rhwng plwyfi Carno a Threfeglwys: gw. *MC* XXXIII, 107, 138. Sylwer hefyd ar a gofnodir yn *Parochialia* Lhuyd, dan Carno, td. 63:

> This parish hath been famous formerly by reason of a Refuge which is hard by or near the Church, whose Limitts are nott known to this day, by y[e] name of Noddfa – Ioan – Fedyddiwr . . .

Fel yr awgrymwyd, datbygodd mannau o'r fath, gydag amser, yn ganolfannau i herwyr a lladron; Gw. y nod. ar Carno isod.

44 i warr Kwm-y-kalch: anogir yr herwr i groesi Iaen, a'i dilyn (neu Afon Cwm-calch) i fyny Cwm-y-calch, gan ddringo i'w frig. Dynodir y ffermydd Cwmcalch Isaf a Cwmcalch Uchaf, ynghyd â Waun Cwmcalch ar y Map Ordnance Survey: gw. *O/S* 23 / 9098-9199. Cf. *MC* XVIV, 110; *AELISD* 449-50.

Cyfeirir at y safle ac at Afon Iaen, mewn siartr Lladin dydd. 9 Mai 1185 yn ymwneud â rhodd o dir gan Gwenwynwyn mab Owain Cyfeiliog i abad Ystrad Marchell:

> Also cumekalch, with all its bounds and appurtenances, on one side from the stream which flows to haen, in its length to bulch ellvgeyl, and from that place by the summit of the hill to . . . blaenbodreyswal . . .
>
> (*MC* Ll, 166; cyf.)

46 *o Garno i Glegyrnant:* cyplysir y ddau enw lle hwn gan gywyddwr cynharach hefyd, sef Lewys Glyn Cothi, wrth anelu am gartref Gruffudd ap Rhys o Faesmor, o'r De:

> Cyfarwydd y cyfeiriwn . . .
> o Garno dros Glegyrnant,
> dros y Waun wen uwch Drws Nant
>
> (*GLGC* 478, 13 / 17-18)

Saif Carno (*O/S* 22 / 9696) yn Arwystli a Chlegyrnant ym mhlwyf Llanbryn-mair yng Nghyfeiliog (*O/S* 23 / 9207), ac anogir Wiliam yr herwr i fod yn wyliadwrus wrth deithio i lawr o'r lle olaf i'r llall. Tystir fod seintwar gynt rhag (? / gan) herwyr yng nghyffiniau Carno gan Pennant yn ei *Tours of Wales* (1778/81):

> The church of Carno belonged to the knights of St. *John of Jerusalem,* who are said to have had a house near it. As one part of their business was the protection of their fellow creatures from violence, it is very possible that they might have had a station in these parts, which were long filled with a lawless banditti
>
> (*TW* III, 183)

Ni wn ai buddiol cofio mai o Garno yr hannai rhieni Murray 'the Hump' Humphreys, prif gyfrifydd Al Capone yn Chicago!

Yn achos Clegyrnant cyfeirir at y lle mewn dogfennau yn 1232-3, a 1420. Gw. *Calendar of Charter Rolls* cyfr. 3, 440; MC I, 324; *ibid* XVIV, 109. Hefyd traethawd MA D. Machreth Ellis ar enwau lleoedd Maldwyn, td. 483.

49-50 *Tro'n glav . . . ywch Karno i fraych Keirniog:* cyfeirir yr herwr i lawr o Gwm-y-calch at flaen (neu esgair) yr Afon Ceirniog (O/S 22 / 9494) a welir yn ymuno ag Afon Carno ger pentref Carno islaw. Gw. *AELlSD* 81.

51 : tor mesur.
o'r daren: bryn arbennig o bosib, ond y mae'r enw yn rhy gyffredin i'w adnabod. Dywed D. Machreth Ellis yn ei draethawd ymchwil fod 'tarren' yn digwydd gan amlaf yng nghornel fynyddig de-orllewin Maldwyn.

52 *i gyriav . . . y Graig Wenn:* safle ym mhlwyf Trefeglwys, ym mhen uchaf Trannon; gw. *O/S* 22 / 9192. Y mae fferm yn dwyn yr enw hyd y dydd hwn – fferm y bûm yn crwydro ei thir y llynedd, ar berwyl gwahanol, sef chwilio am Raeadr Craig-y-gigfran a safle posib gwlychfa Siams Dwnn yn Nhrannon. Cyfeirir at y fferm, dan drefgordd Glyntrefnant, yn *MC* XII, 6, a'i disgrifio'n rhyw 145 erw o ran maint (rhyw 154 erw adeg y Map Degwm).

Y mae'r graig ei hun, hyd y gwelaf, union gyferbyn â'r fferm, uwchlaw Trannon.

53-4 *Treillia i flaen Glvn . . . Trefnant:* trefgordd Glyntrefnant; gw. *WATU* 78. Cyfeirir ati yn ymchwiliad 1561, lle sonnir am ddau ŵr 'of the commode of Vchcoied who were known to hold two tenements of lands at Glyntrevenante . . .' *MC* Ll 33.

Dynodir y drefgordd yn rhyw 4, 481 erw o ran maint yn *MC* XII, 2(6). Ynglŷn â'i lleoliad gw. O/S 22 / 9292.

55 *ywch Troed-y-fronn:* nid oes cofnod am enw o'r fath ym mhlwyf Trefeglwys, hyd y gwyddys.

56 *troedia, ar vnnaid, trwy Dranon:* anogir Wiliam i groesi'r Afon Trannon, rhwng Llawr-y-glyn a Threfeglwys, hyd y gwélaf. Afonig fach gymharol gul ydyw yn y parthau hyn y gellir yn llythrennol bron iawn neidio drosti'n weddol ddi-drafferth ag un naid.

57 *traetvr Owain:* yr erlidiwr, i bob golwg, a enwir yn llau. 24, 26 a 34. Fe'i dynodir yma fel gŵr bradwrus, a chynghorir Wiliam eto yn llau. 59-60 i beidio ag ymddiried ynddo.

Meddylid ar un adeg mai enw lle oedd yma, h.y. Rhiw Traetvr Owain, ond nid oes cofnod am enw felly. Gwell cymryd mai anogaeth sydd yma i'r herwr ddringo'r rhiw *rhag* y traetur Owain.

58 *Allt-y-brain:* gw. y nodau. ar ll. 4. Disgrifir y goedwig fel un o ryw 200 erw o ran maint, a chawn ddiffiniad manwl o'i ffiniau yn yr achos a amlinellir yn *Exch. Proc. C W* 287-8.

59-60 *na ddos di, pan ddistewych . . . ar farn Owain:* anogaeth i Wiliam, ar ôl cadw'n dawel ac o'r golwg am ysbaid (? yn Allt-y-brain) beidio â gadael ei hun ar drugaredd Owain.

II

Y mae'r ail gerdd yn rhagorach fel darn o lenyddiaeth na'r gyntaf gyda'r awdur eto'n uniaethu ei hun yn amlwg ag achos Wiliam ac yn arfer yma a thraw ambell gwpled gynnil wirebol yn null Tudur Aled neu'r Mynglwyd, megis:

ni all anifail ne wr
fyw'n hiroes a fo'n herwr[27]

Mynegir tristwch ynglŷn â lladd yr herwr â saeth, yn yr agoriad, gyda Huw'n honni iddo weddïo ar y cyd ag ef rhag hyn o dynged, ond yn ofer; ar lannau Clywedog (? ger coedwig) y trywanwyd ef, nepell o Lanidloes, i bob golwg. Fe'i dynodir fel gŵr arbennig,

[27] II, 19-20.

ond haerir na cheid cuddfan ar y ddaear rhag llid yr Herbertiaid; deallwn i'r bardd weithio'n ddiwyd, a didwyll, o'i blaid, heb gymorth gan neb:

> i'th gadw'n ddirgel rhag helynt
> pertwas gwych, partiais gynt.
> Ni bu i'th galon ddrygioni
> na thwyll o'm partiaeth i:
> er rhoi 'th einioes wrthwyneb
> ni chawn dal na iawn gan neb.[28]

Gellir esbonio hyn wrth gwrs ar gefndir y cysylltiad teuluol a ddynodir yn y cywydd cyntaf, ac nid annisgwyl gweld cyfeirio at fam Wiliam yn ll. 31. Casglwn yn llau. 34 a 38 mai gweithredu yn enw Edward Herbert o Drefaldwyn, y tro hwn a wnai erlidwyr y carw – yntau'n un o brif ustusiaid y sir, a'i siryf ar ddau achlysur. Cofnodir i Wiliam ffoi gynt drwy Wynedd, a diddorol yr uniaethu ohono ag arwyr o gyfnodau cynharach a fu ar herw yn eu tro, sef Owain Glyndŵr a Harri Tudur. Yna yn adran olaf y farwnad gwelwn newid ychydig ar ei naws, gyda'r bardd yn dewis credu nad yw Wiliam wedi ei ladd ac yn mynd i chwilio amdano ymysg y bryniau yr arferai eu troedio fel herwr (enwir rhai o'r rhain yn y gerdd flaenorol). Fe'i cawn islaw Trannon yn crwydro Allt-y-brain, gan symud yna at y Fan a thraw i'r gorllewin at goedwig Dinas; enwir nifer o safleoedd eraill yn ogystal a gysylltir â'r ffoadur. Anghyson eto yw natur y cyfeiriadau at ffawd 'bwbach y Llwyn Bach', ac amwys ddigon yw diweddglo'r gerdd hyd yn oed ynglŷn â'r mater hwn – onid math o gonfensiwn llenyddol yw'r cyfan? Yr argraff a gawn yw fod y farwnad yn un gwbl ddilys, ac i Wiliam gael ei ladd mewn gwirionedd.

Ko y karw yn farnad

Y karw glandeg, gwarr glyndir,
eb vn o'th svt byw'n wyth sir:
prvddheais roi y'th bais, a'th ban,
4 boen syth lid, benn saeth lydan.
Yn wal, saeth lem, ni welir
y fath nod teg fyth i'n tir:
och fod erioed, mewn koed kel,
8 frenin keirw, fwa *ar* annel.

[28] II, 23-8.

Bvm gida'th 'n gweddiaw
rhag dy ladd, ergyd o law:
dy ladd fv'r tal, gofal gais,
12 ym *ddoe* am a weddiais.
Dig fvm weled, gof milwr,
didro ar d'oes, dy droi *y*'r dwr:
a *rhwng* Klywedog, ar hyd
16 Llynnidloes, oll yn waedlyd.
Hwyr dy fath, o'r deav i Fon,
herwr a'r nawosgl hirion:
ni all anifail, ne wr,
20 fyw'n hiroes a fo'n herwr.
Ni wr Ddvw le i'r gwyllt, arr ddaear,
os plaid Herberdiaid yw'r bar:
i'th gadw'n ddirgel, rhag helynt,
24 pert was gwych, partiais gynt.
Ni bv *i*'th galon ddrygioni,
na thwyll, o'm partieth i:
er rhoi y'th einioes wrthwyneb,
28 ni chawn dal na iawn gann neb.
I gael tal, ond rhoi gilt win,
rhy gedyrn yw rhyw Godwin.
Gwae fyth fi gofio i'th fam
32 gyne weled gwynn, Wiliam;
a rhoi'n waed pvr osgl, ddvr ddart,
o'th gnawd, lith i gwn Edwart.
Kynn pryd, hedydd gyfddyddwawr,
36 kwn, Wiliam, yt fv'r knvl mawr:
wrth adrowedd, diwedd d'oes,
tynodd kwn Edwart d'einioes.
Tra trig i'm kof boen d'ofid,
40 fy mar i'r ki byddar bid.
Och fod heddyw dyllfriw'n d'ais,
a thaled echdoe i'th welais:
rhydda i diengest, wychfrest wedd,
44 hyd yr vnawr, drwy Wynedd.
Gwelest o fin glasdew fank
Owen Glynndyfrdwy jevank;
pan oedd, oeddyd wyllt, bryd wr,
48 Harri Seithfed yn herwr.
D'obeithio ir wyf nad glwyf 'n oes,
amav dwyn yma d'einioes:
chwilio'n ddirgel a'th welwyf
52 bronydd Allt-y-brain idd wyf.
Ym min dydd, mynd i weiddi
i Wavn-y-Fann a wnaf i.

E fagai'n hawdd, feigen haf,
56 o'th golli, oerni arnaf:
o'th ganfod, gydfod gwawdfoes,
hafaidd fab, hwy fyddai f'oes.
Dig wyf na chaf, gloiaf glas,
60 d'anerch o'r Fann i'r Dinas:
ni cheisiaf, williad adwy,
gwilied y Maes Gwaelod mwy.
Avd, er i kwn draw, a'i kas,
64 i ddolydd Tranon ddvlas:
avd o'i hanfodd, kallfodd koeth,
eblaw trwyn Eblyd trannoeth.
Bv'r haelion yn bwrw y helynt
68 eb elw y*ng* Nglynn Gynddelw gynt:
bwbach y Llwyn Bach, ni bydd
y'w *mlyniaid* mwy lywenydd.
Avd i'r Rhyd Ddofn, heb ofni
72 na champ saeth fforchog, na chi.
Y krevlonder, nis kerais,
a roe fyth big arf i'th bais:
kadw kol fvost, freisgbost fronn,
76 kanv hvrr y'w kwn hirion;
erioed ni'th gaent o redeg
ywch trwyn Ystradolwyn deg.
O dylwch, yd e welwyd
80 ragor glan i'r Gareg Lwyd:
gwelais dydd, lle i'th ganfyddwn,
na ddoent i dir, ddeintio d'wn.
Dy fath ni bv, darfv d'oes,
84 yn nis taren, es teiroes:
trig yn iach, trwy ogan waith,
dy ail nis gwna Dvw eilwaith.

Hvw Arwystl a'i kant

Ffynonellau:

A – Llst. 53, 160-3; B – Bd. I, 26v-27v

Amrywiadau:

2 heb B. 5 hen B. 6 dy fath B. 8 fwa/r/ A, fwa ar B. 12 y ddoe A, ddoe B. 15 (?) rywng A, rhwng B; ar rhyd B. 21 nv/r/ddvw A, ni wrddyw B. 25 ni bv th A, ni bv ith B. 26 partiaeth B. 28 nag iawn B. 30 vn rhiw B. 35 hedrydd B. 46 dyfrdwy/n/ ifank B. 47 pan oeddyd B. 60 ar fann B. 61 cheisiais B. 66 heblaw B. 68 heb. 70 mlvnaid A, mlyniaid B; lawenydd B. 74 a rhoi B. 75 bvost B. 80 rhagor B. 82 o dir B. 84 es B; teirioes B.

1 : croes o gyswllt ewinog.
gwarr glynndir: ? uwchben glyn yr Afon Trannon, mewn man megis Allt-y-brain (ll. 52). Cf. Llawr-y-glyn.

2 *wyth sir:* fel rheol, cyfeirir at 'chwesir' y Gogledd neu'r De.

3-4 *roi y'th bais . . . saeth lydan:* cyfeiriad at ladd yr herwr â saeth bwa. Cf. llau. 41 a 74.

9-10 *Bvm gida'th 'n gweddiaw / rhag dy ladd:* soniwyd eisoes yn I am y cwlwm teuluol rhwng yr herwr a'r bardd, ac yma tystir i ymroddiad llwyr yr olaf i achos a lles Wiliam, mewn modd cwbl ddi-amwys.

11-12 *dy ladd fv'r tal . . . ym ddoe:* cofnod i'r herwr gael ei ladd yn ddiweddar.

13 : croes o gyswllt.

14-16 *dy droi y'r dwr . . . rhwng Klywedog, ar hyd / Llynnidloes, oll yn waedlyd:* ymddengys i'r herwr yn ôl y dystiolaeth hon gael ei ladd ar lannau Clywedog yng nghyffiniau tref Llanidloes. Tybed a oes unrhyw arwyddocâd i'r cyfeiriad at y Rhyd Ddofn yn ll. 71?

17 *o'r deau i Fon:* dynodiad ystrydebol.

19-20 : cwpled ac iddo naws gwirebol.

21 : *n* wreiddgoll.

22 *os plaid Herberdiaid yw'r bar:* y sôn cyntaf yn y gerdd am yr herwr yn cael ei ymlid gan aelodau o deulu pwerus yr Herbertiaid o Gastell Trefaldwyn. Cf. ll. 30.
Gw. ymhellach y sôn am Edward Herbert yn llau. 34 a 38.

23-6 *i'th gadw'n ddirgel rhag helynt . . . partiais gynt. Ni bv . . . ddrygioni, na thwyll . . . o'm partieth i:* cyfeiriwyd eisoes gan Huw yn I at sut y cuddiwyd Wiliam ganddo'n gynharach rhag ei erlidwyr; gw. I, 7: 'kelais dy benn'. Sonnir yma hefyd am sut y ceisiodd weithredu'n ymarferol o'i blaid, mewn modd cwbl ddidwyll, ond yn ofer, yn wyneb gelyniaeth teulu'r Herbertiaid (llau. 27-30).

26 : *n* wreiddgoll.

30 *rhyw Godwin:* hynafiad teulu'r Herbertiaid, Godwin mab Elfryd 'iarll Kernyw' (m. 1199); gw. Bag. 51, *WG* (1) 418, *PP* 70.

31-2 *Gwae . . . fi gofio i'th fam . . . weled gwynn, Wiliam:* y dynodiad cyntaf o'r herwr wrth ei enw (cf. ll. 36) yn y gerdd; cf. 'Wil' yn I 25. Gyda'r cydymdeimlo hwn â galar mam Wiliam, cawn awgrym eto o gysylltiad teuluol clos rhwng y bardd a'r gŵr fu dan gabl.

33-4 *a rhoi . . . o'th gnawd, lith i gwn Edwart:* honiad i'r herwr gael ei ladd gan wŷr Edward Herbert (cf. ll. 38). Gellid cynnig mai yn ystod un o dymhorau'r olaf fel siryf y sir y bu hyn, sef 1557 neu 1568, ond fel y tystia'i ŵyr ymddengys i Herbert erlid herwyr Maldwyn yn weddol gyson drwy gydol ei oes.

Soniwyd digon eisoes am gymeriad digyfaddawd Herbert yn y Rhagymadrodd, a dylid nodi mai gweithred fentrus braidd ar ran Huw Arwystl oedd enwi'r gŵr (megis Owain o Ddarowen yn I) a fu'n gyfrifol am erlid Wiliam a'i ladd. Eto, sylwn ei fod yn ddigon diflewyn ar dafod wrth annerch y gŵr hwn, adeg tymor ei siryfiaeth yn 1557, mewn cywydd cyngor, a sôn am ei ddulliau chwyrn – dulliau a allai arwain at gosbi'r gwan a'r diniwed yn ogystal â'r drwg ('kosbi lleidyr') weithiau:

> Ymswyn wrth drin fferfdrwyn ffonn
> rag anael y rai gweinionn:
> anair sydd, ni ryfeddann,
> draw i was gwych dreisie gwann.
> Duw draw a bleidiai drvain:
> na fydd ry hy i faeddv'*r* rain.
>
> (Brog. 1, 163-5)

Y mae awgrym digamsyniol o gerydd yn y llinellau hyn.

34 : *l* ganolgoll.

36 *Wiliam:* enwi'r herwr eto. Ni cheir enwi ei ach yn un o'r ddwy gerdd, sylwer – am ei fod mor adnabyddus i'r bardd, mae'n ddiau.

38 *kwn Edwart:* gweision Herbert, swyddogion y gyfraith. Cf. ll. 34.

40 *fy mar i'r ki:* y bardd yn mynegi ei ddicter at lofrudd Wiliam.

43-4 *rhydda i diengest . . . drwy Wynedd:* honiad i Wiliam grwydro o fan i fan, ar ffo, yng Ngwynedd, gynt.

43 : diengest (diengaist) / wychfrest. Odl lafar.

45 *Gwelest:* ffurf lafar.

45-6 *Gwelest . . . Owen Glynndyfrdwy jevank:* uniaethir yr herwr ifanc ag Owain Glyndŵr, gŵr a oedd yn ei ddeugeiniau adeg cychwyn ei wrthryfel yn 1400 ac a ddynodir mewn ambell englyn fel 'Owain Hen'.

Fe wyddys wrth gwrs i Owain sicrháu buddugoliaeth ysgytwol yn erbyn Fflemingiaid Penfro yn haf 1401 ym mrwydr Mynydd Hyddgen, ysgarmes a ymladdwyd yn ucheldiroedd Ceredigion ger Pumlumon (*O/S* 22 / 7890), nepell o ffin orllewinol Arwystli. Coffeir gweithgarwch Owain a'i wŷr yn y parthau hyn yn wir gan Lewys Glyn Cothi (m. *c.* 1489) pan fu yntau ar herw yn Nhrefeglwys yn dilyn brwydr Mortimer's Cross yn 1461 ('kywydd m'dudd ap m'dudd . . . pan oedd ar herw o achos Iarll penfro'). Cyfeiria Lewys ato'i hun yn ymguddio mewn coeden bwdr yng nghoedwig Allt-y-brain, lle bu dilynwyr Owain gynt:

> Mi'n ddidachwr cellïau
> a drig a'i wâl mewn dar gau.
> Yng nghoedwig brig Allt-y-brain
> a'i bro y bu wŷr Owain
>
> (*GLGC* 418, 17-20)

Sonia hefyd am guddio yn un o'r ddwy goedwig arall yng nghwmwd Arwystli Is Coed, sef Cwm Buga (*O/S* 22 / 8589):

> Llechu yng ngrug Cwmbuga,
> llwydwydd ym yr allt oedd dda;
> rhodio bron Bumlumon las,
> rhifo gwawr rhof a Gwanas
>
> (*ibid* 418, 27-30)

Cf. fferm 'Cwmbiga' – Map Degwm, rhifau 83-96.

Cyfeirir at Owain gan Iorwerth Fynglwyd hefyd wrth gysuro'i noddwr; gw. *GIF* 14, 56.

47-8 *pan oedd . . . Harri Seithfed yn herwr:* fe fu Harri Tudur, iarll Ritsmwnd (1457-1509) ar ffo yn Llydaw a Ffrainc yn ystod y cyfnod 1471-1485, fel prif hawlydd (gwrywaidd) plaid Lancastr ar goron Lloegr, a fu ym meddiant Edward IV o blaid Iorc i gychwyn ac yna'i frawd Rhisiart III (o 1483 ymlaen). Edrychwyd ymlaen yn rheolaidd at ddychweliad Harri o'r cyfandir gan feirdd megis Lewys Glyn Cothi, a'r brudwyr Dafydd Llwyd o Fathafarn a Robin Ddu; sylwer ar yr olaf:

> Y mae hiraeth am Harri,
> Y mae gobaith i'n iaith ni.

Gwiw cofio hefyd i Harri symud drwy'r Canolbarth a gwlad Maldwyn (ar ôl glanio ym Mill Bay ym Mhenfro) ar ei daith drwy Gymru i Faes Bosworth yn Awst 1485 – sonnir amdano'n mynd o Ddyffryn Dyfi i Fachynlleth, Cemaes, Mathafarn, Llanfaircaereinion, Dolarddun, Y Trallwng, hyd at Gefn Digoll (ac yna Forton ac Amwythig). Gw. ymhellach y gyfrol *Bosworth a'r Tuduriaid,* goln, D. G. Jones, J. E. Jones.

49 : sain gadwynog.

49-50 *D'obeithio ir wyf . . . amav dwyn yma d'einioes:* yma, ac yn y llinellau dilynol, mynegir gobaith am ychydig nad yw'r herwr wedi ei ladd, gyda'r bardd yn mynd i chwilio amdano yn y coedwigoedd lle'r arferai ymguddio, sef Allt-y-brain, y Fan, a'r Dinas. Gw. isod.

51-2 *chwilio'n ddirgel a'th welwyf / bronydd Allt-y-brain:* yma y cychwyn Huw ar ei ymchwil am Wiliam, nepell o'i gartref yn Nhrefeglwys. Safai coedwig Allt-y-brain ar y bryncyn uwchlaw Trannon rhwng Llawr-y-glyn a phentref Trefeglwys. Fel y soniwyd eisoes, un o'r cyffiniau hyn i bob golwg oedd yr herwr ei hun.

Ynglŷn ag Allt-y-brain, a ffiniau'r goedwig, gw. y nodau ar I 4, 5-6, 58. Hefyd gw. y nod. ar llau. 45-6 uchod.

53-4 *mynd i weiddi / Wavn-y-Fann:* nid yw'r enw Waun-y-Fan yn cael ei gofnodi fel y cyfryw, ond nid oes anhawster ynglŷn â lleoliad y llecyn, gyda safleoedd o'r enw Bryn y Fan, Bwlch y Fan, y Fan (pentref), a Llyn y Fan, oll i'w canfod ar y Map O/S, i'r de o goedwig Allt-y-brain. Gwelwn Huw felly yn symud yn naturiol o'r Allt i fryncyn arall yn ei ymchwil am yr herwr, gan weiddi amdano – dynodir Bryn y Fan fel safle 482 medr uwchben y môr (*O/S* 22 / 9388), a diau y gorchuddid yr ardal gan goed gynt.

59-60 *na chaf. . . d'anerch o'r Fann i'r Dinas:* yn syth i'r gorllewin o Bryn y Fan gwelwn yr enw Dinas, 445 medr mewn uchder (*O/S* 22 / 9088), sef y lle a nodir yn nesaf gan yr awdur, uwchben Llyn Clywedog bellach.

Yr oedd coedwig yma gynt fel y tystia ymchwiliad 1561:

> The OTHER forest is called ffreyth y Deenasse lying between the brook called Eblyd and a place called bwlch y Dynasse, and is charged with the rent of Xs
>
> (*MC* LI, 30)

Cyfeiria'r ymchwiliad at drydedd coedwig yng nghwmwd Arwystli Uwch Coed, at Allt-y-brain a Dinas, sef 'ffreyth Cwm Bigga' rhwng Hafren a lle o'r enw 'Penllan Vylir'; yn hon bu Lewys Glyn Cothi yn llochesu: gw. y nod. uchod.

61-2 *ni cheisiaf . . . gwilied y Maes Gwaelod:* dywedir yn ymchwiliad 1561 fod coedwig Allt-y-brain i'w chanfod rhwng yr Afon Trannon a lle o'r enw y Maes Gwaelod; gw. y nod. ar I 4. Cf. hefyd y sôn am 'Maes gwaylod' yn yr un cyd-destun, mewn yndeintur 1635/6: y nod. ar I 5-6.

Dynodir 'Maesygwaelod' fel fferm o ryw 275 erw ar y Map Degwm, rhifau 1268-1275 – islaw Llawr-y-glyn, ychydig i'r de.

63-72 : rhestrir yn y llau. hyn y mannau yr arferai'r herwr ymweld â hwy wrth osgoi ei erlidwyr.

63-4 *Avd . . . i ddolydd Tranon ddvlas:* cyfeiriad, yn ôl pob tebyg, at ddyffryn eang Trannon, o gyffiniau Trefeglwys bron iawn at Gaersws: gw. *O/S* 22 / 9797-0291.

65-6 *avd . . . eblaw trwyn Eblyd trannoeth:* sôn am yr herwr yn mynd o ddyffryn Trannon i drum afonig o'r enw Eblyd (yng nghyffiniau Llyn Clywedog bellach) y diwrnod dilynol.

Ceir sôn am nant o'r enw Eblyd (*O/S* 22 / 8989) ger Ffridd-y-Dinas yn ôl ymchwiliad 1561; gw. y nod. ar llau. 59-60. Gw. ymhellach erthygl G. G. Evans, 'The Stream Names of the Severn Basin', dan 'EBLID', yn *MC* LXXIV 54. Hefyd, y fferm 'Eblid', o ryw 136 erw, rhifau 136-145 ar y Map Degwm.

67 : *n* ganolgoll.

68 *yng Nglynn Gynddelw gynt:* nid oes cofnod am enw lle o'r fath yn y cyffiniau hyn, yn ôl Mr Tomos Roberts. Cofnodir teulu, serch hyn, a drigai yn 'Pentref Cynddelw', Llanbryn-mair, yn *The History of Powys Fadog* V 117, sef ffermdy Pentre-mawr (*O/S* 23 / 8803) : gw. *MC* XVIV, 108; *ibid* V, 95.

Hwyrach eto nad yw safle o'r fath yn argyhoeddi, yng nghyd-destun y gerdd. Chwithig hefyd braidd yw gweld enw person ar ôl 'glyn'.

69 *bwbach y Llwyn Bach:* gw. y nod. ar I 16.

71 *Avd i'r Rhyd Ddofn:* ? enw rhyd hwyrach ar Clywedog neu Trannon (neu o bosib Hafren); nid yw yn hysbys bellach. Gw. y nod. ar llau. 14-16. Cyfeirir gan Siams Dwnn mewn cerdd gofiadwy iawn am ddamwain wrth ryd o'r enw y Rhyd Ddu ar

Trannon, yn 1632, a chafodd Huw Arwystl yntau drafferthion wrth groesi Clywedog, ar farch:

> Klown draw, o'm ffrwst awvdd
> Klywedog yn klvdo gwvdd . . .
> hwyliais, awenfais vnfvd,
> ar fedr draw rhwygaw i rhvd,
> draw wedd ysgars, fan arswyd,
> dan ewyn gwynn, llif Llynn Llwyd:
> kreigdwll graenbwll garw enbyd,
> krochan rhwth, krvch yn y rhyd . . .
>
> (Bd. I, 186r)

Yr unig Rhyd Ddofn y gwyddys amdani yn y Canolbarth, fe ymddengys, yw'r un yng nghwmwd Deuddwr, islaw Arwystli, 'a place called y Rhyddofen'; gw. *AC* (1880), 46. Gw. hefyd yr enghrau. a gofnodir yn *Études Celtique* (1962), 212.

73-4 *Y krevlonder . . . roe fyth big arf i'th bais:* cyfeiriad amlwg at amgylchiadau lladd yr herwr ag arf – saeth, neu wayw hwyrach.

77-8 *ni'th gaent . . . ywch trwyn Ystradolwyn deg:* safle uchel i'r dwyrain o bentref Llangurig. Dynodir Ystradolwyn Fawr fel fferm ar y Map *O/S* 22 / 9279.

Yng Nghasgliad Glansevern yn y Llyfrgell Genedlaethol, rhif 11210, sylwn ar gyfeirio mewn dogfen at 'a messuage called *tythyn ystradoloyn* and 2 parcels of meadow . . .' dydd. 26 Hydref 1587. Wedyn ar 6 Gorffennaf 1589 (rhif 11211) sonnir am 'a tenement called *Y Tyddyn yn y Stradolwyn . . .'*

Gw. eto y nodyn islaw.

80 *i'r Gareg Lwyd:* y mae'r enw yn digwydd yn gyffredin iawn (cf. *O/S* 22 / 9473), ond hwyrach y gellid tynnu sylw at enghraifft a gofnodir yn 1609, mewn perthynas â ffiniau arglwyddiaeth Carno, uwchben Trefeglwys:

> *y garn* at *Bwlch garno,* and from thence to a stone called *y garreg llwyd,* and from thence along the topp of the even ground to a crosse there called *Croes y Nothva*
>
> (*MC* XXII, 212)

Y mae'n demtasiwn nodi ymhellach fod y safle yn agos i flaen afonig o'r enw Colwyn a lif i Trannon, a bod yr enw Ystradolwyn (ll. 78) yn cynnwys yr elfennau 'ystrad' a 'Colwyn'. Eto, fel yn achos yr herwr druan, rhaid troedio'n bur ofalus!

84 : croes o gyswllt.

Carwn yn olaf mewn atodiad gyflwyno cerdd nad oes a wnelo hi'n uniongyrchol â'r deunydd blaenorol, sef Cywydd i Herwyr y Rhyd Goch, gwaith y dyfynnwyd ohono gyntaf gan T. Gwyn Jones yn ei ragymadrodd i *Gwaith Tudur Aled,* td. li. Y mae nifer o broblemau'n gysylltiedig â'r darn hwn sy'n annerch dau herwr. Fe'i priodolir i gychwyn i ddau fardd o gyffelyb enwau yn y llsgrau., ond a berthyn i ardaloedd a chyfnodau gwahanol, sef Ieuan Tew Brydydd Hen o Gydweli (*fl.c.*1471) a Ieuan Tew Brydydd Ieuanc o Arwystli (*c.*1540-*c.*1608). Hefyd, nid oes dim yn hysbys am yr herwyr a gyferchir, Siôn ŵyr Einion a Watcyn ap Rhisiart, ac ansicr ddigon yw lleoliad eu gweithgaredd, sef y Rhyd Goch.

Yn achos y broblem gyntaf gellir bod yn weddol hyderus mai Ieuan Tew Brydydd Hen biau'r gwaith, a hynny ar sail ei hyd cymhedrol (megis y gweddill o'i waith dilys) a'i arddull gwpledol sy'n gweddu i gywydd gan fardd o'r cyfnod hwn. Fel y soniwyd wedyn nid oes modd adnabod y ddau herwr a ddynodir fel Siôn ŵyr Einion a Watcyn ap Rhisiart yn y gerdd: ar ymyl y tud. yn llsgr. NLW 5269, 193r, mewn llaw wahanol, cawn y glos 'Sion dd ap Einion' ar yr enw cyntaf, ond anodd gwybod pa bwys i'w osod ar hyn.[29] Sylwyd gan Cledwyn Fychan yn ei draethawd ymchwil,[30] ar sail rhestrau P. C. Bartrum yn *WG* (2), ar boblogrwydd arbennig Watcyn fel enw ym Mrycheiniog a Rhwng Gwy a Hafren, ynghyd ag yng Ngwent a Morgannwg, mewn cymhariaeth â rhannau eraill o'r wlad, a hwyrach y gellid cysylltu un o'r herwyr (os nad y Rhyd Goch ei hun) â de-ddwyrain Cymru. Yr wyf yn fwy amheus sut bynnag o'r pwys a rydd yr un awdur ar y pennawd i'r gerdd yn NLW 5269, lle cysylltir yr herwyr â safle o'r enw Bwlch-y-Groes: 'K i'r herwyr oedd ar fwlch y groes ag a roesen fwyd ag arian i wyr wrth gerdd a aeth heibio'. Ysgogwyd Cledwyn Fychan i chwilio am lecynnau yng Nghymru lle digwydd yr enwau Rhyd Goch a Bwlch-y-Groes

[29] Hefyd llsgr. (?) gynharach NLW 834. Dynodir yr herwr fel 'Sion gwaed Einion', sylwn, yn llsgrau. Llywelyn Siôn.

[30] 'Astudiaeth ar Draddodiad Llenyddol sir Ddinbych a'r Canolbarth' (M.A. Aberystwyth 1986). Gw. yn arbennig tdau. 22-4.

nepell o'i gilydd,[31] ond rhaid bod yn ochelgar. Y mae penawdau cerddi yn gallu bod yn bur gamarweiniol ar brydiau, a dylid nodi nad oes sôn o gwbl am Bwlch-y-Groes yn y cywydd ei hun, yn wahanol i'r Rhyd Goch. Sut felly, o amau'i arwyddocâd, y mae egluro pennawd o'r fath (a ddigwydd mewn un llsgr. yn unig, i bob pwrpas)?[32] Yn hyn o beth, mae'n werth cofio mai llsgr. a wnaed gan un o gopïwyr Dr. John Davies o Fallwyd yw NLW 5269 (cynnwys gasgliad o gerddi a anelwyd ato, ff.378r-457v), a chawn syniad am ei hardal hefyd o weld cerddi'n ddiweddarach ynddi i berson 'Llanymowthwy' gan Huw Morus yn 1674 a 'Maer dinas mowthwy' gan Richard Lloyd.[33] Dyma ardal gwylliaid cochion Mawddwy a naturiol o beth i gopïydd lleol gysylltu cerdd am herwyr â hi – y 'Bwlch-y-Groes' a olygir yn NLW 5269, hyd y gwelaf, yw'r un uwchlaw Llanymawddwy ar y ffordd i'r Bala.[34] Difudd felly, mi gredaf, chwilio am gyfuniadau o'r ddau enw, ond gellid dilyn mater y Rhyd Goch ychydig ymhellach.

Cywyddwr a berthyn yn ei hanfod i dde Cymru yw Ieuan Tew Brydydd Hen: nid oes tystiolaeth o gwbl iddo ymweld â'r Gogledd. O geisio sefydlu ei gylch clera gwelwn fod y mwyafrif o'i noddwyr yn perthyn i Gaerfyrddin (Cydweli, Llangyndeyrn, yr Hendy-gwyn, Dinefwr, a.y.b.), dau i Forgannwg (Pen-llin, Breigan), un i Geredigion (Castell-hywel), ac un i Went (Llanddewi Ysgyrryd).[35] Y mae'r cyfeiriad olaf hwn o ddiddordeb, oherwydd diau mai chwilio am lecyn yr ydys (?) ymysg arglwyddiaethau'r gororau yn ne-ddwyrain y wlad; ategir y syniad hwn yn rhannol, mi gredaf, drwy'r arfer o'r afon Wysg fel ffin ddaearyddol yn y gerdd, wrth drafod yr herwyr: hwy yw'r gorau 'o Wysg i Rôn [yn Ffrainc]'. Gellid disgwyl fod i'r afon

[31] Yn sgil hyn, tynnwyd sylw ganddo at lecynnau ym mhlwyf Llangynllo, Ceredigion, ac ym mhlwyf Llanddewi Abergwesyn, Brycheiniog.

[32] Sef NLW 5269, 193r. Seiliwyd hwn o bosib ar y pennawd a geir yn NLW 834, 206 (llsgr. arall â'r un cefndir), gydag 'ar fwlch y groes' wedi ei ysgrifennu uwchben 'oedd tan goed', wedi ei ddileu, yn y teitl gwreiddiol, sef 'Kywydd ir herwyr oedd tan goed ag a roesen fwyd ag arian i wyr wrth gerdd oedd yn mynd heibio'.

[33] Gw. *N.L.W. Handlist of MSS* cyfr. 2, 8.

[34] Gw. O/S 23 / 9122. Sonnir gan Iolo Morganwg am symud drwy'r bwlch mewn un o'i deithlyfrau.

[35] Gw. *MFGLl* 1825-9. Hefyd y pwt o nodyn 'Cyfeiriad at Dafydd ap Gwilym' yn *BBCS* XXXII, 156-7.

hon arwyddocâd mewn perthynas â safle y Rhyd Goch,[36] a difyr yw gweld cofnodi'r enw ('Reed goch Tredegar') ym mhlwyf mynyddig Llanfihangel Crucornau, uwchlaw Llanddewi Ysgyrryd, yn arglwyddiaeth Abergyfenni, ar y ffin ag Ewyas ac arglwyddiaeth Blaenllyfni. Eto, go brin ein bod ar dir i gynnig safle benodol gogyfer â'r enw hwn; sylwn i Melville Richards restru 28 enghraifft yn ei erthygl 'Welsh *Rhyd* in Place Names' yn yr *Études celtique* (1962), tdau. 210-37, gyda'r mwyafrif o ddigon yn digwydd yn siroedd Caerfyrddin (9) a Cheredigion (5), sef ardal y bardd ei hun i bob diben. Ofnaf, ar hyn o bryd, na ellir dilyn y trywydd ymhellach; y mae'n amlwg na wyddai Lewis Morris yntau am leoliad y rhyd:

> RHYD GOCH (Y), a place frequented by wood-rovers in the time of Ieuan Tew, who wrote in praise of them for their civility to some telynorion[37]

Rhaid ystyried yn frysiog bellach gynnwys y darn. Fe ganmolir yr herwyr i gychwyn am eu haelioni, yn arbennig i glerwyr, gyda'u diod a'u hymborth yn yr awyr agored ar 'lawnt a dayar las' wrth waelod craig.[38] Enwir dau ohonynt yn benodol, sef Siôn ŵyr Einion a Watcyn ap Rhisiart, gan ddymuno hiroes iddynt a'u rhybuddio rhag bradwriaeth a llwfrdra gwŷr. Achwyn rhai am eu hymddygiad wrth Dduw 'a'r Prins' (sef yr Iesu, nid y Tywysog Arthur fel y tybiais ar un adeg!), ond derbyn maddeuant a wnant yn ôl y bardd. Cyfeirir yna, yn addas ddigon, at faen

[36] Cf. y dynodiadau a ganlyn a dynwyd allan o waith Dafydd Benwyn:

> 'gorau o Wysc i Gaeryw' *LWDB* 452, 54 – noddwr o Lan-ffwyst;
> 'was . . . gwych o Wysg y Gent' *ibid* 464, 38 – noddwr o Colbrwg, Y Fenni.

Serch hyn, fe all yr afon awgrymu safle ym Mrycheiniog, yn ogystal â Mynwy. Gweler yr un awdur:

> 'o Wysg y Antüog' *ibid* 579, 115 – noddwr o Aber-brân;

ac yn hyn o beth hwyrach y dylid rhoi ystyriaeth i'r ddwy Rhyd Goch a gofnodir yn Modrydd a Llanddewi Abergwesyn. Saif Modrydd (Llanyspyddyd), sylwn, gerllaw Wysg.

[37] Gw. *Celtic Remains.*

[38] Tynnir ein sylw gan Cledwyn Fychan at *farginalia* yn NLW 13062, 406 sydd fel petai yn cynnig ychydig o oleuni ar gefndir y gerdd:

> Yr oedd y bardd wedi cael ei ddal gan yr Herwyr ac yn cafael ganddynt eithr addawasant ei ellwng yn rydd am gywydd mawl iddynt ac efe a wnaeth y cywydd uchod ag a gafas ei ryddyd ganddynt. (ebe Llyfr Penegoes)

Ofnaf serch hyn mai ymgais i wau hanesyn, yn seiliedig ar gynnwys y gerdd, sydd gennym yma – a hynny gan berchennog y llsgr., mewn cyfnod diweddarach, sef Iolo Morganwg!

Luned,[39] a wnaeth Owain ab Urien yn anweledig, ac at len gêl warchodol Arthur;[40] a chyfreithlonir gweithgarwch y ddau herwr yn y dull oesol drwy sôn am ddwyn oddi ar y cyfoethog a rhoi i eraill yn null Robin Hwd. Anogir hwy ymhellach yn y diweddglo i gneifio cybyddion a Saeson ac i arbed y rhai hael. Fel cerdd, y mae'n ddathliad teilwng o annibyniaeth a rhyddid buchedd yr herwr.

Fe ddigwydd y cywydd mewn 16 o ffynonellau;[41] a hyd y gwelaf gellir gosod y cynharaf o'r rhain mewn dau brif gategori: 1. llsgrau. a gopïwyd gan Llywelyn Siôn (*fl.c.*1575-1613), 2. llsgrau. megis NLW 834, NLW 5269, Cw. 5 a Ll. 47, o ddechrau'r 17eg ganrif, sydd â'u testunau'n ddigon tebyg i'w gilydd. Testun NLW 5269 a ddilynwyd isod (mympwyol braidd yw Llywelyn Siôn fel copïydd, a phriodolir y cywydd yn gyson ganddo i Ieuan Tew Brydydd Ieuanc).

Kywydd i'r herwyr oedd tan goed ag a roesen fwyd ag arian i wyr wrth gerdd a aeth heibio (NLW 834)

I'r Rhyd Goch y rhed y gan,
os herwyr a ga*i*s arian;
os ynoch mae trawsineb
4 am lendid ni'ch newid neb.
Oes hir ywch, o Wysg i Rôn,
yn evro telynorion.
Awn *n*inav, o chawn ennyd,
8 attoch i'r Rhyd Goch i gyd:
byd yw i gler, bywyd glan,
bod gwyr a bwyd ag arian.
Ansodd vwch, bwyd o vnsaig,
12 a'ch gwin gwyn, gwreiddyn y graig;
a'ch bwrdd, i chwi bo vrddas,
ydyw'r lawnt a dayar las.
Drwg yw bod, dav a gav'r bêl,
16 dynion gwchion yn gochel:
safied ym, grym Dvw a'r Grog,
Sion wyr Einion ariannog;
aed y'w cynnal, Dvw cennych,
20 yt vgain oes, Watkin wych,

[39] Gw. geiriau Luned yn *Chwedyl Iarlles y Ffynnawn:* 'Hwde di y votrwy honn a dot am dy vys, a dot y maen y mwyn dy law, a chae dy dwrn am y maen, a thra gudyych ti euo, euo a'th gud ditheu', *Owein* 12 (R. L. Thomson).

[40] Gw. *TYP.*

[41] *MFGLl* 1826.

trysor o syr a dyrr dart,
tyn yr oes at wynn *Risiart*.
Trysorwyr, herwyr di-haint,
24 ti a Sion, tywys henaint:
chwiliwch, ymgedwch yn gall,
gwelwch, Ddvw, gweilch o ddeall.
Beth estyn i ddyn i ddydd?
28 Byw dan ofn Mab Dvw'n vfydd.
Ymgroeswch, na haeddwch honn,
at lid, weddi y tlodion,
a choegddyn crin, leidryn crach
32 o fradwr, nid afreidiach.
Mogelwch yma golyn
a fo goeg, ag afav gwyn:
diav y gwn mai dav gwell
36 dyn ag afav dv'n gyfell.
Achwynwyr am ych hanes,
Dvw a'r Prins a dyrr i pres:
pan fo amav, nid gav gwir,
40 parod iawn i'ch pardynir.
Maen aeth, a roes menyw wen,
o'i berigl a mab Vrien:
a main i chwithav mynwn,
44 y'w mwynhav, fal y maen hwn;
a niwl arnoch i ochel,
a llwyn o goed a llenn gel.
Da'r byd ym, ba dir y bon,
48 dygwch lle bo digon:
dwyn benthig, diddig devddyn,
dwyn a rhoi nid anair hyn.
Hvdol oedd Robin hynod lan,
52 herwr a fv'n hav arian:
breibiwch, moeswch ym win,
breibiwch fal y bv Robin.
Ysbario ansyberwyd
56 a wna byw'n hwy yn y byd.
Kneifiwch, kawn *n*innay yfed,
kybyddion a Saeson sied:
Krist o'ch blaen, er i fraen fron,
60 cerddwch, gochelwch haelion.

Ifan Tew a'i kant

Ffynhonnell:
NLW 5269, 193r-194r

CATECISM Y FICER RHYS PRICHARD, 1617

gan NESTA LLOYD

Dechreuodd yr Athro B. F. Roberts ei yrfa ysgolheigaidd trwy astudio testun crefyddol, sef *Gwassanaeth Meir,*[1] ac er iddo droi wedyn i feysydd poblogaidd y Chwedlau a'r Brutiau, Edward Lhwyd a hanes argraffu, eto mae'n amlwg iddo gadw ei ddiddordeb cynnar yn y traddodiad crefyddol oherwydd parhaodd i gyfrannu astudiaethau pwysig ar Swynion,[2] Defosiynau[3] a Gweddïau,[4] trwy gydol ei yrfa. Cyfraniad i'r gornel hon o faes diddordeb yr Athro Roberts yw'r astudiaeth ganlynol o destun Catecism a gysylltir â'r Ficer Prichard.

* * * *

Wrth i'r Diwygiad Protestannaidd ennill tir yn Lloegr a Chymru yn ystod yr unfed ganrif ar bymtheg, rhoddwyd mwy a mwy o bwyslais ar argraffu llyfrau crefyddol o bob math. Crefydd y gair yn ogystal â'r Gair, oedd Protestaniaeth, a bu ymdrechion mawr o ddyddiau Luther yn yr Almaen i ledaenu Protestaniaeth, ar lafar trwy ffolineb pregethu, ac yn ysgrifenedig trwy gyfrwng yr argraffwasg ac mewn llawysgrifau. Bellach, nid trwy gyfrwng yr Offeren Ladin a dysgeidiaeth draddodiadol yr Eglwys o enau'r offeiriadaeth y deuai'r Cristion i iachawdwriaeth ond trwy wrando ar Air Duw mewn pregeth ac (os gallai) trwy ddarllen Gair Duw yn ei famiaith drosto'i hun.[5] Ond yr oedd

[1] *Gwassanaeth Meir sef Cyfieithiad Cymraeg Canol o'r 'Officium Parvum Beatae Mariae Virginis'* (Caerdydd, 1961).

[2] 'Rhai Swynion Cymraeg', *Bwletin y Bwrdd Gwybodau Celtaidd,* 21 (1963-6), tt. 197-213.

[3] 'Defosiynau Cymraeg', *Astudiaethau Amrywiol a gyflwynir i Syr Thomas Parry-Williams,* gol. Thomas Jones (Caerdydd, 1968), tt. 99-110.

[4] 'Rhai gweddïau Preifat Cymraeg', *Bwletin . . .,* 25 (1972-4), tt. 145-55.

[5] Glanmor Williams, 'Cefndir Ewropeaidd y Cyfieithiadau Beiblaidd', yn *Y Gair ar Waith* (gol.) R. Geraint Gruffydd (Caerdydd, 1988), tt. 1-26.

mwyafrif llethol poblogaeth Lloegr a Chymru'n anllythrennog ac ni ellid disgwyl iddynt ddarllen y Beibl na'r llyfrau diwinyddol dyfnddysg a ddeuai o'r gweisg i helpu esbonio'r ddiwinyddiaeth newydd.[6] Yr oedd yr Eglwys wedi gweld yn dda ers canrifoedd i ddistyllu prif fannau neu bynciau'r Ffydd er mwyn i'r bobl gyffredin, yn oedolion a phlant, eu dysgu ar eu cof. Yn yr oesau canol diweddar y prif destun y disgwylid i leygwyr cyffredin fod yn gyfarwydd ag ef oedd Gweddi'r Arglwydd ond gallai'r mwyaf deallus feistroli Credo'r Apostolion, y Dengair Deddf a'r *Ave Maria,* yn ogystal.[7] Ceir cyfeiriadau at hyn mor bell yn ôl â'r wythfed ganrif; erbyn y drydedd ganrif ar ddeg ac yn arbennig ar ôl y Pedwerydd Cyngor Lateraidd yn 1215, yr oedd cyfarwyddiadau esgobol yn argymell offeiriaid plwyf i wneud yn siŵr fod y bobl gyffredin yn dysgu'r rhain, ymhlith pethau eraill, yn Saesneg.[8] Ffrwyth yr un gweithgarwch a barodd y cyfieithu i'r Gymraeg, mae'n debyg, a cheir amryw fersiynau ar y testunau hyn ynghyd â thestunau phoblogaidd eraill mewn llawysgrifau Cymraeg Canol.[9] Nid yw heb ei arwyddocâd chwaith fod y pedwar testun hyn yn y llyfr Cymraeg cyntaf i'w argraffu, sef *Yny lhyvyr hwnn* (Lundain, 1546), casgliad y dyneiddiwr a'r gŵr llys, Syr John Prys.[10]

Y gwahaniaeth a effeithiai'n fwyaf uniongyrchol ar bobl gyffredin gyda dyfodiad Protestaniaeth oedd y newid mewn agwedd tuag at y Sacramentau.[11] Yr oedd Saith Sagrafen yr Hen

[6] Y mae Syr Glanmor Williams wedi awgrymu'n ddiweddar ei bod yn bosibl fod mwy o bobl yn *deall* Saesneg yng Nghymru'r unfed ganrif ar bymtheg nag a dybid gynt, e.e. y boneddigion, cyfreithwyr, offeiriaid, marsiandwyr, siopwyr, porthmyn a.y.b. a byddai gan y rhan fwyaf o'r rhain grap ar y llythrennau yn ogystal; ar y llaw arall, cofier geiriau Syr John Prys fod llawer o Gymry yn gallu darllen Cymraeg ond heb fedru gair o Saesneg na Lladin, gw. Glanmor Williams, 'Iaith, Llên a Chrefydd yn yr unfed ganrif ar bymtheg', *Llên Cymru,* 19 (1996-), tt. 31-33.

[7] Ian Green, *The Christian's ABC* (Oxford, 1996), tt. 14-15.

[8] Ceir arolwg o'r cefndir hanesyddol i'r testunau hyn yn Glanmor Williams, *The Welsh Church from Conquest to Reformation* (Cardiff, 1962), 80-113; idem., 'Iaith, Llên a Chrefydd' . . ., t. 31; *Gwassanaeth Meir,* t. xiv.

[9] Thomas Jones, 'Pre-Reformation Welsh versions of the scriptures', *Cylchgrawn Llyfrgell Genedlaethol Cymru,* 4 (1946), t. 106; Isaac Thomas, *Y Testament Newydd Cymraeg, 1551-1620* (Caerdydd, 1976), tt. 1-31. Ceir arolwg gan J. E. Caerwyn Williams, 'Rhyddiaith Grefyddol Cymraeg Canol', *Y Traddodiad Rhyddiaith yn yr Oesau Canol,* (gol.) Geraint Bowen (Llandysul, 1974), tt. 312-408, yn arbennig tt. 385-92 a tt. 403-8.

[10] R. Geraint Gruffydd, *'Yny lhyvyr hwnn* (1546): the earliest Welsh printed book', *Bwletin* . . ., 22 (1968-70), tt. 106-16.

[11] Am drafodaeth o safbwynt Calfinaidd ar berthynas y sagrafennau a llenyddiaeth gw. Bobi Jones, 'Sagrafennaeth a Llenyddiaeth', *Ysgrifau Diwinyddol,* 2 (1988), tt. 47-69.

Ffydd yn anwahanadwy gysylltiol ag uchafbwyntiau bywyd y credadun,[12] gan ddechrau gyda bedydd a weinyddid o fewn ychydig ddyddiau ar ôl y geni neu o fewn ychydig oriau mewn argyfwng; priodai'r rhan fwyaf o'r boblogaeth wedi iddynt aeddfedu; wrth i angau ddynesu gallai'r offeiriad faddau pechodau a chyhoeddi gollyngdod trwy eneinio'r corff ag olew bendigaid, fel y bedyddid y baban â dwfr. Disgwylid i bawb gyfranogi o ddwy sagrafen arall, sef mynychu'r Offeren mor aml ag y gallent a phenydio sawl gwaith mewn blwyddyn, ond rhai gwrywod yn unig a gyfranogai o'r seithfed sagrafen, sef ordeinio i'r offeiriadaeth. Nid oedd oedran penodedig i sacrament conffirmasiwn a cheir tystiolaeth fod yr oedran wedi amrywio ar wahanol adegau yn hanes yr Eglwys.[13] Ar ôl y Cyngor Lateran yn 1215 ordeiniodd yr Eglwys y drefn ganlynol i dderbyn y Saith Sagrafen – bedydd, conffirmasiwn, penyd, ewcarist, priodas neu ordeinio, yr eneiniad olaf. Penderfynwyd hefyd na ddylai plant dderbyn yr ewcarist hyd oedran cyfrifol, a allai amrywio o seithmlwydd i bedair blwydd ar ddeg.[14] Yn y traddodiad Protestannaidd daeth conffirmasiwn yn ddefod hanfodol cyn derbyn Swper yr Arglwydd am y tro cyntaf.[15]

Un o newidiadau mawr y Diwygiad Protestannaidd oedd gwadu natur sagrafennol pump o'r seremonïau hyn a chadw'n unig fel sagrafennau y gwasanaeth bedydd ac elfen goffadwriaethol o'r Offeren, a'r rheini, hyd yn oed, wedi eu diwygio'n chwyrn.[16] Er enghraifft, gwadwyd trawsylweddiad gwyrthiol y bara a'r gwin yn gorff a gwaed Crist yn yr ewcarist, a gwneud y sacrament yn fwy o weithred goffadwriaethol o'r Swper Olaf yn yr oruwchystafell, gyda'r gorchymyn, 'gwnewch

[12] Glanmor Williams, *The Welsh Church,* tt. 512-13.

[13] Yr oedd yr Eglwys Fore wedi cysylltu bedydd, conffirmasiwn a'r ewcarist gyda'i gilydd a gallent gael eu gweinyddu'n fuan ar ôl genedigaeth, gw. Richard L. DeMolen, 'Childhood and the Sacraments in the Sixteenth Century', *Archiv für Reformation Geschichte,* 66 (1975), t. 51 a'r cyfeiriadau yno.

[14] *ibid.,* tt. 52; gw. hefyd, Philippa Tudor, 'Religious Instruction for Children and Adolescents in the Early English Reformation', *Journal of Ecclesiastical History,* 35 (1984), tt. 395; Keith Thomas, *Religion and the Decline of Magic* (Penguin Books, 1973), tt. 41-2; S. J. Wright, 'Catechism, confirmation and communion: the role of the young in the post-Reformation Church', yn S. J. Wright (gol.), *Parish, Church and People: local studies in lay religion 1350-1750* (London, 1988), tt. 213-14.

[15] O 1571 hyd 1604 ystyrid mai 14 oedd yr oedran priodol ond ar ôl Cynhadledd Hampton Court yn 1604 codwyd yr oedran i 16, gw. Green, *The Christian's ABC,* t. 126.

[16] Keith Thomas, *op. cit.,* tt. 59-80.

hyn er coffa amdanaf' yn dod yn gynyddol arwyddocaol. Pwysleisiai Llyfr Gweddi 1552 mai bara cyffredin y dylid ei ddefnyddio yn y gwasanaeth cymun, nid yr afrlladen groyw. Eto, cyndyn iawn oedd y mwyafrif llethol i esgeuluso'r hen ddefodau pan allai tynged dragwyddol eu heneidiau fod yn y fantol, a chadwyd amryw o'r hen arferion bedydd, er enghraifft, yn ffurfwasanaeth Eglwys Lloegr, 'rhag ofn', fel petai.[17]

O gychwyn cyntaf y Diwygiad Protestannaidd yn yr Almaen yr oedd Martin Luther wedi pwysleisio nad digon oedd i'r lleygwr allu adrodd ar dafod leferydd y Pader, y Credo a'r Dengair Deddf (nid oedd yr *Ave Maria* yn dderbyniol gan Brotestaniaid); yr oedd yn rhaid iddo/iddi eu deall yn ogystal, yn arbennig wrth baratoi ar gyfer conffirmasiwn ac i'r diben hwn paratôdd Gatecism bychan ar ffurf Hawl ac Ateb i helpu'r plant a'r bobl ifanc i ddeall egwyddorion y Ffydd.[18] Gwrthodai Luther y syniad fod conffirmasiwn yn sacrament – iddo ef, paratoad ar gyfer yr ewcarist ydoedd.[19] I Calvin, deall y Catecism oedd yn bwysig ac fel uchafbwynt seremonïol yr edrychai ef ar y conffirmasiwn, a'r arddodiad dwylo yn arwydd fod y bobl ifanc yn eu cysegru eu hunain i Dduw.[20] Dilyn y diwygwyr hyn a wnaeth Cranmer a'r esgobion Seisnig wrth benderfynu, ar ôl deuddeng mlynedd o ddadlau, fod yn rhaid i wasanaeth conffirmasiwn gael ei ohirio tan oedran pan allai plant ddeall yr hyn a addawent, ac y gellid profi hyn trwy ofyn cwestiynau iddynt ynglŷn â'r hyn yr oeddynt yn proffesu ei gredu. Felly, yn Llyfr Gweddi cyntaf yr Archesgob Cranmer yn 1549, o flaen y gwasanaeth conffirmasiwn, caed Catecism bychan a holai gwestiynau syml ar y Credo, y Dengair Deddf a Gweddi'r Arglwydd. Erbyn i'r ail Lyfr Gweddi ymddangos yn 1552, troswyd nid yn unig yr iaith o Ladin i Saesneg ond Protestaneiddiwyd y cynnwys yn ogystal.[21] Er i Babyddiaeth

[17] *ibid.* 62-3; ar anfodlonrwydd y boblogaeth yn gyffredinol i ymwrthod ag arferion Pabyddol, gw. G. H. Jenkins, *Hanes Cymru yn y Cyfnod Modern Cynnar, 1530-1760* (Caerdydd, 1983), tt. 146-9; Glanmor Williams, 'Iaith, Llên a Chrefydd', t. 32.

[18] Ian Green, *op. cit.*, t. 17.

[19] R. L. DeMolen, *art. cit.*, t. 60.

[20] *ibid.*, t. 61.

[21] F. Procter and W. H. Frere, *A New History of the Book of Common Prayer* (London, 1949), tt. 66-85; ar y gwahaniaethau yng ngwasanaeth y bedydd a chonffirmasiwn, gw. *ibid.*, tt. 556-607.

ddod yn grefydd swyddogol y deyrnas yn ystod teyrnasiad byr Mari (1553-8), adferwyd Protestaniaeth gydag esgyniad Elizabeth yn 1558 a chyda hi ailsefydlwyd Llyfr Gweddi 1552 (gydag ychydig gyfnewidiadau), a'r defnydd o'r iaith Saesneg yn y ffurfwasanaeth ym mhob cwr o'i theyrnas, er na ddeallai'r rhelyw mawr o boblogaeth Cymru yr un gair o'r iaith honno.[22] Sylweddolodd Protestaniaid brwd fel William Salesbury a'r Esgob Richard Davies fod yn rhaid rhoi lle blaenllaw i'r iaith Gymraeg yn y gwasanaethau cyhoeddus os oedd Protestaniaeth i ffynnu yng Nghymru. Dychwelsai Richard Davies o'i alltudiaeth yn Frankfurt yn ystod teyrnasiad Mari i swydd dan y goron ac i gadair esgob Llanelwy yn niwedd 1559 a Thyddewi yn 1561,[23] a bu'n cydweithio â Salesbury yn ystod ei dymor byr yn Llanelwy.[24] Ffrwyth cyntaf eu llafur oedd gorchymyn yng Nghyngor Esgobaethol Llanelwy ym mis Tachwedd, 1561,[25]

> after the pistyll and gospell ys red yn Englyshe yn the churche, the same also to be forthwyth there red in Welshe aptly and distinctly; . . . that everyone of them have the Catechisme yn the mother tonge in Welshe, red and declared yn the severall Churches every Sonday, with the answer made therunto accordingly . . .

Cyn bo hir, fodd bynnag, cafwyd deddfwriaeth lawer mwy pell-gyrhaeddol, pan basiwyd mesur yn nechrau 1563 'for the translating of the Bible and the Divine Service into the Welsh Tongue', a hynny i'w gyflawni erbyn 1 Mawrth 1567.[26] Davies ei hun oedd yn gyfrifol am lywio'r mesur trwy Dŷ'r Arglwyddi.[27] Fel y gwyddys, ni chwblhawyd y gwaith hwn yn ei gyfanrwydd,[28]

[22] Am grynodeb o'r newidiadau ar ddechrau oes Elizabeth fel yr effeithient ar Gymru gw. Glanmor Williams, *Recovery, Reorientation and Reformation: Wales c. 1415-1642* (Oxford, 1987), tt. 305-16.

[23] Glanmor Williams, *Bywyd ac Amserau'r Esgob Richard Davies* (Caerdydd, 1953), tt. 25-81.

[24] Tystia'r drafft o Apêl i'r Cyfrin Gyngor o waith Salesbury a geir ymhlith papurau Davies fod y ddau yn cydweithio tu ôl i'r llenni, gw. R. G. Gruffydd, 'The Welsh Book of Common Prayer', *The Journal of the Historical Society of the Church in Wales, 17 (1967)*, tt. 44-5; R. Tudur Jones, *Hanes Annibynwyr Cymru* (Abertawe, 1966), tt. 19-21; Isaac Thomas, *Y Testament Newydd*, tt. 136-7.

[25] Isaac Thomas, *op. cit.*, t. 137.

[26] *ibid.*, t. 138.

[27] Glanmor Williams, *Bywyd ac Amserau . . .*, t. 72; R. Geraint Gruffydd, 'Humphrey Lhuyd a Deddf Cyfieithu'r Beibl i'r Gymraeg', *Llên Cymru*, 4 (1955-7), t. 115.

[28] Ceir yr hanes arwrol yng nghyfrol ysblennydd Isaac Thomas, *passim*.

ond fe gwblhawyd y cyfieithiad o'r Llyfr Gweddi Gyffredin[29] a gyhoeddwyd ar 6 Mai 1567, bum mis o flaen y Testament Newydd. Derbynnir bellach mai gwaith annibynnol Salesbury yw'r Llyfr Gweddi[30] tra bo'r Testament Newydd yn gywaith gan Salesbury, yr Esgob Richard Davies a Thomas Huet.[31]

Defnyddiodd Salesbury argraffiad 1564 o Lyfr Gweddi'r Archesgob Cranmer (sef y fersiwn diweddaraf y gallai gael ei law arno), fel sail ei gyfieithiad i'r Gymraeg.[32] Fel y cyfeiriwyd eisoes, yr oedd Cranmer wedi cynnwys ynddo wasanaeth conffirmasiwn a chatecism syml. Gweithredai'r Catecism fel pont rhwng yr addewid a roddid gan dadau a mamau bedydd yn y gwasanaeth bedydd i ofalu fod plentyn yn cael ei hyfforddi yn egwyddorion y Ffydd ar y naill law, a chyflwyno'r plentyn i'r esgob ar gyfer conffirmasiwn ar y llaw arall; yng ngeiriau'r rhagair i'r gwasanaeth conffirmasiwn yn Llyfr Gweddi William Morgan, 1599,

> . . . o herwydd pan ddêl plant mewn oedran synnwyr, a gwybod pa beth a addawodd eu tadau bedydd, a'u mammau-bedydd drostynt wrth eu bedyddio; yna y gallant eu hun â'u genau eu hunain, ac o'u cydsynniad eu hunain, ar osteg yng-wydd yr Eglwys gonffirmio, a chadarnhau yr vn rhyw addewid:

Dilyn esiampl Luther ac eglwysi Lutheraidd yr Almaen y daethai'n gyfarwydd â'u harferion yn ystod ei dymor yn Ratisbon yr oedd Cranmer wrth gynnwys y Catecism, er bod tôn bersonol y cwestiynau, yr atebion a'r drefn y trafodir y testun ynddo yn dangos cydnabyddiaeth â Chatecism llawer mwy cymhleth ac anodd John Calvin a ymddangosodd yn 1541.[33]

[29] R. Geraint Gruffydd, 'The Welsh Book of Common Prayer', tt. 43-55; Melville Richards a Glanmor Williams (gol.), *Llyfr Gweddi Gyffredin 1567* (Caerdydd, 1953), tt. xv-xlvii.

[30] Richards a Williams (gol.), *Llyfr Gweddi,* tt. xxv-xxxix; Isaac Thomas, *op.cit.,* tt. 152-3.

[31] Ar waith Salesbury yn gyffredinol gw. W. Alun Mathias, 'William Salesbury – ei fywyd a'i weithiau', a 'William Salesbury – ei ryddiaith', *Y Traddodiad Rhyddiaith,* (gol.) Geraint Bowen (Llandysul, 1970), tt. 27-78; ar gyfraniadau gwahanol y tri gw. Isaac Thomas, *op.cit.,* tt. 206-301.

[32] R. G. Gruffydd, 'The Welsh Book of Common Prayer' . . ., t. 49.

[33] Ian Green, *op.cit.,* tt. 20-1. Y mae un gwahaniaeth sylfaenol rhwng Catecism Llyfr Gweddi Cranmer a rhai Luther a Calvin, sef y defnydd o'r person cyntaf unigol drwyddo gan Cranmer.

Cyhoeddwyd Llyfr Gweddi Salesbury eilwaith yn 1586 a chyfieithiad newydd gan Wiliam Morgan yn 1599. Ceir cyfeiriad gogleisiol at gyfrol arall yn y *Stationers' Registers,*[34]

> 1566-7
> Recevyd of Rycharde Jonnes for his lycense for pryntinge of a catechesme in Welshe and [ap]poynted by my lorde of London . . . iiij d.

Yn anffodus, fel yr eglurir yn y rhestr o lyfrau Cymraeg a gyhoeddwyd cyn 1700,[35] y mae'r gyfrol hon ymhlith y llyfrau nad oes copi ohonynt wedi goroesi.[36] Yr oedd Jones yn sicr wedi gweld gwerth argraffu Catecism yn y Gymraeg yn annibynnol ar y fersiwn a geid yn y Llyfr Gweddi cyflawn, yn union fel yr oedd nifer o Brotestaniaid brwd yn Lloegr yn cyfieithu i'r Saesneg amrywiaeth o destunau o'r Almaen, Ffrainc, yr Yswistir a'r Iseldiroedd rhwng pumdegau ac wythdegau'r unfed ganrif ar bymtheg.[37] Y mwyaf dylanwadol o'r Catecismau hyn yn Lloegr oedd fersiwn Alexander Nowell a ymddangosodd gyntaf yn 1570.[38] Cyhoeddodd Richard Jones gyfieithiad o Gatecism Lleiaf Nowell (1572) yn 1578 ond nid oes copi o'r argraffiad hwnnw chwaith, wedi goroesi;[39] ond fe gadwyd fersiwn o argraffiad a wnaed gan Daniel Powel yn 1612 ac a adwaenir yng Nghymru fel *Y Llyfer Plygain, 1612.*[40] Y gwahaniaeth pennaf rhwng Catecism Nowell a fersiwn y Llyfr Gweddi oedd ei hyd – tra oedd fersiwn y Llyfr Gweddi yn cynnwys 12 cwestiwn ac ateb (6-7 tudalen), yr oedd un Nowell yn 176 o dudalennau gyda chymaint ag 8 tudalen o fynegai.

[34] W. Ll. Davies, 'Welsh books entered in the Stationers' Registers 1554-1708', *Journal of the Welsh Bibliographical Society. (JWBS)* 2 (1916-23), t. 168.

[35] 'Short-title list of Welsh Books 1546-1700', *JWBS,* 2 (1916-23), t. 177.

[36] *ibid.,* t. 176; argreffir y teitl mewn *italics,* h.y. y mae'n un o'r 'Titles of Welsh books taken from Transcripts of the Stationers' Registers, but otherwise unknown . . .'. Ni chofnodir copi gan Eiluned Rees yn *Libri Walliae* (Aberystwyth, 1987) chwaith. Buasai'n ddiddorol gwybod ychwaneg am y Catecism cynnar hwn a gofrestrwyd o flaen Llyfr Gweddi Salesbury, sy'n awgrymu mai Catecism annibynnol ar ei fersiwn ef ydoedd.

[37] Ian Green, *op.cit.;* tt. 20-1.

[38] gw. Ian Green, *op.cit.,* tt. 66-73; rhwng 1570 a 1645 aeth Catecism Nowell trwy 56 golygiad mewn 6 fersiwn gwahanol yn ôl Green, *ibid.,* tt. 71-3.

[39] gw. Geraint Gruffydd, 'Catecism y Deon Nowell yn Gymraeg', *JWBS,* 7 (1950-3), tt. 114-5 a 203-7.

[40] gw. adargraffiad Gwasg Prifysgol Cymru, 1931, tt. 49-88; ceir adolygiad deifiol ar y drafodaeth lyfryddol sydd ynddo gan G. J. Williams yn *Y Llenor,* 11 (1932), tt. 61-2.

Yng Nghynhadledd Hampton Court yn Ionawr 1604, pan gyfarfu James, y brenin newydd ag esgobion a diwinyddion Piwritanaidd i drafod cwynion ynghylch y Llyfr Gweddi, ymhlith pethau eraill, un o brif gwynion y Piwritaniaid oedd fod Catecism y Llyfr Gweddi yn ddiffygiol am nad oedd unrhyw drafodaeth ynddo ar arwyddocâd yr ewcarist. Ar y llaw arall yr oedd yn amlwg nad oedd Catecism Nowell, er ei boblogrwydd, yn ymarferol at gyfer y rhan fwyaf o leygwyr a phenodwyd Overall, Deon Sant Pawl, Llundain i lunio ychwanegiad at y Catecism.[41] Yr oedd y penderfyniad hwn i ychwanegu esboniad ar y sacramentau'n hollol resymol pan gofier mai prif bwrpas y Catecism yn y lle cyntaf oedd profi dealltwriaeth plentyn o arwyddocâd y sacrament o fedydd ac yn arbennig yr ewcarist.

Yn Llundain yn 1617 cyhoeddwyd y Catecism Cymraeg cyntaf i oroesi yn annibynnol ar y Llyfr Gweddi, ac yn benodol ar gyfer hyfforddi plentyn, fel y dengys yr wynebddalen,

Y
CATECHISM
NEV ATHRAWI-
aeth Gristianogawl, rhwn
y mae pob plentyn y ddys-
cu, cyn iddo ef gael y vedydd
Episcop: neu y dderbyn
yr Cummûn ben-
digedig.

Imprinted at LONDON.
M. DC. XVII.

Uwchben 'Imprinted at London.' y mae rhywun wedi ysgrifennu 'Argarphwyd yn Llundain' ac ar waelod y ddalen ychwanegwyd 'for Iohn Hodgets'. Y mae'r wynebddalen yn frasgyfieithiad o deitl y Catecism estynedig a luniwyd gan Overall, *A Catechism, that is to say, An Instruction to be learned of every Child, before he be brought to be confirmed by the Bioshop.*[42] Brodor o sir Ddinbych neu sir y Fflint o'r enw Edward Griffin oedd yr argraffydd yn ôl yr arwyddlun sydd ar yr wynebddalen ac

[41] Procter and Frere, *op.cit.,* tt. 143 a 600.
[42] Procter and Frere, *op.cit.,* t. 598.

addurniadau a ddefnyddir yn y llyfr.[43] Un copi yn unig sydd wedi goroesi a chedwir hwnnw yn Llyfrgell y Bodleian, Rhydychen.[44] Lleinw'r Catecism ddeuddeg tudalen wedi eu rhifo yn y gyfrol *octavo* a dilynnir ef gan bedair tudalen arall (heb eu rhifo) sy'n cynnwys gweddïau a grasau cyn ac ar ôl bwyd.

Ni cheir unrhyw gyfeiriad at awdur neu gyfieithiad yn unlle yn y llyfryn; pam felly y cysylltwyd y Catecism hwn â'r Ficer Rhys Prichard?[45] Y rheswm yw fod y Catecism wedi ei rwymo ynghyd â cherdd sydd, er ei bod hithau'n ddienw, wedi ei chysylltu â'r Ficer Prichard ers dyddiau Stephen Hughes. Y mae'n gerdd o bedwar tudalen ar ddeg gyda'r teitl 'Cyngor Episcop y bob enaid oddi vewn y Episcobeth'. Fel y Catecism y mae'r gerdd yn ddienw. Nid argraffwyd rhifau tudalennau yn y gerdd fel y gwnaethpwyd yn y Catecism ond mae rhywun wedi ysgrifennu'r rhifau 1-14 mewn llawysgrif. Argraffwyd rhannau o'r gerdd dan enw'r Ficer Rhys Prichard gan Stephen Hughes yn 1672, ac nid oes neb, hyd y gwn, o hynny hyd heddiw, wedi amau nad gwaith y Ficer mohoni. Yn y cyfarchiad i'r darllenydd ar ddechrau cyfrol 1672[46] cyfeiriodd Hughes at y gerdd fel yr unig un o waith y Ficer a gyhoeddwyd yn ystod oes yr awdur a thystiodd iddo weld copi ohoni.

> Mewn pob tybygolaeth efe ei hunan y fynnodd brintio y Gân honno sef
>
> Fy annwyl Blentyn dere nes &c.
>
> yr hon a welais i yn brintiedig lawer blwyddyn cyn i mi brintio ei waith ef.

Ni dderbyniwyd awduraeth y Catecism gydag unfrydedd, fodd bynnag. 'It would be interesting to discover whether Vicar

[43] R. G. Gruffydd, *Religious Prose in Welsh from the beginning of the reign of Elizabeth to the Restoration,* Traethawd D.Phil. Rhydychen, 1952, tt. 193 a 393 nodiadau 249-50.

[44] marc silff '8.C.164.Th.' Gw. hefyd Eiluned Rees, *Libri Walliae,* rhif 1049.

[45] Ar y Ficer Prichard gw. ymhlith eraill, D. Gwenallt Jones, *Y Ficer Prichard a 'Canwyll y Cymry'* (Caernarfon, 1946); Siwan Non Richards, *Y Ficer Prichard* (Caernarfon, 1994); idem., 'Y Cefndir Llafar i *Canwyll y Cymry', Llên Cymru,* 18 (1994-5), tt. 258-72; J. Gwynfor Jones, 'Y Ficer Prichard (1579-1644): ei gefndir a'i gyfraniad i'w gymdeithas', *Y Traethodydd,* 1994, tt. 235-52; Nesta Lloyd, *Cerddi'r Ficer* (Llandybïe, 1994); *idem.,* 'Yr *Ymarfer o Dduwioldeb* a rhai o gerddi Rhys Prichard', *Y Traethodydd,* 1995, tt. 94-106; idem., 'Sylwadau ar Iaith rhai o gerddi Rhys Prichard', *Cylchgrawn Llyfrgell Genedlaethol Cymru,* 29 (1995-6), tt. 257-80.

[46] LlGC WS 1672 (10), At y darllenwr; gw. ymhellach Nesta Lloyd, 'Sylwadau', t. 267.

Prichard is responsible for the whole booklet', chwedl Syr John Ballinger ar droad y ganrif, a'i gadael ar hynny.[47] '. . . ni ellir profi mai ef [Prichard] a gyhoeddodd y llyfr, [Y Catecism] gan na wyddom ddim o hanes y llyfr', meddai Gwenallt yntau yn 1946,[48] a gwir hynny. Ond awgryma'r ffordd y mae'r gerdd wedi ei chynnwys yn y gyfrol, yn union ar ôl y grasau ar ddiwedd y Catecism a heb wynebddalen ar wahân, fod y ddau destun yn perthyn i'w gilydd. Nid yw'r tudalennau'n dilyn, fel y crybwyllwyd uchod, ond os edrychir ar waelod y ddalen fe welir fod y *sigla* ar y gwaelod yn rhedeg ymlaen o 'B' ar drydedd tudalen y grasau i 'B2' ar waelod tudalen cyntaf 'Cyngor Episcob'. Ymhellach, y mae tystiolaeth anuniongyrchol yn awgrymu'n gryf mai gwaith Prichard yw'r Catecism, fel y sylwodd R. Geraint Gruffydd.[49] Noda ef fod y ffurfiau deheuol a welir yn iaith y Catecism yn cyd-fynd â'r ffurfiau yn y gerdd; gwyddys hefyd fod Prichard wedi llunio gweithiau rhyddiaith yn ogystal â cherddi. Sonnir yn benodol am ddarganfod 'llawer o'i bregethau . . ., a Chatecism' mewn tŷ yn Llanymddyfri yn Ionawr 1771.[50] Fel y crybwyllwyd eisoes yr oedd cyhoeddi Catecismau yn boblogaidd ymhlith adain Biwritanaidd yr eglwys, ac yr oedd Prichard yn sicr yn 'amlwg Biwritanaidd',[51] er na 'ellir ei alw'n Biwritan yn ystyr gyfyngaf y gair'.[52] Ceir amryw o enghreifftiau yn Lloegr o glerigwyr yn talu am gyhoeddi Catecismau yn niwedd oes Elizabeth ac ail hanner teyrnasiad James I, o tua 1615-25, dyweder, y ddau gyfnod mwyaf llewyrchus o safbwynt cyhoeddi Catecismau.[53] Byddai cyhoeddi Catecism yn perthyn i'r un math o weithgarwch bugeiliol/addysgol ag a welir yng ngherddi Prichard, sef ymdrech ymwybodol i fynegi safbwyntiau diwinyddol cymhleth mewn iaith ac arddull a fyddai'n ddealladwy i drigolion di-ddysg ei blwyfi gwledig yn

[47] 'Vicar Prichard: a study in Welsh Bibliography', *Y Cymmrodor,* 13 (1900), 4-5.
[48] *op.cit.,* t. 61.
[49] *Religious Prose . . .,* tt. 193-4.
[50] *Religious Prose,* t. 194; gw. ymhellach Nesta Lloyd, 'Sylwadau', t. 267.
[51] R. Tudur Jones, *op.cit.,* t. 36.
[52] J. G. Jones, 'Yr Eglwys Anglicannaidd a Phiwritaniaeth c. 1600-40', yn J. G. Jones (gol.), *Agweddau ar dwf Piwritaniaeth yng Nghymru yn yr Ail ganrif ar Bymtheg* (Llanbedr Pont Steffan, 1992), t.34.
[53] gw. Ian Green, ' 'For Children in Yeeres and Children in Understanding': The Emergence of the English Catechism under Elizabeth and the Early Stuarts', *Journal of Ecclesiastical History,* 37 (1986), tt. 401; 409-10. gw. ymhellach isod, t.144.

nyffrynnoedd Tywi a Llwchwr a gallai argraffiad bychan mewn iaith gyfarwydd y gellid ei werthu'n rhad fod yn boblogaidd ymhlith plwyfolion y Ficer.

Ychydig iawn o dystiolaeth a erys am fywyd plant yng Nghymru dechrau'r ail ganrif ar bymtheg, a rhaid edrych i Loegr am dystiolaeth gyfoes er na fyddai'r amgylchiadau'n hollol yr un fath yn y ddwy wlad. Yno, y mae'r dystiolaeth yn awgrymu nad oedd cymaint i ddenu plant i'r eglwys ar ôl tua 1600, gan fod llawer o'r seremonïau lliwgar a deniadol i blant wedi eu diddymu gyda dyfodiad y Diwygiad Protestannaidd.[54] Mae'n debyg na fyddai gwasanaeth conffirmasiwn yn cael ei gynnal yn rheolaidd; nid oedd yn sacrament bellach, a gwrthwynebai llawer o'r diwygwyr y seremoni am nad oedd sail ysgrythurol iddi. Yn 1591 beirniadai Whitgift, Archesgob Caergaint, yr esgobion am eu bod wedi esgeuluso conffirmasiwn a chateceiddo plant.[55] Ar y llaw arall, pan fyddai esgob yn cynnal gwasanaeth conffirmasiwn ceir tystiolaeth y byddai cannoedd, ac weithiau miloedd, yn troi allan i gymryd rhan yn y seremoni.[56] Nid oedd fersiwn Cymraeg hwylus o Gatecism y Llyfr Gweddi a gynhwysai ychwanegiadau Hampton Court i'w gael yng Nghymru ar ddechrau'r ail ganrif ar bymtheg a byddai hynny'n sicr yn loes i'r Ficer a barnu oddi wrth ei dueddiadau hyfforddiadol. Ond efallai mai'r symbyliad cychwynnol i Prichard gyhoeddi'r Catecism hwn oedd oedran Samuel ei fab, a fyddai yn ei arddegau cynnar yn 1617 ac felly yn nesáu at yr oedran cyfaddas i dderbyn conffirmasiwn.[57] O 1604 ymlaen, cyfeirir yn benodol at y seremoni yn nheitl y Catecism, neu yng ngeiriau Rhys Prichard ei hun, 'rhwn y mae pob plentyn y ddyscu, cyn iddo ef gael y vedydd Episcob'.[58] Cyfeirir at esgob

[54] gw. S. J. Wright, 'Catechism, confirmation and communion' . . ., t. 208, 'Deprived of some of the more colourful events in the ritual year and with less excuse to attend with their peers, the church must have seemed an increasingly dull place to children from 1600 onwards'. Ar y llaw arall cofier bod Deddfau Unffurfiaeth 1559 a 1593 yn gorfodi pawb dros 14 i fynychu Boreol a Hwyrol Weddi ar Suliau a Gwyliau a gellid cosbi pawb dros 16 na fynychai'r Cymun o leiaf unwaith y flwyddyn. Amrywiol iawn, fodd bynnag, oedd ymateb yr awdurdodau i'r orfodaeth hon.

[55] *ibid.*, tt. 209-10.

[56] *ibid.*, tt. 211-12.

[57] gw. uchod, t. 136.

[58] Y mae'r defnydd o'r term 'bedydd Episcob' yn ddiddorol. Nis defnyddir gan Salesbury na Morgan yn eu fersiynau hwy o'r Llyfr Gweddi ac ni ddaeth yn gyffredin hyd Lyfr Gweddi 1664, gw. A. O. Evans, *A Chapter in the History of the Welsh Book of*

[Parhad ar waelod y tudalen nesaf]

yn nheitl y gerdd sy'n dilyn yn ogystal, 'Cyngor Episcob y bob enaid oddi vewn y Episcobeth', ac awgrymodd R. G. Gruffydd ei bod yn dra thebygol iddo dderbyn cefnogaeth, neu o leiaf anogaeth, ei Esgob, Richard Milbourne, yn y fentr.[59] Daeth y Ficer yn fwyfwy ymwybodol fod yn rhaid symleiddio ac addasu iaith llawer o'r gweithiau diwinyddol a oedd yn ymddangos ar y pryd os oedd ei blwyfolion ef i fanteisio ar y budd ysbrydol a geid mewn cyfrol boblogaidd fel *Yr Ymarfer o Dduwioldeb*, er enghraifft. Cyfieithiwyd *The Practice of Piety,* o lyfr Lewis Bayly, rhagflaenydd Prichard fel rheithor Llanedi, i iaith goeth ac urddasol y beirdd gan Rowland Vaughan, uchelwr o Wynedd, ond symleiddiwyd rhannau ohono a'i droi i iaith lafar syml gan Prichard.[60] Yr un bwriad addysgol a welir yn y Catecism hwn gyda'i iaith ddeheuol, gartrefol, e.e.

> 'Myfi ywr Arglwydd dy Dduw dy, yr hwn ath dygodd dy ymaes o dir Egipt . . .'

Dilynir y Catecism gan nifer o rasau a gweddïau cyn ac ar ôl bwyd; ymdebygant i'r gweddïau a geir ar ddiwedd y Catecism yn *Llyfr Plygain 1612,*[61] er nad ydynt yn yr un geiriau, mwy nag y mae'r Catecism yn y llyfr hwnnw'n cyfateb i un Prichard. Mwy diddorol yw'r ffaith nad yw gweddïau'r Llyfr Plygain yn cynnwys y pennill bach canlynol,[62]

> A fwyto y fwyd
> Heb gyfarch ar Ddûw
> Tebyccach y nefail
> Na' Christion mae'n byw.

[58–Parhad]
Common Prayer (Bangor, 1922), t. xxiv. Rhydd *GPC,* 266-7, ddwy enghraifft ganoloesol yn unig sef un yn Llyfr yr Ancr, 1346, ac un yn *Kedymdeithas Amlyn ac Amig,* gw. P. Williams (gol.) (Caerdydd, 1982), t. 1, testun a ddyddir gan y golygydd, 'yn rhan gyntaf y bedwaredd ganrif ar ddeg', t. xxiv. Anodd credu fod y Ficer wedi gweld Llyfr yr Ancr na Llyfr Coch Hergest lle y ceir y testun o Amlyn ac Amig; tybed a oedd y ffurf yn adnabyddus ar lafar yn sir Gâr ers dyddiau Ancr Llanddewi Brefi a'i noddwyr, disgynyddion yr Arglwydd Rhys yn y Cantref Mawr?

[59] R. G. Gruffydd, *Religious Prose*, t. 195.

[60] Nesta Lloyd, '*Yr Ymarfer o Dduwioldeb* a rhai o gerddi Rhys Prichard', *Y Traethodydd,* 1995, tt. 94-106.

[61] gw. yr adargraffiad (Caerdydd, 1931), tt.[89]-[93]; sylwa R. Geraint Gruffydd, *Religious Prose* . . ., t. 197 fod y grasau hyn yn perthyn i deip a oedd yn gyffredin mewn *Primers* Saesneg yn y cyfnod; ceir trafodaeth arnynt yn H. Anders, 'The Elizabethan ABC with the Catechism', *The Library,* cyfres 4, 16 (1935-6), tt. 32-48, yn arbennig t. 45.

[62] Bodleian 8, C.164. Th., t. B.

'. . . this rhyme (not a grace) may well have been Prichard's work' yw sylw gofalus R. G. Gruffydd.[63] Os edrychir ar benillion fel y canlynol o un gerdd yn unig o waith y Ficer, gwelir debyced yw'r ddysgeidiaeth a'r eirfa, os gwahanol y mesur,[64]

Tost yw gweled mor 'nifelaidd,
Mor anneddfol, mor anweddaidd,
Y rhed llawer dyn i fwyta
Bwyd, fel buwch a red i'r borfa.

Tostach yw eu gweld yn cwnnu
Odd'ar ford, i fynd i gysgu
Fel y moch o'r trwc â i'r domen
Heb roi diolch, mwy na'r asen.

Nid oes sôn am ras cyn bwyta
Nac am fendith Duw gorucha',
Nac am ddiolch gwedi porthi
Mwy na'r moch a fai'n eu pesgi.

Credaf fod digon o dystiolaeth erbyn hyn i honni mai gwaith Rhys Prichard ei hun yw'r Catecism hwn a gellir deall ei gymhellion yn ei lunio.

Y mae'n amlwg mai Catecism y Llyfr Gweddi Gyffredin a ddefnyddiwyd fel sail gan Rhys Prichard, ond pa argraffiad? Erbyn 1617 yr oedd dau argraffiad o Lyfr Gweddi William Salesbury ar gael (1567 a 1586) ynghyd â chyfieithiad diwygiedig gan yr Esgob William Morgan (1599). Gellir bod yn siŵr fod Catecism Prichard yn perthyn i'r blynyddoedd ar ôl 1604 gan ei fod yn cynnwys cyfieithiad o ychwanegiadau Hampton Court.[65]

Nid yw Rhys Prichard yn dilyn fersiwn William Salesbury (1567/86) nac un diweddarach William Morgan (1599) yn slafaidd o bell ffordd. Gallesid meddwl y byddai *prestige* fersiwn yr Esgob William Morgan, cyfieithydd y Beibl, wedi sicrhau mai ei fersiwn ef fyddai sylfaen Prichard. Yr oedd Llyfr Gweddi

[63] *ibid.*, t. 197.
[64] Nesta Lloyd, *Cerddi'r Ficer* (Llandybïe, 1994), t. 82.
[65] Ceir yr ychwanegiadau hefyd yng Nghatecism *Y Llyfr Plygain, 1612* (Caerdydd, 1931), tt. 14-20v, ond nid testun y Llyfr Gweddi a gyfieithwyd yno ond un Nowell, gw. uchod nodyn 40.

Morgan ar gael ers 1599 a'r cyfan, yn orgraff a geirfa, yn seiliedig ar yr un egwyddorion ag a ddefnyddiwyd gan Forgan wrth gyfieithu'r Beibl yn 1588, ond ei fod wedi manteisio ar y cyfle i gywiro amryw o'r gwallau yn hwnnw.[66] Cofier hefyd mai ychydig o lyfrau a gafodd y fath dderbyniad anffafriol ag a gafodd Llyfr Gweddi William Salesbury a'r Testament Newydd a'i dilynodd. Ystrydeb bellach yw condemnio'i orgraff, a honnwyd droeon y byddai wedi bod yn amhosibl i offeiriaid anghyfarwydd â darllen Cymraeg wneud na phen na chynffon o'r Llyfr Gweddi na'r Testament Newydd; tywyllu deall yn hytrach na rhoi dewis helaethach a wnâi'r darlleniadau amrywiol a gynigid ar ymyl y ddalen, meddid. Â'r feirniadaeth hon ar orgraff Salesbury yn ôl i'w gyfnod ef ei hun, fel y gwyddys, ac apocryffaidd neu beidio, y mae stori Syr John Wynn o Wedir am y cweryl a fu rhwng Salesbury a Davies ynghylch ystyr a tharddiad un gair wedi ei sefydlu yn nychymyg y genedl. Yr ensyniad bob amser yw mai penstiffrwydd Salesbury oedd yn gyfrifol am y rhwyg.[67] Mwy dibynadwy yw beirniadaeth Morris Kyffin yn 1595, pan ddywedodd am iaith Testament Newydd 1567,[68]

> . . . yr oedd cyfled llediaith a chymaint anghyfiaith yn yr ymadrodd brintiedig, na alle clust gwir Gymro ddioddef clywed mo'naw'n iawn.

Parhaodd y feirniadaeth ar iaith Salesbury hyd y cyfnod diweddar pan ddyfarnodd Ifor Williams,[69]

> Y gwir alaethus yw i'r Cymry o'i achos ef [Salesbury] orfod gwrando am ugain mlynedd a mwy ar lediaith chwithig o'r pulpudau . . . Bwriadai Salesbury i'w ddychmygion fod yn hyfrydwch i lygaid yr ysgolhaig; yn lle hynny buont yn bigyn yng nghlust cenedl ac yn ddolur i'w llygaid.

Ond fel y sylwodd R. T. Jenkins[70] nid oedd gan offeiriaid ddewis ond defnyddio Llyfr Gweddi Salesbury ar gyfer y

[66] Isaac Thomas, *op.cit.*, tt. 356-67.
[67] Am y cofnod perthnasol gw. R. G. Gruffydd yn 'William Morgan', Geraint Bowen (gol.), *op.cit.*, t. 172.
[68] *Deffyniad Ffydd Eglwys Loegr,* (gol.) W. Prichard Williams (Bangor, 1908), t. x.
[69] 'Ar Gymraeg William Salesbury', *Y Traethodydd,* cyf. 3, 15 (1946), t. 40.
[70] 'William Salesbury yn y Llannau', *Y Traethodydd,* cyf. 3, 15 (1946), tt. 87-91.

ffurfwasanaeth rhwng 1567 a 1599 pan gafwyd argraffiad William Morgan ac y mae'n debygol fod *Kynnifer Llith a Ban* wedi ei ddefnyddio ers 1551 ar gyfer y llithoedd a oedd i'w darllen yng ngwasanaeth y Cymun.[71] Aeth Melville Richards a Glanmor Williams mor bell â honni na fyddai offeiriaid yn trafferthu i chwilio am y Llithoedd ar gyfer pob Sul ym Meibl Mawr yr Esgob Morgan ar ôl 1588, pan oedd Llyfr Gweddi hwylus Salesbury wrth law.[72] Yr oedd y Rhys Prichard ifanc wedi ei fagu yn sŵn Testament Newydd a Llyfr Gweddi William Salesbury; y Catecism a ddysgodd ef yn blentyn oedd Catecism Salesbury yn y Llyfr Gweddi; yr oedd, o ganlyniad, wedi ei drwytho yn iaith Salesbury. Da y dywedodd W. Alun Mathias:[73]

> Ni ellir ond dychmygu'r dylanwad a gafodd clywed iaith gyfoethog Wiliam Salesbury, Sul ar ôl Sul yng ngwasanaethau'r Eglwys ar genhedlaeth ar ôl cenhedlaeth o'n cyd-Gymry. Ac nid *clywed* yn unig, ond *dweud* hefyd – y gyffes Gyffredin, er enghraifft.

Pan ymddangosodd argraffiad diwygiedig Morgan yr oedd Prichard yn fyfyriwr ifanc yng Ngholeg Iesu, Rhydychen, ac er ei fod wedi ei ddefnyddio'n ddethol, ni ellir anwybyddu dylanwad amlwg Llyfr Gweddi 1567/86 ar ei iaith. Mae'n bosibl y gellir cymharu ei safbwynt ag adwaith llawer o'r to hŷn heddiw sydd yn gweld rhinweddau amlwg y Beibl Cymraeg Newydd, eto yn ei chael yn anodd closio ato fel at y fersiwn traddodiadol a ddysgwyd yn Ysgolion Sul a Seiadau plentyndod.

Awgrymir dylanwad Salesbury ar Prichard o'r cychwyn cyntaf gan y ffurf Salbrïaidd 'Episcob' ('Episcop' yn fersiynau 1567/86) a welir yn y teitl, lle y ceir 'Esgob' gan Forgan. Trwy'r testun i gyd y mae Prichard yn dewis ac yn dethol ffurfiau heb ddilyn y naill na'r llall o'i ragflaenwyr yn haearnaidd.[74] Droeon y mae Prichard yn defnyddio geiriau ymyl y ddalen yn Salesbury pan fo Morgan yn dilyn y testun sylfaenol:

[71] John Fisher (gol.) *Kynnifer Llith a Ban* (Caerdydd, 1931).
[72] *Llyfr Gweddi Gyffredin*, t. xlii.
[73] 'William Salesbury a'r Testament Newydd', *Llên Cymru*, 16 (1989-91), t. 49.
[74] Nid yw'r rhestrau sy'n dilyn yn gyflawn – rhai enghreifftiau yn unig a roddir o bob nodwedd y sylwir arni.

WS 1567/86	*WM 1599*	*RP 1617*
o dir yr *Aipht (*Egypt)	o dir yr Aipht	o dir Egipt
na *ostwng (*chrwm)	na ostwng	na chrwm
i *rat arnaf (*ras imi)	ei rad arnaf	y ras y my

Y mae'r dewis hwn o'r ffurfiau amrywiol ar ymyl y ddalen yn cyfiawnhau penderfyniad Salesbury i gynnig amrywiadau tafodieithol ac yn ateb beirniadaeth Ifor Williams. Gwelir Prichard yn gwneud yr union beth yr oedd Salesbury wedi ei fwriadu, sef dewis y gair a fyddai'n fwyaf addas i'w gynulleidfa arbennig ef;[75] dengys yr enghreifftiau hyn fod o leiaf un offeiriad yn gwerthfawrogi egwyddor *copïa* fel y gwelir hi yng Nghatecism 1567/86.

Dro arall ceir Prichard yn dewis yr un gair â Morgan, weithiau o ymyl y ddalen, dro arall o'r testun canolog, ond ymddengys yr egwyddor yr un fath – dewisa'r gair symlaf, bob tro:

oll *Vanneu'r (*bynciau)	holl byngciau yr ffydd	holl byncâu Fydd
y *grogwyd (a roed ar y groes ne a groeshoeliwyd)	a groes-hoeliwyd	a groeshoeliwyd
*buchedd (*bywyt)	bywyd	bywyd
eccles	eglwys	eglwys
ollgyuoethawc	Holl-alluog	oll alluog

Ond weithiau y mae'n dewis geiriau gwahanol i'r ddau arall ac mae'r rheini bron yn ddieithriad yn ymddangos yn eiriau symlach, mwy penodol a chyfyngedig eu hystyr ac felly'n haws i gynulleidfa annysgedig eu hamgyffred, e.e.

atolygaf	atolygaf	a ddeisyfaf
rodres	rodres	balchedd
a gahad	a gafwyd	a genetlwyt
a ascennawdd	a ascynnodd	a dderchavodd
cyuodiadigaeth	cyfodiad	ailgyfodiad

[75] Awgrymodd R. Geraint Gruffydd wrthyf mewn sgwrs ei bod yn bosibl mai clywed tafodiaith Dyffryn Tywi tra arhosai gyda'r Esgob Richard Davies yn Abergwili a argyhoeddodd Salesbury fod yn rhaid cynnig darlleniadau tafodieithol yn y Testament Newydd a'r Llyfr Gweddi os oeddent i fod o fudd yn y De.

etholedic	etholedig	ddewisiedig
pa nifer ys sydd	pa nifer y sydd	pa sawl vn y sydd
yr hwn a'th dduc di ymaith	yr hwn a'th ddug di ymaith	yr hwn ath dwgodd dy ymaes
yn ymwelet a phechodau	yn ymweled a phechodau'r	yn dial pechodaû
na wnelwyf niwed i neb ar air	na wnelwyf niwed i neb ar air	y wneuthyr drwg i neb mewn gair
rac dywedyt celwydd, cabl-eiriau na drwg-absen	rhag dywedyd celwydd, cabl-eiriau na drwg-absen	rhag dywedyd drwg, celwydd ac enlhybiaeth
y rengo bodd y dduw vy-galw	y rhyngo bodd i Dduw fyng-alw	y gwel Dûw vod yn dda im galw
espesol rat	espesol rad	rinweddol ras
ymoralw am danaw	ymoralw amdano	beunydd y alw
Poet gwir	Poet gwir	velly y bo

Ceir un enghraifft o newid pwyslais diwinyddol yng Nghatecism Prichard rhagor na Chatecismau'r Llyfr Gweddi (a'r *Llyfr Plygain, 1612,* o ran hynny); yn yr esboniad ar Weddi'r Arglwydd ceir y geiriau hyn:

ddanfon i *rat arnaf, (*ras i mi) ac ar yr oll bobyl	ddanfon ei rad arnaf, ac ar yr holl bobl	ddanvon ei râs y my ag y holl *ddewisol* pobl

Y mae cynnwys yr ansoddair 'ddewisol' yn yr ymadrodd hwn yn newid y pwyslais diwinyddol yn llwyr ac yn dilyn Calvin a gyfeiriai at Dduw yn arwain 'his elect' a Nowell yn sôn am 'his number and holy company, that is to say, his church',[76] lle mae'r Llyfr Gweddi yn cyfeirio at 'yr (h)oll bob(y)l'.

[76] Green, *The Christian's ABC,* t. 491. A oes awgrym fod Prichard yn gyfarwydd â Chatecism Nowell yn ei ddefnydd droeon o'r gair 'deinti/dainti' wrth gyfeirio at fwyd? Esbonir yr ymadrodd 'Give us this day our daily bread', gan Nowell, 'seek not curiously dainty things for banqueting', *ibid,* t. 495. Un enghraifft mewn cerdd rydd o ddiwedd yr unfed ganrif ar bymtheg a roddir yn *GPC.*, t. 923 cyn enghreifftiau niferus y Ficer.

Y mae Catecism y Llyfr Gweddi, fel y mae yng ngwaith Salesbury (1567/86) a Morgan (1599), yn gorffen ar ôl y drafodaeth ar Weddi'r Arglwydd, gan symud ymlaen i'r gwasanaeth Conffirmasiwn. Ond yng Nghatecism Prichard, a John Davies ar ei ôl yn 1621, ceir yr adran a ychwanegwyd yn 1604 lle y trafodir y sacramentau. Golyga hyn nad oedd gan Prichard fersiwn Cymraeg o'i flaen (hyd y gwyddys) a bu'n rhaid iddo gyfieithu'n uniongyrchol o'r Saesneg. Yn yr adran hon, felly, gwelir Prichard yn cyfieithu'r ddilyffethair ac os cymherir ei fersiwn ef ag un Dr John Davies, a ymddangosodd yn Llyfr Gweddi 1621, ceir darlun diddorol o ddulliau cyfieithu tra gwahanol gan ddau a oedd, fe ymddengys yn anelu at gynulleidfaoedd pur wahanol i'w gilydd. Sylwer ar yr enghreifftiau canlynol:

Book of Common Prayer 1604	**Catecism Prichard 1617**	**Catecism Davies 1621**
How many Sacraments hath Christ ordained in his Church?	Pa sawl Sacrament a ordeiniodd yr Arglwydd yn ei Eglwys?	Pa sawl Sacrament a ordeiniodd Christ yn ei Eglwys?
Water: wherein the person baptized is dipped, or sprinkled with it:	Dwfr: yn yr hwn y drochir y dyn a vedyddyr, neu a fwrir arno y dwfr,	Dwfr: yn yr hwn y trochir y neb a fedyddir, neu yr hwn a daenellir arno,
Repentance, whereby they forsake sinne: Faith whereby they stedfastly beleeue the promises of God made to them in that Sacrament.	Bod ynddint ediveirwch, er ymado yn hollawl ai pechodau, a Fydd y credû ein wastadol y addewidion dûw, yr hwn y mae e yn selû yddint yn y Sacrament hon.	Edifeirwch, drwy'r hon y maent yn ymwrthod a phechod: A ffydd, drwy'r hon y maent yn ddiyscog yn credu addewidion Duw, y rhai a wneir iddynt yn y Sacrament hwnnw.
Yes, they doe performe them by their Sureties, who promise and vow them both, in their names, which when they come to age themselues are bound to performe.	Mae y rhai bach yn cyflawni y pethaû hyn trwy y Tadau a'i Mammau bedydd, y meichûon, y rhai sy yn addo ac yn addûno y pethau hyn yn y enwaû hwy: a phan ddelant i lawn oedran, maenhwy yn rhwymedig y hunain, y gwplaû y peth a addawsont wrth eu bedyddio.	Ie, y maent hwy yn eu cyflawni hyn drwy eu meichiau, y rhai sy yn addaw, ac yn addunedu pob un o'r ddau yn eu henwau hwynt; y rhai, pan ddelont i oedran, y maent hwy eu hunain yn rhwymedig i'w cyflawni.

For the continuall remembrance of the Sacrifice of the death of Christ, and the benefits which wee receiue thereby.	Y ddala ar gof yn wastod, vnic aberth marwolaeth Grist, ar holl ddoniaû ysprydol 'rhain yrwn i yn dderbyn, trwy ei farwolaeth ef.	Er mwyn tragwyddol gof am aberth dioddefaint Christ, a'r lleshâd yr ydym yn ei dderbyn oddi wrtho.
The strengthening and refreshing of our soules by the Body and Blood of Christ, as our bodies are by the Bread and Wine.	Nerthiant ac adnewyddiant ein eneidieû. Canys fel y mae y bara yn porthi cyrph, ar gwin yn llawenychû calonneu dynion y vywyd daiarol: felly hevyd y mae corph Crist ai waed bendigedic yn porthi ac yn llawenychû yn y supper, y vywyd tragwyddawl, eneidieû cynifer ac sy yn derbyn y Sacrament trwy Ffydd, gan gredu y Iesu Grist ddioddef a marw dros y bechodau.	Cael cryfhau a diddanu ein heneidiau drwy Grist, megys y mae ein cyrph yn cael drwy'r bara a'r gwin.
What is required of them which come to the Lords Supper?	Pa beth sy angenrheidiol, yr rhai a ddaw yn deilwng i Swpper yr Arglwydd?	Pa beth sy raid i'r rhai a ddêl i Swpper yr Arglwydd ei wneuthur?
To examine themselues whether they repent them truely of their former sinnes, stedfastly purposing to leade a New life: haue a liuely faith in Gods mercy through Christ, with a thankfull rememberance of his death, an be in charitie with all men.	Rhaid yddynt hwy ymholi ei hunian, [sic] beth a wnaethont a chymeryd gwir edifeirwch o eigion ei calonnaû, am y pechodau, ac os ydynt yn bwriadû yn ffordd ddianwadal y vyw rhaglaw, mewn newydd a duwiol vuchedd: a bod genthyn Ffydd ddiogel Dduw drwy Grist, a diolchys coffa am y varwolaeth ef, an pryniad ni. Yn ddiwethaf rhaid yddynt edrych yn fanwl y bod hwy mewn cariad perffaith a phawb.	Eu holi eu hunain, a ydynt hwy yn wir edifeiriol am eu pechodau a aeth heibio, ac yn siccr amcanu dilyn buchedd newydd: a oes ganthynt ffydd fywiol yn nrhugaredd [sic] Duw drwy Grist, gyda diolchus gôf am ei angeu ef, ac a ydynt hwy mewn cariad perffaith â phob dyn.

Os edrychir ar yr enghreifftiau hyn fe welir fod gwahaniaeth sylfaenol rhwng cyfieithiad Prichard a Davies. Glŷn Davies yn glos at ddarlleniad y gwreiddiol tra bo Prichard yn ymestyn ac aralleirio, gyda'r bwriad, mae'n amlwg, o geisio gwneud yr iaith gryno, gywasgedig, yn fwy dealladwy. Y mae Davies, er ei ffyddloned i'r gwreiddiol, yn gorfod ymestyn peth, fel y gwelir yn y dyfyniadau uchod, ond y mae Prichard fel petai'n ymhyfrydu yn ei amleiriogrwydd. Defnyddia air cyffredin lle y gall ac ymadrodd llacach yn hytrach na gair mwy llenyddol fel John Davies, e.e. 'a fwrir arno' yn lle 'taenellu' am *sprinkled;* 'credu ein [sic] wastadol' yn hytrach na 'yn ddiyscog yn credu' am *stedfastly beleeue;* 'y ddala ar gof yn wastod' yn hytrach na 'tragwyddol gof' am *continuall rememberance,* ac yn y blaen. Y mae Prichard yn ymhelaethu yn y testun er mwyn esbonio termau a allai fod yn ddieithr: e.e., lle mae Davies yn cyfieithu *Sureties* fel 'meichiau' a'i gadael ar hynny, eglura Prichard pwy oedd y meichiau, '. . . trwy y Tadau a'i Mammau bedydd, y meichûon' . . .; lle ceir 'i'w cyflawni' gan Davies defnyddia Prichard y ffurf ddeheuol 'y gwplaû', gair a gofnodir yn y ffurf 'cwpla'; fel y ffurf gyffredin am 'gorffen' yn Llanfair-ar-y-bryn, ger Llanymddyfri hyd y dydd heddiw.[77]

Yr oedd y Catecismau hyn yn rhan bwysig o addysg plant a phobl ifanc yn nechrau'r ail ganrif ar bymtheg pan nad oedd ysgolion ar gyfer y rhan fwyaf ohonynt. Yr oedd cymaint o ddefnyddio arnynt fel mai ychydig iawn sydd wedi goroesi – un copi yn unig a erys o Gatecism Rhys Prichard fel y sylwyd uchod. Yr oedd Dr. John Davies mor argyhoeddedig o werth ymarferol ei Gatecism ef ei hun yn Llyfr Gweddi 1621 fel y printiodd 500 o gopïau ohono ar wahân i'r Llyfr Gweddi. Ar 23 Ionawr 1628 ysgrifennodd at Owen Wynn, Gwydir gan amgáu 'a couple of catechisms' gan ychwanegu, mai dim ond rhyw 10 neu 12 sydd ar ôl o'r 500 neu buasai wedi anfon ychwaneg.[78] Erys ei waith ef yn y Llyfr Gweddi, ond buasai wedi bod yn ddiddorol gweld a amrywiodd rywfaint ar ei iaith yn y Catecism annibynnol a fwriadwyd ar gyfer plant a phobl ifanc na fyddid yn disgwyl iddynt feddu copi o'r Llyfr Gweddi cyflawn. Trwy drugaredd fe gadwyd un copi yn llyfrgell y Bodleian o Gatecism y Ficer Prichard i dystio i'w benderfyniad ef i ddod â phrif bynciau'r Ffydd i gylch dealltwriaeth ei blwyfolion difreintiedig.

[77] Alan R. Thomas, *The Linguistic Geography of Wales* (Cardiff, 1973), t. 187.

[78] *Calendar of Wynn (of Gwydir) Papers* (Aberystwyth, 1926), rhif 1530; yr wyf yn ddiolchgar i R. Geraint Gruffydd am y cyfeiriad hwn; dechreua Anders ei drafodaeth ar 'The Elizabethan ABC with the Catechism', t. 32 trwy nodi cyn lleied o gopïau Saesneg sydd wedi goroesi.

'YN ERBYN TYLAU'N TYNNU'

*Llên a Llafur Morgan Rhys, Cil-y-cwm a Llanfynydd.**

gan ROBERT RHYS

Fe ganwyd sawl marwnad ar achlysur colli Gruffydd Jones, Llanddowror, yn 1761, yr ardderchocaf ohonynt, wrth gwrs, gan Williams Pantycelyn. Awdur un o'r cerddi coffa mwy di-nod oedd Morgan Rhys, ac yn wir mae'n ymddangos yn fydryddwr digon cloff ac anystwyth yng nghysgod y pêr ganiedydd. Mae e'n ei gael ei hun mewn trafferthion enbyd, er enghraifft, wrth geisio rhigymu union oedran Gruffydd Jones ar derfyn ei yrfa ddaearol:

Mil saith cant ag un a thrigen
Oedd oedran Crist ein pen a'n perchen
Pan rowd ei farwol gorph i orwedd
Yn Llanddowror mewn daearfedd,
Yr unfed dydd ar ddeg o Ebrill,
At y meirw ca'dd ei gynnill;
Mewn oedran teg, trigain a deg,
Pump chwaneg, dwy hefyd,
Pan ga'dd y Duwiol Athro ei symmyd,
Ble mae'r fath yn meddu bywyd.[1]

Clogyrnaidd ddigon yw'r mynegiant, felly, ond ceir un nodyn trawiadol ym marwnad Morgan Rhys, a hynny yw'r modd y mae'n llefaru fel un o athrawon teithiol Gruffydd Jones, fel un sy'n llawenhau yn bersonol, fel aelod o'r staff fel petai, yn llwyddiant y gwaith, ac un sy'n galaru am golli prifathro ac

* Darlith Flynyddol Cymdeithas Emynau Cymru 1996 a draddodwyd yn Eisteddfod Genedlaethol Bro Dinefwr.

[1] *Marwnad neu fyr Hanes o fywyd Dychlynaidd Ac o DDEDWYDD FARWOLAETH Y PARCHEDIG MR. GRUFFYDD JONES GWEINIDOG LLANDDOWROR , A LLANDEILO-FACH yn SHIR GAERFYRDDIN yr hwn a orphenodd ei oes yr 8fed o Ebrill, 1761. At ba un y chwanegŵyd cân o hîraeth y Credadyn am YMDDATTOD,* Caerfyrddin, 1761.

arweinydd y symudiad yr oedd yn weithiwr mor ymroddedig o'i blaid.

Er i'n hathro da orphennu,
Mae'r Ysgolion yn Cynhuddu,
Ag yn cael eu rhoddi etto,
I bwy benna a'u derbynio,
O gan hynny'r hôll Dylodion,
Dewch yn lluodd i'r Ysgolion . . .

Er i golled mawr i'n Cwrddyd
Pan ga'dd y Duwiol Athro ei symmyd,
Mae eto un ffyddlon gwedi ei threfnu,
I lywodraethu sgolion Cymru,
Sef Ardderchog Madam Bifan;
Oedd gynt yn help ond nawr ei *hunan:*
A gweision ffri dani Hi,
Yn ufudd was'naethu,
Hen ac Ieuangc ddelo i ddysgu,
Iaith eu mammau i 'Sgolion Cymru.

Mae'n tynnu at ddiwedd y farwnad ar nodyn dibris o'i gyfraniad ef ei hun, nodyn cyfarwydd yn ei emynau:

Os gofynnir pwy sy'n canu
Mor fach ei ddawn i Ganŵll Cymru?
Un o'r lleia a'r gwaela o'i weision, . . .

Ond mae'r hunan-asesiad bychanus hwn yn cyd-fynd â sicrwydd y credadyn ei fod yn dderbyniwr ffafr a gras Duw ac yn etifedd gogoniant:

Cyd-etifedd o'r un goron
A gadd Ragorfraint yn ei Ddyddiau,
I'w was'naethu rai Blynyddau.

Erbyn 1861, felly, buasai Morgan Rhys yn dysgu yn ysgolion Griffith Jones ers 'rai blynyddau', er nad oes cofnod ato yn nhystlythyrau'r *Welch Piety* tan 1757-8, yn wir nid oes modd i ni godi'i drywydd bywgraffyddol na llenyddol cyn canol y pumdegau, pan yw'n bwrw'r deugain oed. Yr unig gofnod hysbys amdano cyn hynny yw ei eni yn fab i Rhys ac Ann Lewis, Efailfach, Cil-y-cwm yn 1716.[2] (Nodir hynny bellach gan faen a

[2] Ceir y ffeithiau hysbys am fywyd Morgan Rhys yn Gomer M. Roberts, *Morgan Rhys, Llanfynydd,* Caernarfon, 1951.

osodwyd ar adfail Efailfach) Yn yr achos hwn, wrth reswm, dyw absenoldeb tystiolaeth ddim yn broblem aruthrol, gan fod y cyd-destun hanesyddol yn llefaru'n huawdl. Fe'i ganwyd flwyddyn o flaen Williams Pantycelyn, mae'n dod i'r wyneb gyda chyhoeddi casgliad o ddeuddeg emyn, *Golwg ar Ben Nebo* yn 1755. Dechrau arni yn weddol hwyr yn y dydd, felly, efallai yn brin o hyder, a heb fod yn un o emynwyr cydnabyddedig ei fro yn 1747, pan gynhwysodd Williams emynau o waith John Dafydd, Morgan Dafydd a John Jones, ill tri o Gaeo, yn chweched rhan ei *Aleluia.* Ond eto yn gynnyrch yr un amodau a'r un diwylliant, ac yn hanu o'r un fro ag emynwyr *Aleluia,* ac ar ryw adeg wedi dod i'r un profiad â nhw hefyd . Trwy wrando ar bregethu Rowland neu Harris y bu hynny, yn ôl traddodiad; erbyn 1757-8, pan ysgrifennwyd yr unig ohebiaeth o'i eiddo a gadwyd (dau lythyr at John Thomas, Tre-main, Aberteifi, cyd-athro a brodor o gylch Caerfyrddin), mae'n llefaru fel Cristion profiadol sy'n myfyrio'n ddiolchgar ar waith Duw yn ei fywyd ei hun, ac yn ceisio cynnig cyngor call i'w gyfaill ar fater priodas. (Ni wyddom a fu Morgan Rhys yn gynghorwr cyson gyda'r Methodistiaid ai peidio.)[3]

Rhwng 1755 a 1775 y mae'n amlwg fel athro uchel ei glod yn yr ysgolion cylchynol yn ei sir enedigol ac yn Sir Aberteifi, (yr unig gylchoedd y gwyddom iddo lafurio ynddynt) ac fel emynydd sy'n cyhoeddi casgliadau o'i waith yn gyson; ar ryw olwg gyrfa a dreulir yng nghysgod gyrfa lenyddol Williams yw hi, wrth gwrs, ond gyrfa arwyddocaol, serch hynny, a mwy cynhyrchiol o dipyn nag a dybir yn gyffredin. Fe gyhoeddodd, ynghyd ag ychydig farwnadau, dros 170 o emynau, ond tua hanner y rhain a gynhwyswyd yn *Golwg o Ben Nebo,* 1775. Dyma'i gyfrol olaf, detholiad, gan yr awdur ei hun mae'n debyg, o'i emynau. Fe ailargraffwyd detholiad 1775 droeon yn y ganrif ddiwethaf a dyna sail golygiad Elfed ar ddechrau'r ganrif hon.[4]

Erbyn iddo lunio'i farwnad i Gruffydd Jones yn 1761 yr oedd Morgan Rhys eisoes wedi cyhoeddi tri chasgliad tenau o emynau, rhyw ddeugain emyn i gyd, ac yn eu plith rai o'i benillion adnabyddus.[5] Mae'n hysbys mai canu dyfyniadau o waith

[3] Argraffwyd y llythyrau yn Roberts, *op.cit.*; ar John Thomas, gweler R.Geraint Gruffydd, 'John Thomas, Tre-main: Pererin Methodistaidd', *CCHMC,* 9 (1985-6).

[4] H.Elvet Lewis, gol: *Gwaith Morgan Rhys: Rhan I: Golwg o Ben Nebo,* Caerdydd, 1910.

[5] Ceir rhestr o gyhoeddiadau Morgan Rhys yn Roberts, *op.cit.*

Morgan Rhys wedi'u clytio at ei gilydd a wnaed gan gynulleidfaoedd y bedwaredd ganrif ar bymtheg a'r ugeinfed ganrif. Fel y mae teitl y casgliad cyntaf yn dynodi, *Golwg o Ben Nebo ar wlad yr Addewid, yn cynnwys gan mwyaf Golwg Ffydd wrth edrych ar Drag'wyddoldeb,* cân y pererin sy'n edrych ymlaen at ddiwedd y daith o ganol ymosodiadau o'r tu fewn ac o'r tu fa's yw nodyn llywodraethol yr 'hymnau duwiol' hyn. O gofio'r ddelwedd brudd braidd a gysylltir â'r emynydd yn aml, hwyrach ei bod hi'n addas mai 'gofidus ddyddiau'm pererindod'yw ymadrodd cyhoeddedig cyntaf Morgan Rhys, ond dyddiau ydynt, sylwer , 'sydd ar ddarfod yn ddi-lai'. Mae emyn cyntaf y casgliad cyntaf yn enghraifft ddestlus o'r modd y mae mynegiant o brofiad goddrychol y credadyn yn cael ei gyfuno â mawl gwrthrychol i Dduw. Cân y gwaredigion sy'n gwbl eglur ynghylch amodau eu gwaredigaeth ac sy'n edrych ymlaen trwy ffydd at ddiwedd pethau, at y waredigaeth gyflawn o effeithiau pechod, a leisir yma.

Caned y genedl gyfiawn ddaeth Iesu i' w rhyddhau;
Mi wela'r dydd yn dyfod y derfydd galar rhai;
Mae f'enaid gwan yn credu, cyn hir yr ochr draw,
Ym mhlith y dorf aneirif, caf delyn yn fy llaw.

Mewn emyn arall cenir:

I'r Aipht daeth Iesu'm gwared o dir caethiwed du,
Ysbeiliodd yr holl Aiphtiaid, rh'odd dlysau teg i mi;
Des â llaw uchel allan, dihengais rhag y pla;
Yn y cyfyngder mwyaf mi brofais Duw yn dda.

Fe geir yma'r tyndra cyfarwydd yng nghaniadau'r pererin rhwng diflastod y pethau a welir a'r gogoniant tragwyddol y ceir cip arno trwy ffydd, ac y profwyd ernes ohono eisoes yn yr anialwch – 'F'enaid athrist yn y bywyd, Gân yn hyfryd cyn bo hir.' Ac mae myfyrio ar y trawsnewid gogoneddus hwn yn cymell mawl i'r sawl a'i sicrhaodd:

Doed pob creadur byw
I ganu teilwng glod
I'r Iesu'm prynwr gwiw
A'm prynodd cyn fy mod.
Cod, f'enaid prudd, yn ufudd can,
O'r gynnedd dân fe'th gododd di.

Yn y casgliad hwn y cafwyd dau bennill mwy cyfarwydd o fawl uniongyrchol i Grist, sef "'Rwy'n cofio f'enaid bach yn caru'r/ Oen ogwyddodd trosw'i ben . . .' (*Llyfr Emynau A Thonau,* rhif 385) a 'Wyneb siriol fy anwylyd/ Yw fy mywyd yn y byd . . .' (*Llyfr Emynau a Thonau,* rhif 597).[6] Mae'r rhan fwyaf o emynau'r casgliad cyntaf hwn ar fesurau digon cyffredin, mesurau y daethai'r awdur ar eu traws naill ai yng ngwaith emynwyr eraill Sir Gaerfyrddin - diddorol yw cyfosod dadansoddiad Gomer Roberts o ddatblygiad mydryddol Williams a gyrfa Morgan Rhys [7] - neu, o leiaf yr un mor arwyddocaol, yng ngwaith bardd arall cynharach o'r un fro ag ef, sef y Ficer Prichard. Mae'n werth cofio i Gruffydd Jones gyhoeddi argraffiadau newydd o waith y Ficer yn 1749 ac yn 1758, ac yng ngwaith hwnnw, 'does bosib, y cafodd Morgan Rhys y mesur 7676 dwbwl, mesur a argreffir ar ffurf llinellau 13 sill yng nghyfrolau Morgan Rhys, a mesur a ddefnyddiwyd ganddo cyn i Williams ei ddefnyddio yn fesur ar gyfer emynau a cherdd epig. Ceir yn y casgliad cyntaf hwn fesurau cyffredin eraill, yn eu plith y mesur hir a'r 8787 dwbwl, ynghyd â'r mesur anghyffredin a ddefnyddir yn 'Henffych i'r bore hyfryd,' sef 776557 yn odli aabccb; cynhwyswyd pedwar o'r wyth pennill yn *Hymnau a Thonau,* 1897, yr unig emyn ar y mesur, (er bod dwy dôn ar ei gyfer) ond nis arbedwyd rhag cyllell golygyddion *Llyfr Emynau a Thonau.* Mae'r pennill olaf yn tystio mai emyn o ddyhead am yr arwisgiad â'r tŷ sydd o'r nef yw hwn:

Mi gysgaf hun yn dawel
Dros ennyd yn y grafel,
Nes dadrys trefn y rhod;
Ac yno mewn hedd,
Y codaf o'm bedd,
Ar ddisglair wedd fy mhriod.

A'r un yw byrdwn ail gasgliad Morgan Rhys, sef *Casgliad o Hymnau* (1757). Ceir y dymuniad mewn geiriau cyfarwydd yn ail

[6] Mae John Thickens, *Emynau a'u Hawduriaid,* Caernarfon, 1945, yn nodi ffynonellau gwreiddiol y penillion o waith Morgan Rhys a gynhwyswyd yn *Llyfr Emynau a Thonau,* 1927.

[7] Gweler y bennod 'Yr emynydd yn ei weithdy' yn Roberts, *Y Pêr Ganiedydd, Cyfrol II, Arweiniad i'w Waith,* Llandysul, 1958.

bennill yr emyn sy'n dwyn y pennawd 'Marw sydd elw'. Dyma'r ddau bennill cyntaf:

Mae dedwydd awr yn dyfod caiff pechod farwol glwy',
Daw'r Jubil fawr i'm gwared, ffarwel gaethiwed mwy;
Ca'i ngwisgo'n anllygredig ar ddelw Mhrynwr gwyn,
Cyhuddwr f'anwyl frodyr a gauir yn y llyn.

Ymado wnaf â'r babell wy'n trigo ynddi'n awr,
Colofnau'r tŷ ddatodir, fe gwympir oll i lawr;
A pob gwahanglwyf ymaith, glân fuddugoliaeth mwy
Rwy'n canu wrth gofio'r bore na welir arnaf glwy.

Mae teitl llawn y trydydd casgliad (1760), a argraffwyd, fel ei lyfrau i gyd ar wahân i'r un cyntaf, yng Nghaerfyrddin, yn nodi prif bwnc yr emynau: *Casgliad o hymnau, am Gwymp Dyn yn yr Adda Cyntaf, a'i gyfodiad yn yr Ail; neu ddyn wrth Natur heb un Cyfiawnder, a Christ yn bob Peth.* Y modd y mae Morgan Rhys yn oedi'n fanwl gyda'r cwymp a'i effeithiau, yn ei gyfrif ei hunan y gwaelaf o bechaduriaid ('pechadur ffôl, ffiaidd wyf fi'), yn gwarafun i ddyn unrhyw iod o hawl na haeddiant, ac yn mynnu ein hatgoffa dro ar ôl tro o freuder, neu ys dywedai ef, freuolder bywyd, sydd wedi arwain at greu delwedd ohono mewn rhai cylchoedd fel emynydd morbid o fewnblyg. Tebyg iawn mai am y math o safbwyntiau a fynegir yng nghasgliad 1760 y meddyliai Geraint Jenkins wrth sôn am ochr dywyll Methodistiaeth: 'It's morbid preoccupation with the state of souls, with mortality, and the afterlife produced a people who were relentlessly solemn . . . By elevating emotional experiences above all others, Methodism also precipitated psychological stresses which, in turn, often bred feelings of guilt and confusion.'[8] Ac mi fyddai'r darllenydd y mae ei gydymdeimlad â Methodistiaeth yn gynhesach o dipyn yn barod iawn i gydnabod nad yw Morgan Rhys yn gweld dim byd ond tywyllwch pan yw'n ystyried y cyflwr dynol naturiol. Mae dyn yn greadur llawn gwagedd a phechod mewn byd sy'n darfod, ac fe ddisgrifir y cyflwr hwnnw mewn iaith gref, rhy gryf o lawer i stumogau cyfoes o bosib:

All burgyn aflan haeddu trugaredd ar law Duw,
Na ddichon ddim ond pechu tra byddo yma'n byw?

[8] Geraint Jenkins, *The Foundations of Modern Wales, 1642-1780,* Caerdydd a Rhydychen, 1987, 369.

O'r emyn pymtheg pennill, 'Nôl cwympo ym Mharadwys' y daw'r cwestiwn hwn, emyn sy'n tanlinellu yn ei bum pennill cyntaf lwyr lygredigaeth dyn, cyflwr heb gyfiawnder na haeddiant na hawl. Hyfforddiadol ac addysgiadol yw'r arddull, fel y disgwyliem gan un a dreuliai'i ddyddiau a'i nosau yn hyfforddi ac yn cateceisio:

> Nid yw gair Duw yn unman yn canmol haeddiant dyn,
> Ein budron gyfiawnderau fydd fratiau bob yr un;
> Ein haeddiant oll wrth natur oedd bod yn fawr a mân
> Tros oesoedd tragwyddoldeb yn poeni'n uffern dân.

Effaith bwrw'r athrawiaeth hon adref gyda'r fath derfynoldeb wrth gwrs yw peri i'r emynydd yn gyntaf, ac yna ei gynulleidfa, ryfeddu fwyfwy fod yna obaith o gwbl i'r fath greadur truenus, fod dyrchafiad ar gael i un a gwympodd mor bell. Ac felly mae'r hyn y byddai rhai am ei alw yn bwyslais morbid a negyddol mewn gwirionedd yn cymell ac yn tanio'r mawl, yn creu'r emyn:

> Y domen lawn o nadroedd, o f'enaid gwel yn awr,
> Mai'r unig beth a'th gadwodd oedd angeu Iesu mawr.

Ac felly â'r emynydd yn ei flaen i ganmol gras Duw, ac i foli'r Arglwydd Iesu Grist:

> Wel dyma un sy'n maddeu pechodau rif y gwlith
> Does mesur ar ei gariad na therfyn iddo byth;
> Mae'n ymofyn lle i dosturio, mae'n hoffi trugarhau,
> Trugaredd i'r amddifad sydd ynddo i barhau.

Patrwm tebyg sydd i'r emyn sy'n dechrau - 'Mi gwympais yn Eden i bydew du blin / Ni allsai waredu un angel na dyn', sef tanlinellu erchylldra'r cyflwr naturiol er mwyn mwyhau'r modd y mae gras wedi rhagoramlhau:

> Fe'm cafodd yn farw yn gorwedd mewn gwa'd
> Heb obaith o'r deyrnas a gollais trwy frad;
> Bendithion a gollais enillodd i mi,
> A chan mil ychwaneg ar Galfari fry.

Mae'r gobaith a fynegir yn yr emynau ynghlwm wrth berson ac wrth weithredoedd arbennig ym myd hanes:

> Holl ddyfroedd y moroedd ni olchsai fy mriw
> Na gwaed y creaduriaid er amled eu rhyw;
> Ond gwaed y Meseia a'm gwella'n ddiboen,
> Rhyfeddol yw rhinwedd marwolaeth yr Oen.

Ac felly, meddir, mawl yw unig ymateb rhesymol y creadur:

> Cydganed y ddaear a'r nefoedd ynghyd
> Ogoniant tragwyddol i Brynwr y byd:
> Molianned pob enaid fy Arglwydd ar gân
> A'm tynnodd yn fore bentewyn o'r tân.

(Dyma'r man i nodi nad yw'r pennill enwog sy'n dechrau 'O gariad, o gariad anfeidrol ei faint' yn digwydd yn yr un o emynau cyhoeddedig Morgan Rhys, a bod ansicrwydd ynghylch ei awduraeth. Yr hyn y gellir ei ddweud yw bod y pennill hwnnw yn dynwared arddull Morgan Rhys yn effeithiol iawn, ac yn defnyddio ei hoff eiriau ac ymadroddion - 'anfeidrol', 'annheilwng', 'llwch', 'corff y farwolaeth'.)

Ond mae gallu'r emynydd i foli a gwasanaethu Duw fel y dylai yn cael ei lesteirio gan weddillion pechod ynddo, a hynny yn ei dro yn ei gymell i chwennych y corff nefol a fydd yn rhydd o effeithiau pechod; ac mae sylweddoli yn gynyddol mai calon ddrwg sydd ganddo yn peri iddo weld mai o ras, ac o ras yn unig, y mae ei iachawdwriaeth. Wrth ysgrifennu at ei gyfaill John Thomas yn 1758 roedd ganddo hyn i'w ddweud:

> 'Cwrddais a chwerwon brofedigaethau yn ddiweddar, pa rai oeddent chwerw ac annioddefol i gig a gwaed, hyn sy dda i mi yma, os wi'n cwympo mae gras Duw yn codi ar ei ennill bob tro, pechod sy'n cael y gweitha, tragwyddol gariad a roiff ini amserol ddiddanwch tra raid inni aros yn y Byd profedigaethus hwn, os edrychaf ar fy nghalon anghrediniol, gwelai hi ymhob man yn gadael y Creawdwr, sy deilwng o bob clod, ac yn ei rhoddi i'r creadur . . . O! Dduw da, a thirion, rhyfedd i greaduriaid drwg, Diolch byth, rhydd ras, yn rhad mae'r cwbl imi at gorph ac enaid. Diolch i Dduw yr awn ni yn ddim, a Duw Hollalluog yn bob peth'.[9]

Mae'n diolch hefyd i'w gyfaill am gynnwys ei lythyr diwethaf ato, sylw sy'n ein hatgoffa baroted oedd y dychweledigion hyn i

[9] Dyfynnwyd yn Roberts, *Morgan Rhys, Llanfynydd.*.

rannu'u profiadau â'i gilydd, hynny'n cynorthwyo pregethwyr, cynghorwyr ac emynwyr i ddarparu ar eu cyfer ac i fod yn effro i'w cynghorion - 'fe agorodd fy llygaid i weled cyflwr profedigaethau pererinion Sion Duw yn y byd yma, wrth ddarllain dy brofiadau a'th brofedigaethau a'th ofidiau ysbrydol.' Tybed a yw hi'n deg i ni gysylltu tymer y sylwadau hyn , gyda'u pwyslais ar brofedigaethau'r saint yn y byd hwn, pwyslais sy'n gyson â phrif themâu emynau 1755-1760, sef byrhoedledd y byd a chwant y Cristion am ymddatod er mwyn cyrraedd y gogoniant, gyda thymheredd ysbrydol y gwaith yn y pumdegau, degawd pryd y tybir i effeithiau'r ymraniad rhwng Harris ac arweinwyr eraill y diwygiad lesteirio'r gwaith a diffodd yr ysbryd i raddau. Er i ni ddadlau bod yr olwg dywyll a gaiff yr emynydd ar ei gyflwr ei hun ac ar natur brofedigaethus taith yr anialwch yn troi yn fawl diolchgar i Dduw, does dim dwywaith chwaith nad yw Morgan Rhys yn y pumdegau yn emynydd braidd yn gyfyng ei gyweiriau. Ac mae hynny i'w weld yn gliriach wrth i ni droi i edrych ar ei waith yn y chwedegau, pan yw'n gwbl amlwg, gredaf i, fod tân a gorfoledd diwygiad 1762 - diwygiad a dorrodd allan pan oedd yr emynydd yn dysgu yng nghylch Llandysul - yn rhoi gwedd arall i'w brofiad a nodyn arall i'w gân.

Yn 1764 cyhoeddodd Morgan Rhys yr ail gyfrol i ddwyn y teitl *Golwg o Ben Nebo.* Ynddi ceir y rhan fwyaf o emynau'r tri chasgliad cyntaf, gydag ambell gyfnewidiad - ac yr oedd yn barod weithiau i ddarnio ei emynau ei hun - ynghyd ag adran o 'hymnau newyddion' - 36 ohonynt i gyd. Y mae cip sydyn ar benawdau rhai o'r emynau hyn yn awgrymu dyfod nodyn mwy llawen a gorfoleddus i ganu'r emynydd, ynghyd â myfyrdod mwy gwerthfawrogol eto ar berson a gwaith Crist: 'Gwawdd i''r Briodas', 'Hafddydd yr Efengyl', 'Golwg ar Fuddugoliaeth', 'Genedigaeth Crist', 'Trugaredd Duw yng Nghrist', 'Crist wedi gorchfygu', 'Ceidwad wedi ei eni', 'Teilwng yw yr Oen.' Er na ddisodlir yr hen bwyslais ar bererindod brofedigaethus y Cristion yn llwyr - y mae 'Taith y Pererin', 'Gwyn Fyd y Meirw yng Nghrist' a 'Diwedd y cwbl a nesaodd', yma - teg dweud bod effeithiau hafddydd yr efengyl i'w clywed yn y casgliad hwn, a bod llais y durtur i'w glywed yn groywach nag yn emynau'r pumdegau.

'Chwi wyddoch, annwyl syr', meddai Martha Philophur yn y llythyr a luniodd Williams Pantycelyn ar ei rhan at ei hathro Philo-Evangelius, ' fod cannoedd, ie, miloedd, er wn i , yn berchen ar y fflam hon heblaw myfi. A fu gymaint o awdurdod Duw er ys oesoedd yn ei eglwys fendigedig ag sydd y dyddiau hyn? Os na fu, nid rhyfedd bod hen weinidogion bron tramgwyddo am nas gwelsant erioed y fath beth o'r blaen. Gwaith anghynefin yw y gwaith hyn; er pan dechreuodd, mae lluoedd yn cael eu hargyhoeddi . . . Mawr, mawr y rhyfeddod! Pwy a glybu y fath beth â hyn? Pwy a welodd y fath beth â hyn? A enir cenedl ar unwaith? Pan glafychodd Seion yr esgorodd hefyd ar ei meibion . . . Hafddydd sydd yn gwawrio ar y wlad . . . mae yr Ysbryd a dywynnodd yn awr ar yr eglwys fel tân yn llosgi.'[10]

Hyder buddugoliaethus y dyddiau bendithiol hyn sydd i'w glywed yn yr emyn 'Gwawdd i'r Briodas':

Y mae Brenin y Brenhinoedd
Eto'n anfon gwawdd i ma's,
Yn para galw pechaduriaid
I'r wledd o waredigol ras:
Mae e'n derbyn yr afradlon
A'r tylodion gwaelaf sy',
A gorfoledd anhraethadwy
Wrth eu dygid i'w ei dŷ.

Mae e'n llanw rhai newynog
Â danteithion fyrddau llawn;
Nid oes darfod ar eu gwleddoedd
O'r boreuddydd hyd brynhawn:
Gwin i loni'r gwa'ddedigion
Sydd yn gyson ar ei fwrdd;
Ar ei gariad maent yn meddwi,
Ac yn ffaelu myned ffwrdd.

Ac fe adleisir rhyfeddod Martha Philophur mewn pennill fel hwn:

Rhyfedd ydoedd, rhyfedd ydyw,
Grym ei gariad at y byd!
Mae rhyw foroedd o drugaredd
At bechadur ynddo o hyd;

[10] 'Llythyr Martha Philophur at Philo-Evangelius'; gweler Garfield H.Hughes, gol., *Gweithiau William Williams Pantycelyn, Cyfrol II,* Caerdydd, 1967.

Rhyfedd byth i'r cyfiawn ddyoddef
Dros annheilwng lwch y llawr;
Am anfeidrol waed y cymod
Caned pechaduriaid mawr.

Un arall o wreichion diwygiad 1762 yw'r emyn sy'n dwyn y teitl 'Hafddydd yr Efengyl': dyfynnir y ddau bennill cyntaf o bedwar, ac fe gafodd yr ail le amlwg mewn casgliadau diweddarach:

Deuwch etifeddion sylwedd,
Gorfoleddwn yn Nuw cun;
Darfu'r gaeaf, daeth yr hafddydd,
Efengyl dirion mab y dyn:
Eneidiau caethion o'u carcharau
A'u cadwynau'n mynd yn rhydd;
Y ddraig a'i theulu'n cael eu maeddu,
Efengyl Iesu bia'r dydd.

Captain mawr fy iechydwriaeth
Welaf yn y frwydr hon,
Holl elynion ei ddiweddi
Yn gorfod plygu ger ei fron:
Plant afradlon sy'n dod adref
oedd ymhell o dir eu gwlad;
Rhai fu fudion sy'n clodfori
Duw am iachawdwriaeth rad.

Yn ei ymateb i Martha Philophur mae Philo-Evangelius yn dathlu'r modd y dyrchefir ac y ceisir Crist yn y diwygiad: 'Wele dorfeydd yn cludo at air y bywyd, pwy a'u rhif hwynt? Mae'r Deau a'r Gogledd yn mofyn un brenin, a'i enw'n un, Iesu Frenin y saint! . . . Y iechadwriaeth yng Nghrist yw'r unig bleser i luoedd o bobl . . . O hafddydd, fe ddaeth, fe ddaeth!' Ac felly yn yr emyn 'Crist wedi gorchfygu' cawn Morgan Rhys yn canu yn hyderus, yn fuddugoliaethus o ganol diwygiad lle mae'r gair yn cael ei dderbyn a Christ yn cael ei foli, a hynny ar ôl blynyddoedd o sychder a chaledwch ysbrydol; dyfynnir y ddau bennill olaf cyfarwydd:

Daeth blwyddyn y caethion i ganu,
Doed meibion y gaethglud ynghyd,
Ni seiniwn y nefoedd a'r ddaear
O foliant i Brynwr y byd:

Mae brenin y nef yn y fyddin
Gwae Satan a'i filwyr yn awr,
Trugaredd a hedd sy'n teyrnasu
Mae undeb rhwng nefoedd a llawr.

Y Llew o lwyth Juda gorchfygodd;
Pa elyn all sefyll o'i fla'n;
Mae Sïon yn teithio tuag adref
Mewn cerbyd dychrynllyd o dân:
Alarwyr cyfodwn ein pennau,
Fe dderfydd ein cystudd a'n poen,
Ni thraetha angylion na dynion
Hapusrwydd priodasferch yr Oen.

Ac mae'r ymgnawdoliad, dyfodiad mab Duw i ryddhau'r caethion, yn destun mwy nag un o'r hymnau newyddion hyn. Yr enwocaf ohonyn nhw yw'r emyn ardderchog 'Deuwch holl hiliogaeth Adda', emyn a ddarniwyd yn ddidrugaredd gan amryfal olygyddion ond a gynhwyswyd yn llawn (naw pennill) mewn dau ddetholiad diweddar.[11] Galwad i ryfeddu ac i foli o feddwl bod ceidwad wedi ei eni o gwbl i rai a syrthiodd i bydew du blin, i rai y mae eu cyflwr anobeithiol o lygredig wedi'i ddiffinio a'i nodi yn fanwl (hyd syrffed, dywedai rhai) mewn emynau cynharach, sydd yn yr emyn hwn. Mae ymyrraeth ryfeddol a graslon Duw tragwyddoldeb ym myd amser yn mynd â bryd yr emynydd yn llwyr:

Er bod lluoedd o angylion
Yn ei foli yn gytun,
Yn eithafoedd tragwyddoldeb,
Cyn ei wisgo â natur dyn;
Roedd ei galon
Gyda annheilwng lwch y llawr.

Peraidd ganodd ser y boreu
Ar enedigaeth brenin ne';
Y doethion a'r bugeiliaid hwythau,
Teithient i'w addoli e';
Gwerthfawr drysor
Yn y preseb Iesu gaed.

[11] Bobi Jones, *Pedwar Emynydd,* Llandybïe, 1970; *Trysorau Gras,* Detholwyd a Golygwyd gan E.Wyn James, Penybont, 1979. Adeg llunio'r ddarlith hon yn y cyfrolau hyn y caed y detholiadau mwyaf hwylus a dibynadwy o waith Morgan Rhys, ond yr oedd hi'n fwriad gan Wasg Gregynog i gyhoeddi detholiad newydd o'i waith.

Dyma Geidwad i'r colledig
Meddyg i'r gwywedig rai;
Dyma un sy'n caru maddeu
I bechaduriaid mawr eu bai:
Diolch Iddo
Fyth am gofio llwch y llawr.

Gwedd arall ar brofiad yr eglwys mewn cyfnod o ddiwygiad yw bod y pregethu yn effeithiol yn ei waith yn argyhoeddi anghredinwyr ac yn adfer gwrthgilwyr, ac o'r herwydd fe feddiennir yr eglwys gan ysbryd cenhadol, efengylaidd sy'n mynnu mynd i'r priffyrdd a'r caeau i alw rhai i'r wledd. Dyma pryd y lluniwyd yr emyn deg pennill 'Hiliogaeth adda dewch i foli Iesu mawr', ac unwaith eto wrth gofio cywair yr emynau cynharach y medrwn werthfawrogi angerdd y gwahoddiad mewn penillion fel y rhain:

Hiliogaeth Adda dewch i foli Iesu mawr
Mae drws y bywyd heb ei gauad hyd yn awr;
Trugaredd rad i ddynolryw
Sy'n cael ei chynnig in gan Dduw.

Dewch bechaduriaid mawr ffieiddia sy'n y byd,
Trugaredd sy gan Dduw i chwi er oedi cyd;
Ni chofia ef eich ffiaidd fai,
Gall gwaed y groes ei lwyr ddileu.

O'r emyn hwn y tynnwyd y penillion enwog sy'n dechrau 'Dewch hen wrthgilwyr trist' a 'Dewch hen ac ieuanc dewch' ac a gydiwyd ynghyd yn un emyn gan olygyddion diweddarach.[12]

Fe gyhoeddodd Morgan Rhys lyfryn arall yn 1764, llyfryn a gynhwysai farwnad i'r Parchedig Lewis Lewis, 'gweinidog yr Efengyl, yn Llanddeiniol yn Sir Aberteifi; yr hwn a hunodd gyda ei Dadau . . . er mawr Golled i'r Eglwys' ynghyd â naw o 'hymnau duwiol'. Mae'n werth crybwyll y trydydd o'r emynau hyn am ei fod yn mynegi'r un weledigaeth genhadol hyderus ac allblyg, yr un sicrwydd bod utganiad utgorn Duw yn cyhoeddi Jiwbili, blwyddyn rhyddid i'r caethion. (Yn sgîl diwygiadau'r ddeunawfed ganrif gwelwyd adfywiad yn y weledigaeth efengylaidd parthed derbyniad i'r efengyl ledled y byd, a dyna

[12] Er enghraifft, *Llyfr Emynau a Thonau* (1927), rhif 295; gweler Thickens, *op. cit.*, 149.

gychwyn sawl symudiad cenhadol pwerus.[13]) Mae'r emyn yn agor gyda'r pennill:

Aed 'fengyl yr Iesu dros wyneb y byd
A galwed ei meibion a'i merched ynghyd
I'r Gaersalem newydd uwch cystudd na phoen
Fe ddygir yn holliach briodferch yr oen.'

Ac yn yr emyn hwn y cafwyd yn wreiddiol y pennill cyfarwydd:

Mae'r jubil tragwyddol yn awr wrth y drws
Fe gododd yr haulwen ni gawsom y tlws;
Doed gogledd a dwyrain, gorllewin a de
Yn lluoedd i foli tywysog y ne'.

Ond mae'n un o nodweddion diwygiad hefyd fod y saint yn cael golwg arswydus ar sancteiddrwydd Duw, fel Eseia gynt yn y deml, ac o'r herwydd yn dod i gasáu fwyfwy y pechod sydd ynglŷn wrthyn nhw. Os rhywbeth, felly, rhoddir min ychwanegol i'r elfen hunanfeirniadol, gyffesol yn emynau Morgan Rhys yn ystod y cyfnod hwn. Mae modd yn wir i ni ddarllen yr emyn mawreddog 'Trugaredd Duw yng Nghrist' (Hymn XLVIII yn *Golwg o Ben Nebo,* 1764) fel y peth agosaf at hunangofiant ysbrydol a luniwyd gan ei awdur:

Pechadur aflan wyf o'r bru
Yn pechu yn erbyn Arglwydd cu
Anfeidrol yw d'amynedd di
Fy mod i eto yn fyw;
. . .
Er pan ddeuthum i'r ddaear lawr
Ni wnes ond pechu o awr i awr,
Dy sbeilio o'th ogoniant mawr,
Hyd ag y gellais ddim;
. . .
Anfeidrol gariad maith erio'd
Cyn creu'r byd na dim mewn bod,
Ti sydd yn deilwng o bob clod,
O werthfawr Geidwad dyn!
Mi boerais yn dy wyneb gwyn,
Do, fil o weithiau, gwn, cyn hyn;
Mi'th hoeliais ar Galfaria fryn,
A gedwi di'r fath un ?

[13] Gweler Iain Murray, *The Puritan Hope,* Edinburgh, 1971.

O furgyn gwael drewedig cas,
Ffieiddiaf ar wyneb daear las,
A ga'i ngwaredu trwy dy ras
O safn y pydew blin?
Heb ddim daioni ynwy'n bod
Yn llawn o'r pechod aflan nod,
Yn berffaith elyn Duw erio'd
Trugaredd i'r fath ddyn.

A'r un yw byrdwn emynau eraill yn y casgliad hwn, yn eu plith yr un sy'n agor gyda'r gyffes gyfarwydd 'Pechadur wyf, o Arglwydd, sy'n curo wrth dy ddôr'.[14]

Fe welir felly fod amryw o benillion enwocaf Morgan Rhys yn gynnyrch blynyddoedd diwygiad a bendith anghyffredin, fel yn achos cynifer o emynau mawrion.

Cyn dilyn ei yrfa fel emynydd ymhellach mae angen i ni oedi i ddweud gair am ei waith beunyddiol fel athro teithiol yn ysgolion cylchynol Griffith Jones. Ceir nifer o gyfeiriadau ato yn y *Welch Piety* yn ystod y chwedegau a'r saithdegau, ac ymddengys iddo weithio yn weddol agos i gartref (Llanfynydd, erbyn hynny, mae'n bur debyg) o ganol y chwedegau ymlaen. Yr hyn sy'n taro dyn yw'r cyferbyniad syfrdanol rhwng hunan-asesiad tywyll Morgan Rhys o'i gyflwr yn yr emynau cyffesol a'r ganmoliaeth hael y mae e'n ei derbyn yn ddieithriad yn yr adroddiadau a gyhoeddwyd yn *Welch Piety.* Teg dweud mai cadarnhaol a chanmoliaethus yw naws yr adroddiadau am bawb yn gyffredinol, ond hyd yn oed o fewn awyrgylch nad oedd yn gwbl rydd o weniaith a gormodiaith, mae'n siŵr gen i, mae Morgan Rhys fel petai'n rhagori, ac fe allwn ni dderbyn dyfarniad Bob Owen, Croesor, a ddywedodd i Morgan Rhys ddysgu mwy o blant na neb arall a derbyn uwch canmoliaeth na neb arall. [15]Bydd dau gofnod yn ddigon i roi blas i ni ar y math o eirda a roddwyd iddo fel athro. Dyma eiriau Benjamin Davies, curad Llandysul, yn 1765:

> 'Having inspected the Welch school, kept at Waunifor's chapel in this parish by Morgan Rees, I think it my duty to let you know, that the scholars under his tuition have made such a progress in

[14] Gweler *Llyfr Emynau a Thonau,* rhif 524; Thickens, *op.cit.,* 150.
[15] Dyfynnwyd yn Roberts, *Morgan Rhys, Llanfynydd,*

> learning for the short time he has been there, as is almost incredible; which must be owing to his care and indefatigable industry in teaching them.'[16]

A gofyn am gael cadw yr athro dawnus am gwarter arall a wnaeth Morgan Davies ar ran plwyf Llangynnwr yn yr un flwyddyn:

> 'At the unanimous request of the parishioners of Langynnor and myself, you have been so kind as to favour us with the continuance of Morgan Rees for another Quarter, to teach the Welsh School; . . . we also beg you would be pleased to continue the same master amongst us for some time longer, to complete what is so happily begun.'[17]

Cawn ddarlun, felly, o hyfforddwr ymroddedig a chwbl gydwybodol wrth y gwaith o ddysgu'r anllythrennog i ddarllen, dysgu'r catecism ac egwyddorion Cristnogaeth. Mae'n amlwg o'i ohebiaeth â John Thomas ei fod yn mwynhau cyfeillach â'r saint yn y gwahanol ardaloedd lle bu'n lletya, ('Rwy'n profi cwmpni'r saints o hyd/ Yn fendith fawr yn hyn o fyd' meddai mewn emyn cynnar), a does bosib na welodd e nifer o'r rhai a fu'n ddisgyblion iddo yn yr ysgolion yn dod yn ddisgyblion i'w Arglwydd yn ogystal. Ar gyfer y rhain, wrth gwrs, yr ysgrifennai'r emynau, ar gyfer cynulleidfa yr oedd yn byw ac yn gweithio yn ei chanol hi; ac fe wyddom fod canu ar emynau Morgan Rhys yn ystod y blynyddoedd hyn. Pan ddygwyd cwynion yn erbyn David Davies, curad Llanddarog, yn 1770 oherwydd ei fod yn dangos tueddiadau Methodistaidd, dywedodd tystion yn ei erbyn iddynt fod yn bresennol mewn cwrdd yn nhŷ David Lewis y gof ym mhlwyf Llangyndeyrn pryd y bu David Davies yn gweddïo'n hir o'r frest a phryd y canwyd 'hymns composed by Morgan Rees a Methodistical teacher.'[18]

Erbyn hynny yr oedd Morgan Rhys wedi cyhoeddi dau gasgliad arall o emynau, sef *Golwg ar Ddull y byd hwn yn myned heibio . . .* yn 1767 a *Golwg ar y Ddinas Noddfa . . .* yn 1770. Allan o 57 o emynau yn y cyfrolau hyn, dim ond deg a

[16] *Welch Piety*, 1764-5,11.
[17] ibid., 21.
[18] CCHMC, 35, 17.

gynhwyswyd yn *Golwg ar Ben Nebo* 1775, ac ni fu i'r mwyafrif ohonynt unrhyw le yng nghaniadaeth y cysegr yn ystod y ddwy ganrif ddiwethaf. Mae'n siŵr gen i fod ffactorau masnachol ar waith yn netholiad 1775, oherwydd prin y gellid honni mai ar sail gwerth llenyddol y gwnaed y dethol. Cyfeiriodd Derec Llwyd Morgan at *Golwg ar y Ddinas Noddfa* fel un o gyfrolau gorau Morgan Rhys[19], ac erbyn ail hanner y chwedegau mae e'n sicr yn emynydd aeddfed ei brofiad, sicr ei drawiad ar amrywiaeth o fesurau, a chyson iawn ei safon. Mae'r tinc hyderus i'w glywed o hyd yng nghasgliad 1767, yn enwedig yn yr emyn cyfarwydd 'Helaetha derfynau dy deyrnas, a galw dy bobl ynghyd', pryd y deisyfir brysio 'dydd Jubil yr etholedigion a chydetifeddion â'r Oen'; fe'i clywir hefyd mewn emyn hyfryd, ond anghyfarwydd, ar fesur a ddefnyddir ddwywaith neu dair gan Morgan Rhys i fynegi llawenydd gorfoleddus, ac a ddyfynnir yn llawn yma er enghreifftio ansawdd nifer helaeth o emynau na ddaethant yn rhan o ganon cyhoeddus, cynulleidfaol yr emynydd:

Awn trwodd ar ein cyfer, tua'r wlad, tua'r wlad,
Sy draw i bob cyfyngder, tua'r wlad,
Llawenydd byth heb dristwch, i nofio mewn diddanwch,
Uwch cyrraedd aflonyddwch, tua'r wlad,
Dewch etifeddion heddwch, tua'r wlad.

Mae'n bwrdd ni wedi hulio, awn ymlaen, awn ymlaen,
Gan sanctaidd frenhin Shilo, awn ymlaen,
Cawn wledda pen ychydig fry ar y llo pascedig
Ac yfed gwin puredig, awn ymlaen,
A brynodd gwaed ein meddyg, awn ymlaen.

Mae uffern wedi maeddu, dewch ymlaen, dewch ymlaen,
A'r dyled wedi dalu, dewch ymlaen,
Mae tywysog mawr y bywyd fry ar ei orsedd hyfryd
Yn eiriol dros ei anwylyd, dewch ymlaen,
ehedwn uwchlaw gofid, dewch ymlaen.

Aeth llu o'r genedl gyfion, draw i dre, draw i dre,
I sanctaidd ddinas Seion, draw i dre.
Mae yma dyrfa aneiri yn erbyn tylau yn tynnu
Fry at yr anwyl Iesu, draw i dre,
Cawn gydag ef deyrnasu, draw yn nhre.

[19] Derec Llwyd Morgan, *Y Diwygiad Mawr,* Llandysul, 1981, 286-7.

Mae gwaredigaeth Seion yn nesau, yn nesau,
O canwn garcharorion mae'n nesau:
Mae'r haul yn rhifo'r dyddiau, ni ddewn i ben y siwrnai
I'r wlad tu draw i angau, mae'n nesau,
At Iesu a'i gariadau, mae'n nesau.

Cawn deml newydd hyfryd cyn bo hir, cyn bo hir,
Heb lygredd yn dragywydd, cyn bo hir,
Fry gyda'r duwiol deulu sy'n moli'r Arglwydd Iesu
A thelyn aur i ganu, cyn bo hir,
Heb elyn i'n gorthrymu, cyn bo hir.

O rhedwn bawb yr yrfa, awn yn glau, awn yn glau,
I'r bywyd am y cynta, awn yn glau,
Bendithion dirifedi a brynodd Iesu inni,
A nefoedd i artrefu, awn yn glau,
O fraint llwch i ryfeddu! Awn yn glau.

Mae teulu'r nefoedd sanctaidd, bob yr awr, bob yr awr,
Yn syrthio o flaen yr orsedd bob yr awr;
Rhai sydd erioed heb bechu bob munud yn ei foli,
A gawn ni gyda'r rheiny bob yr awr,
Weld grasol wyneb Iesu bob yr awr.

Yr emynau cyfarwydd eraill a welodd olau dydd yn 1767 oedd 'Wel dyma'r cyfaill gorau ga'd', ar y mesur chwe llinell y mae Morgan Rhys yn gymaint meistr arno, a'r emyn sy'n agor gyda'r weddi 'O agor fy llygaid i weled / Dirgelwch dy arfaeth a'th air'. Mae'r emyn sy'n dechrau â'r pennill hwn yn y *Llyfr Emynau a Thonau* yn enghraifft nodweddiadol o'r modd y clytiwyd penillion o wahanol emynau at ei gilydd.[20] Yn y gyfrol hon hefyd y mae'n defnyddio am y tro cyntaf y mesur chwe llinell seithsill, yn odli fesul cwpled a phob llinell yn gorffen yn acennog. Mesur yr arbrofwyd gyntaf ag ef gan Williams yn *Môr o Wydr* yw hwn, a mesur sydd yn nwylo Morgan Rhys yn gyfeiliant cymwys iawn i fyfyrdod dwys a gosodiadol ar gyfryngdod Crist, fel y dengys pennill cyntaf ac olaf emyn xxxvi :

Llew aned o Juda lwyth,
I'n gelynion tâl y pwyth;
Brenin cadarn yw efe,

[20] Gweler Thickens, *op.cit.*, 147-8.

Llywodraethwr dae'r a ne':
Alpha ac Omega mawr,
Unig Geidwad llwch y llawr.

Yng nghyfryngdod Iesu Grist
Aros bellach f'enaid trist;
Noddfa i'r llofruddion yw,
A chyfiawnder dynolryw:
Gorphwys tano, f'enaid prudd,
Nes êl heibio wres y dydd.

Ar dudalen olaf cyfrol 1767 ceir y sylw, 'hyn yn fyr (ac fe allai'r diweddaf) oddiwrth eich cyd-bererin i'r byd arall, MORGAN RHYS'. Fe gafodd y pererin rai blynyddoedd o estyniad einioes ar ôl ysgrifennu'r geiriau yna, ac fe ddaliodd ati i gyfansoddi. Mae *Golwg ar y Ddinas Noddfa* (1770), fel yr awgrymwyd, yn gasgliad sylweddol, cadarn ; rhwng 1770 a 1774 fe gyhoeddodd bum llyfryn arall o farwnadau ac emynau. Dau gasgliad yn dwyn yr un teitl, sef *Griddfannau'r Credadyn am berffeithrwydd ac anllygredigaeth: ar fesur newydd* (un ohonynt yn atodiad i *Hanes Bywyd a Marwolaeth y Parchedig Mr. Fafasor Powel), Y Frwydr Ysbrydol,* sef cyfrol ar y cyd â Thomas Dafydd, Esgair Rudd, Llanegwad, a dwy farwnad, y naill i nifer o weinidigion yr efengyl, y llall i Fethodist amlwg o Landeilo, Morgan Nathan, hynny mewn pamffledyn sy'n cynnwys emynau o waith Morgan Nathan a Morgan Rhys.[21]

Marwnadwr cyffredin yw Morgan Rhys. Chawn ni ddim yn ei farwnadau ef yr ymgodymu poenus cyn derbyn trefn rhagluniaeth, y cyffro ysbrydol na'r ffraethineb chwaith a geir ym marwnadau Williams. Hwyrach mai'r adran fwyaf diddorol yn y pum marwnad a luniodd yw ail ran 'Marwnad neu goffadwriaeth o ddedwydd farwolaeth rhai o weinidogion ffyddlon yr efengyl a ymadawodd â'r byd hwn yn ddiweddar yn Neheudir Cymru . . . yn nghyd ag amryw eraill o'r saint fu yn cyd-addoli Duw gyda rhai ohonom yn y byd presennol, sydd heddyw yn holliach yn y byd tragwyddol.' Yn ail adran y gerdd hon mae e'n rhoi'r gorau i'r mesur afrwydd a herciog braidd a oedd yn boblogaidd gan farwnadwyr y cyfnod ac yn troi at benillion syml pedair llinell ar y mesur hir, mesur mwy addas o lawer i fynegi ei hyder sionc

[21] Ceir y manylion llawn yn Roberts, *Morgan Rhys, Llanfynydd.*

ynghylch tragwyddol orffwysfa'r gwerinwyr di-nod y bu e'n cyd-addoli â nhw ac yn gweithio yn eu plith:

Nid yw Rachel Walter heddy'
Uwch yr heulwen yn 'difaru,
Iddi roi ffarwel mor gynar
I bleserau gorau'r ddaiar

. . . .

Gwelwch Betti Enoc Dafydd
Wedi gorffen ei mhawr gystudd,
Ar yr orsedd wen yn gwledda, -
Enoc, brysia, rhed yr yrfa.

Rhoddodd Ffranci, Sian a Sioned
Ffarwel glân i'r holl Sodomiaid;
A rhith broffeswyr, crynwyr penrhydd,
Ni ddaw i'r breswylfa lonydd.

Gwelwch Moses Ioan bannwr,
Fry ym mharlwr y Cyfryngwr,
Wedi gorffen ei gystuddiau
Mil dedwyddach na'i berthnasau.

O safbwynt mydryddol datblygiad pwysicaf Morgan Rhys yn ystod y blynyddoedd hyn yw'r hyn y mae'n cyfeirio ato fel 'mesur newydd', y mesur y cenir yr emyn enwog 'Eheded iachawdwriaeth' arno. Triban dwbwl ydyw mewn gwirionedd, wedi'i batrymu ar waith y Ficer Prichard yn ôl awgrym Gomer Roberts; dyma'r mesur a ddefnyddir ar gyfer rhai o emynau gorau casgliadau'r saithdegau, yn eu plith yr emynau sy'n dechrau 'Mae'r byd rwyf yn preswylio/ A'i ddull yn myned heibio' a 'Dewch holl hilogaeth adda/ I wledd y brenin Alpha', yn ogystal â'r emyn mawr sy'n cyhoeddi gwahoddiad yr efengyl ac yn dymuno ei llwyddiant bydeang:

Eheded iechydwriaeth
Dros gyrrau'r holl gre'digaeth
A doed ynysoedd pell y byd
I gyd gael meddyginiaeth.
Mae'r Brenin ar ei orsedd
Yn siriol yn ymhŵedd
Ar bechaduriaid tlodion gwael
Ddod ato i gael ymgeledd.

(Fel emyn un pennill yr ymddengys hwn yn Emynau a Thonau. Ceir tri o'r penillion gwreiddiol, nid yn eu trefn wreiddiol, yn yr emyn 'Hosanna, Haleliwia / I'r oen fu ar Galfaria.'Ceir saith pennill yn y gwreiddiol, a phennill olaf o fawl yw 'Hosanna, Haleliwia'.) Emyn adnabyddus arall a gyhoeddwyd yn *Griddfannau'r Credadyn* yw 'Gwnawd concwest ar Galfaria fryn / Amdani canodd myrdd cyn hyn', lle y cyfunir dathliad o waith gorffenedig Crist a chyffes o wendid personol y pererin sydd yn erbyn tyle'n tynnu; ac o'r herwydd mae ffurf wreiddiol yr emyn yn gorffen gyda gweddi am gymorth a chynhaliaeth - 'O clyw ngriddfannau Arglwydd Dduw:/ Rwyf bron â syrthio weithiau'n friw/ Dal fi â'th hollalluog law.'

I'r gyfrol hon hefyd y perthyn yr emyn enwog a ddyfynnwyd gan R.Williams Parry yn ei gerdd chwerw-ffraeth 'Gorthrymderau', ''Beth sydd imi yn y byd/ Gorthrymderau mawr o hyd', emyn y mae ei ddifrifoldeb griddfannus yn tystio bod dadrith ei awdur gyda dull y byd hwn a'i hiraeth am fywyd anllygredig yn gryfach nag erioed.

Rwyf am gloi'r arolwg hwn o yrfa Morgan Rhys fel emynydd trwy gyfeirio at ddau o'i emynau olaf, emynau a luniwyd yn ystod 1774-5 yn ôl pob tebyg, a dau emyn sy'n arddangos awdurdod tawel, urddasol emynydd mawr sy'n dod at ddiwedd ei yrfa. Gwrandewch yn gyntaf ar yr emyn telynegol hyfryd hwn:

Mae llais y ddurtur beraidd fwyn
Yn seinio nawr o lwyn i lwyn;
Mae llu o adar mân y wawr,
Yn dechreu moli f'Arglwydd mawr.

Mae ser y nefoedd fel yn un
O'u bron yn moli Mab y dyn;
Mae'r glaswellt oll, a gwlith y llawr
Yn datgan ei ogoniant mawr.

Amgylcha dithau 'fengyl wen,
Yr holl fynyddoedd tan y nen;
Molianned dae'r a môr yn un,
Ardderchog geidwad enaid dyn.

Chwaried fy nhraed o flaen yr Oen,
Ddioddefodd troswyf ddirfawr boen,
A seinia dithau'r tafod bach,
Ei glod heb dewi byth yn iach.

Doed pechaduriaid mwya gyd
I foli'r oen o eitha byd.
O brysia'r awr ar gwmmwl nen,
I foli yn llawen uwch y llen.

Tyrd fywyd anllygredig glân,
Ca'i mhlith y dorf fel tywod mân,
Heb drai na phoen mewn nefol nyth,
Foliannu fy Ngwaredwr byth.

Tyred ddiwrnod hafedd hardd,
Ca'i oll a gollais yn yr ardd;
Bendithion gwerthfawr, rif y gwlith,
Na fedra'i ddatgan allan byth.

Rwy'n rhoi fy hunan iddo fe,
Ar bren a laddwyd yn fy lle,
Ni cheisia'i yn ôl y bywyd hyn,
Ond gweled byth ei wyneb gwyn.

Datganiad sobr ynghylch marwoldeb dyn, natur ac achosion y cyflwr ynghyd â'r unig obaith am adferiad a geir yn yr emyn olaf yr wyf am ei grybwyll. *'Relentlessly solemn'?* Hwyrach na fyddai Morgan Rhys ddim yn drwgleicio'r ymadrodd; iddo ef a'i gydweithwyr, wedi'r cyfan, nid jôc ddiystyr i ennyn crechwen nihilistaidd oedd bywyd, nac ychwaith arwyneb disylwedd i rwdlian ar ei hyd. Yn yr emyn hwn mae'r person cyntaf am unwaith yn absennol wrth ledio cyhoeddiad rhybuddiol, dychrynllyd i gyfeiliant pendant y llinellau acennog:

Beth ydyw dyn ond gwagedd gwael?
A pheth sydd yn y byd i'w gael
Ond gorthrymderau fore a hwyr -
Cystuddiau o newydd sy'n neshau
Tra paro'r bywyd budr, brau,
Nes difa'r byd i gyd yn llwyr.

O'r pridd ca'w'd dyn, i'r pridd yr â
Waith pechu yn erbyn Arglwydd da,
Sy'n frenin ar y byd ei hun,
Am dori holl gyfreithiau'r nef
Rho'wd barn marwolaeth arno ef,
Rhaid marw holl hiliogaeth dyn.

Tan holl lywodraeth nefoedd faith,
Rhaid i'r cre'duriaid o bob iaith
Farw o achos pechod dyn;
Rhaid oll ymddangos o flaen Duw.
Ni ddianc un o ddynolryw
Pob un rydd gyfrif trosto'i hun.

Rhaid geni dyn o'r nefol wlad
O'r gwerthfawr anllygredig had,
Llygredig oll yw dynolryw;
Mae'n rhaid i frenin nefoedd fawr
Ein galw a'n dilyn ar y llawr
Cyn etifeddom nefoedd Duw.

Cyn colli'r dydd yn Eden oll,
A mynd hil Adda i gyd ar goll,
Fe drefnwyd gan y nef ei hun,
Fry yn yr arfaeth gadarn fawr,
Cyn gosod holl sylfeini'r llawr,
Achubwr i golledig ddyn.

Er rhoi'r rhan farwol yn y pridd,
Daw eto i'r cyfiawn ddedwydd ddydd,
Cawn gwrdd yn anllygredig fry,
Yn y breswylfa lonydd wiw
Bydd pawb yn gwisgo delw Duw,
Heb un llygredig yn y llu.

(Mi fyddai'n hoffi meddwl i Twm o'r Nant ddarllen emynau Morgan Rhys, a bod ôl emynwyr Sir Gâr ar rai o'r darnau mawr a luniodd ar ôl dychwelyd i'r gogledd - rwy'n meddwl yn arbennig am ei fyfyrdod mawr ar fyrhoedledd bywyd yn y gân sy'n cloi'r anterliwt *Pleser a Gofid* (1787) : 'Dyn anwyd i flinder dan boender dibaid/ Fel yr heda'r wreichionen i'r nen ar ei naid:/ Gwagedd o wagedd, a llygredd sy'n llym/ A'r byd a'i holl dreigliad yn dwad i'r dim.')

Fe roddwyd rhan farwol Morgan Rhys ym mhridd mynwent eglwys Llanfynydd ym mis Awst 1779. Ei gartref yn ystod y blynyddoedd olaf oedd bwthyn neu dyddyn ar dir Cwmgwaunhendy. Noda Gomer Roberts fod traddodiad lleol hefyd yn ei gysylltu â bwthyn yn y pentref. Dibynnu ar draddodiadau llafar a wnawn i raddau helaeth hefyd wrth geisio pennu ei union gysylltiad â gwahanol seiadau Methodistaidd;

mae'n bosibl iddo fod yn aelod o seiat Cil-y-cwm ar yr un pryd â Williams, ac mae sôn iddo fod yn stiward ar seiat Llanfynydd. Ond y mae cynnwys ei ewyllys yn dweud wrthym yn glir iawn pwy oedd ei bobl e'. Yn ogystal â chofio am ei deulu naturiol mae'n cofio am dlodion seiat Llanfynydd, ac am seiadau cyfagos Nantgaredig, Llansawel, Cil-y-cwm, Caeo, Llansadwrn a Brechfa. Gadawodd arian hefyd i Daniel Rowland, Williams Pantycelyn, Jones Llangan, Peter Williams. John Thomas Tremain, William Siôn Llywele Fawr, ynghyd ag eraill o arweinwyr a chynghorwyr y Methodistiaid.[22]

Ni chanwyd marwnad ar ôl Morgan Rhys hyd y gwn i, ond fe godwyd cofgolofn iddo ym mynwent Llanfynydd yn ystod dauddegau'r ugeinfed ganrif, ac arno ddatganiad y byddai ei waith yn aros yn gyfrwng bendith yng ngwasanaeth y cysegr tra pery'r iaith Gymraeg. Yn ôl canlyniadau Arolwg Eglwysi Cymru 1996 tua 9% o oedolion Cymru oedd yn mynychu lle o addoliad; ymddengys fod mwyafrif llethol y werin Gymraeg ei hiaith wedi troi eu cefnau ar Morgan Rhys ac ar Dduw Morgan Rhys; mi fyddai hynny'n peri loes iddo ond mae'n amheus a fyddai'n peri syndod mawr iddo, oherwydd fe welsom yn glir beth oedd ei ddyfarniad e' ar gyflwr a thueddiadau'r dyn naturiol. Rwy'n siŵr y byddai'n rhyfeddu'n hytrach at y llenorion Cymraeg hynny yn ystod yr ugeinfed ganrif a fu'n dyrchafu ac yn clodfori'r werin, a gwerin Sir Gâr gymaint â neb, fel pe bai hi'n gynhenid rinweddol a daionus a chrefyddol, ac y byddai'n croesawu'r gonestrwydd hanesyddol a geir gan Russell Davies yn ei astudiaeth ddiweddar.[23] Mae'n wir ei fod yn cyfeirio yn un o'i emynau at 'y duwiol werin', y werin Fethodistaidd yr olrheiniwyd ei phatrymau seiadol hi mewn modd mor ardderchog gan Eryn White,[24] ond roedd hi'n dduwiol am fod Duw graslon wedi ymwneud â hi, ac wedi trugarhau wrthi yn ei thrueni. Gwerthfawrogiad angerddol o fesur anfeidrol y gras hwnnw oedd prif gymhelliad Morgan Rhys, yr athro a'r emynydd, yn ystod oes o foli Duw a gwasanaethu ei bobl.

[22] Ceir yr ewyllys yn llawn yn Roberts, *Morgan Rhys, Llanfynydd.*

[23] Russell Davies, *Secret Sins, Sex, Violence and Society in Carmarthenshire 1870-1920,* Caerdydd, 1996.

[24] Eryn M.White, *'Praidd Bach y Bugail Mawr': Seiadau Methodistaidd De-Orllewin Cymru 1737-50.* Llandysul, 1995.

‘DIGYMAR YW FY MRO’:
R. WILLIAMS PARRY A GWYNFOR, ‘YR HEN ACTOR’

gan E. WYN JAMES

Wrth adolygu *Cerddi'r Gaeaf* yn *Y Faner* yn 1953, nododd Gwenallt dri gwahaniaeth rhwng cerddi natur R. Williams Parry yn y gyfrol honno a'r rhai yn *Yr Haf a Cherddi Eraill:*

> Yn y naill, canu i Natur yn gyffredinol a wnaeth; ond yn y llall canu i Natur lleoedd arbennig. Yn Nhal-y-sarn y gwelodd y ‘ddôl ddihalog’; . . . lliw haul Pwllheli oedd ar wyneb Gwynfor . . .
>
> Yn y cerddi Natur yn *Yr Haf a Cherddi Eraill,* disgrifio gwrthrychau yn unig a geir, ond yn rhai o gerddi Natur *Cerddi'r Gaeaf,* ceir nid yn unig ddarlunio pur a chanfyddiad noeth, ond myfyrdod; cymhwysir y darlun, gweled ei ystyr foesol a threiddio yn ddyfnach i wrthrychau. Nid yn Llwyncoed Cwm-y-glo yn unig y lleisiai'r tylluanod, ond yn niwedd y byd hefyd . . .
>
> Yn *Yr Haf a Cherddi Eraill,* yr oedd R. Williams Parry yn fardd Natur ac yn fardd Dyn, er mai fel bardd Natur y canmolwyd ef, fel bardd ‘Olympaidd’, ond yn *Cerddi'r Gaeaf* y mae yn llawer mwy o fardd Dyn nag o fardd Natur.[1]

Nid yw Gwenallt ar ei ben ei hun o bell ffordd wrth bwysleisio'r agwedd ddiwethaf hon. ‘Y mae diddordeb y bardd yn ei gyfeillion a'i gyfoedion yn amlycach na'i gariad at natur yn y gyfrol hon,’ meddai Pennar Davies, er enghraifft, wrth iddo yntau adolygu *Cerddi'r Gaeaf* yn *Y Genhinen.*[2] A gesyd D. Tecwyn Lloyd y mater yn gryfach fyth. Meddai: ‘Bardd y Person, bardd dyn ydoedd yn anad un dim, a bardd Natur i'r graddau yr oedd Natur hefyd yn cynnwys dynion.’[3] Rhydd Tecwyn Lloyd rai

[1] *Cyfres y Meistri (1): R. Williams Parry,* gol. Alan Llwyd (Abertawe: Gwasg Christopher Davies, 1979), tt.192-3.

[2] ibid., t.204.

[3] ibid., t.259; cf. Kate Roberts, yn ibid., tt.92-4; Hugh Bevan, yn ibid., t.209; Gwyn Thomas, ‘Yr Haf a'r Gaeaf’, *Ysgrifau Beirniadol III,* gol. J. E. Caerwyn Williams (Dinbych: Gwasg Gee, 1967), t.171; T. Emrys Parry, *Barddoniaeth Robert Williams Parry: Astudiaeth Feirniadol* (Dinbych: Gwasg Gee, 1973), t.117.

ystadegau am y cerddi i bersonau yn nwy gyfrol barddoniaeth Williams Parry:

> Credaf fod rhyw un ar ddeg o'r caneuon yn y mesurau rhyddion yn *Yr Haf a Cherddi Eraill* wedi eu canu i rywun neu'i gilydd (heb gyfrif y sonedau). Ceir mwy fyth yn *Cerddi'r Gaeaf;* rhyw 17 (eto, heb y sonedau) i gyd. Ac yna, pan drown at y canu caeth, gwelwn fod y cwbl o'i englynion yn y ddwy gyfrol wedi eu llunio am bobl neu am leoedd. Nid yw'n defnyddio'r englyn i unrhyw bwrpas arall. Yn wir, gallwn ddweud mai pobl – cydnabod a chyfeillion – yw prif destunau ei gerddi. Mae pob englyn sydd ganddo am bobl, drachefn, naill ai'n gyfarchiad neu'n goffâd, a hynny hefyd yw llawer o'r cerddi rhydd.[4]

Yn hyn o beth, medd Saunders Lewis, y mae Williams Parry yn nhraddodiad Taliesin:

> Y mae'r arfer o ganu marwnad neu gerdd goffa ar ôl cyfaill neu gâr marw yn parhau'n ddigon byw yng Nghymru i beri fod yn weddus i'r bardd rhamantaidd mawr gan Williams Parry fod hefyd yn flaenor a phen ar holl feirdd gwlad yr ugeinfed ganrif. Canys dywedaf eto mai traddodiad Taliesin yw treftadaeth y bardd gwlad.[5]

Yn ei adolygiad yn *Y Faner,* y mae gan Gwenallt sylwadau craff am ddatblygiad canu englynol Williams Parry. Meddai:

> Wrth ddarllen yr englynion yn *Cerddi'r Gaeaf,* fe welir iddo golli ei afael ar yr englyn . . . Y mae R. Williams Parry yn nhraddodiad englynol y ganrif ddiwethaf, y traddodiad a etifeddodd drwy Hywel Cefni ac Anant, ac y mae rhai o'r englynion yn *Yr Haf a Cherddi Eraill* yr englynion perffeithiaf yn y traddodiad hwnnw. Ond canu i farwolaeth yn hytrach nag i'r person a fu farw a wneid yn yr englynion marwnadol; canu i'r golled a'r galar a'r gweryd a'r gŵys ac i 'parlyrau'r perl, erwau'r pysg'. Anodd yw rhoi rhinweddau person ar fesur englyn . . . Ond fe ddaeth y person a fu farw yn bwysicach na'i farwolaeth, yr ymadawedig yn fwy amlwg na'i ymadawiad i R. Williams Parry, fel y gwelir yn y cerddi marwnadol ar fesurau rhydd yn y gyfrol hon [*Cerddi'r Gaeaf*], 'Yr Hen Actor' 'Yr Hen Gantor' a'r 'Hen Sosialydd'. Y mae gan y bardd athrylith i wneud cyfeillion, a chyfeillion mor wahanol i'w gilydd yn eu credo a'u cymeriad ac

[4] *Cyfres y Meistri (1): R. Williams Parry,* t.252.

[5] 'Caneuon Gwilym R. Jones [adolygiad]', *Baner ac Amserau Cymru,* 10 Chwefror 1954, t.7.

> y mae ei ffyddlondeb iddynt yn angerdd moesol. Nid yw'r caneuon i Ganwy, Eifionydd a'r 'Hen Delynor' yn yr un dosbarth â'r caneuon i gyfeillion. Bardd cyfeillion a chwmni a hwyl yw R. Williams Parry.[6]

Yn ei theyrnged i Robert Williams Parry yn *Y Faner* adeg ei farw, pwysleisiodd Kate Roberts bwysiced oedd ei gylch cyfeillion i'r bardd. 'Yr oedd yn ddyn yr oedd yn rhaid iddo wrth gyfeillion,' meddai.[7] Ac mewn ysgrif yn *Barn,* cawn gipolwg gan Gwilym R. Jones ar y cylch hwnnw, neu yn gywirach efallai, y cylchoedd hynny:

> Un peth y dylid ei ddweud a'i ail-ddweud, am Bob Parry yw mai mewn cwmnïau bychain yng Ngwynedd a Chlwyd y ceid ef ar ei orau. Yr oedd yn hoff o 'gwmni brodyr hoff cytûn' mewn mannau fel Caerdydd ('Criw diddan Caerdydd') a Lerpwl hefyd. Yn y cwmnïau bychain hyn gallai ymlacio a datguddio meddyliau ei galon. Rwy'n cofio cyfarfod yr eneidiau dethol hyn mewn tafarnau ledled ein cefn gwlad, pobl fel Eliseus Williams, Llangybi ('Seus Wiliam y Sosialydd', chwedl Bob), Emrys Ddu o'r Felinheli, Walter S. Jones (Gwallter Llyfni), Llanllyfni, Gwilym Evans a J. O. Williams, Bethesda, Morus T. Williams, Dinbych (priod Dr Kate Roberts), a'r Athro Griffith J. Williams.[8]

[6] *Cyfres y Meistri (1): R. Williams Parry,* tt.193-4; cf. R. Gerallt Jones, yn ibid., tt.235-6, a T. Emrys Parry, *Barddoniaeth Robert Williams Parry,* t.195. Mae'r 'Hen' yn y teitlau yn cyfleu i'r dim, wrth gwrs, yr anwyldeb a deimlai'r bardd tuag at wrthrychau'r cerddi.

[7] *Cyfres y Meistri (1): R. Williams Parry,* t.90; cf. Mathonwy Hughes, *Perlau R. Williams Parry* (Dinbych: Gwasg Gee, 1981), tt.20-1.

[8] *Barn,* Mawrth 1984, t.73; cf. hunangofiant Gwilym R. Jones, *Rhodd Enbyd* (Y Bala: Llyfrau'r 'Faner', 1983), t.62, lle y rhestrir eto rai o aelodau'r 'cwmnïau bychain' hyn, gan bwysleisio hoffter arbennig Williams Parry 'o'r "werin gyffredin ffraeth," ac wrth "y werin" 'roedd yn golygu dynion diwylliedig, er nad oedd llawer ohonynt wedi cael addysg academig'. Ceir sylwadau tebyg, ynghyd â rhestr arall o'r gwŷr 'anacademig' hyn yn y Gogledd, gan Gwilym R. Jones dan y ffugenw 'Mignedd' yn y golofn 'Ledled Cymru' yn *Baner ac Amserau Cymru,* 11 Ionawr 1956, t.4.

Er mai Gogleddwyr oedd llawer ohonynt hwythau hefyd, yr oedd cylch cyfeillion Williams Parry yn nyddiau cynharach Caerdydd a'r Barri braidd yn wahanol, o ran ei haddysg ffurfiol o leiaf. Enwir rhai ohonynt gan Kate Roberts yn *Cyfres y Meistri (1): R. Williams Parry,* t.91; gan T. Emrys Parry yn *Barddoniaeth Robert Williams Parry,* t.39; gan Bedwyr Lewis Jones yn *Barddas,* Mawrth/Ebrill 1984, t.11; a chan David Thomas yn *Silyn* (Lerpwl: Gwasg y Brython, [1956]), t.109. Ceir cip ar rai ohonynt trwy lygaid Williams Parry ei hun yn y cyfresi englynion 'Beddargraffiadau'r Byw (Caerdydd a'r Cylch)' yn *Cerddi'r Gaeaf,* t.88, a 'Beddargraffiadau'r Byw (Y Gwyneddigion, Caerdydd)' yn T. Emrys Parry, *Barddoniaeth Robert Williams Parry,* tt.275-6, ac yn ei ysgrifau ar Silyn a Llywelyn G. Williams yn *Rhyddiaith R. Williams Parry*, gol. Bedwyr Lewis Jones (Dinbych: Gwasg Gee, 1974), tt.139-49. Cylch yr oedd Silyn Roberts a'r *Welsh Outlook* yn ganolbwynt iddo oedd cylch Williams Parry i gryn raddau yn nyddiau'r Barri – gw. Gwyn Jenkins, 'The Welsh Outlook, 1914-33', *Cylchgrawn Llyfrgell Genedlaethol Cymru,* 24 (1986), tt.475, 485-6, a David Thomas, *Silyn,* tt. 109-10.

Dyn y cwmni diddan oedd R. Williams Parry; ac er nad enwir ef yn y rhestr uchod, un o'r cwmni dethol hwnnw oedd Gwynfor, 'Yr Hen Actor'.

Er na cheir cofnod arno yn *Y Bywgraffiadur Cymreig 1941-1950* nac yn y *Cydymaith i Lenyddiaeth Cymru,* yr oedd Gwynfor – neu Thomas Owen Jones, a rhoi iddo ei enw bedydd – yn ffigur amlwg ym mywyd diwylliannol Cymru yn hanner cyntaf y ganrif hon. Brodor o Bwllheli ydoedd. Fe'i ganed yno yn 1875. Pan oedd tua 15 mlwydd oed, aeth i weithio yn brentis groser yn siop Samuel Lloyd, y 'Bee Hive', ym Mhwllheli. Bu yno am ryw dair blynedd cyn symud yn 1893 i Gaernarfon, lle y treuliodd weddill ei oes. Wedi cyrraedd Caernarfon, gweithiodd am ysbaid yn siop J. R. Pritchard yn Stryd y Llyn, cyn agor ei siop ei hun – siop gig – a honno hefyd yn Stryd y Llyn. Yna, ar 4 Hydref 1917, fe'i penodwyd yn llyfrgellydd cyntaf Llyfrgell Sir Gaernarfon, sef llyfrgell sir gyntaf Cymru, ar gyflog o £130 y flwyddyn, a bu wrth y gwaith hwnnw hyd ei farw ar 21 Awst 1941 yn 66 oed.

Ychydig wedi iddo ddod i Gaernarfon cyfarfu Gwynfor â T. Gwynn Jones (a ddaethai i'r dref yn newyddiadurwr yn Ebrill 1898), ac aeth y ddau yn gyfeillion mynwesol. 'Gwallt melyn, llygad glas, byw; deurudd lân wridog, llais llawn, cyfoethog,' meddai T. Gwynn Jones amdano wrth gofio eu cyfarfyddiad cyntaf. 'Tipyn yn swil oedd ar y dechrau,' ychwanega, 'ond buan iawn y daethom yn gyfeillion perffaith. Aethom drwy wynfyd ac adfyd ynghyd. Gwych oedd cyfeillgarwch Gwynfor.'[9]

[9] *Baner ac Amserau Cymru,* 27 Awst 1941, t.8. Ceir llun o'r ddau gyfaill gyda'i gilydd yn *Y Cymro,* 26 Hydref 1967, t.17. Trafodais eu perthynas yn fanylach yn yr erthygl 'T. Gwynn Jones a Gwynfor', *Taliesin,* 76 (Mawrth 1992), tt.61-71.

Bu T. Gwynn Jones yng Nghaernarfon o 1898 hyd 1905, ac eto o 1908 hyd 1909. Yr oedd Gwynfor, T. Gwynn Jones a Williams Parry ymhlith aelodau cynnar 'Clwb Awen a Chân', a sefydlwyd yng Nghaernarfon yn 1908. Meddai E. Morgan Humphreys am Gwynfor yn y *Liverpool Daily Post,* 26 Awst 1941: 'He was one of the group that founded *Cymdeithas Awen a Chan* in Caernarvon, and was one of the star turns of that very notable gathering.' Ac nid fel bardd ac adroddwr yn unig, oherwydd y tu mewn i'r copi o gyfrol Robert Griffith, *Y Delyn Gymreig,* sydd ymhlith papurau Gwynfor yn y Llyfrgell Genedlaethol (rhif 67), ceir y cyfarchiad hwn gan Anthropos (Llywydd y Clwb o'r dechrau), 'I Gwynfor ar ei ymddanghosiad cyntaf fel Datgeiniad yn Nghlwb Awen a Chan. Hydref 16, 1913', ynghyd â'r englyn canlynol:

O droi y'mŷd y dramodau – Gwynfor,
  A ganfu frô'r 'tannau':
Yn ei gerdd r'oedd swyn yn gwau –
Awen Alun unai'n olau!

[Parhad ar waelod y tudalen nesaf]

Dysgwn gan T. Gwynn Jones fod Gwynfor yn 'englynwr da o'i fachgendod'.[10] Yr oedd hefyd yn awdur storïau byrion. Cyhoeddwyd saith ohonynt mewn cyfrol yn dwyn y teitl *Straeon* yn Nhachwedd 1931. Gwasg Aberystwyth, y tŷ cyhoeddi a sefydlwyd gan E. Prosser Rhys yn niwedd 1928, a gyhoeddodd y gyfrol, a T. Gwynn Jones a ddarllenodd y proflenni. Meddai Prosser Rhys am Gwynfor: 'Yr oedd ganddo stôr o atgofion am hen gymeriadau Pwllheli a Chaernarfon . . . hen gymeriadau caled, ysmala glan y môr, llawer ohonynt yn llongwyr.'[11] A'r cei a'r harbwr yw cefndir bron y cwbl o storïau'r gyfrol.

[9–Parhad]

Yn y cyfarfod o'r Clwb a alwyd yn Nhachwedd 1909 i ffarwelio â T. Gwynn Jones ar ei ymadawiad am Aberystwyth, fe'i cyfarchwyd â cherddi o waith Gwynfor ac R. Williams Parry – gw. David Jenkins, *Thomas Gwynn Jones* (Dinbych: Gwasg Gee, 1973), tt.200, 210; cyhoeddwyd cerdd Williams Parry ar yr achlysur, 'Cathl y Gair Mwys', yng nghyfrol O. Llew Owain, *Anthropos a Chlwb Awen a Chân* (Dinbych: Gwasg Gee, 1946), t.43 (ac wedyn yn T. Emrys Parry, *Barddoniaeth Robert Williams Parry,* tt.260-1). Ar berthynas T. Gwynn Jones â 'Chlwb Awen a Chân', gw. hefyd ysgrif Arthur ap Gwynn, 'I Aberystwyth Draw', yn *Taliesin,* 24 (Gorffennaf 1972), a ailgyhoeddwyd yn *Cyfres y Meistri (3): T. Gwynn Jones,* gol. Gwynn ap Gwilym (Llandybïe: Gwasg Christopher Davies, 1982), tt.61-76.

Ymhlith papurau Gwynfor yn y Llyfrgell Genedlaethol (rhif 92), ceir copi llawysgrif o gywydd gan T. Gwynn Jones a gyflwynwyd i Gwynfor. Fe'i cyhoeddwyd dan y teitl 'Breuddwydion' yn *Caniadau* T. Gwynn Jones, ond 'Hiraeth' yw ei theitl yn y llawysgrif. (Cyhoeddwyd y fersiwn llawysgrif hwn yn fy erthygl yn *Taliesin,* Mawrth 1992, tt.65-7.) Cerdd ydyw a ysgrifennwyd yn 1912, ymhen tair blynedd union wedi i Gwynn Jones adael Caernarfon am Aberystwyth, ac ynddi fe gofia'r bardd yn hiraethus am ei gyfeillgarwch dwfn ef a Gwynfor yn nyddiau Caernarfon a'u cydrodio ar lan Menai.

Mae'r bocs o bapurau Gwynfor yn y Llyfrgell Genedlaethol, 'Casgliad Thomas Owen Jones "Gwynfor" ', yn cynnwys yn bennaf lythyrau cydymdeimlo at weddw Gwynfor, copïau o'i ddramâu, erthyglau a cherddi, lluniau ohono fel actor, a llu o doriadau papur newydd. Yn y casgliad hefyd (rhif 109), fe geir copi o eirda T. Gwynn Jones i Gwynfor pan ymgeisiodd am ei swydd yn Llyfrgell Sir Gaernarfon. Mae'r cwbl yn ddeunydd crai ardderchog ar gyfer yr astudiaeth drylwyr o fywyd a gwaith Gwynfor y mae ei mawr angen.

[10] *Baner ac Amserau Cymru,* 27 Awst 1941, t.8. Ceir enghreifftiau o'i farddoniaeth gynnar mewn dau lyfr ysgrifennu ymhlith ei bapurau yn y Llyfrgell Genedlaethol (rhif 57), a'r cyfeiriad '25 Ala Road, Pwllheli' arnynt.

[11] *Baner ac Amserau Cymru,* 3 Medi 1941, t.4, yn ei golofn 'Led-led Cymru', dan y ffugenw 'Euroswydd'. Stori gan Gwynfor, 'Y Coed Tân', yw'r gyntaf mewn cyfrol o 'storiau newydd gan rai o storiwyr blaenaf ein cenedl' a gyhoeddwyd yng nghyfres 'Llyfrau'r Dryw' yn 1944 dan y teitl *Coed Tân a Storiau Eraill;* a gwelir stori arall o'i waith, 'Gweddillion', yn y papur a gynhyrchwyd i'w rannu'n rhad ymhlith y Cymry a aeth oddi cartref adeg yr ail ryfel byd, *Cofion Cymru,* Rhagfyr 1942, t.2.

Dywedir fel a ganlyn am storïau Gwynfor mewn ysgrif goffa yn *Yr Herald Cymraeg,* 25 Awst 1941: 'Ni cheisiodd ef ysgrifennu ei storiau yn null a modd yr awdur diweddar. Adrodd stori yn naturiol a di-lol a wnai ef. Yr oedd yn dra hyddysg, er hynny, yng nghanonau'r Stori Fer.' Teg hollol yw dyfarniad Thomas Parry ar ei straeon: 'Atgofion, fel y tystia'r awdur, yn hytrach na storïau, yw *Straeon y Gilfach Ddu* J. J. Williams, atgofion wedi eu traethu'n fyw ac yn fedrus. Traethu o'r math hwnnw, ac nid ansawdd lenyddol, yw rhagoriaeth storïau Gwynfor' (*Llenyddiaeth Gymraeg 1900-1945,* Cyfres Pobun VIII, Lerpwl: Gwasg y Brython, 1945, t.49).

Erbyn i T. Gwynn Jones ei gyfarfod, yr oedd Gwynfor eisoes yn 'adnabyddus fel adroddwr', daeth yn feirniad eisteddfodol amlwg, ac yn nes ymlaen bu'n darlledu ar y radio droeon,[12] ond fe gofir amdano yn bennaf fel actor a chynhyrchydd dramâu. Dechreuodd ei yrfa ar y llwyfan mewn perfformiad o'r ddrama *Ivor Puw, neu Y Meddyg Llwyddianus* yn Neuadd y Dref, Pwllheli yn 1889, a hynny mewn cyfnod o gryn ragfarn yn erbyn dramâu.[13] Fel actor, gallai Prosser Rhys ddweud amdano, mai ef oedd 'actor Cymraeg gorau ei ddydd yn ddi-gwestiwn'.[14] Cyfansoddodd a chyhoeddodd nifer o ddramâu hefyd, 'amryw ohonynt yn rhai o natur ysgafn a chwareus', a buont yn boblogaidd ar hyd a lled y wlad.[15]

[12] *Baner ac Amserau Cymru,* 27 Awst 1941, t.8. Erbyn diwedd ei oes daethai Gwynfor yn ffigur amlwg yng nghylchoedd yr Eisteddfod Genedlaethol, yn aelod o Gyngor yr Eisteddfod, o'i Phwyllgor Drama, ac o Fwrdd yr Orsedd. Hyd heddiw cwpan arian er cof amdano, 'Cwpan Coffa Gwynfor', a roddir i'w ddal am flwyddyn i'r cwmni buddugol yn y gystadleuaeth perfformio drama fer yn yr Eisteddfod Genedlaethol. (Cyflwynwyd y cwpan am y tro cyntaf yn Eisteddfod Ystradgynlais 1954, y flwyddyn cyn i'r Eisteddfod Genedlaethol ymweld â Phwllheli, tref enedigol Gwynfor). Ar y tlws hwn, gweler dau o lythyrau Cynan at weddw Gwynfor sydd yng nghasgliad papurau Gwynfor yn y Llyfrgell Genedlaethol (rhifau 7-8).

[13] Gweler, er enghraifft, T. Gwynn Jones, 'Cymru a'r Ddrama', *Beirniadaeth a Myfyrdod* (Wrecsam: Hughes a'i Fab, 1935), tt.87-9; John Gwilym Jones, 'Dramâu Beriah Gwynfe Evans', *Swyddogaeth Beirniadaeth ac Ysgrifau Eraill* (Dinbych: Gwasg Gee, 1977), tt.305-9; E. G. Millward, 'O'r Llyfr i'r Llwyfan: Beriah Gwynfe Evans a'r Ddrama Gymraeg', *Ysgrifau Beirniadol XIV,* gol. J. E. Caerwyn Williams (Dinbych: Gwasg Gee, 1988), tt. 200-8. Bu Beriah Gwynfe Evans, 'Tad y Ddrama Gymreig', yn cydoesi â Gwynfor yng Nghaernarfon am flynyddoedd. Cyhoeddwyd y ddrama bedair act, *Ivor Puw,* gan 'Llwch Arian' (sef J. Elias Hughes?) yng nghylchgrawn Beriah, *Cyfaill yr Aelwyd,* rhwng Tachwedd 1885 a Mawrth 1886.

[14] *Baner ac Amserau Cymru,* 3 Medi 1941, t.4.

[15] *Baner ac Amserau Cymru,* 27 Awst 1941, t.8. Dramâu 'pentrefol' yw disgrifiad D. Tecwyn Lloyd o'i waith yn *John Saunders Lewis: Y Gyfrol Gyntaf* (Dinbych: Gwasg Gee, 1988), t.107.

Rhestrir pump o ddramâu cyhoeddedig Gwynfor, ynghyd â chrynodeb byr o bob un ohonynt, yng nghyfrol Llyfrgell Ceredigion, *Dramâu Cymraeg Hir* (Aberystwyth: Pwyllgor Addysg Ceredigion, 1957), sef *Trem yn Ôl, Y Ddeddf* (y newidiwyd ei theitl i *Y Briodas Ddirgel* yn ddiweddarach), *Perthnasau, Y Llo Aur a'r Lloi Eraill,* a *Tywydd Mawr.* Rhestrir dwy arall yng nghyfrol Llyfrgelloedd Cymru, *Dramâu Cymraeg Un Act* (Aberystwyth: Pwyllgor Addysg Ceredigion, 1969), sef *Eiddo Pwy?* a *Troi'r Byrddau* (y newidiwyd ei theitl i *'Cowdal Melan Stroc'* yn ddiweddarach).

Cyhoeddwyd o leiaf dair arall o'i ddramâu:

(a) *Yr Hen a'r Newydd, neu Barn ai Buchedd.* Drama un-act a fu'n fuddugol dan feirniadaeth Elphin yn Eisteddfod Genedlaethol Llundain 1909 yn y gystadleuaeth am gyfansoddi drama fer 'yn desgrifio Bywyd Cymreig yr oes hon'. Fe'i cyhoeddwyd yn *Cofnodion a Chyfansoddiadau Eisteddfod Genedlaethol 1909 (Llundain): Barddoniaeth a Drama,* gol. E. Vincent Evans (Llundain: Cymdeithas yr Eisteddfod Genedlaethol, 1910), tt.109-17. Bu Gwynfor yn gydfuddugol hefyd yn y gystadleuaeth cyfansoddi 'Tri Dramawd Fèr' yn Eisteddfod Genedlaethol Abertawe 1907 ac yn y gystadleuaeth am ddrama 'ar unrhyw destyn Cymreig' yn Eisteddfod Genedlaethol Caerfyrddin 1911, â fersiwn cynnar o'i ddrama *Trem yn Ôl* – drama sy'n seiliedig ar helyntion Etholiad 1868.

[Parhad ar waelod y tudalen nesaf]

Gwynfor oedd un o sefydlwyr y cwmni drama arloesol, Cwmni Drama'r Ddraig Goch, yng Nghaernarfon yn 1901 (neu 1902, os dilynwn O. Llew Owain), a chwaraeai ran amlwg yng nghynyrchiadau'r cwmni, ar y llwyfan a'r tu cefn iddi, o'r cychwyn cyntaf hyd nes i'r cwmni chwalu'n derfynol yn 1935.[16] Cydweithiai'n agos â T. Gwynn Jones ym myd y ddrama, yn enwedig yng nghyfnod cynnar Cwmni Drama'r Ddraig Goch; [17] ac mewn cyfnod diweddarach, cydweithiai'n agos iawn â Chynan hefyd. Yn wir, gallai Cynan ddweud amdano, mewn llythyr cydymdeimlo at weddw Gwynfor, ei fod 'ar lawer cyfrif fel tad imi ym myd llên a drama'.[18] Rhaid fod rhywbeth go arbennig yn awyr Pwllheli i gynhyrchu dau a gyfrannodd gymaint i fyd y ddrama yng Nghymru â Chynan a Gwynfor!

Daeth Gwynfor a Prosser Rhys yn gyfeillion mynwesol wedi i Prosser Rhys symud i Gaernarfon yn Ionawr 1920 i weithio ar

[15–Parhad]

(b) *John James o Lundain.* Drama un-act a gyhoeddwyd gyntaf yn *Y Gymraes* ym Mehefin a Gorffennaf 1921. Argraffwyd 25 copi ohoni yn ddiweddarach yr un flwyddyn yn bamffledyn diddyddiad, wyth tudalen, yng ngwasg E. W. Evans, Dolgellau.

(c) *'Y Nyrs Newydd'. Comedi Un Act. Dwy Olygfa.* Cyhoeddwyd hon hefyd ar ffurf pamffledyn diddyddiad, wyth tudalen. Fe'i hargraffwyd gan Gwmni y Cyhoeddwyr Cymreig, Caernarfon.

Ceir rhai o ddramâu cyhoeddedig ac anghyhoeddedig Gwynfor ymhlith ei bapurau yn y Llyfrgell Genedlaethol.

[16] Yng nghyfrol O. Llew Owain, *Hanes y Ddrama yng Nghymru 1850-1943* (Lerpwl: Gwasg y Brython, 1948), yn ogystal â llawer cyfeiriad at Gwynfor a'i gwmni, ceir lluniau ohono fel 'Y Tywysog Llewelyn' yng nghynhyrchiad cyntaf Cwmni'r Ddraig Goch, sef *Llewelyn ein Llyw Olaf* (Beriah Gwynfe Evans) yn 1903, a hefyd yn ei ran enwocaf, efallai, sef fel Huw Bennet yng nghynhyrchiad y cwmni o *Beddau'r Proffwydi* (W. J. Gruffydd) yn 1915, yn ogystal â llun ohono fel yr Esgob Niclas yng nghynhyrchiad yr Eisteddfod Genedlaethol o ddrama-basiant Ibsen, *Yr Ymhonwyr,* yn 1927. Ceir hefyd ambell gyfeiriad at Gwynfor a'i gwmni yn llyfr Elsbeth Evans, *Y Ddrama yng Nghymru,* Cyfres Pobun XIII (Lerpwl: Gwasg y Brython, 1947).

[17] Gw. fy erthygl, 'T. Gwynn Jones a Gwynfor', *Taliesin,* Mawrth 1992, tt. 63-4, am sawl enghraifft o gydweithio rhwng y ddau.

Yn ei ysgrif ar 'Gymru a'r Ddrama' yn y gyfrol *Beirniadaeth a Myfyrdod* (1935), cyfeiria T. Gwynn Jones at yr hwb a gafodd y ddrama yng Nghymru tua dechrau'r ganrif hon o gyfeiriad 'adfywiad ar y Ddrama yn Llydaw ac yn Iwerddon'. Ceir yr un pwyslais ar y cysylltiadau Celtaidd yn nheyrnged Gwynn Jones i Gwynfor yn *Y Faner,* 27 Awst 1941, t.8, lle sonnir am y ddrama yn dechrau datblygu yng Nghymru 'yn y dyddiau pan ddaeth ymglywed rhwng y Celtiaid a'i gilydd, Cymry, Llydawiaid, Gwyddyl'. Nid syndod felly yw darllen fod Gwynfor a Gwynn Jones ymhlith aelodau'r pwyllgor a fu'n gyfrifol am drefnu'r Gyngres Geltaidd a gynhaliwyd yng Nghaernarfon yn 1904 (gw. *Cyfres y Meistri (3): Thomas Gwynn Jones,* t.107).

[18] Ceir sawl llythyr oddi wrth Cynan at weddw Gwynfor ymhlith papurau Gwynfor yn y Llyfrgell Genedlaethol (rhifau 6-8). Am enghreifftiau o Gwynfor a Chynan yn cydweithio, gw. fy erthygl, 'T. Gwynn Jones a Gwynfor', *Taliesin,* Mawrth 1992, t.63, ac O. Llew Owain, *Hanes y Ddrama yng Nghymru,* tt.164, 223-9.

Yr Herald Cymraeg. Erbyn hynny yr oedd Gwynfor wedi dechrau ar ei waith fel llyfrgellydd, 'ac yn fuan iawn', meddai Prosser Rhys, 'fe ddeuthum innau yn un o lu ymwelwyr cyson ystafell Gwynfor yn Llyfrgell y sir', a leolid yr adeg honno gyda'r Swyddfa Addysg ym Mhlas Llanwnda yng nghanol tref Caernarfon. Â Prosser Rhys yn ei flaen:

> Yn fynych, fe geid yno gwmnïaeth lenyddol ddifyr dros ben. Hwn oedd canolbwynt bywyd llenyddol Caernarfon a'r cylchoedd hyd ymhell. Bu yno lawer o adrodd englynion – newydd a hen; llawer o drafod manion bethau rheolau'r gynghanedd; llawer o adrodd storïau ac atgofion, a llawer iawn hefyd o drafod y ddrama ac actio. Deuent i ystafell Gwynfor . . . yn ysgolheigion a phregethwyr; yn feirdd ac ysgolfeistri; yn actorion ac yn ddramâwyr; yn ddoethion ac yn grancod; yr oedd pawb a feddai ar rywfaint o fywiogrwydd meddwl yn siwr o alw gyda Gwynfor yn ei dro, nid yn gymaint oherwydd y Llyfrgell oedd tan ei ofal hynaws a deallus, bob amser, eithr er mwyn cael sgwrs â Gwynfor a chwrdd y gymdeithas.[19]

Mae'n werth dyfynnu ychydig ragor o ysgrif goffa Prosser Rhys i Gwynfor:

> Ni chefais gyfle i ymweled âg ef yn ei salwch, ac ar ryw ystyr y mae'n dda gennyf am hynny. Amherir atgof weithiau gan yr olwg ar bobl yn eu gwaeledd olaf. Ond yn llygad fy meddwl i y mae Gwynfor o hyd, fel yr oedd yn anterth hoenus ei nerth, yn llydan ei ysgwydd, yn sionc ei gerddediad, a'i ruddiau a'i lygaid yn odidog gan iechyd. A'r llais dwfn, mynegiadol hwnnw heb ffael arno . . . Gŵr hwyliog, llawen, rhugl a dawnus ei ymadrodd, oedd Gwynfor – y cwmnïwr perffaith.

Ys dywedodd J. J. Williams, Penbedw – arloeswr arall ym myd y ddrama Gymraeg – am Gwynfor, 'Ni wn am neb a fwynhaodd fywyd yn well.'[20]

Cwta dwy flynedd y bu Prosser Rhys yng Nghaernarfon. Yn Ionawr 1922, symudodd i Aberystwyth yn is-olygydd ar *Y Faner*,[21] ond parhaodd yn gyfaill agos i Gwynfor, ac y mae yntau

[19] *Baner ac Amserau Cymru,* 3 Medi 1941, t.4. Byddai Gwynfor yn ei dro yn cyrchu swyddfeydd y *Genedl* a'r *Herald* am seiadau llenyddol yn ôl tystiolaeth Gwilym R. Jones yn *Rhodd Enbyd,* t.40, a *Barddas,* Ebrill 1980, t.2.

[20] Mewn llythyr cydymdeimlo at weddw Gwynfor sydd ymhlith papurau Gwynfor yn y Llyfrgell Genedlaethol (rhif 30).

[21] Rhisiart Hinks, *E. Prosser Rhys 1901-1945* (Llandysul: Gwasg Gomer, 1980), t.75.

– fel T. Gwynn Jones – yn talu teyrnged uchel i gyfeillgarwch Gwynfor. 'Bu'n gyfaill dihefelydd, bron,' meddai, 'ac yr wyf yn dra dyledus iddo am garedigrwydd a chefnogaeth hael mewn llawer ffordd.'[22]

Enwir Prosser Rhys yn y gerdd gyntaf gan Williams Parry i Gwynfor sydd ar glawr. Ymhlith papurau Gwynfor yn y Llyfrgell Genedlaethol (rhif 93), ceir dernyn o lythyr a anfonodd R. Williams Parry ato. Ar y naill ochr, diogelwyd pedair llinell o'r llythyr ei hun, sy'n darllen fel hyn: 'Lên i glywed ei dynged. Pe byddai ffawd o'i du, arhosai yna i ddathlu, medd ef: ond os yn ei erbyn y byddai, elai yn ôl i Arfon.' Yna ar yr ochr arall, yn ddiweddglo i'r llythyr, ceir englyn nas cyhoeddwyd hyd yma (hyd y gwn i). Dyma ef:

Gwynfor, odidog enfys, – fy nghyfaill,
Dwg fy nghofion melys
At Gymru a'r teg Emrys,
A'r prysur ŵr Prosser Rhys!

Bydd wych,
Bob.

Nid oes, ysywaeth, ddyddiad ar y tamaid o'r llythyr sydd wedi goroesi. Diau mai'r ysgolfeistr, Emrys Llywelyn Williams – 'Emrys Ddu o'r Felinheli' – yw'r 'teg Emrys' yn yr englyn. Os felly, rhaid mai rywbryd ar ôl Eisteddfod Caernarfon 1935 y'i lluniwyd. Y mae'n wir y bu'r bardd yn ymweld ar dro â chartref Emrys Williams yn y Felinheli pan oedd Emrys yn blentyn, am ei fod yn gyfeillgar â brawd hŷn iddo; ond dywed Emrys Williams mai adeg Eisteddfod Genedlaethol 1935 'y deuthum i gyfathrach agos â Robert Williams Parry; a buom o hynny ymlaen yn gyfeillion dwys hyd ddiwedd y daith'.[23]

[22] *Baner ac Amserau Cymru,* 3 Medi 1941, t.4. Ymhlith papurau Gwynfor yn y Llyfrgell Genedlaethol (rhif 79), ceir englynion a luniodd ar gyfer priodas Prosser Rhys yn Ionawr 1928.

[23] *Baner ac Amserau Cymru,* 25 Ionawr 1956, t.3, mewn ysgrif goffa adeg marw'r bardd. Cyhoeddodd ysgrif arall o'i atgofion am Williams Parry yn *Y Genhinen,* Gwanwyn 1964, tt.70-2. Ceir ysgrif ar un o frodyr Emrys, sef T. H. Williams (1883-1976), ysgrifennydd Cymdeithas y Cymod yng Nghymru, gan E. R. Lloyd-Jones yn *Dal i Herio'r Byd,* gol. D. Ben Rees (Lerpwl a Llanddewibrefi: Cyhoeddiadau Modern Cymreig, 1983), tt.41-7.

Byddai 'aml neges' yn cyrraedd Emrys Williams oddi wrth y bardd yn awgrymu taith i rywle neu'i gilydd. Wrth sôn am y gwmnïaeth ar y daith, meddai Emrys, 'Ni byddai'r

[Parhad ar waelod y tudalen nesaf]

Enwir Emrys a Gwynfor ill dau mewn cerdd arall o waith Williams Parry, sef y gerdd 'Ffeiriau' yn *Cerddi'r Gaeaf*. Yn y gerdd honno, sydd â'r dyddiad 1943 odani, cofia'r bardd yn hiraethus am gyfeillion y bu'n eu cyfarfod wrth gerdded ffeiriau Betws-y-coed, Pwllheli a Chaernarfon. Ffair Caernarfon sydd dan sylw yn y trydydd pennill:

Pan awn i ffair Caernarfon
  Cawn yno dri i'm cwrdd;
A boddus iawn y byddem
  Yn bedwar wrth y bwrdd.
Dynion oedd dau ohonynt
  A gwydnwch yn eu gwedd.
Mae Bernard wedi braenu
  A Gwynfor gu'n ei fedd.

Ac yna, yn ail hanner y pennill nesaf, fel diweddglo i'r gerdd, ceir apêl at Emrys Williams, y trydydd yr arferai ei gyfarfod yn ffair Caernarfon:

[23–Parhad]
cwmni byth yn lluosog, dau neu dri, pedwar ar yr eithaf: Gwynfor yng Nghaernarfon, Gwilym Evans ym Methesda, ac un neu ddau yma ac acw' (*Baner ac Amserau Cymru,* 25 Ionawr 1956, t.3).

Gan fod yr englyn yn sôn am anfon ei gyfarchion 'i Gymru', rhaid fod y bardd dros y ffin ar y pryd – ar ei wyliau, mae'n bur debyg. Er enghraifft, yng Ngorffennaf 1938 bu'n carafanio gyda'i wraig yn Skegness. Ar y ffordd yno, gwelodd siráff wrth fynd heibio i sŵ Whipsnade. Parodd hynny iddo anfon cerdyn post at Emrys Williams o Dunstable, Swydd Bedford, â llun o siráff ar y naill ochr a'r englyn hwn ar yr ochr arall:

Dyma frawd! Ymhyfrydi – yn ei wedd;
  Hyn o'i wddf a weli.
A chreadur – oni chredi?
Meinach a thalach na thi!

B[ob].

(*Y Genhinen,* Gwanwyn 1964, t.71; *Baner ac Amserau Cymru,* 25 Ionawr 1956, t.3).

Y mae'r dernyn llythyr fel petai'n cyfeirio at Babell Lên yr Eisteddfod Genedlaethol, a chan mai eisteddfod radio oedd Eisteddfod Genedlaethol 1940, a Gwynfor yn bur wael ei iechyd ar hyd 1941 ac yn marw erbyn diwedd Awst y flwyddyn honno, y mae'n rhesymol gredu mai ryw fis Gorffennaf rhwng 1936 a 1939, tra oedd ar ei wyliau, yw'r adeg fwyaf tebygol i Williams Parry lunio'r englyn.

Gellir dyfalu o'r englyn fod Prosser Rhys ar ymweliad â chylch Caernarfon ar y pryd, neu fod Gwynfor yn arfaethu galw heibio iddo yn Aberystwyth. Mae'n amlwg oddi wrth ysgrif goffa Prosser Rhys i Gwynfor yn *Y Faner,* 3 Medi 1941, fod cyfathrach gyson rhwng y ddau trwy lythyr ac ymweliad ar hyd y blynyddoedd wedi i Prosser Rhys adael Caernarfon am Aberystwyth (a cf. hunangofiant Caradog Prichard, *Afal Drwg Adda,* Dinbych: Gwasg Gee, 1973, tt.43 a 98).

O gofio am weithgarwch mawr Prosser Rhys gyda'r *Faner* a Gwasg Aberystwyth, heb sôn am y Clwb Llyfrau Cymreig (a sefydlodd yn 1937), yr oedd yn llwyr haeddu'r ansoddair 'prysur'.

Paid **ti** â marw, Emrys:
  Ni fynnwn gael y gair
O fod yn gennad angau
  I'm ffrindiau ym mhob Ffair.[24]

Ymhlith papurau Gwynfor yn y Llyfrgell Genedlaethol (rhif 3), ceir cerdyn post ac arno englyn arall o waith Williams Parry – a'r englyn hwnnw hefyd heb ei gyhoeddi o'r blaen hyd y gwn i. Ar y naill ochr, ceir y cyfeiriad 'Gwynfor, Y Swyddfa Addysg, Llyfrgell y Sir, CAERNARFON' ynghyd â nod post Bangor, a'r dyddiad 31 Mawrth 1941 a'r amser 7.45 p.m. arno. Yna ar ochr arall y cerdyn ceir hyn:

CROESO'N ÔL

Daeth y claf o'i ystafell – i afael
  Ym mhlufyn ei sgrifell.
Wele'r gŵr ar lawr ei gell:
Nid llwfrgi'r ceidwad llyfrgell!

Nid oes llofnod wrth yr englyn, ond ychwanegwyd y llythrennau 'RWP' mewn pensil wrth ei gwt.

Y cefndir i'r englyn hwn yw fod salwch wedi cadw Gwynfor rhag ei waith yn Rhagfyr 1940. Ymhlith papurau R. Williams Parry yn y Llyfrgell Genedlaethol, diogelir y llythyr canlynol oddi wrth Gwynfor, er mai fel 'Ffyrd' yr arwyddai'r llythyr:

Dwylan Carnarfon, Rhagfyr 20/40

F'annwyl Gyfaill.

Yma'n Nwylan mae'n nolur. Wel, ie, Syr, yma rwyf, ac i fod yma am fis, medd y Doctor. Am na theimlwn yn dda, gorfodais fy hun fore Mawrth i fynd i'w weled. Archwiliodd fi'n drwyadl, y galon a'r gwaed a'r holl gorff. Gastritis oedd un anhwyldeb. Ond y gwaethaf oedd, bod vitality cysefin y corff yn isel iawn ac mai tynnu oddiar y Reserve yr oeddwn. 'Fy nerth a ballodd', dyna'r rheswm am y gwynt byr a'r blinder disymwth a ddoi arnaf wedi cerdded ychydig gamau. Mewn ymadrodd moduraidd,

[24] Cafodd Williams Parry ei ddymuniad, canys fe'i goroeswyd gan Emrys Williams, a fu fyw hyd 1976. Dadleua Alan Llwyd, yn rhannol ar sail tystiolaeth Emrys Williams yn *Baner ac Amserau Cymru*, 25 Ionawr 1956, t.3, fod dylanwad cerdd A. E. Housman, 'The First of May', ar 'Ffeiriau' (*Barddas*, Mawrth/Ebrill 1984, t.6).

Bernard Davies oedd enw llawn y Bernard a enwir yn 'Ffeiriau'. Fe'i disgrifir yn nodyn Williams Parry ar y gerdd fel 'y diweddar Bernard Davies, bancer ifanc, ac un o ddarlledwyr mwyaf llwyddiannus Sam Jones ym Mangor'. Yn ôl Bedwyr Lewis Jones, 'Byddai RWP yn arfer cwrdd â Gwynfor, Bernard Davies, ac Emrys Williams yng Nghaeathro' (gohebiaeth bersonol, Chwefror 1991).

Mae'r bateri wedi mynd i lawr, ac eisio ei rechargio. Rhaid imi gymryd rest, yn fy ngwely hyd hanner dydd, ac eistedd. Caf fynd am dro ond peidio blino. Caf fynd yn y car hefyd, a hefyd gymryd liquid os leiciaf, ac wrth gwrs deieitio, y List eto, Bob. Ymddiheuarf [*sic*] am na fyddaf gyda'r cwmni nos yfory.

Ac oni fyddaf gyda'r criw
Sydd heno 'n gwiw gyd-gwrdd,
Wel, trowch fy nghwydryn [*sic*] bach a'i ben
I lawr ar ben y bwrdd.

Gwyliau llawen iawn i Fyfan[w]y a thithau.

Cofion cywir fyth
Ffyrd

Enfyn Madge ei chofion a'i dymuniadau gorau atoch eich dau.[25]

Ymhlith papurau T. Gwynn Jones yn y Llyfrgell Genedlaethol, ceir llythyr oddi wrth Gwynfor at Gwynn Jones dyddiedig 23 Rhagfyr 1940 sydd hefyd yn cyfeirio at ei salwch, ond yn taro nodyn gobeithiol yn ogystal: 'Wel, Gwynn, yn garcharor i'r ty yr wyf ers wythnos, ac i aros am fis, medd y doctor . . . Dywed y Doctor mai Gastritis ac exhaustion sydd arnaf . . . Pan gynheso'r tywydd, ac y caf fynd allan, gwn y byddaf yn well.' Ond fe aeth y mis yn ddau ac yn dri, a Gwynfor yn parhau yn rhy wan i ailafael yn ei waith.

Cadwodd Gwynfor ddyddiadur yn ysbeidiol yn 1941, a chasglwn oddi wrth hwnnw fod Williams Parry (ynghyd â rhyw W.R.H.) wedi galw i'w weld ddydd Llun, 3 Mawrth 1941, a'i fod wedi hoffi soned Gwynfor i'r cei (soned a ddiogelir, fel y dyddiadur, ymhlith papurau Gwynfor yn y Llyfrgell Genedlaethol – rhifau 58 ac 88).

Yr ail o Ebrill 1941 oedd hi pan aeth Gwynfor yn ôl i'w waith, ac yno yn ei ddisgwyl yr oedd englyn R. Williams Parry. Ond er i'r claf ailafael yn ei waith am ychydig bach yng ngwanwyn

[25] LlGC, Papurau R. W. Parry, rhif 194. Daw'r geiriau 'Fy nerth a ballodd' o Salm 31, adnod 10. Gwraig Gwynfor oedd 'Madge'. Yr oedd Margery Winifred ('Madge') Jones yn ferch i orsaf-feistr Porthmadog ac yn un o aelodau Cwmni Drama'r Ddraig Goch. Priododd y ddau ar 26 Gorffennaf 1922.

Ni wn paham y defnyddiodd Gwynfor yr enw 'Ffyrd' wrth arwyddo'r llythyr, ac ni allai'r Athro Bedwyr Lewis Jones daflu goleuni ar hynny ychwaith. 'Does gen i ddim syniad pam Ffyrd,' meddai mewn llythyr ataf ddyddiedig 21 Mawrth 1991, 'dim ond bod arfer, ac arddel, "ffugenwau" preifat yn rhan o'r hwyl ymhlith ffrindiau agos RWP – enwau fel Wooller a chwaraewyr rygbi eraill, er enghraifft – y cyfan o ran hwyl ac yn arwydd o gyfeillgarwch clòs.'

1941, ni ddaeth y gwanwyn 'â gwrid yn ôl i'w wedd' (chwedl T. Rowland Hughes), ac yr oedd yn ei fedd cyn diwedd Awst y flwyddyn honno.

Ymhlith papurau Gwynfor yn y Llyfrgell Genedlaethol (rhifau 20-21), ceir dau lythyr byr o gydymdeimlad oddi wrth R. Williams Parry at wraig Gwynfor. Ysgrifennwyd y cyntaf (o 'Heulfryn, Bethesda') ar 12 Gorffennaf 1937 pan gollodd hi ei mam, a'r ail (o '10, Coetmor Estate, Bethesda') adeg marw Gwynfor. O gofio'r gerdd 'Ffeiriau', mae'n ddiddorol sylwi fod Emrys Williams yn 'gennad angau' o fath i Williams Parry yn achos Gwynfor, oherwydd darllenwn yn llythyr cydymdeimlo'r bardd at 'Mrs Gwynfor', fel y'i gelwid, mai Emrys a hysbysodd Williams Parry am farwolaeth Gwynfor, a hynny trwy deligram.

Nid yn annisgwyl, aeth R. Williams Parry ac Emrys Williams ill dau i'r angladd. Un arall a fu yno oedd Gwilym R. Jones, a chyfeiria at yr achlysur wrth hel ei atgofion am Williams Parry:

> Nid anghofiaf byth mo'r profiad dwys a gafodd Morus T. Williams a minnau gyda Bob yn angladd yr actor mawr, Gwynfor, o Gaernarfon.
>
> Aethom i westy Glan Gwna, Caeathro, ar ôl y claddu, ac yno gofynnodd Bob am bedwar gwydryn. Gosodwyd hwy ar y bwrdd crwn bychan lle byddai ef a Gwynfor yn cyfarfod weithiau i roi'r byd yn ei le. Llanwyd gwydrau MTW, RWP a minnau, ac yna troes Bob y pedwerydd gwydryn â'i ben i lawr, gan adrodd yn ddwys:
>
> *Fy hen gymdeithion, yn y wledd a fo,*
> *Cedwch eich hen gydymaith yn eich co'. . .*
> *Trowch wydr a'i ben i lawr pan ddêl fy nhro.*[26]

[26] *Barn*, Mawrth 1984, t.73. Un o benillion cyfieithiad John Morris-Jones o waith Omar Khayyám yw'r pennill, wrth gwrs.

Mewn erthygl gan Dafydd Ifans, dyfynnir o gerdyn post gan Williams Parry at W. J. Gruffydd yn gofyn iddo newid diweddglo'r soned 'Breuddwyd y Bardd' cyn ei chyhoeddi yn *Y Llenor*, yn wyneb ymateb Emrys Williams i'r gerdd. Ysgrifennwyd y cerdyn am naw o'r gloch y nos yn 'Bryngwna Inn, Cae Athro' (*Taliesin*, Ebrill 1986, t.13, a cf. atgofion Emrys Williams yn *Y Genhinen*, Gwanwyn 1964, tt.71-2).

Yn ei atgofion am Williams Parry yn *Barddas*, Ebrill 1980, tt.4-5, cyfeiria W. D. Williams yntau at brynhawn angladd Gwynfor. Neilltua'r rhan helaethaf o'i ysgrif i sôn am ymwneud brwd Williams Parry â byd y ddrama, yn ardal y Sarnau yn gyntaf ac yna yng Ngholeg y Brifysgol ym Mangor (a chyda'r ysgrif cyhoeddir llun o gwmni drama'r Sarnau yn 1913, a Williams Parry yn eu plith). Ond terfyna'r ysgrif fel hyn: 'Cefais un prynhawn yn llwyr a hollol yn ei gwmni, sef y diwrnod y claddwyd Gwynfor. 'Roedd yn hollol wahanol i bob tro arall yng Nghaernarfon y prynhawn hwnnw. Yn fy nghof, nid ar bapur y cadwaf hwnnw.'

Cynhwyswyd cerdd yn coffáu Gwynfor yn *Cerddi'r Gaeaf,* sef 'Yr Hen Actor: Mewn Dwy Olygfa'. Uwchben yr olygfa gyntaf ceir yr is-deitl 'Dwylan, Caernarfon' (sef y tŷ yn Ffordd Fangor a gododd yr actor a'i wraig iddynt eu hunain beth amser cyn ei farw). Ynddi darlunnir ymweliad y bardd â'r actor yn ei waeledd olaf. Yna, yn ail olygfa'r gerdd, sy'n dwyn yr is-deitl 'Coetmor, Bethesda' (sef cartref Williams Parry), disgrifir 'ymweliad' â'r bardd gan yr actor ymadawedig.

Mae hanes llunio cerdd 'Yr Hen Actor' yn un pur gymhleth, ond yn ffodus y mae nifer o lythyrau sy'n taflu goleuni ar ei datblygiad wedi goroesi yng nghasgliad Kate Roberts yn y Llyfrgell Genedlaethol.

Cyhoeddwyd yr olygfa gyntaf sydd yn *Cerddi'r Gaeaf,* golygfa 'Dwylan', yn gerdd ar ei phen ei hun ar dudalen blaen *Y Faner* ar 17 Medi 1941, ychydig wythnosau wedi marw Gwynfor. Dyma'i ffurf yno:

YR HEN ACTOR
(YR OLWG OLAF ARNO)

Mae'n byw yn ei barlwr o ddwndwr y byd,
Ond cwyd i'n croesawu i'r seiat o hyd.
Mae'n gwaelu i'n golwg, a drwg ydyw'r goel –
Mae'i ddillad yn hongian, ond nid ar yr hoel.

Mae lliw haul Pwllheli yn darfod o'i wedd,
Fe ddychwel yn ddiolchgar i glustog ei sedd.
Mae'n siarad yn siriol er hynny – ond clywch!
Mae llais yr hen actor gryn octif yn uwch.

O! siriol y sieryd ein brawd sydd mor brudd
Am 'droad y rhod' ac am 'doriad y dydd.'
Mae Gwynfor yn actor digymar, mi wn,
Ond prin y mae'n llwyddo i'n twyllo'r pryd hwn.[27]

[27] Y mae'r copi teipysgrif o'r gerdd a anfonodd Williams Parry i'r *Faner* ymhlith papurau Kate Roberts yn y Llyfrgell Genedlaethol, rhif 3202 (ii). Ceir newidiadau mewn ysgrifen i'r geiriad yma ac acw ar y copi teipiedig hwn, a hynny mae'n debyg yn adlewyrchu diwygiadau a anfonwyd gan Williams Parry i'r wasg ar ôl anfon y deipysgrif. Darlleniad gwreiddiol llinell gyntaf y pennill cyntaf yn y deipysgrif oedd, 'Mae'n byw yn ei barlwr o wyddfod y byd'. Ceir rhai newidiadau atalnodi yng nghwpled olaf y pennill cyntaf, a oedd yn darllen yn wreiddiol:

Mae'n gwaelu i'n golwg: a drwg ydyw'r goel,
Mae'i ddillad yn hongian – ond nid ar yr hoel.

[Parhad ar waelod y tudalen nesaf]

Mae'n olygfa a rydd inni ddarlun byw o'r hen actor yn ei waeledd olaf oblegid, yn wahanol i Prosser Rhys, llwyddodd Williams Parry i ymweld â Gwynfor yn ei salwch terfynol. Yn wir, meddai'r Athro Bedwyr Lewis Jones wrthyf mewn gohebiaeth yn Chwefror 1991: 'Yn ôl a glywais i, RWP oedd yr olaf, tu allan i gylch y teulu, i gael paned hefo Gwynfor yn ei lofft yn ei gystudd.' Ond er mor fyw ydyw'r darlun i ni heddiw, gallwn fentro ei fod yn ddarlun mwy byw o lawer iawn i'r darllenwyr hynny o'r *Faner* a oedd yn gyfarwydd â gweld Gwynfor yn ei lawn iechyd. Craffer ar y newidiadau y tyn Williams Parry ein sylw atynt – y dillad yn hongian, y diffyg egni, yr haul yn darfod o'i wedd, y llais 'gryn octif yn uwch'.[28] Maent yn union wrthgyferbyniol i'r nodweddion hynny a oedd wedi'u hargraffu eu hunain ar Prosser Rhys yn y darlun o'r actor a ddyfynnwyd uchod – yr ysgwyddau llydain, y cerddediad sionc, y gruddiau godidog gan iechyd a'r llais dwfn, mynegiadol. A chadarnheir pwyslais y bardd ar sirioldeb optimistaidd yr actor yn ei salwch

[[27]–Parhad]

Ffurf wreiddiol ail linell yr ail bennill oedd, 'Mae'r nofiwr yn suddo i glustog ei sedd'; a'r ffurf wreiddiol ar linell olaf un y gerdd oedd, 'Ond nid yw yn llwyddo i'n twyllo'r pryd hwn.'

Uwchben y deipysgrif ychwanegwyd y cyfarwyddyd golygyddol: 'Cysoder dros ddwy golofn a doder mewn panel ar dudalen 1.' Ymhen tair wythnos, ar 8 Hydref 1941, cyhoeddwyd cerdd arall â'r teitl 'Yr Hen Actor' ar dudalen blaen *Y Faner.* Yn ogystal â'r un teitl, yr oedd y gerdd hon ar yr un mesur â cherdd Williams Parry, yr oedd ganddi'r un nifer o benillion ac fe'i gosodwyd yn yr un safle yn union ar y tudalen blaen, gyda'r un math o linellau yn flwch o'i chwmpas. T. Gwynn Jones oedd ei hawdur, ac argraffwyd y dyddiad '25.ix.'41' odani, sef mis union i'r dyddiad ar ôl claddu Gwynfor ac wyth niwrnod ar ôl cyhoeddi cerdd Williams Parry iddo yn *Y Faner.*

Atgynhyrchais y gerdd honno yn ddiweddglo i'm herthygl 'T. Gwynn Jones a Gwynfor' yn *Taliesin* ym Mawrth 1992, gan ddangos fel yr oedd Gwynn Jones yn fwriadol yn adleisio cerdd Williams Parry ac yn amlwg yn amcanu at adael darllenwyr *Y Faner* â golwg amgenach ar Gwynfor nag a gafwyd yng ngherdd Williams Parry. Ni wyddwn ar y pryd am yr ohebiaeth ynghylch cerdd Williams Parry i'r 'Hen Actor' a gedwir ymhlith papurau Kate Roberts yn y Llyfrgell Genedlaethol, ac o'r herwydd awgrymais fod cerdd Gwynn Jones yn ddiau ym meddwl Williams Parry wrth iddo lunio golygfa 'Coetmor' yn ail ran i'w gerdd i'r 'Hen Actor', sy'n darlunio Gwynfor yn ei hoen a'i afiaith. Ond fel y dengys yr ohebiaeth a atgynhyrchir isod, lluniwyd yr olygfa honno *cyn* cyhoeddi cerdd Gwynn Jones (am fod Williams Parry yntau'n anfodlon ar ddarlun anghyflawn golygfa 'Dwylan'), a'i chadw heb ei chyhoeddi am rai misoedd. Dengys yr ohebiaeth hefyd fod cerdd Gwynn Jones i Gwynfor yn parhau yn fater sensitif ddiwedd Ionawr 1942. (Atgynhyrchwyd cerdd Gwynn Jones yn *Cyfres y Meistri (3): Thomas Gwynn Jones,* t.497, a gw. mynegai'r gyfrol honno am ambell gyfeiriad arall at Gwynfor.)

[28] Yn ôl yr Athro Bedwyr Lewis Jones yr oedd 'llais yr hen actor gryn octif yn uwch' am mai 'cancr yn y llwnc oedd y gwaeledd' (gohebiaeth bersonol, Chwefror 1991).

olaf gan y sylw hwn yn ysgrif goffa Prosser Rhys i Gwynfor: 'Clywais oddi wrtho droeon yn ystod y flwyddyn hon, a sôn am wella yr oedd bob tro, – rhyw friw bach ar y stumog, – gyda gofal fe ddeuai'n holliach eto.'[29] Da y dywedodd Kate Roberts: 'Yr oedd ganddo [R. Williams Parry] graffter anghyffredin i adnabod pobl. Sylwer ar ei farddoniaeth, gynnar a diweddar, pan gân i'w gyfeillion yn fyw neu'n farw, mor gywir y disgrifir eu nodweddion ganddo. I lawn werthfawrogi'r caneuon hyn o'i waith rhaid gwybod rhywbeth am y gwrthrych.'[30]

Fel y gwelir o'r ohebiaeth isod, fe luniodd Williams Parry yr olygfa a oedd i fod yn ail ran cerdd 'Yr Hen Actor' yn *Cerddi'r Gaeaf,* sef golygfa 'Coetmor', yn fuan iawn ar ôl y rhan gyntaf. Anfonwyd y rhan gyntaf at olygydd *Y Faner,* Prosser Rhys, i'w swyddfa yn Aberystwyth, ond er mwyn ychwanegu'r ail ran cyn i'r gerdd ymddangos yn *Y Faner,* anfonodd Williams Parry honno yn syth i Ddinbych at Morris T. Williams, perchennog Gwasg Gee (sef cyhoeddwyr ac argraffwyr *Y Faner*), a'i gynorthwyydd, Gwilym R. Jones:

10, Ystad Coetmor
Bethesda,
Bangor.
Dydd Sul, Medi 14, 1941.

Annwyl Morys (neu Gwilym),

Anfonais fersiwn o dri phennill cyntaf y gan amgaeedig i Prosser ddydd Iau. Ond yr oeddwn yn teimlo ar hyd dydd Gwener eu bod braidd yn anorffenedig: 'waeth y mae yn y geiriau olaf – 'y pryd hwn' – awgrym bod yr hen actor wedi cael gwell hwyl ar actio yr ail dro! Felly ychwanegais yr ail ganiad.

Sut y bydd hi yrwan? Os bydd Prosser wedi gyrru'r darn cyntaf ichwi, a fyddai ef yn ddig wrthych – ac wrthyf finnau – ped anwybyddech y darlleniad a dderbyniodd ef, a chyho[e]ddi'r darlleniad diwygiedig yn ei gorffolaeth? Os na bydd wedi gyrru dim ohoni, beth am ei chyhoeddi ar wahan mewn c[o]lofn – neu ddwy golofr [*sic*], gan fod y llinellau'n o hir – arall? I'r Herald y

[29] *Baner ac Amserau Cymru,* 3 Medi 1941, t.4. Ceir yr un nodyn gobeithiol yn llythyr Gwynfor at T. Gwynn Jones dyddiedig 23 Rhagfyr 1940 a ddyfynnwyd uchod.

[30] *Cyfres y Meistri (1): R. Williams Parry,* t.90; cf. Bedwyr Lewis Jones, yn ibid., t.345, a T. Emrys Parry, *Barddoniaeth Robert Williams Parry,* tt.118, 140.

dylaswn fod wedi ei gyrru'n gyntag [*sic*], mae'n debyg, gan mai yng Nghaernarfon y t[r]igai'r hen gyfaill. Ar yr un pryd, yr oedd yn ffigur cenedlaeth[o]l.

Cofion cynnes, ond brysiog,
Bob Parry.

But even then the morning cock crew loud,
And at the sound it shrunk in haste away
And vanisht from our sight.

– Bill![31]

Isod cyhoeddir yr ail ran o'r gerdd fel y'i hanfonwyd at Morris Williams, ac fel y gwelir y mae'n gwahaniaethu mewn sawl man oddi wrth y ffurfiau cyhoeddedig arni a ymddangosodd yn ddiweddarach. Rhoi'r byd yn ei le, fel yn nyddiau gwesty Glan Gwna, y mae'r bardd a'r actor yn yr ail ran hon:

A! Wynfor anwylaf, ti ddaethost i'm tŷ
Heb imi dy glywed, sut bynnag y bu.
Rhyw hepian yr oeddwn – mae cric yn fy ngwar:
Ond syn ydyw gennyf na chlywswn dy gar.

O ba ran o'r Deau y deui mor hwyr,
Mor fore yn hytrach? Mae'n rhaid mai o Ŵyr!
A pham 'r wyt ti'n gyrru'r hen fodur dy hun?
Pa le mae dy gariad, hen lenor o Lŷn?[32]

Hen lenor yn wir! 'R wyt yn 'sgafnach dy droed
Ac yn loywach dy lygad nag odid erioed.
Meddyliais am funud ofnadwy o fraw
Mai d'ysbryd disberod a safai gerllaw!

Rhyw hepian yr oeddwn, ac wele'n fy hun
Breuddwydiais im weled dy briddo, 'r hen ddyn.
A thithau mor solet a thwym ar y sedd,
Yn llenwi dy ddillad, yn llawen dy wedd!

[31] LlGC, Papurau Kate Roberts, 3202. Daeth Gwilym R. Jones i weithio i Wasg Gee fel golygydd y *North Wales Times* ac is-olygydd *Y Faner* yn 1939 (gw. Rhisiart Hinks, *E. Prosser Rhys,* t.163). William Shakespeare yw 'Bill' wrth gwrs. Daw'r dyfyniad o'i ddrama, *Hamlet.* Geiriau ydynt a leferir gan Horatio yn Act 1: Golygfa 2.

[32] Rhydd Bedwyr Lewis Jones yr esboniad canlynol ar y cwpled hwn: 'Ar ôl bod ar daith yn darlithio neu'n beirniadu actio, arferai Gwynfor ar ei ffordd drwy Fethesda alw heibio i Goetmor, waeth pa mor hwyr fyddai hi, os byddai RWP ar ei draed. Ar y teithiau hyn, ni hoffai Gwynfor yrru'r car, ac âi ei wraig i'w ganlyn i yrru' (gohebiaeth bersonol, Chwefror 1991).

Mae'n braf bod ynghyd i roi'r byd yn ei le,
A chlywed dy deyrnged i actwyr y De.
Ond mor nodweddiadol oedd codi dy ddwrn
Yn wyneb y werin am chwerthin o'i thwrn![33]

Un di-dderbyn-wyneb a fyddi di byth;
Teimladwy a hwyliog, serchog a syth, –
A gwylaidd mae'n amlwg; na hidia'r hen gloc:
Ni chilia'r hen Dre. Cei fynd adre toc.

Rhaid iti gael tamaid o rywbeth cyn mynd:
Mae'r tân wedi marw – o newyn, fy ffrind.
Hei, hei! I b'le'r ei di ar gymaint o frys,
Fel dyn yn ei gwadnu mewn ateb i wŷs?

Beth sydd, Wynfor annwyl? Bron iawn nad yw'n ddydd,
Ac wedi iti fwyta rhyw damaid hi fydd;
Mae dyn ac aderyn yn galw am fwyd –
Clyw geiliog y plygain yn galw o'r glwyd![34]

Yr oedd rhan gyntaf y gerdd, wrth reswm, yn uchel iawn ym meddwl Williams Parry wrth iddo lunio'r ail ran hon. Mae'r sefyllfaoedd a ddarlunnir ynddynt yn eu hanfod yn gwahodd cymariaethau. Disgrifio dau ymweliad a wneir – y naill â'r actor gan y bardd a'r llall â'r bardd gan yr actor – a sgwrsio a siarad y mae'r ddau yn y ddwy ran. Yna, ym mhedwerydd pennill yr ail ran, ceir gwrthgyferbynnu amlwg â disgrifiad y bardd o Gwynfor yn ei salwch olaf yn y rhan gyntaf, pryd y dychwelai'n 'ddiolchgar i glustog ei sedd' a'i ddillad yn hongian amdano.[35] Ac y mae'r ddwy ran yn gorffen â chyfeiriad at y wawr yn eu

[33] Dyma esboniad yr Athro Bedwyr Lewis Jones ar yr ymadrodd 'codi dy ddwrn': 'Un tro ym Mhwllheli, a Gwynfor yn chwarae rhan perchennog y llong yn *Joan D'Anvers*, chwarddodd y gynulleidfa pan syrthiodd yr actor o strôc. Cododd yntau ac ysgwyd ei ddwrn arnynt' (gohebiaeth bersonol, Chwefror 1991). Drama gan Frank Stayton oedd *The Joan Danvers*, a gyhoeddwyd yn 1927; cyhoeddwyd cyfieithiad Cymraeg ohoni gan D. R. Davies yn 1929. Fe'i perfformiwyd yn Gymraeg am y tro cyntaf gan Gwmni Drama Trecynon yn ystod Eisteddfod Genedlaethol Treorci, 1928. Perfformiodd Cwmni'r Ddraig Goch y ddrama ddydd Llun y Pasg 1929 ym Mhafiliwn Caernarfon, a Gwynfor yn chwarae rhan James Danvers, y tad.

[34] LlGC, Papurau Kate Roberts, 3202, (iii)-(iv). Am y newidiadau diweddarach i'r gerdd, gweler Nodiadau 41 a 47 isod, ynghyd â'r fersiwn ohoni yn *Y Faner*, 4 Chwefror 1942, a gyhoeddir yng nghorff yr erthygl bresennol.

[35] Yn ail ran y gerdd tynnir sylw hefyd at nodwedd arall ynghylch Gwynfor a oedd wedi'i hargraffu'i hun ar Prosser Rhys, sef ei lygaid 'godidog gan iechyd'; a sylwer fel y mae Prosser Rhys yntau'n defnyddio'r ansoddair 'hwyliog' i ddisgrifio Gwynfor.

penillion olaf. Yn y rhan gyntaf, y mae'r actor yn siriol-obeithiol am 'doriad y dydd' yn hanes ei iechyd. Yn yr ail, y mae ysbryd Gwynfor yn cilio o flaen toriad gwawr a chân y ceiliog, 'fel dyn yn ei gwadnu mewn ateb i wŷs'.

Fel y noda Williams Parry fwy nag unwaith yn ei ohebiaeth ynghylch y gerdd hon, y mae'r cyfeiriad at gân y ceiliog ar ddiwedd yr ail ran yn adlais o'r ffordd y mae ysbryd tad Hamlet yn cilio gyda chaniad y ceiliog yn nrama enwog Shakespeare. Ond y mae'n werth nodi hefyd fod y ceiliog i'w glywed yn canu deirgwaith arall yng ngherddi R. Williams Parry. Yn ychwanegol at ei hystyr amlwg, sef arwyddo dyfodiad y wawr, y mae i gân y ceiliog arwyddocâd dyfnach yn y cerddi hyn. Mae llinell olaf ail ran 'Yr Hen Actor' yn ein hatgoffa'n syth – ac yn fwriadol, mae'n siŵr – am 'gân y ceiliog yn y glwyd gerllaw' yn y soned adnabyddus 'Mae Hiraeth yn y Môr' (*Yr Haf a Cherddi Eraill,* t.37). Creu a chyfleu hiraeth y mae cân y ceiliog yn y gerdd honno. Arwyddo diwedd byd y mae yn y ddwy gerdd arall – a hynny, wrth gwrs, yn peri hiraeth mawr i fardd a garai fyd natur a chwmni cyfeillion gymaint. Yn y soned 'Plygain' (*Yr Haf a Cherddi Eraill,* t.91), rhagflaenu sŵn gynnau mawr Fflandrys adeg y Rhyfel Byd Cyntaf y mae cân y ceiliog 'o glwyd gerllaw' – rhyfel a gynrychiolai 'ddydd barn a diwedd byd' mewn mwy nag un ystyr. Yna yn 'Yr Ieir' (*Cerddi'r Gaeaf,* t.11), y mae canu'r ceiliog yn cysylltu â diwedd byd mewn ffordd amlycach fyth. Yno y mae 'hyfryd utgorn arian Sianticlîr', sy'n dihuno'r ieir ar ddiwedd y gerdd, yn cyfeirio'n amlwg at adnodau megis I Corinthiaid 15:52 ac I Thesaloniaid 4:16, lle y sonnir am yr utgorn a genir pan gyfodir y meirw ar ddiwedd y byd.

Dichon fod cân y ceiliog ar ddiwedd y gerdd i Gwynfor, yn ogystal â chyfeirio at ddrama Shakespeare, yn gymysgedd o'r cwbl hyn. Mae'n arwydd o'r wawr naturiol, adeg cilio pob drychiolaeth a breuddwyd.[36] Y mae'n arwydd hefyd o hiraeth y bardd; ac yn ogystal y mae'n cyfleu'r ffaith ei bod yn 'ddiwedd

[36] Yn ei erthygl 'The Cock in Irish Tradition', *Lore and Language,* 9/1 (Ionawr 1990), tt.61-72, y mae James G. Delaney yn trafod y gred draddodiadol fod y ceiliog yn amddiffynnydd rhag ysbrydion drwg (cf. act gyntaf *Hamlet).* Mae'n nodi fel na fyddai pobl yn fodlon gadael eu cartrefi yn y bore nes i'r ceiliog ganu, ac yn rhoi sylw hefyd i hen chwedl sy'n cysylltu'r ceiliog ag Atgyfodiad Crist. Ar gân y ceiliog, gw. yn ogystal J. E. Caerwyn Williams, 'Hen Gân y Ceiliog a'n Hen Ganu Ninnau', *Y Traethodydd,* Hydref 1989, tt.189-96.

byd' ar fywyd Gwynfor ac ar eu cyfeillgarwch ill dau. Fel yn achos 'y llanc ifanc o Lŷn' a'i gariad yng ngherdd William Jones, Tremadog – 'baled delynegol orau'r iaith', yn ôl R. Williams Parry[37] – daeth angau rhwng y bardd a'r 'hen lenor o Lŷn'.

Y mae'n amlwg oddi wrth y llythyr a ganlyn i Williams Parry gael traed oer ynghylch cyhoeddi ail ran 'Yr Hen Actor' erbyn bore trannoeth ei hanfon i Wasg Gee:

10, Ystad Coetmor,
Bethesda,
Bangor.
Medi 15. '41.

Annwyl Morys (neu Wilym),

Mae'n debyg fod fy weiran wedi dyfod i law mewn da bryd y bore'ma. Rhyw feddwl yr oeddwn fy mod yn mynd braidd yn hy ar goffadwriaeth fy hen gyfaill yn yr ail ganiad! Nid wyf yn meddwl y leiciai ei weddw ychwaith y syniad sydd ynddo, sef bod rhan anfarwol yr hen Wynfor druan yn ailymweld â'n daear. Ond yr oedd yn edrych ac yn swnio'n eithaf i mi ar y cyntaf. Dyna'r drwg o stepio ar y gias wrth brydyddu. Yn ara' deg y mae dal iâr – a cheiliog; boed geiliog y plygain neu arall.

Mi gredaf y gwna'r fersiwn a yrrais i Prosser y tro, gan fod y geiriau 'Yr olwg olaf arno' rhwng cromfachau o dan y teitl yn hwnnw.

Wel, hogia, brysiwch ffor'ma eto. Nid yw'n debyg y gwnawn yr un camgymeriad ynghylch oriau cau eilwaith!

Cofion cynnes iawn,
Bob Parry.[38]

Ymhen ychydig ddyddiau, ar 22 Medi 1941, cyhoeddwyd rhan gyntaf cerdd 'Yr Hen Actor' am yr ail waith – yn *Yr Herald Cymraeg a'r Genedl* y tro hwn (t.6). Erbyn hynny yr oedd wedi mynd yn rhan gyntaf cerdd ddwy ran, a'r is-deitl 'Dwylan' wedi'i osod uwch ei phen. Ond nid y darn a anfonodd Williams Parry i Wasg Gee yr wythnos flaenorol, sef y rhan â'r is-deitl 'Coetmor' yn *Cerddi'r Gaeaf,* yw ail ran y gerdd yn *Yr Herald.* Yr hyn a geir yno yn hytrach yw darn dau-bennill yn dwyn yr is-deitl 'Llanbeblig' – teitl sy'n cyfeirio at y ffaith i Gwynfor gael ei

[37] *Rhyddiaith R. Williams Parry,* gol., Bedwyr Lewis Jones (Dinbych: Gwasg Gee, 1974), t.123. Ceir llun o R. Williams Parry a William Jones gyda'i gilydd yn *Barn,* 254 (Mawrth 1984), t.60; gweler hefyd ail ran erthygl T. Arfon Williams, 'William Jones o Drefriw 1896-1961', *Barddas,* 235 (Tachwedd 1996), t.13.

[38] LlGC, Papurau Kate Roberts, 3203.

gladdu ym Mynwent Newydd Llanbeblig, Caernarfon, am 2 p.m. ddydd Llun, 25 Awst 1941. Dyma olygfa 'Llanbeblig' fel y'i ceir yn *Yr Herald Cymraeg:*

II.

LLANBEBLIG.

Fan yma mae drama yn dirwyn i ben,
Yr olaf yw'r olwg pan gyfyd y llen.
Mae'r cwmni difrifddwys yn cynnwys pob haen:
Ond Gwynfor yw'r Arwr fel ganwaith o'r blaen.

Ei ran yw'r hen actor difywyd a dof
Y pylodd ei gynneddf, y pallodd ei gof;
Sy'n chwilio am loches ym mynwes y ffridd
I aros y Promptiwr a'i herys o'r pridd.[39]

Ceir rhywfaint o oleuni ar lunio 'Llanbeblig' mewn llythyr at Morris T. Williams bedwar diwrnod cyn i'r gerdd ymddangos yn *Yr Herald:*

10, Ystad Coetmor,
Bethesda.
Medi 18. '41.

Annwyl Morys,

'R wyf wedi chwanegu dau bennill go uniongred at y tri a ymddangosodd yn y Faner, ac yn gyrru'r pump i'r Herald heddiw. Ni bydd o wahaniaeth gennych wrth gwrs,

Cofion cynnes atoch, ac at Gwilym.

Bob Parry.

O. N. Diolch ichwi am roi lle mor amlwg i'r gân. Buasai'r hen gyfaill yn reit pleased petai'n fyw. Ond wedyn – petasai'n fyw ni ddaethai'r gân i fod!

O ie, mae'n rhaid i mi egluro pam yr anfonais y weiran yn Saesneg. Wel, y mae prentisiaid y Post Offis hwn yn ddigon ffwndrus eisoes, heb drethu rhagor ar eu hymenyddion pŵl. Ac yr oedd gofyn am frys, – onid e ni buasai'n delegram.

Oes eisiau rhoi 'Denbigh' rhwng cromfachau ar ôl 'Dinbych' ar yr amlen?[40]

Erbyn diwedd 1941 yr oedd Williams Parry wedi newid ei feddwl eto ynghylch cyhoeddi golygfa 'Coetmor', oherwydd fe'i cyhoeddwyd ynghyd â golygfeydd 'Dwylan' a 'Llanbeblig' yn

[39] Cyhoeddwyd y ddau bennill eto yn *Wales,* Medi 1958, t.66; fe'u codwyd oddi yno i gyfrol T. Emrys Parry, *Barddoniaeth Robert Williams Parry,* t.286.
[40] LlGC, Papurau Kate Roberts, 3204.

rhifyn Rhagfyr 1941 o'r *Dysgedydd,* cylchgrawn yr Annibynwyr.[41] Yna, yn nechrau 1942, anfonodd Williams Parry gopi diwygiedig ohoni at Prosser Rhys ar gyfer *Y Faner:*

[41] Ar dudalennau 274-5 o'r rhifyn hwnnw o'r *Dysgedydd* – a oedd ar y pryd dan olygyddiaeth y Parch. R. H. Davies, Dinbych, a'r Parch. Arthur Jones, Aberhonddu – ceir y tair golygfa wedi'u gosod gyda'i gilydd o dan y pennawd 'PENILLION R. WILLIAMS PARRY', heb unrhyw eglurhad pellach (am fod Gwynfor a Williams Parry yn ffigurau mor amlwg yn genedlaethol, y mae'n debyg). Yr is-benawdau uwchben y tair golygfa yw: 'DWYLAN. (Tŷ Gwynfor yng Nghaernarfon.)'; 'LLANBEBLIG. (Mynwent Llanbeblig ger Caernarfon.)'; 'LLANLLECHID. (Cartref R. Williams Parry.)'

Y mae'r ffurf ar yr olygfa yn Nwylan yn bur debyg i'w ffurf gyhoeddedig gyntaf yn *Y Faner,* 17 Medi 1941. Ac eithrio ychydig o fân wahaniaethau atalnodi, yr unig ddau wahaniaeth rhwng hon â fersiwn *Y Faner* yw fod 'droiad' yn hytrach na 'droad' yn ail linell y pennill olaf, a bod ail linell yr ail bennill yn darllen: 'Mae'r morwr yn suddo i glustog ei sedd', sy'n debycach i ddarlleniad y fersiwn teipysgrif sydd ymhlith papurau Kate Roberts nag i fersiwn *Y Faner* (gw. Nodyn 27 uchod).

Y mae'r ffurf ar yr olygfa yn Llanbeblig eto yn debyg iawn i'w ffurf gyhoeddedig gyntaf, sef yn *Yr Herald Cymraeg,* 22 Medi 1941. Ac eithrio rhai mân wahaniaethau atalnodi, yr unig newid yw i drydedd linell y pennill cyntaf, sy'n darllen: 'Mae hwn yn gwmpeini sy'n cynnwys pob haen'.

O gymharu'r olygfa yn 'Llanllechid' (sef golygfa 'Coetmor' erbyn cyrraedd *Cerddi'r Gaeaf*) a fersiwn teipysgrif Medi 1941 (LlGC, Papurau Kate Roberts, 3202, iii-iv) ar y naill law a'r fersiwn a gyhoeddwyd yn *Y Faner,* 4 Chwefror 1942, ar y llaw arall, fe welir fod fersiwn *Y Dysgedydd* (fel y gellid ei ddisgwyl) rywle yn y canol rhwng y ddau. Mae cryn newid mewn mannau rhwng fersiwn Medi 1941 ac un Chwefror 1942, ac at ei gilydd y mae fersiwn *Y Dysgedydd* yn nes at un Medi 1941 nag at un Chwefror 1942. Yr enghraifft amlycaf o hyn yw fod dau hanner pennill sydd yn fersiynau Medi 1941 a'r *Dysgedydd* wedi eu hepgor yn llwyr erbyn Chwefror 1942, a hynny er dirfawr ennill i'r gerdd.

Nodir yma y mannau lle y mae fersiwn *Y Dysgedydd* yn gwahaniaethu oddi wrth eiriad teipysgrif Medi 1941; a chan yr atgynhyrchir fersiwn teipysgrif Medi 1941 a fersiwn *Y Faner,* 4 Chwefror 1942, yng nghorff yr erthygl bresennol (tt. 194-5 a 202), rhydd hynny fodd i'r darllenydd gymharu'r tri fersiwn â'i gilydd.

Yn nhrydedd linell ail bennill fersiwn *Y Dysgedydd,* ceir 'Ond pam' yn lle'r 'A pham' sydd yn nheipysgrif Medi 1941; yna y mae ail a thrydedd linell y trydydd pennill yn darllen: 'A chymaint ysgafnach nag odid erioed; /Meddyliais am ennyd anhyfryd o fraw'. Y mae llinell gyntaf y pedwerydd pennill yn darllen, 'Rhyw hepian yr oeddwn – a tendia dy hun!' 'Hylo!' sydd ar ddechrau trydedd linell y pennill olaf ond un, yn hytrach na 'Hei, hei!'; ac yn y pennill olaf y mae'r llinell gyntaf yn darllen 'Beth sydd, Gwynfor annwyl? prin iawn nad yw'n ddydd,' a'r llinell olaf yn darllen 'A glyw di ryw geiliog yn galw o'r glwyd?' Fel y gwelir o'u cymharu â fersiwn *Y Faner,* 4 Chwefror 1942, y mae'r rhan fwyaf o'r newidiadau uchod yn cael eu newid yn ôl i eiriad teipysgrif Medi 1941 yn fersiwn *Y Faner,* a newidiadau gwahanol yn cael eu cyflwyno mewn llinellau eraill!

Ni nodir yma amrywiadau atalnodi rhwng y gwahanol fersiynau. Fel yn achos y ddwy olygfa arall, y mae nifer o amrywiadau atalnodi yng ngolygfa 'Llanllechid/Coetmor' rhwng fersiwn *Y Dysgedydd* a fersiynau eraill ohoni; ond yr argraff gyffredinol a gaf yw fod dylanwad golygyddion/cysodwyr yn eithaf trwm ar atalnodi fersiwn *Y Dysgedydd* drwyddo draw, a bod y fersiynau eraill yn fwy ffyddlon i atalnodi Williams Parry ei hun.

Mewn gwirionedd y mae cyhoeddi'r tair golygfa fel hyn yn *Y Dysgedydd* braidd yn annisgwyl, ac ni cheir unrhyw esboniad yn y cylchgrawn i egluro dan ba amgylchiadau y cyhoeddwyd hwy yno. Mae'r dirgelwch yn dyfnhau o gofio nad oes sôn yn yr ohebiaeth rhwng Prosser Rhys ac R. Williams Parry yn niwedd Ionawr 1942 fod golygfa 'Llanllechid/Coetmor' wedi ymddangos eisoes yn *Y Dysgedydd.* I'r gwrthwyneb. Er na ddywedir hynny'n benodol, rhydd yr ohebiaeth yr argraff mai yn *Y Faner* yr oedd y gerdd yn gweld golau dydd am y tro cyntaf.

Coetmor,
Bethesda,
Bangor.
Ionawr 27. '42.

Annwyl Prosser,

A gaiff hon fynd ar ddalen flaen y Faner fel y cafodd y llall? Rhyw hanner darlun a rydd honno o'r hen Wynfor.

Mae'n siwr y clyw darllenwyr y Faner ergyd y llinell olaf!

And even then the morning cock crew loud,
And at the sound it shrunk in haste away,
And vanisht from our sight.
– W. S.

Pa bryd y dowch i fyny'r Gogledd yma eto, inni gael setlo'r ddadl 'Barddoniaeth: Beth Yw?' unwaith eto!

Cofion cynnes, ond brysiog,
Bob Parry

P.S. Mwynheais eich ysgrif ar Isander yn gynddeiriog. 'R oeddwn wedi bod yn disgwyl amdani ers wythnos.[42]

Ond fel y dengys llythyr Williams Parry at Prosser Rhys y diwrnod canlynol, y mae'n amlwg i broblem godi ynghylch cyhoeddi'r gerdd ar dudalen blaen *Y Faner* am fod cerdd gan T.

[42] LlGC, Papurau Kate Roberts, 4120. Bu farw Lewis Roger Williams ('Isander') yn 75 oed ar 8 Ionawr 1942. Ceir pwt amdano yn *Baner ac Amserau Cymru,* 14 Ionawr 1942, t.8. Cyhoeddwyd yr ysgrif arno gan Prosser Rhys a roddodd gymaint o foddhad i R. Williams Parry yn rhifyn yr wythnos wedyn o'r *Faner,* 21 Ionawr 1942, t.4, yn ei golofn 'Led-led Cymru'.

Tipyn o gymeriad oedd Isander. Ceir portreadau byw ohono a'i frwdfrydedd dros farddoniaeth – ei farddoniaeth ef ei hun a gwaith pobl eraill – mewn llythyrau gan Gwynfor at T. Gwynn Jones yn 1913 (gw. fy erthygl, 'T. Gwynn Jones a Gwynfor', *Taliesin,* Mawrth 1992, t.69) a chan Kate Roberts at Saunders Lewis yn 1933 (gw. *Annwyl Kate, Annwyl Saunders,* gol. Dafydd Ifans, Aberystwyth: Llyfrgell Genedlaethol Cymru, 1992, t.98). Brodor o Lanberis ydoedd, ond symudodd i Rostryfan pan oedd yn 9 mlwydd oed. Bu'n brentis haearnwerthwr yng Nghaernarfon, yn gynrychiolydd yn chwarel Dorothea, ac yn gyflenwr rhannau ceir yn Llandudno. Hen lanc ydoedd, 'er yn caru'n o frwd ar adegau' yn ôl Prosser Rhys. Cyfarfu Prosser Rhys ag ef gyntaf yn nechrau 1920 yng nghartref Gwynfor yng Nghaernarfon. Mae'n amlwg fod ganddo'r ddawn i wylltio Gwynfor yn rhwydd. 'Yn rhyfedd iawn,' meddai Prosser Rhys, 'er maint ei synnwyr digrifwch ni allai Gwynfor oddef fawr o gellwair sarrug Isander, na'i syniadau, ffantastig braidd, am anhepgorion drama.' Yr oedd Isander yn feirniadol iawn o'r lleisiau gyddfol dwfn a gynhyrchai Gwynfor a Chynan wrth actio. 'Be haru Gwynfor a Chynan gyda'r lleisiau gyddfol, diawl yna,' fyddai ei sylw lawer tro yn ôl Prosser Rhys. Disgrifir ef gan Caradog Prichard fel 'un o "gymeriadau" anwylaf y gwmnïaeth eisteddfodol . . . sonedwr a bridiwr cŵn hela' (*Afal Drwg Adda,* t.86).

Gwynn Jones yn coffáu 'Isander' wedi ymddangos ar frig colofn 'Led-led Cymru', y golofn a gyfrannai Prosser Rhys i'r *Faner* yn wythnosol dan y ffugenw 'Euroswydd':

Coetmor
Bethesda,
Bangor.
Ion. 28. '42

Annwyl Prosser,

Rhag eich rhoi mewn profedigaeth, efallai mai'r peth gorau fyddai cyhoeddi fy nghân i Wynfor uwchben ysgrif Euroswydd, yn wyneb y ffaith mai yno yr argraffwyd cân Gwyn i Isander. Erbyn sylwi, y mae colofnau Euroswydd yn lletach nag y tybiaswn! Ond wn i ddim beth ddywed y beirdd ifainc ychwaith pan welant yr hen stagers yn lladrata'u lle hwy.

Peth arall go anffodus yw fod fy nghân i wedi dyfod i'ch llaw yn syth ar ôl cân Gwyn, fel y daeth ei gân ef i Wynfor i'ch llaw yn syth ar ôl f'un i iddo. Bydd yn edrych fel petawn yn awyddus i dalu'r pwyth yn ôl! Ond ni wyddwn i ddoe, wrth gwrs, yr ymddangosai cân ganddo ef heddiw.

Os mynnwch, cewch beidio â'i chyhoeddi o gwbl. Ni byddaf i ddim dicach. Gallaf ei gyrru i Feuryn. Ond nis gwnaf cyn clywed oddi wrthych.

Cofion cu,
Bob Parry.

P. S. Mae'r llythyr hwn yn od o debyg i lythyrau'r beirdd at – ac am – ei gilydd yn Adgof Uwch Anghof Myrddin Fardd! Ond nid yw beirdd y ganrif hon hanner mor fustlaidd â beirdd yr hen ganrif wrth sôn y naill am y llall.

Beth, gyda llaw, oedd bwriad Gwyn yn nyddu ei gerdd ef i Wynfor? Tybed yr ystyriai nad oeddwn wedi gwneud cyfiawnder â'r hen gyfaill? Bûm yn teimlo hynny fy hun fwy nag unwaith. Hynny a bair i mi gyhoeddi'r gerdd olaf hon.

B. P.[43]

Fe gyhoeddwyd y gerdd yn *Y Faner* ar 4 Chwefror 1942, ar frig colofn 'Euroswydd' ar dudalen 4, ac nid ar y tudalen blaen. Fel hyn y'i ceir yno:

[43] LlGC, Papurau Kate Roberts, 4121. Yr oedd Meuryn (R. J. Rowlands, 1880-1967) yn olygydd *Yr Herald Cymraeg a'r Genedl* ar y pryd. Ceir y dyddiad 18 Ionawr 1942 o dan gerdd T. Gwynn Jones i Isander a gyhoeddwyd uwchben colofn 'Euroswydd' yn rhifyn 28 Ionawr 1942 o'r *Faner*.

'YN Y BORE BACH'

I.

A! gyfaill anwylaf, ti ddeuthost i'm tŷ
Heb imi dy glywed, sut bynnag y bu.
Rhyw hepian yr oeddwn – mae cric yn fy ngwar;
Ond syn ydyw gennyf na chlywswn dy gar.

O b'le yn y Deau y deui mor hwyr,
Mor fore yn hytrach? Mae'n rhaid mai o Ŵyr.
A pham 'r wyt ti'n teithio fel hyn wrthyt d' hun?
Pa le 'mae dy gariad, hen lenor o Lŷn?

Hen lenor yn wir! 'R wyt yn 'sgafnach dy droed
Ac yn loywach dy lygad nag odid erioed.
Mi'th welaf yn suddo i glustog y sedd,
Yn llenwi dy ddillad, yn llawen dy wedd.

II.

Mae'n braf bod ynghyd i roi'r byd yn ei le,
A chlywed dy deyrnged i actwyr y De.
Ac mor nodweddiadol oedd codi dy ddwrn
Yn wyneb y werin am chwerthin o'i thwrn!

Ond di-dderbyn-wyneb a fyddi di byth
Teimladwy a hwyliog, serchog a syth.
A gwylaidd mae'n amlwg – na hidia'r hen gloc;
Ni syfl yr hen Dre: cei fynd adre toc.

Rhaid iti gael tamaid o rywbeth cyn mynd;
Mae'r tân wedi marw – o newyn, fy ffrind.
Hei, hei, i b'le'r ei di ar gymaint o frys,
Fel dyn yn diflannu pan wrendy wŷs?

P'le'r wyt, Wynfor annwyl? Bron iawn nad yw'n ddydd,
Ac wedi iti fwyta rhyw damaid hi fydd;
Mae dyn ac aderyn yn galw am fwyd, –
Clyw geiliog y plygain yn galw o'r glwyd!

Erbyn paratoi 'Yr Hen Actor' ar gyfer *Cerddi'r Gaeaf,* y mae'n amlwg fod Williams Parry wedi penderfynu gollwng yr olygfa yn Llanbeblig. A da y gwnaeth. Mae'n olygfa sy'n mynegi gobaith Cristnogol annodweddiadol o'r bardd [44] – fel y cyfeddyf ei hun, mewn gwirionedd, yn ei lythyr at Morris T. Williams dyddiedig 18 Medi 1941 wrth gyfeirio atynt fel 'dau bennill go uniongred'. Canu i wae a therfynoldeb marwolaeth yw prif thema barddoniaeth Williams Parry: gwae darfod cymdeithas a chyfeillgarwch; gwae darfod creadigrwydd; gwae claddu dysg a dawn. Canu anniffuant yw canu'r olygfa ym mynwent Llanbeblig.

Ar ben hynny, y mae hi hytrach yn rhy slic. Mae'r ddelweddaeth estynedig o fyd actio a geir ynddi yn ormod o bwdin braidd, yn enwedig o'i gosod ochr yn ochr â'r golygfeydd yn Nwylan a Choetmor. Mae'r olygfa yn Llanbeblig yn enghraifft

[44] Gweler T. Emrys Parry, *Barddoniaeth Robert Williams Parry,* t.55, a chymharer y sylw hwn gan Bedwyr Lewis Jones yn *Robert Williams Parry,* Cyfres 'Writers of Wales' (Caerdydd: Gwasg Prifysgol Cymru, 1972), t.17: 'On reading these early poems today, one is immediately struck by how utterly unlike the later Williams Parry they all are. An *englyn* . . . cut on the gravestone of a young contemporary killed in a quarry accident at Tal-y-sarn in 1905 ends with the hope of happy resurrection' (gw. hefyd ei sylwadau yn Narlith Flynyddol Llyfrgell Pen-y-groes am 1989, *'Yn Nhal-y-sarn Ystalwm',* Cyngor Sir Gwynedd, 1990, t.26).

Gwna T. Emyr Pritchard sylwadau tebyg wrth gyhoeddi am y tro cyntaf englynion coffa Williams Parry i Richard Rowlands, Tal-y-sarn, yn *Barddas,* Chwefror 1990, t.4. Lluniwyd yr englynion yn 1917 ac yn y trydydd ceir darlun o'r gwrthrych yn 'croesi'r lli' ac yn cyfarfod â'i ferch fach ymadawedig a'i Brynwr. Noda Mr Pritchard fod cerdd gan y bardd a luniwyd yn 1924 er cof am Edith Wyn hefyd yn cyfeirio'n annodweddiadol at fywyd tragwyddol. 'Tybed', meddai, 'ai'r eglurhad [ar y cyferiadau hyn]. . . yw i'r bardd roi ei agnosticiaeth heibio am y tro er mwyn cysuro teulu'r ymadawedig, oherwydd iddo wybod y credent hwy yn yr addewid Gristnogol? Ynteu a ganai yr hyn y deisyfai yn ei galon gredu? Pwy a wyr.' Cofier fod Williams Parry, mor ddiweddar â 1939, yn cyfaddef yn y soned 'Gair o Brofiad', ei fod yn troi at Dduw wrth ddod wyneb yn wyneb ag angau: 'Yn anghredadun, troaf at fy Nghrewr/Pan dybiwyf ryw farwolaeth dan y fron' (gw. Gwyn Thomas yn *Ysgrifau Beirniadol III,* t.183). Ond beth bynnag am hynny, y mae'n amlwg oddi wrth ei ohebiaeth â Morris T. Williams ym Medi 1941 fod teimladau gweddw Gwynfor yn ystyriaeth bwysig ganddo.

Yr oedd Gwynfor a'i wraig yn Gristnogion o argyhoeddiad. Yn ôl Prosser Rhys, 'Yr oedd Gwynfor yn aelod gweithgar yng nghapel Engedi (M.C.), Caernarfon, ac yn arbennig felly mewn cangen o'r eglwys, lle cyrchai plant tlodion. Nid oedd yn tynnu pen hir – yr oedd ymhell o fod yn Biwritan – ond yr oedd yn wir Gristion. Bu'n garedig wrth lawer; di-rif fu ei gymwynasau' (*Baner ac Amserau Cymru,* 3 Medi 1941, t.4). A cheir rhai cyfeiriadau at Gwynfor a'i wraig yng nghyfrol Gwilym Arthur Jones, *Pobl Caernarfon ac Addolwyr Engedi 1842-1992* (Caernarfon: Pwyllgor Dathlu Canmlwyddiant a Hanner Engedi, 1992).

Yng nghasgliad Gwynfor yn y Llyfrgell Genedlaethol (rhif 103), cadwyd tamaid o bapur yn dwyn y teitl 'Gwynfor's last words', yn llaw ei weddw gellid tybio. Fel yr awgryma'r pennawd, rhes o'i ddywediadau tra oedd ar ei wely angau yw'r cynnwys. Maent yn terfynu â geiriau sy'n sôn am yr 'olygfa' nefol yn lledu o'i flaen, ac y mae'r cyfan yn ddrych o'i ffydd gadarn yng Nghrist fel ei Waredwr. Geiriau Gwynfor ei hun yw'r rhan fwyaf o'r rhai a gofnodir, ond yn eu plith ceir llinell o awdl 'Yr Haf' Williams Parry: 'Marw i fyw mae'r haf o hyd'; a Gwynfor, y mae'n amlwg o'r cyd-destun, yn gosod ei ddehongliad Cristnogol ef am fywyd tragwyddol ar y geiriau hynny.

dda o nodwedd yng ngwaith Williams Parry a feirniedir gan Mathonwy Hughes: 'Bron na theimla dyn ei fod yn tueddu i chwarae gormod ar eiriau ac enwau weithiau, nes ymylu ar fod yn sîep ac annheilwng ohono ef ei hun. Tueddir at hynny yn "Y Wers Sbelio", er enghraifft, er ei chystal. Ni thâl-hi i fod yn or-glyfar bob amser.'[45]

Mae Williams Parry, wrth gwrs, yn ddiarhebol am ymboeni ynghylch caboli ei gerddi hyd y funud olaf. Fel yn yr achos dan sylw yn awr, ceir enghreifftiau lawer ohono'n anfon nodyn ar ôl nodyn – a thelegramau pan âi'n gyfyng arno! – at olygyddion

[45] *Perlau R. Williams Parry,* t.21. Y mae T. Emrys Parry yn canmol adeiladwaith ddramatig 'Yr Hen Actor', sy'n 'dra addas i wrthrych y gerdd'; ond mae'n amlwg y teimla'n anesmwyth ynghylch y llinell 'Mae'i ddillad yn hongian, ond nid ar yr hoel'. Y mae, meddai, 'yn ymddangos efallai yn stroclyd' (*Barddoniaeth Robert Williams Parry,* tt.141-2). Nid yw Gwyn Thomas mor ymataliol ei farn! Meddai ef: 'Mae "Yr Hen Actor" yn dangos rhai o wendidau (anaml, mae'n wir) R. Williams Parry. Dyna'r strôc glyfar sy'n codi o lygadu'r gynulleidfa a disgwyl arwynebol am gymeradwyaeth:

> Mae'n gwaelu i'n golwg, a drwg ydyw'r goel,
> Mae'i ddillad yn hongian, ond nid ar yr hoel.

Ac wedyn y geiriau llanw, marw sydd yn yr ail gerdd i'r hen actor' (sef 'mae cric yn fy ngwar' ac 'mae'n rhaid mai o Ŵyr'). Chwilio am eiriau i odli gyda 'car' a 'hwyr' y mae'r bardd yn y mannau hynny, meddai Gwyn Thomas, a daw i'r casgliad (ysgubol braidd) mai 'bardd gwlad ar ei waelaf sydd yma' (*Ysgrifau Beirniadol III,* t.170, a cf. tt.188-9).

Mae'n werth nodi, efallai, y digwydd yr odl 'hwyr' a 'Gŵyr' hefyd yn y gerdd 'Gorthrymderau', a luniodd Williams Parry yn 1939 (*Cerddi'r Gaeaf,* t. 52). Dyma'r llinellau perthnasol:

> Rhyw her-adroddwr ar ei draed,
> A chipio'r wobor yn ei waed;
> Mae wrthi'n corddi cwrdd yr hwyr
> Gyda Rhianod Penrhyn Gŵyr.
> Ni sioma'r hanes am y rec,
> A'r dyn sy'n canu ar ei dec.

Maggie a Jessie Ace oedd 'Rhianod Penrhyn Gŵyr', sef merched gofalwr y goleudy yn y Mwmbwls, a achubodd ddyn rhag boddi adeg llongddrylliad yn 1883. Lluniodd Clement Scott (1841-1904) faled am eu dewrder, 'The Women of Mumbles Head', a ddaeth yn boblogaidd iawn fel darn adrodd. Hwyrach, yn wir, mai er mwyn yr odl y soniodd y bardd am 'Rhianod Penrhyn Gŵyr' yn y naill gerdd, a gwneud i Gwynfor gyrchu Gŵyr yn y llall. Eto, rhaid cofio sylw Bedwyr Lewis Jones am 'gywirdeb manwl cyfeiriadaeth Williams Parry': 'Mae'r cyfeiriadau yng ngherddi Williams Parry fel arfer yn fanwl gywir,' meddai (*Cyfres y Meistri (1): R. Williams Parry,* t.345). Ac fel y cawsom ein hatgoffa gan Hywel Teifi Edwards yn Narlith Radio Flynyddol y BBC yn Ionawr 1990, *Lle Grand am Ddrama (Abertawe a'r Ŵyl Ddrama Gymraeg 1919-1989),* bu Gŵyr yn yr ystyr ehangaf – sef yr hen gwmwd a'r etholaeth seneddol bresennol – yn fwrlwm o weithgarwch dramatig yn nyddiau Gwynfor. Yn wir, y mae i Abertawe a'r cyffiniau le allweddol yn hanes y ddrama Gymraeg. Gallai O. Llew Owain ddweud mai 'cymwynaswyr mwyaf y ddrama yng Nghymru ydyw Cymdeithas y Ddrama Gymraeg, Abertawe', a sonia am 'wythnosau lawer o gystadlu drwy rannau helaeth o Sir Forgannwg' rhwng y ddau ryfel byd (*Hanes y Ddrama yng Nghymru,* tt.151, 143, 181). Nid rhyfedd, felly, fod Williams Parry wedi darlunio Gwynfor yn cyrchu Gŵyr ac yn talu teyrnged i 'actwyr y De'.

papurau newydd a chylchgronau er mwyn newid rhyw air neu atalnod yma ac acw cyn i gerdd gael ei chyhoeddi. Tystia ei gyfaill, Emrys Williams, fel y byddai'r bardd yn cludo cyflenwad o gardiau post i bob man ac yn eu defnyddio i anfon llinellau diwygiedig o'i gerddi at olygyddion.[46]

Bu newid go fawr yng ngherdd 'Yr Hen Actor' erbyn iddi gyrraedd *Cerddi'r Gaeaf* wrth i Williams Parry benderfynu hepgor golygfa 'Llanbeblig' yn llwyr; at hynny ceir nifer o wahaniaethau sylweddol rhwng fersiwn teipysgrif golygfa 'Coetmor' ym Medi 1941 a'r fersiwn cyhoeddedig ohoni yn *Y Faner* yn Chwefror 1942. Ond, wedi dweud hynny, nid oes llawer iawn o wahaniaethau rhwng geiriad dwy olygfa 'Yr Hen Actor' fel y'u cyhoeddwyd yn *Cerddi'r Gaeaf* a'r fersiynau ohonynt a welwyd cyn hynny yn *Y Faner,* sef ym Medi 1941 yn achos golygfa 'Dwylan' a Chwefror 1942 yn achos golygfa 'Coetmor'. Fe geir, y mae'n wir, nifer o fân wahaniaethau mewn sillafu ac atalnodi, ond ychydig yw'r newidiadau arwyddocaol. Ymddengys, felly, fod Williams Parry wedi'i fodloni i raddau helaeth ar eiriad y golygfeydd erbyn iddynt gyrraedd y ffurf sydd arnynt yn *Y Faner.*[47]

[46] *Y Genhinen,* Gwanwyn 1964, t.72. Ceir enghreifftiau o Williams Parry yn anfon nodiadau at olygyddion yn erthyglau Prys Morgan (*Y Genhinen,* Gaeaf 1972, tt.31-3) a Dafydd Ifans (*Taliesin,* Nadolig 1985, tt.5-13, ac Ebrill 1986, tt.8-19) yn achos cerddi a anfonwyd i'r *Llenor* ac yn erthygl Alun Llywelyn-Williams (*Ysgrifau Beirniadol VIII,* gol. J. E. Caerwyn Williams, Dinbych: Gwasg Gee, 1974, tt.240-9) yn achos cerddi a anfonwyd i *Tir Newydd.* Yn ei erthygl 'R. Williams Parry: Twf Cerddi a Swydd y Bardd' yn *Ysgrifau Beirniadol II,* gol. J. E. Caerwyn Williams (Dinbych: Gwasg Gee, 1966), tt.173-84, bu T. Emrys Parry yn cymharu fersiynau terfynol nifer o gerddi'r bardd â fersiynau cynharach a welodd ymhlith papurau J. O. Williams, Bethesda.

[47] Tri newid geiriol a geir rhwng fersiwn *Y Faner,* 17 Medi 1941, o olygfa 'Dwylan' a'r ffurf sydd arni erbyn *Cerddi'r Gaeaf.* Newidiwyd ail linell y pennill cyntaf o 'Ond cwyd i'n croesawu i'r seiat o hyd' i 'Ond myn ein croesawu i'r seiat o hyd'; newidiwyd ail linell yr ail bennill o 'Fe ddychwel yn ddiolchgar i glustog ei sedd' i 'Mae'n disgyn yn sypyn i glustog ei sedd'; ac yn llinell gyntaf y trydydd pennill, newidiwyd 'O! siriol y sieryd ein brawd sydd mor brudd' i 'O! siriol y sieryd ein brawd, sy mor brudd'. Ar ben hynny ceir un newid atalnodi arwyddocaol, sef newid y llinell gyntaf un o 'Mae'n byw yn ei barlwr o ddwndwr y byd' i 'Mae'n byw yn ei barlwr, o ddwndwr y byd'.

Tri newid geiriol a geir hefyd yng ngolygfa 'Coetmor' rhwng fersiwn *Y Faner,* 4 Chwefror 1942, a'r fersiwn yn *Cerddi'r Gaeaf.* Newidiwyd 'Mae'n braf bod ynghyd' i 'Mae hi'n braf bod ynghyd' ar ddechrau'r pedwerydd pennill; 'byth' i 'fyth' ar ddiwedd llinell gyntaf y pumed pennill; ac 'Ac wedi iti fwyta rhyw damaid hi fydd' i 'Ac wedi iti fwyta rhyw gymaint, hi fydd' yn ail linell y pennill olaf.

Yn y casgliad o bapurau R. Williams Parry a brynwyd gan y Llyfrgell Genedlaethol oddi wrth ei frawd yng nghyfraith, J. Maldwyn Davies, Wrecsam, yn 1977, ceir copïau yn

[Parhad ar waelod y tudalen nesaf]

Erys un gerdd arall a ganodd R. Williams Parry i Gwynfor heb ei nodi. Fe'i ceir yn gyflawn yn y chweched lawysgrif yn y casgliad o bapurau'r bardd a ddaeth i'r Llyfrgell Genedlaethol trwy law ei frawd yng nghyfraith, J. Maldwyn Davies, yn 1977. Copïau o gerddi nas cynhwyswyd yn nwy gyfrol Williams Parry sydd yn y llawysgrif honno. Yn eu plith ceir y gerdd deipiedig hon, sydd yn gyfres o englynion wedi'u gosod am yn ail yng ngenau'r bardd a'r actor:

[47–Parhad]
llaw'r bardd o nifer o'i gerddi, ac yn eu plith pedwar copi o gerdd 'Yr Hen Actor'. Fe geir copi ohoni yn y llawysgrif gyntaf (RWP 1), sef llyfr ysgrifennu yn cynnwys copïau o'r pum cerdd y mae eu teitlau yn dechrau â 'Yr Hen . . .' ac a osodwyd gyda'i gilydd yn *Cerddi'r Gaeaf:* 'Yr Hen Actor', 'Yr Hen Gantor', 'Yr Hen Ddoctor', 'Yr Hen Delynor', 'Yr Hen Sosialydd'. Yna, yn yr ail lawysgrif (RWP 2), sef ffeil yn dwyn y teitl 'Cerddi'r Cyfnos' sy'n cynnwys copïau o saith cerdd a gynhwyswyd yn *Cerddi'r Gaeaf,* ceir dau gopi o'r 'Hen Actor'. Mae'r copi cyntaf ar ddechrau'r ffeil a'r llall, sydd yn gopi brasach ac yn dwyn y teitl 'Hen Gyfeillion', ar ddiwedd y ffeil. Yna ceir copi arall o'r gerdd yn y bedwaredd lawysgrif (RWP 4), sy'n cynnwys copïau o ugain o'r cerddi a gynhwyswyd yn *Cerddi'r Gaeaf.* (Copïau ar ddalenni rhydd oedd y rhain yn wreiddiol; fe'u rhwymwyd ynghyd yn un gyfrol wedi i'r casgliad gyrraedd y Llyfrgell Genedlaethol.)

Yn yr holl lawysgrifau hyn mae golygfeydd 'Dwylan' a 'Coetmor' wedi'u cyfuno'n un gerdd, fel y'u ceir yn *Cerddi'r Gaeaf,* a'r olygfa yn Llanbeblig wedi ei hepgor yn llwyr. Mae'r fersiwn yn RWP 4 yn debyg iawn o ran geiriad ac atalnodi i fersiwn *Cerddi'r Gaeaf,* a'r tri fersiwn arall yn amlwg ryw gymaint yn gynharach nag ef. Er mai anodd iawn yw bod yn bendant, credaf mai trefn ysgrifennu'r tri oedd y copi brasach ar ddiwedd RWP 2 yn gyntaf, yna'r copi yn RWP 1, ac yna'r copi ar ddechrau RWP 2; ond y maent oll rywfaint yn nes at fersiwn *Cerddi'r Gaeaf* nag at y fersiynau cyhoeddedig blaenorol.

Mae copi bras RWP 2 a chopi RWP 1 yn parhau i ddarllen 'cwyd' yn ail linell y pennill cyntaf, a'r ddau yn darllen 'Ha!' yn lle 'A!' ar ddechrau pennill cyntaf golygfa 'Coetmor', lle y mae'r copi ar ddechrau RWP 2 a chopi RWP 4 yn darllen 'myn' ac wedi adfer yr 'A!' Yna, y mae copi bras RWP 2 yn dal i ddarllen 'sydd' yn llinell gyntaf y trydydd pennill, tra bo'r lleill i gyd wedi mabwysiadu 'sy'. (Ond ar y llaw arall, mae copi bras RWP 2 yn cynnwys coma ar ôl 'barlwr' yn llinell gyntaf y pennill cyntaf, sy'n peri ei fod yn nes yn hynny o beth at ffurf *Cerddi'r Gaeaf* na'r copi ar ddechrau RWP 2 a'r copi yn RWP 1!) 'Mae'n disgyn yn sypyn i glustog ei sedd' yw darlleniad yr holl lawysgrifau ar gyfer ail linell yr ail bennill, a 'rhyw gymaint' yn hytrach na 'rhyw damaid' sydd ganddynt oll hefyd yn ail linell y pennill olaf. Dichon mai'r rheswm dros newid 'tamaid' i 'cymaint' yw fod 'tamaid' yn digwydd yng nghyd-destun bwyd yn y pennill blaenorol.

Ceir ambell enghraifft yn y llawysgrifau o ddarlleniadau nas ceir yn y fersiynau cyhoeddedig. Nodwyd eisoes fod 'Ha!' yn lle 'A!' yn digwydd mewn rhai o'r llawysgrifau ar ddechrau golygfa 'Coetmor'. Yn y copi bras yn RWP 2, yn nhrydedd linell ail bennill golygfa 'Dwylan' dechreuwyd ysgrifennu 'Fe sieryd yn siriol' yn lle'r 'Mae'n siarad yn siriol' sydd ym mhob fersiwn arall. Mae'n debyg i'r bardd benderfynu glynu wrth 'siarad' yn y diwedd am fod 'sieryd' yn digwydd yn llinell gyntaf y pennill nesaf. Yn y copi sydd ar ddechrau RWP 2, ysgrifennodd y bardd 'chlywais' yn llinell olaf pennill cyntaf golygfa 'Coetmor', cyn penderfynu ei ddileu ac adfer 'chlywswn'. Yn yr un modd, yn RWP 4, ysgrifennodd ' 'r wyt ti'n sgafnach' yn llinell gyntaf trydydd pennill golygfa 'Coetmor' cyn adfer y darlleniad ' 'r wyt yn sgafnach'. 'Ple'r wyt, Wynfor annwyl' yw'r hyn a geir ar ddechrau llinell olaf y gerdd yn *Y Faner,* 4 Chwefror 1942, ac yn *Cerddi'r Gaeaf,* ond darlleniad y pedair llawysgrif fel ei gilydd yw 'Beth sydd, Wynfor annwyl', sef darlleniad teipysgrif Medi 1941 (LlGC, Papurau Kate Roberts, 3202, iv).

GWYNFOR.

Ynddo nid oedd haen o dwyll, – agored
Ei gerydd i'r byrbwyll.
Brawd y beirdd, o barod bwyll,
Ie'n tad, enaid didwyll.

Pan fyddwyf, fardd penfeddal, – yn actio'n
Fy nicter fel rebal –
Mae'r dyn a'm dilyn i'm dal?
Mae eto neb i'm hatal.

Mynegai'i wedd ai mewn gwg – ai boddiog
Y byddai'n bur amlwg.
Rhoddai drem ar dda a drwg
A'i galon yn y golwg.

Pan fo'r ffol yn priodoli – im ar gam
Rigymau annigri'
O chwaeth amheus, chwith i mi
Am ddeifiol drem i'w ddofi.[48]

Yn y ddau englyn a roddwyd yng ngenau'r bardd, cawn ein hatgoffa o frawddeg yn y nodyn eglurhaol sydd gan R. Williams Parry ar gerdd 'Yr Hen Actor' yn *Cerddi'r Gaeaf:* 'Dyn cwbl ddi-dderbyn-wyneb ydoedd ef [Gwynfor], ac eto nid oedd neb mwy cymeradwy gan ei gydnabod.' Yn y ddau englyn italaidd, wedyn, gwneir i Gwynfor sôn am ddau brif gariad ei fywyd, sef actio a barddoni. Meddai Prosser Rhys amdano: 'Y gynghanedd a'r ddrama – dyna ddau beth mawr bywyd Gwynfor. Yr oedd yn gynganeddwr da iawn – a bron bob tro y galwn, byddai ganddo englyn neu gwpled newydd a'r gynghanedd yn clecian ynddynt, ac fel rheol yn ysmala.'[49] Ac efallai mai dyma'r lle priodol i ddyfynnu sylwadau R. Williams Parry wrth *Y Cymro* adeg marw Gwynfor (30 Awst 1941, t.7):

> Y nodwedd anwylaf yn ei gymeriad oedd ei gymwynasgarwch i lenorion ieuainc. Bu amryw o'r rhain yn nhref Caernarfon o dro i dro – megis Mr. Prosser Rhys, Mr. Gwilym R. Jones, Mr. Caradog Pritchard [*sic*], ac y mae'n ddiau y tystiant yn

[48] Gwelodd Alan Llwyd y gerdd ymhlith papurau J. Maldwyn Davies a'i chyhoeddi yn *Cyfres y Meistri (1): R. Williams Parry,* t.350.
[49] *Baner ac Amserau Cymru,* 3 Medi 1941, t.4.

frwdfrydig i'r nodwedd hon ynddo.[50] Yr oedd gyda'r gorau am adrodd englyn, a bu'n siom i lu o'i gyfeillion na chlywsant ef yn adrodd rhai o bigion englynion ein gwlad ar y radio. Byddai'n hoff iawn o glecian cydseiniaid, fel Eifionydd gynt. Cynganeddai, a hynny'n bert, unrhyw ymadrodd a allai ei glywed ar y pryd. Ymgomiwr dihafal oedd; yn wr ffraeth. Ond yr oedd un peth uwchlaw dim arall a barai loes iddo, sef iaith neu stori anweddus neu regi o fath yn y byd. Dyn desant, didwyll oedd Gwynfor, ymhob cwmni.

Cyhoeddwyd y trydydd englyn uchod yn englyn unigol yn *Yr Herald Cymraeg a'r Genedl* ar 6 Hydref 1941 (t.8), dan y teitl 'Gwynfor Ddiragrith' a chyda'r dyfyniad canlynol mewn cromfachau o dan y teitl: ' "Hyderaf yn fawr y lluniwch englyn iddo." – Meuryn.'[51] Ni wn pryd yr ychwanegwyd yr englynion eraill ato. Fe geir yr olaf ohonynt ymhlith papurau J. O. Williams, Bethesda, ond â rhai gwahaniaethau yn y paladr: 'Mae'r ffôl yn priodoli – im ar gam/Rigymau aneiri'/O chwaeth amheus! . . .'[52]

Dyna, felly, y cerddi o waith R. Williams Parry i'w gyfaill Gwynfor sydd wedi goroesi. Mae'n wir na ellir eu cymharu â'r cerddi angerddol a ganodd y bardd i Saunders Lewis; ond, ac eithrio Saunders Lewis, nid ymddengys i'r un person arall ysbrydoli ei awen yn amlach na Gwynfor. Ac y mae'r cerddi i Gwynfor yn tanlinellu un o nodweddion craidd canu Robert Williams Parry. Ys dywedodd Saunders Lewis, wrth ddyfynnu'r geiriau sy'n deitl i'r erthygl hon:

> Digymar yw fy mro, dyna i chi Williams Parry'n cyhoeddi maniffesto'r bardd gwlad, yn dewis y traddodiad Taliesinaidd ac

[50] Dyfynnwyd tystiolaeth Prosser Rhys i'r perwyl hwn eisoes. Ategir hynny gan Gwilym R. Jones yn Mathonwy Hughes, *Awen Gwilym R* (Dinbych: Gwasg Gee, 1980), tt.24-5, a chan Caradog Prichard yn ei hunangofiant, *Afal Drwg Adda,* t.52.

[51] Cyhoeddwyd yr englyn gan T. Emrys Parry yn *Barddoniaeth Robert Williams Parry,* t.287. Cynhwyswyd y dyfyniad uwch ei ben, ond gadawyd allan enw Meuryn. Pwysau o du Meuryn a oedd i gyfrif hefyd fod Williams Parry wedi llunio ei soned i 'Eifionydd' (John Thomas, 1848-1922), golygydd *Y Geninen* (gw. erthygl Alan Llwyd yn *Barn,* Mawrth 1984, t.62). Ceir copi teipysgrif o'r englyn, a'r un dyfyniad uwch ei ben, ymhlith papurau Kate Roberts (LlGC, Papurau Kate Roberts, 2913), sy'n awgrymu i'r englyn gael ei anfon i'r *Faner* hefyd, ond er chwilio methais ei weld yno.

[52] T. Emrys Parry, *Barddoniaeth Robert Williams Parry,* t.293. Meddai'r Athro Bedwyr Lewis Jones wrthyf: 'Gwelais, a chlywais, dadogi'r englyn olaf ar RWP yn cystwyo pobl a ddywedai ei fod ef yn awdur ambell i englyn "amheus" neu "goch" ' (gohebiaeth bersonol, Chwefror 1991).

> yn cymryd dynion, y dynion o'i gwmpas, yn brif destun ei farddoniaeth.[53]

Ie, dynion; nid Dyn â D Fawr. Fel y dywedodd y bardd ei hun un tro:

> Dyn. Beth sydd a wnelo'r bardd â rhif a mesur o'r math yma? . . . Y mae . . . Hen Lanc Tyn y Mynydd, ac Alun Mabon, a Margaret, a Mary Morrison, a Maud yn amgen testunau i gân yr awen na Dyn. Neges y bardd yw dangos inni seithliw'r spectrum.[54]

Yng ngeiriau Gwenallt,[55] 'bardd y gwŷr arbennig yw R. Williams Parry', ac odid neb yn amlycach yn eu plith na Gwynfor, 'Yr Hen Actor'.

[53] *Cyfres y Meistri (1): R. Williams Parry,* t.291.

[54] *Rhyddiaith R. Williams Parry,* gol. Bedwyr Lewis Jones, t.33; cymharer sylwadau Iorwerth C. Peate a D. Tecwyn Lloyd yn *Cyfres y Meistri (1): R. Williams Parry,* tt.161, 259.

[55] *Cyfres y Meistri (1): R. Williams Parry,* t.193; cf. T. Emrys Parry, *Barddoniaeth Robert Williams Parry,* t.118; Bedwyr Lewis Jones, *Robert Williams Parry,* Cyfres 'Writers of Wales', t.71; Alan Llwyd, *R. Williams Parry,* Cyfres 'Llên y Llenor' (Caernarfon: Gwasg Pantycelyn, 1984), tt.4-8, 16-17 a 78.

ÔL-NODYN

Bu'r diweddar Athro Bedwyr Lewis Jones mor garedig â darllen fersiwn cynharach ar yr erthygl hon yn ôl yn 1991. Un canlyniad i hynny oedd sianelu peth o'r deunydd i erthygl yn dwyn y teitl 'T. Gwynn Jones a Gwynfor' yn rhifyn Mawrth 1992 o'r cylchgrawn *Taliesin,* a oedd ar y pryd dan ei olygyddiaeth ef ac R. Gerallt Jones. Y canlyniad arall oedd derbyn ganddo, yn ogystal â'i anogaeth i fwrw ymlaen â'r gwaith, rai sylwadau ac awgrymiadau o'i stôr o wybodaeth am Robert Williams Parry, y bu'r erthygl bresennol ar ei helw o'u cael. Meddai wrthyf mewn llythyr dyddiedig 21 Mawrth 1991, 'Hwyl ar orffen yr erthygl. Byddaf yn edrych ymlaen at ei gweld [mewn print].' Ond nid felly y bu, ysywaeth.

Bu Mr Dafydd Ifans o'r Llyfrgell Genedlaethol yn gymorth hawdd ei gael ar achlysuron dirifedi dros y blynyddoedd, ac nid yn lleiaf yn achos yr erthygl hon. Yr wyf yn ddiolchgar iddo am sawl cymwynas yn ei chylch, ac yn arbennig am dynnu fy sylw at ddeunydd yng nghasgliad papurau Kate Roberts yn y Llyfrgell Genedlaethol.

Dymunaf ddiolch yn ogystal i Wasg Gee a theulu'r diweddar J. Maldwyn Davies am ganiatâd i ddyfynnu o waith R. Williams Parry.

Pan oedd yr erthygl hon mewn proflenni, ymddangosodd cofiant Bedwyr Lewis Jones (gol. Gwyn Thomas), *R. Williams Parry,* Cyfres 'Dawn Dweud' (Caerdydd: Gwasg Prifysgol Cymru, 1997). Er nad yw'r gyfrol honno yn trafod yn benodol gerddi Williams Parry i Gwynfor na'u cyfeillgarwch, afraid dweud ei bod yn ddarllen cefndirol pwysig ar gyfer y materion a drafodir yma.

Yng nghorff yr erthygl, nodais nad oedd cofnod ar Gwynfor yn *Y Bywgraffiadur Cymreig 1941-1950* nac yn y *Cydymaith i Lenyddiaeth Cymru.* Da yw cael dweud i'r sefyllfa honno newid oddi ar i'r erthygl hon gyrraedd proflenni, a bod cofnod arno wedi'i gynnwys yn yr atodiad i'r *Bywgraffiadur Cymreig 1951-1970* ac yn yr ail argraffiad o'r *Cydymaith.*

WALDO

Rhai o'i Eiriau Mawr

gan SIWAN RICHARDS

> I believe all men to be brothers and to be humble partakers of the Divine Imagination that brought forth the world, and that now enables us to be born again into its own richness, by doing unto others as we would others to do unto us.

Dyma eiriau'r heddychwr a'r bardd Waldo Williams yn ei ddatganiad i'r tribiwnlys yng Nghaerfyrddin ar y deuddegfed o Chwefror, 1942. Fe'i galwyd ger bron y llys oherwydd ei safiad fel gwrthwynebydd cydwybodol adeg yr Ail Ryfel Byd. Nid oedd yn orfodol iddo ymuno â'r fyddin gan ei fod yn athro ysgol dros bymtheg ar hugain oed, yr oed a bennodd y llywodraeth. Ond, fe'i cynhyrfwyd gymaint gan erchyllter y rhyfel fel y mynnodd ddangos ei ochr. Gwelwn ei syniadaeth am fywyd yn y geiriau hyn i'r llys ac am y berthynas a ddylasai fod yn ei farn ef rhwng dyn a dyn, rhwng brawd a brawd. Amlygir y daliadau cryf a'r gobeithion am heddwch a chariad ar y ddaear a fynega, yn ei unig gyfrol o gerddi *Dail Pren.*

Profiadau personol y bardd yw sylfaen ei farddoniaeth. Ymateb i'r hyn a brofodd ef a wna yn ei gerddi gan gyflwyno i ni ei obeithion a'i ofnau. Trwy ei weledigaeth eang o fywyd tyf ei brofiadau i gynrychioli profiadau pob dyn ar y ddaear. Defnyddia eiriau diriaethol a haniaethol wrth ddisgrifio'r profiad a thrwy hynny gwelwn ehangu ei arwyddocâd o'r personol i'r bydol gyffredinol. Yn yr ymchwil hon, ceisiaf roi trefn ar batrwm dychymyg y bardd. Gwnaf hyn trwy astudio ei ddefnydd unigryw o eiriau gan geisio deall eu harwyddocâd iddo ef. Gan ei fod yn Grynwr fe welai'r byd trwy lygaid arbennig y Cristion. Nid yw ei weledigaeth yn un gyfyng, serch hynny, gan ei fod yn defnyddio geiriau haniaethol, amwys i gyfleu ei brofiadau ysbrydol.

Cyfeiriodd John Rowlands (a Ned Thomas, wedi hynny) at y defnydd eang hwn o eiriau haniaethol:

> Mae'n eu defnyddio mewn modd digon llydan i'r Cristion a'r anffyddiwr fel ei gilydd allu ymateb iddynt. Yn reddfol, yn hytrach nag yn ddiwinyddol, y deallwn eu harwyddocâd.

Ni allaf, wrth reswm, astudio'r holl eiriau haniaethol, arwyddocaol sy'n ymddangos dro ar ôl tro yn ei waith gan fod cynifer ohonynt. Yr hyn a wnaf fydd canolbwyntio ar y rhai a ystyriaf i yn allweddol i ddadansoddi ei feddylfryd.

Cysyllta'r rhelyw ohonom y term 'awen' ag awen y bardd, yr hyn sydd yn ei *ysbrydoli* i farddoni a chanu cân. Gweithia fel rhyw bŵer y tu allan iddo. Dylid cofio, yn y gyswllt hwn, fod y gair 'ysbryd' yn dod yn llythrennol o'r Lladin *spiritus* a bod spiritus yn dod o *spiro,* 'anadlaf'. Fe wnaeth Bedwyr Lewis Jones ddadansoddiad pellach i wraidd y term 'awen'. Sonia mai'r 'awen' yw'r:

> hyn yr olrheiniodd Goronwy Owen ei bonedd a'i chyneddfau. Ar lefel is ac o darddiad gwahanol, mae gennym y gair awen am gortyn o ffrwyn ceffyl ac yn ffigurol, am gyfrwng arwain.

Cyfeiria Bedwyr Lewis Jones yma at 'awen' fel ffurf ar y gair 'afwyn'. Y mae i ddefnydd Waldo o'r term 'awen' yr ystyron cyffredinol ac eto mae ei weledigaeth bersonol yn ehangu'r rheini. Rhy fwy o bwys arno gan roi iddo arwyddocâd gwerthfawr. Gwelwn yn ei ddatganiad yn y llys ei fod yn sôn am y 'Divine Imagination'. Dyma oedd hoff air Blake ac yn wir hoff air Waldo. Ar yn ystyr, 'Awen' oedd yr 'Imagination' hwn iddo ef.

Down ar draws y term 'awen' yng ngherdd gyntaf y gyfrol, ei awdl 'Tŷ Ddewi' a ysgrifennodd ar gyfer Eisteddfod Genedlaethol Abergwaun. (Yr awdl wedi ei diwygio ar ôl y gystadleuaeth a geir yn y gyfrol ac nid y gwreiddiol). Clywn y masiwn yn llefaru am yr adeilad a gododd o gariad at Dduw:

> A heddiw hen wyf, ac oeddwn ifanc.
> O boen ei ddiwedd nebun ni ddianc.
> Tra bwy'n llwch try bun a llanc yn fynych
> I fwynaidd edrych ar f'*awen* ddidranc
>
> (D.P. [=*Dail Pren*, 1956] 17)

(Myfi, wrth gwrs, biau'r italeiddio). Cyfeirio at 'awen' y seiri maen a gododd Eglwys Tŷ Ddewi gynt a wna'r bardd yn y dyfyniad. Marw yw tynged pawb ac nid oes modd dianc rhag trefn rhagluniaeth. Marw fydd tynged y masiwn hefyd ond ni all heddwch a harddwch yr eglwys a adeiladwyd ganddo, farw byth. Pery'r 'awen' a'i cynhaliodd ef, trwy'r eglwys, ac ati hi y bydd merched a bechgyn yn troi am gysur. Ni all hon farw. Yma, mae'r 'awen' yn cyfeirio at yr hyn sydd y tu ôl i grefft a chelfyddyd.

Ceir cyfeiriad arall at 'awen' yn yr awdl. Y tro hwn, 'awen' bwerus Dewi;

> Hŷn na'i dŷ *awen* Dewi
> A hwy ei saernïaeth hi.
> A darn trech na dyrnod drom
> Yr angau, ei air rhyngom . . . (D.P. 21)

Dweud y mae'r bardd yma fod yr 'awen' yn lletach na chelfyddyd, yn lletach na'r eglwys ac yn para'n hwy na'i 'saernïaeth'. Yr 'awen' yma yw'r hyn a oedd yn symbyliad i holl fywyd Dewi, ei grefydd a'i hysbrydoliaeth.

Cysylltir yr 'awen' â Weun y Rhosyn; y mae yma i'w theimlo, 'awen' y crefftwr y cyfeiria ati, y grym oddi allan iddynt a'u cynhaliodd i adeiladu'r eglwys yn ei holl harddwch;

> Harddu camp eu gordd a'u cŷn drwy eu hoes
> I'r *Awen* a'u rhoes ar Weun y Rhosyn. (D.P. 20)

Hen grefft yw crefft y saer ac mae iddi ryw gefndir hynafol, oesol gyda chanrifoedd o brofiad. Gwelir felly nad y bardd yn unig sy'n profi'r 'awen' yn ysbrydoliaeth i'w gelfyddyd. Yn y cyswllt hwn rhy'r brif lythyren bwysigrwydd i'r term gan ei gysylltu â rhywbeth dwyfol. Grym dwyfol oedd yr 'awen' a gynhaliodd y crefftwyr. Gan na ddefnyddir ieithwedd Gristnogol gellir gwerthfawrogi'r ymdeimlad o symbyliad gan Gristnogion ac anffyddwyr fel ei gilydd.

Nid ar Weun y Rhosyn yn unig y mae'r 'awen'. Ymddengys dro ar ôl tro wrth i'r bardd geisio esbonio'r ymdeimlad sy'n dod â chymdeithas ynghyd. Teimlwn bresenoldeb yr 'awen' yn un o'i gerddi mwyaf uchelgeisiol, 'Mewn Dau Gae'. Disgrifia'r profiad a'i meddiannodd wrth fod 'ar Weun Parc y Blawd a Parc y Blawd':

> Nes dyfod o'r hollfyd weithiau i'r tawelwch
> Ac ar y ddau barc fe gerddai ei bobl,
> A thrwyddynt, rhyngddynt, amdanynt ymdaenai
> *Awen* yn codi o'r cudd yn cydio'r cwbl, . . . (D.P. 26-7)

Rhywbeth dirgel yw'r 'awen', pŵer na wyddai 'ei bobl' o ble y deuai. Nid tarddiad y grym dwyfol sy'n bwysig, serch hynny, ond ei swyddogaeth a'r effaith wrth iddo daflu ei rwyd am y bobl. Disgrifir effaith 'yr awen' wrth i'r ysbryd cymdogol ddyfod gan glymu'r bobl ar y cae. Dyma a ddywed Ned Thomas am y defnydd o'r gair yma:

> Yma gwelir estyniad o ystyr Awen i gyfleu profiad cymdeithasol yn hytrach na phrofiad unigol, a hefyd i gyfleu gwerthoedd moesol a chymdeithasol yn ogystal â rhai esthetaidd.

Try'r profiad personol yn brofiad cymdeithasol ac mae ffydd, hyder a sicrwydd i'w teimlo oherwydd ei bresenoldeb. Uno pobl a wna'r 'awen' yn 'Bydd Ateb':

> Hen ŵr Pencader, a'th grap yn cydio
> Hen a newydd, bydd *awen* i'n hieuo,
> Anadl i ateb, yn genedl eto. (D.P. 87)

Gall yr 'awen' ein clymu wrth ein gilydd, pobl o bob oed gan ieuo'r gorffennol a'r presennol i greu teimlad o undod a chryfder. Llwyddir i'n gwneud ni yn rhan o'r gerdd a'r teimlad â'r defnydd o'r rhagenw personol 'ni'. Nid profiad personol i'r bardd yn unig mohono ond profiad sydd yn ein clymu ni oll, yn ddarllenwyr a thrigolion y ddaear o bob oes.

Nid yw'r un gobaith hyderus yn 'Y Tŵr a'r Graig'. Gweledigaeth yn llawn amodau sydd yma gan y bardd:

> Pe baem yn deulu, bob un,
> Pawb yn ymgeledd pobun;
> *Awen* hen a ddeuai'n ôl,
> Hen deimladau ymledol
> O'r hoff foreau traffell
> Ac aelwyd gynt. Golud gwell. (D.P. 33)

Peth hen, cyntefig yw'r 'awen' yma, rhywbeth yn tarddu o'r gorffennol. (Efallai y gellir dadlau nad oedd 'awen' yn perthyn i ddyn yn ei farbareiddiwch, ond mae'n nodweddiadol o Waldo nad yw'n ystyried hyn o gwbl. Wrth edrych yn ôl i'r gorffennol, cymdeithas wâr a wêl ef, nid cymdeithas an-wâr.) Digalondid ac anobaith a deimlir wrth hiraethu am fywyd y gorffennol lle'r oedd dynion yn frodyr i'w gilydd. Fel y nododd Robert Rhys:

> Deffroai'r awen y teimladau brawdgarol a berthynai i ddyn yng ngwaelod ei gyfansoddiad ac a nodweddai'r gymdeithas gynwladwriaethol yr oedd ei sail ar yr aelwyd unigol.

Awgrymir nad yw cymdeithas a chymdogaeth y presennol yn glòs am nad yw'r awen yn bresennol. Nid oes ystyr, cyfeiriad na phwrpas i fywyd hebddi.

Caniad yr ehedydd yw'r 'awen' yn 'Ar Weun Cas' Mael':

> Dyry'r ehedydd ganiad hir,
> Gloywgathl heb glo,
> Hyder a hoen yr *awen* wir
> A gobaith bro. (D.P. 23)

Nid oes ffiniau i ganiad yr ehedydd nac ychwaith i'r 'awen'. Y mae'r caniad yn 'loywgathl' ac yn ddiderfyn. (Credaf ei bod hi'n bwysig nodi yma fod yr ehedydd yn rhyw fath o symbol i'r bardd – mae'n cyfleu dyhead dyn i esgyn i'r ucheldiroedd ac i fyd newydd.) Cysylltir yr 'awen' heb ffiniau yma ag ardal a bro. Grym yr awen yw eu gobaith am gymuned a dyfodol gwell.

Cysylltir pwerau naturiol y gwynt a'r 'awen' yn y frwydr rhwng elw ac awen:

> Nid Elw piau'r hen ddaear ond mewn rhith,
> Dianc o'i grebach grap yr hylithr hael,
> Rhedegog wythi'r gwynt a rhifedi'r gwlith
> Yw *awen* dyn, ac Elw a'u cyll o'u cael. (D.P. 61)

Y gwynt rhedegog hwn yw pŵer yr 'awen' i ddynion. Nid gwynt naturiol mohono gan ei fod yn 'rhedegog'; mae'n fwy na gwynt cyffredin. Anaml y disgrifir gwynt yr awel mewn termau hylifog. Rhaid cofio fod y gair 'awen' yn cynnwys yr un gwreiddyn ag 'awel' ac felly, efallai fod y ddeubeth yn agos iawn yn nychymyg y bardd. Y mae'r gwynt yma yn rhywbeth arbennig iddo, rhywbeth goruwch naturiol sydd yn cludo gydag ef 'awen dyn'.

Defnyddir y term 'awen' mewn delwedd Feiblaidd wrth ddisgrifio Duw fel crochennydd a dynion fel llestri wedi eu creu ganddo Ef:

> Na, *awen* y Crochennydd yw'r wreiddiol rin,
> Caiff *Awen* rannu'r bara a gweini'r gwin. (D.P. 61)

Adlais yw'r ddelwedd hon o Jeremeia 18, adnodau 3-6,

> Euthum i lawr i dŷ'r crochenydd, a'i gael yn gweithio ar y droell.
> A difwynwyd yn llaw'r crochenydd y llestr pridd yr oedd yn ei lunio,
> a gwnaeth ef yr eildro yn llestr gwahanol, fel y gwelai'n dda, Yna daeth gair yr Arglwydd ataf,
> 'Oni allaf fi eich trafod chwi, tŷ Israel, fel y mae'r crochennydd hwn yn gwneud â'r clai? medd yr Arglwydd, 'Fel clai yn llaw'r crochennydd, felly yr ydych chwi yn fy llaw i, tŷ Israel.

Mae'n arwyddocaol iawn ei fod, wrth sôn am 'rannu'r bara' a 'gweini'r gwin', yn dwyn i gof sacrament y Swper Olaf. Ceir prif lythyren i'r term 'Awen' yma eto er mwyn rhoi iddo'r cyd-destun crefyddol. Ceir priflythyren i 'Crochenydd' hefyd, nid enw cyffredin mohono, na pherson cyffredin chwaith gan fod daioni cudd yn perthyn iddo. Ar wahân i'r symboliaeth Gristnogol hon dylid cofio bod yma hen symboliaeth, gan fod cydfwyta'n arwydd o rannu cymdeithas. Pŵer o rannu hael yw'r awen:

> Caiff Awen rannu awen. Tomen yn y cefn
> Fydd holl gyrbibion Elw, twmpath i'r plant, . . . (D.P. 61)

Pwysleisio a wna mai pŵer hunanol yw elw. Yn wrthwyneb i 'elw' seiliedig ar 'hunanoldeb' y mae 'awen' yn golygu cyd-rannu â phawb.

Yn y gerdd 'Adnabod' cysyllta Waldo yr 'awen' ag un o syniadau llywodraethol ei gerddi, 'Adnabod'. Pwysleisia bwysigrwydd 'adnabod' dynion:

> Cyfyd pen sarffaidd, sinistr
> O ganol torchau gwybod.
> Rhag bradwriaeth, rhag dinistr,
> Dy gymorth O! *awen Adnabod.*
>
> (D.P. 62)

Gall yr 'awen' greu adnabyddiaeth rhwng dyn a dyn. Yn y gerdd hon ceir cyfeiriad at y sarff yng ngardd Eden. 'Roedd Efa yn gwybod beth a phwy oedd y sarff ond heb ei 'hadnabod' i ddeall ei chymhellion. Ni fedrai hi 'adnabod' y drwg ynddi. Delwedda'r sarff y drwg sydd yn y byd yn chwalu perthynas pobl â'i gilydd. Ymbilia Waldo am i'r 'awen Adnabod' yma ddyfod i iacháu'r sefyllfa ar y ddaear.

Er na wyddom yn sicr a ddarllenodd Waldo syniadau Martin Buber y mae'n bur debyg ei fod yn gyfarwydd â hwy. Y mae'n wybyddus ei fod wedi darllen gwaith yr athronydd Cristnogol o Rwsia, Nicholas Berdyaev, ac mae'n bosib iawn ei fod wedi dod ar draws syniadaeth Buber drwy hynny. Fe bwysleisiai Buber y gwahaniaeth sylfaenol a phwysig iawn rhwng 'gwybod' ac 'adnabod'. 'Gwybod', fel y disgrifia ef, yw perthynas yr 'I- It', Dyma a ddywed Aubrey Hodes am syniadaeth y meddyliwr Iddewig:

> The I-It relationship . . is not a genuine meeting. The expression implies treating the other person or thing as an object, to be used or thought of only as a thing, not as a subject on the same level as oneself.

Fe drafododd W. James y syniad yma yn *Principles of Psychology':*

> I know the colour blue when I see it and the flavor of a pear when I taste it . . . but about the inner nature of these facts or what makes them what they are I can say nothing at all.

Y mae 'adnabod', serch hynny, yn berthynas lawer agosach, dyfnach a gonestach. Cyfeiria Buber ato fel perthynas yr 'I-Thou'. Dyfynnaf eiriau Hodes eto:

> It means relating to other people and nature with the whole of your being . . . It implies a genuine encounter, a reciprocal relationship which puts the I in tune with life.

Am y berthynas hon yr erfyniai Waldo nes bod y berthynas a alwai'n 'frawdoliaeth' yn ffurfio rhwng dynion ar y ddaear. Dyma'r 'Myfi, Tydi. Efe 'y rhoddodd ef gymaint o bwys arnynt. Eu perthynas â'i gilydd sy'n bwysig iddo ac nid y rhannau'n unigol. Credai Buber fod perthynas yr 'I-Thou' yn ffordd o ddod i 'adnabod' y Tydi tragwyddol, fel y dywedodd:

> Every paticular Thou is a glimpse through to the Eternal Thou.

Ymhelaethodd Hodes:

> In other words, every I-Thou – every loving relationship with man and the world – opens the window to the ultimate Thou. God has to be approached through an I-Thou relationship with people, animals and trees, even – as he said in his 1909 book *Ectasy and Confession* – a heap of stones.

Fe gredai Waldo fod modd cyrraedd at Dduw trwy berthynas pobl â'i gilydd. Esbonia hyn ei ddefnydd o brif lythyren wrth gyfeirio at 'Adnabod'yn y dyfyniad uchod. Ffordd o gyrraedd at rywbeth dwyfol yw 'adnabod' iddo ef. Crynhodd Euros Bowen y syniadaeth hon wrth drafod gwaith y bardd:

> Awen Duw a rydd ystyr a phwrpas i fywyd. O achos awen, gellir adnabod Duw

Gwêl Waldo y gall ysbryd dwyfol yr 'awen' ledaenu'r adnabyddiaeth hon rhwng pobl wrth i'r 'awen' sydd ynom ni ein gwneud yn frodyr. Yn ei erthygl 'Paham yr Wyf yn Grynwr. esbonia un o gredoau ei enwad newydd:

> yn bennaf dywedent fod perthynas Crist â ni yn ymofyn yr un anian yn ein perthynas ni ag eraill.

Y mae perthynas pobl ar y ddaear cyn bwysiced â'r berthynas rhwng person a Duw. I Waldo rhaid cael yr un berthynas ddwyfol, agored rhwng pobl ar y ddaear ag sydd yn y berthynas rhyngddynt a Duw. Fel y nododd Pennar Davies:

> Mewn adnabod y mae perthynas sydd yn sylfaen cariad.

Gwelwn fod 'adnabod' yn rhan o'r weledigaeth a gafodd 'Mewn Dau Gae' wrth i'r ysbryd dwyfol ddyfod gan glymu holl drigolion y ddaear:

> Hai! y dihangwr o'r byddinoedd
> Yn chwiban *adnabod, adnabod* nes bod *adnabod.*
> Mawr oedd cydnaid calonnau wedi eu rhew rhyn. (D. P. 27)

Yr 'adnabod' hwn yw hanfod ein bywyd a'n cymdeithas. Hwn yw'r iachawdwriaeth a'r pŵer creadigol. Y mae'r ailadrodd yn pwysleisio dyfnder yr 'adnabod' wrth i galonnau ymieuo yn eu hagosatrwydd a'u gonestrwydd.

Holodd y bardd yn un o'i gerddi myfyriol, 'Pa Beth Yw Dyn?:

> Beth yw adnabod? Cael un gwraidd
> Dan y canghennau. (D.P. 67)

Syniad o berthyn sydd yma wrth i ddelwedd y goeden a'r gwreiddiau ymddangos yng ngwaith y bardd. Gwêl fywyd fel petai'n rhan o'r ddaear ac felly yn rhan o rywbeth mwy. Delwedd y mudiad rhamantaidd yw'r goeden a'r gwreiddyn yn wreiddiol ond y mae defnydd Waldo ohoni yn ei chodi i ddisgrifio'r profiad dwysaf. Ymestyn i gyfleu profiad cymdeithas lle mae pawb yn rhan o'r un anian, a phob gwreiddyn yn fywyd newydd. Cynrychiola'r goeden y syniad o berthyn drwy'r gyfrol, a hyn sy'n esbonio pwysigrwydd teitl ei gyfrol, 'Dail Pren' a ddewisodd yn rhannol oherwydd yr adnod o lyfr y Datguddiad, 20, 2:

> dail pren y bywyd oddi wrth Dduw yn iacháu'r cenhedloedd.

Dywed am 'adnabod' yn 'Wedi'r Canrifoedd Mudan':

> Wedi'r canrifoedd mudan clymaf eu clod.
> Un yw craidd cred a gwych adnabod
> Eneidiau yn un â'r rhuddin yng ngwreiddyn Bod. (D.P. 90)

Gwelwn y ddelwedd hon eto wrth i 'adnabod' gael ei gysylltu â sicrwydd, cadernid a ffrwythlondeb y gwreiddyn.

Sôn am Gandhi a wna Waldo yn ei gerdd 'Eneidfawr'. Daeth Gandhi i brofi y teimlad hwn o 'adnabod' wrth gydweithio gyda phobl gyffredin India, y tlodion a oedd ar ris waelod y system gast Hindwaith.

> I ganol y carthwyr ysgymun a'i ysgubell a'i raw yr aeth
> Gan gredu, os un yw Duw, un ydyw dynion hefyd,
> Gan droedio hen dir adnabod lle chwyth awelon nef,
> Gan wenu ar geidwad y carchar ac arwain ei genedl allan.

Daethant hwy i adnabod a chynnal ei gilydd yng nghaledi eu hamgylchiadau fel y gwnaeth cymdeithas Waldo ym Mynachlog-Ddu. Sylwer ei fod yma eto yn delfrydu'r gorffennol gan gyfeirio at y 'tir adnabod' fel rhywbeth yn tarddu o'r gorffennol, rhywbeth a berthyn i gymdeithas gynwladwriaethol.

Gall pŵer yr 'awen' greu'r adnabyddiaeth hon rhwng pobl. Grym arall a ymddengys dro ar ôl tro i greu'r undod hwn yw'r 'goleuni' sydd eto'n symbol i'r bardd. Gwelwn y 'goleuni' yn dyfod i uno dyn â dyn. Delweddir y syniad o adnabod trwy'r goleuni yn y gerdd 'Adnabod':

> Ti yw'r eiliad o olau
> Sydd â'i naws yn cofleidio'r yrfa.
> Tyr yr Haul trwy'r cymylau–
> Ti yw Ei baladr ar y borfa. (D.P. 63)

Daw'r haul a'i wres cynnes a'i olau gobeithiol gan greu'r undod a'r berthynas agos sy'n tynnu dynion at ei gilydd.

Rhaid i mi bwysleisio yma bwysigrwydd crefydd Waldo yn ei weledigaeth. Crynwr ydoedd; felly yr oedd delwedd y 'goleuni' fel rhywbeth ysbrydol, llawn daioni, yn gyfarwydd iddo. Fe soniai George Fox, un o'r arweinwyr cynnar, am bwysigrwydd y goleuni oddi mewn. Y syniad hwn am oleuni yn athroniaeth y Crynwyr oedd un o'r ffactorau a ddenodd Waldo at y Cyfeillion. Dywedodd am bwysigrwydd y goleuni:

> Goleuni Crist a ddengys inni'r gwirionedd a'r gwirionedd a'n rhyddha. Y mae'n fater personol inni i gyd.

Amlygir dylanwad y goleuni trwy'r defnydd cyson a wna ohono wrth geisio cyfleu ei amryw brofiadau trwy ei farddoniaeth.

Defnyddir y term 'goleuni' yn y gerdd 'Wedi'r Canrifoedd Mudan' wrth i'r bardd dalu ei deyrnged i'r tri merthyr Catholig, John Roberts, John Owen y Saer a Rhisiart Gwyn. Sonia amdanynt:

> Maent yn un â'r *goleuni.* Maent uwch fy mhen
> Lle'r ymgasgl, trwy'r ehangder, hedd. Pan noso'r wybren
> Mae pob un yn rhwyll i'm llygad yn y llen. (D.P. 90)

Mae'r merthyron bellach yn y nefoedd, i fyny fri gyda'r sêr. Gwêl y bardd hwy fel ei arweinydd, fel seren Bethlehem gynt. Gallant hwy gynnig y goleuni gobeithiol iddo ynghanol duwch y nos. Y maent hefyd cyn bured â'r goleuni a'r un mor ddwyfol.

Cyfosodir y goleuni a thywyllwch yn aml yn ei gerddi. Y mae'r rhain yn hen ddelweddau yn y Gymraeg i ddisgrifio profiad ysbrydol ac y mae'n sicr fod Waldo o dan ddylanwad y traddodiad hwn. Fe soniodd Pantycelyn am y

> Byw ynghanol y goleuni,
> Twyllwch obry dan fy nhraed.

Disgrifiodd Waldo yntau brofiad a ddaeth i'w ran wrth iddo 'holi'n hir yn y tir tywyll' 'Mewn Dau Gae'. Esboniodd y profiad mewn llythyr i'r *Faner*:

> Yn y bwlch rhwng y ddau gae tua deugain mlynedd yn ôl y sylweddolais yn sydyn ac yn fyw iawn, ac mewn amgylchiadau tra phersonol a phendant, fod dynion, yn gyntaf dim yn frodyr i'w gilydd.

Dyma'r ysbrydoliaeth a ddaeth iddo ar ffurf 'goleuni' oddi wrth ryw rym nad yw'n sicr 'pwy oedd':

> O, trwy oesoedd y gwaed ar y gwellt a thrwy'r goleuni y galar
> Pa chwiban nas clywai ond mynwes? O, pwy oedd? (D.P. 27)

Goleuni goruwch naturiol yw'r 'goleuni' hwn a brofodd yn ei ysbrydoliaeth, goleuni'r Ysbrydolwr. 'Heliwr y Maes' sydd yn rhoi'r ysbrydoliaeth iddo ar ffurf y 'goleuni'. Credaf fod geiriau Waldo ei hun am y goleuni oddi mewn yn esbonio'r syniad yma:

> Nid ein goleuni ni ydyw – ei dderbyn yr ydym ni. A ni ynghanol ein profiadau gyda'n cyd-ddynion, daw rhyw oleuni sydd yn peri i'r profiadau hynny edrych yn wahanol.

Nid goleuni ysbrydol yn unig a geir yn y gerdd 'Mewn Dau Gae'. Fe egyr a chyfeiriad at oleuni:

> O ba le'r ymroliai'r mor goleuni
> Oedd a'i waelod ar Weun Parc y Blawd a Parc y Blawd?
> (D.P. 25)

Tybiaf mai goleuni naturiol yr haul yw hwn a oleuodd yr awyr yn y lle cyntaf pan oedd yn y ddau gae. Dyfynnaf Euros Bowen yn ei ddadansoddiad llwyddiannus o'r goleuni gwahanol sydd yn y gerdd hon, ac sydd yn wir, fe dybiaf, am ei holl gerddi:

> Mae'r Goleuni'n trosgynnu'r goleuni, ond mae'r Goleuni'n mewnfodi hefyd yn y goleuni. Mae'r goruwchnaturiol yn trosgynnu'r naturiol ac yr un pryd yn mewnfodi ynddo . . . Dyma ymdeimlad nodweddiadol yng nghrediniaeth Crynwriaeth, y

pwyslais ar uniongyrchedd profiad dyn o Dduw – y Goleuni sy'n Oleuni Mewnol.

I'r darllenydd o Gristion, fel Waldo, Duw yw'r grym hwn y tu ôl i'r 'goleuni' ysbrydol. Yn ei amwysedd, wrth iddo osgoi defnyddio'r enw Duw, gwelir apêl ehangach i'r gerdd:

> ni cheisir cadwyno'r Cynhyrfwr â'r teitl Duw o gwbl.

Mae'n gerdd o ymholi a gall yr anffyddiwr fel y Cristion uniaethu â hyn. Y mae yn nodweddiadol o nifer o'i gerddi a gwelwyd ef hefyd wrth iddo annerch y llys yng Nghaerfyrddin yn osgoi defnyddio geirfa'r Cristion. Fel y nododd J. E. Caerwyn Williams, yr hyn y mae'n ei ddefnyddio yw:

> geirfa draddodiadol uniongred, yn osgoi sôn am Dduw oddieithr yn y dyfyniad 'Ysbryd y Duw . . .' ac yn sôn yn hytrach am y 'Dychymyg Dwyfol,' yn osgoi sôn am gariad Duw ond yn sôn yn hytrach am 'Gydymdeimlad Dwyfol', yn osgoi sôn am Iesu Grist, mab Duw, ond yn sôn yn hytrach am Iesu y mynegiant perffaith o gydymdeimlad Dwyfol.

Daeth yr amwysedd hwn gydag aeddfedrwydd Waldo fel bardd. Gwelwn ei fod yn enwi'r pŵer y tu ôl i'r 'goleuni' yn ei gerddi cynharach:

> Cenedl dda a chenedl ddrwg –
> Dysgent hwy mai rhith yw hyn,
> Ond *goleuni* Crist a ddwg
> Rhyddid i bob dyn a'u myn. (D.P. 41)

Crist yw ffynhonnell y golau sy'n rhoi'r rhyddid diragfarn hwn i bobl.

Fe bwysleisia'r Crynwyr fod daioni ym mhob unigolyn. Chwilio am y daioni hwn sydd yn rhaid i ni. Fel yr anogodd George Fox ei bobl:

> cerddwch dros y byd yn siriol gan gyfarch yr hyn sydd o Dduw ymhob dyn

Gwelwn fod mam Waldo, Angharad, yn meddu'r ddawn hon. Soniodd am yr elfen hon yn ei phersonoliaeth:

> Chwiliai 'mam am air o blaid
> Pechaduriaid mwya'r lle. (D.P. 41)

Yn ôl tystiolaeth y teulu yr oedd personoliaeth gref ei fam yn ddylanwad pwysig arno ac fe fabysiadodd ei gwerthoedd hi. Gwelir ef yn cyflwyno ei syniadaeth hi yn ei gerdd deyrnged i'w gyfaill Idwal Jones. Nododd:

Ym mhob dyn mab dau
Gwelit y *golau*
Ac yng nghraidd y gau angerdd y gwir. (D.P. 44)

Symbol o adnabod y daioni yw'r golau yma. Yr un yw'r 'goleuni' a wêl y llygad a'r 'goleuni' nefol i Waldo. Y golau, fel y sylwodd J. E. Caerwyn Williams, yw:

> golau neu wreichion yr Anfeidrol mewn cyd-ddyn . . . nid oedd ym marn Waldo ddawn werthfawrocach na'r ddawn i weld hon.

Yn y gerdd a'r teitl arwyddocaol 'Cyfeillach' gwelwn ddau elyn yn llwyddo i weld y daioni hwn yn ei gilydd gan fflachio dymuniadau da heb eiriau. Llwydda'r 'goleuni' mewnol i ymffurfio'r ymddiriedaeth reddfol gan sefydlu perthynas y myfi-tydi:

Ni thycia eu deddfau a'u dur
I rannu'r hen deulu am byth,
Cans saetha'r goleuni pur
O lygad i lygad yn syth. (D.P. 72)

Grym gobaith yw'r 'goleuni' fel y'i gwelir yn y gerdd 'Bardd'. Dyma gerdd a ysgrifennodd Waldo i amddiffyn y cenedlaetholwr a'r Cristion D. Gwenallt Jones wedi i rywun ei ddisgrifio'n 'fardd tywyll':

Pan dry ei fyw di-lamp yn fôr goleuni
A'i hen unigrwydd yn gymundeb maith,
Bryd hyn na alw'n dywyll, lygad diog,
Ddisgleirdeb gweddnewidiad iaith. (D.P. 58)

Ar un lefel mae'r 'goleuni' yn ddelwedd o obaith mewn cymhariaeth â thywyllwch y cyhuddiad. Gwêl Waldo yn bellach na hyn wrth i'r 'goleuni' ddyfod i olygu cymundeb. Ceir syniad o undod pobl y gymdeithas wrth iddynt gyd-fyfyrio dros yr hyn a ysgrifennodd y bardd yn ei unigrwydd. Nid llygedyn o 'oleuni' a geir yma ond môr di-derfyn, eang, yn ei holl fawredd.

Soniais eisoes am y teimlad o 'frawdgarwch' sy'n ffurfio rhwng pobl wrth iddynt glosio at ei gilydd. Gwelir bod y gair ynghyd â'r syniad yn llywodraethol yn y farddoniaeth. Diffiniodd Waldo y term a'r hyn yr oedd yn ei olygu iddo ef mewn sgwrs â T. Llew Jones:

> Y peth hwn, y teimlad brawdol yma trwy'r gymdeithas i gyd, y peth sy'n tystio fod ynom ni rywbeth y tu hwnt i'r ddaear yma.

'Roedd 'brawdoliaeth' yn sylfaenol i holl athroniaeth Waldo. Gwelwn mai ar sail 'brawdoliaeth' y safodd fel gwrthwynebydd cydwybodol gan ddangos ei wrthwynebiad yn gyhoeddus i'r brwydro. Cyhoeddodd i'r llys:

> I consider all soldiering to be wrong; for it places other obligations before a man's first duty, to his brother, a brother he cannot regard as a cipher to be wiped off the other side.

Y mae'n bwysig nodi fod Waldo wedi peidio ag ysgrifennu'n llwyr adeg y rhyfel yn Korea. Cymaint oedd effaith y lladd erchyll arno fel na fedrai wynebu pobl ar y stryd am gyfnod. Dyma a ddigwyddodd yn absenoldeb brawdoliaeth, ac ni fedrai fyw, ni fedrai fodloni byw o wybod fod brawd yn lladd brawd yn ddi-deimlad.

Cafodd Waldo ei fagu i adnabod pwysigrwydd 'brawdoliaeth' a chlywn eiriau ei dad yn y gerdd 'Y Tangnefeddwyr':

> Cennad dyn yw bod yn frawd
> Golud Duw yw'r anwel fyd. (D.P. 41)

Profodd Waldo yr ymdeimlad o frawdoliaeth yn gyntaf yng nghymuned amaethyddol ei blentyndod yn Mynachlog-ddu. Yn eu cyfyngder fe ddaeth pobl yr ardal hon i ddibynnu ar ei gilydd a chynnal ei gilydd. Cysyllta Waldo yr ymdeimlad yma ag ardal y Preseli. Ymbilia ar '[f]ur ei febyd':

> Fy Nghymru, a bro brawdoliaeth, fy nghri, fy nghrefydd.
> ('Preseli', D.P. 30)

Ymledodd 'brawdoliaeth' ardal wrth iddynt uno i wrthwynebu defnyddio ardal fynyddig Mynachlog-ddu at ddibenion milwrol, i olygu 'brawdoliaeth' cenedlaethol i Waldo. Fel y nododd Dafydd Owen, gwêl Waldo yn y Gymru sydd ohoni:

> yr un frawdoliaeth sanctaidd, a'i diwylliant a'i dewrder yn gysur llaweroedd.

Yn tyfu o'r 'frawdoliaeth' hon ceir *brawdiaith* wrth i bobl y fro uno gan siarad ar yr un donfedd o fewn yr un byd. Nododd yn yr awdl 'Tŷ Ddewi':

> Yn y frodir mae'r *frawdiaith.* (D.P. 15)

Gellir dehongli hyn fel siarad yr un iaith ond tybiaf mai arwydd o gyd-ddealltwriaeth ydyw gan fod 'brawdoliaeth' yn medru tyfu rhwng pobl o wahanol genhedloedd, o wahanol ieithoedd.

Bardd a rannai obeithion Waldo am 'frawdoliaeth' rhwng dynion ar y ddaear oedd William Cowper. Fe effeithiwyd arno ef gan y Rhyfel Saith Mlynedd (1756-1763) a drannoeth y brwydro pan oedd eraill yn dathlu'r fuddugoliaeth fe ganodd Cowper am ogoniant 'brawdoliaeth' wrth i'r ymladd ddod i ben. At hyn y cyfeiriai Waldo wrth ganu amdano i:

> Ac o'r tawelwch, wrtho ei hun,
> Heriodd â'i gerdd anwaraidd gôr,
> A'i freuder dros *frawdoliaeth* dyn
> Trwy ddirgel ffyrdd yr Arglwydd Iôr. (D.P. 47)

Cysylltir y Swper Olaf â brawdoliaeth yn 'Elw ac Awen' wrth gyfeirio at y:

> Bara *brawdoliaeth* a gwin tosturi. (D.P. 61)

Arwydd o gorff yr Iesu oedd y bara a rannodd ef ymysg ei ddisgyblion ac arwydd o'i gariad atynt hwy. Aberthodd ei fywyd trosom ni gan rannu 'brawdoliaeth' i genhedloedd y dyfodol. Fel y nododd Thomas Parry am waith y bardd:

> mae'n cydnabod fod yr egwyddor fawr o frawdoliaeth a chariad yn hanfod yn Nuw ac yn cael ei harddangos yng Nghrist.

Ei arddangos a wna Crist yma yn y cyfeiriad at y 'Bara brawdoliaeth'. Ymhelaethodd Thomas Parry ar y syniad o 'frawdoliaeth' gan nodi nad 'oes yr un gyfundrefn sy'n gallu ei gwarchod na'i hyrwyddo'. Y mae hyn yn wir am y dyfyniad isod lle cyferbynnir 'brawdoliaeth' a chrefydd gyfundrefnol:

> Mae'r hen *frawdoliaeth* seml
> Tu hwnt i ffurfiau'r Deml,
> Â'r Lefiad heibio i'r fan,
> Plyg y Samaritan. (D.P. 79)

Defnyddir y cyfeiriad at Ddameg y Samariad Trugarog yn y Beibl i ddangos nad oes rhaid wrth grefydd gyhoeddus i ddangos 'brawdgarwch'. Samariad dinod a gynorthwyodd y dyn clwyfedig ar ochr y ffordd ac ef a lwyddodd i ddangos cariad at ei gyd-ddyn. Dengys y bardd fod 'brawdgarwch' yn bresennol mewn sefyllfa mor syml â hyn. Nid rhywbeth i bobl dduwiol o fewn muriau'r eglwys mohono ond rhywbeth i bawb ohonom wrth fyw ein bywyd beunyddiol. Fel y nododd Waldo wrth annerch y llys:

> Divine sympathy tells me that in the Wars of Religion the widow who gave a cup of water to a straggler from the invading army, did more for religion than any champion of the cause, And whether or no this be a War for Liberty it is the man who stands for universal and individual brotherhood, he is liberty's truest friend.

Teimlai fod datblygiad sydyn y ganrif hon wedi torri'r cysylltiad rhwng cenhedloedd ond mynega ei ffydd ddisigl y daw 'brawdoliaeth' unwaith eto i gysylltu trigolion y ddaear:

> Daw dydd y bydd mawr y rhai bychain,
> Daw dydd ni bydd mwy y rhai mawr,
> Daw bore ni wêl ond brawdoliaeth
> Yn casglu teuluoedd y llawer. (D.P. 68)

Y mae hyder a sicrwydd i'w deimlo yn ei eiriau. Ni allwn ond derbyn ei ddarogan gan obeithio y profwn ni'r dydd pan fydd 'brawdoliaeth' yn ein huno ynghyd yn un teulu.

Sylwer yn y dyfyniad uchod ar ddefnydd Waldo o'r gair 'teulu' wrth gyfeirio at genhedloedd y ddaear. Gwelir estyniad yma o'r syniad o ddynion yn frodyr i'w gilydd. Nid yma'n unig y defnyddir y cyfeiriad. Yn 'Y Tŵr a'r Graig' clywn ei syniadaeth:

Peidiai rhyfel a'i helynt,
Peidiai'r gwae o'r pedwar gwynt
Pe rhannem hap yr unawr,
Awyr las a daear lawr.
Oer angen ni ddôi rhyngom
Na rhwyg yr hen ragor rhôm
Pe baem yn *deulu,* pob un,
Pawb yn ymgeledd pobun. (D.P. 33)

Petai pawb yn derbyn y syniad ein bod yn un 'teulu' ar y ddaear fe beidiai'r rhyfeloedd, y rhaniadau a'r caledi a'r holl bwerau dinistriol a ddaw yn sgil y gwladwriaethau. Dyma a ddaw wrth gael ymdeimlad o berthyn yn ei farn ef.

Gwelir yn 'Cyfeillach' fod pwêr y 'goleuni' yn medru dod â phobl o ddwy ochr y frwydr ynghyd wrth i 'frawdoliaeth' fflachio rhyngddynt:

Ni thycia eu deddfau a'u dur
I rannu'r hen *deulu* am byth,
Cans saetha'r goleuni pur
O lygad i lygad yn syth. (D.P. 72)

Dywed Waldo na all rheolau nac arfau'r rhyfel rannu 'teulu'r' ddynoliaeth byth. Fe gynnwys ef y Prydeinwr a'r Almaenwr yn rhan o 'hen deulu' 'r ddynoliaeth. Brodyr i'w gilydd yw pobl pob gwlad iddo ef.

Ysgrifennodd awdl 'Y Tŵr a'r Graig' yn ymateb i'r awgrym a wnaed yn Nhŷ'r Arglwyddi yn Nhachwedd 1938 y dylid cael mesur i sefydlu Gorfodaeth Filwrol. Saif y graig yn symbol o gadernid wrth iddo sefyll gyda'i bobl a'i gwerthoedd yn gyfaill oesol.

Wele ysbail ysbeiliad
Ar wythi'r glo, ar waith gwlad
Cadw'n dlawd ein brawd un bru,
Taled yn awr y teulu. (D.P. 38)

Gobeithio y mae'r bardd y bydd y 'teulu' yn awr yn llawn ei werth a'i arwyddocâd.

Nid cenhedloedd y ddaear yn unig sy'n rhan o 'deulu' 'r ddynoliaeth yn ôl Waldo. Gwêl ef y cenedlaethau a fu yn rhan o'r un 'teulu'. Wrth fyfyrio'n hiraethus am bobl y gorffennol sonia:

Mynych ym mrig yr hwyr, a mi yn unig,
Daw hiraeth am eich 'nabod chwi bob un;
A oes a'ch deil o hyd mewn cof a chalon,
Hen bethau anghofiedig *teulu* dyn?

Gwêl y cenedlaethau fel rhan o rwydwaith y teulu dynol, y bobl a'u harferion na wyddom amdanynt mwyach. (Rhaid nodi fod gan yr ansoddair 'hen' oblygiadau arbennig i Waldo wrth iddo gyfleu byd pan oedd 'brawdoliaeth' yn beth byw rhwng pobl, ond nid af ar ôl hynny yn awr.)

Ceir cyfeiriad arall yn ei waith at 'deulu dyn' a hyn yn y gerdd 'Geneth Ifanc'. Cerdd oedd hon yr ysbrydolwyd ef i'w chanu gan ymweliad ag amgueddfa Avebury gyda'i chwaer Dilys. Gweddillion hen bentref cynnar Windmill Hill o tua 2500c.c. a geir yn yr amgueddfa. Gwelodd yno sgerbwd geneth ifanc a sylweddolodd ei bod hi a'i phobl hefyd yn rhan o'r un 'teulu':

Rhai'n trigo mewn heddwch oedd ei phobl,
Yn prynu cymorth daear â'u dawn,
Myfyrio dirgelwch geni a phriodi a marw,
Cadw rhwymau teulu dyn. (D.P. 23)

Ceir arwyddocâd pellach i'r gerdd hon wrth i'r ferch ei atgoffa o Forfudd ei chwaer a gipiwyd yn ddeuddeg oed gan glefyd T.B. Fe gafodd ei marwolaeth ddylanwad dwfn iawn ar Waldo.

Arhosaf am ychydig gyda theulu Waldo i geisio gweld sut y gwnaeth yr uned hon effeithio ar ei olwg ar y byd. Gwelwyd eisoes fod dylanwad ei rieni a'u syniadaeth yn gryf iawn arno. 'Roedd ganddo barch mawr atynt a meddwl mawr ohonynt. Clywn ei eiriau am yr unigrwydd heb deulu:

Nid oes acw. Dim ond fi yw yma
Fi
Heb dad na mam na chwiorydd na brawd. (D.P. 49)

Er iddo ddioddef colled enbyd wrth golli ei briod Linda mor ddisymwth, nid gŵr gweddw, unig mohono chwaith. Bu ei chwiorydd a'i frawd a'u teuluoedd hwy yn gefn ac yn gysur iddo ar hyd y blynyddoedd. 'Roedd ei deulu agos yn deulu clòs, cynhaliol. Yr oedd ganddynt ofal tyner amdano ac yntau amdanynt hwythau. Treuliai lawer o amser gyda'i chwaer Mary, ar ôl iddi golli ei gŵr yn sydyn a chyda Dilys a fu'n glust ac yn gefn iddo hyd y diwedd. Gwelwn iddo brofi cariad dwfn, gofal tyner a 'brawdoliaeth' o fewn ei uned deuluol ef ei hun, a'r teimlad hwn yr oedd am ei ymestyn i gynnwys holl genhedloedd y ddaear, ddoe a heddiw.

Nid ar y ddaear yn unig y medrir cael yr ymdeimlad o deulu yn ôl Waldo. Y mae'r meirwon hwythau yn rhan o 'deulu' nefol:

> Cynneddf daear ei gerwinder,
> Mamaeth greulon, mamaeth gref,
> Bwriwn ar ei nerth a'i blinder,
> Tosturiaethau, *deulu'r* nef. (D.P. 82)

Yn 'Tŷ Ddewi' gwelir fod y seintiau hefyd yn rhan o 'deulu':

> A rhuddin Crist trwy ganghennau Cristion
> Er siantau taer teulu'r seintiau tirion
> Gwylia o hyd yn y galon gywir
> A byth adwaenir yn obaith dynion. (D.P. 21)

Gwelir fod y term 'teulu' yn symbol iddo o undod a chariad rhwng bodau.

Syniad a dyf o'r syniad am y 'teulu' yw delwedd y 'tŷ' yng nghwaith y bardd. Nid pedair wal a chartref yn unig yw tŷ iddo. Y mae iddo ystyr lawer dyfnach wrth iddo ei drafod ar lefel haniaethol. Fel y nododd John Gwilym Jones:

> mae'r tŷ yn awgrymu diogelwch a diddosrwydd, cariad a theulu, cymdeithas glòs a chyd-ddealltwriaeth.

Gwelir bod y 'tŷ' felly yn gwarchod holl syniadaeth Waldo, yr holl bethau a dybiodd ef eu bod yn bwysig. Amlygir hyn wrth iddo holi:

> Beth yw gwladgarwch? Cadw tŷ
> Mewn cwmwl tystion. (D.P. 67)

Gwêl fod rhaid cynnal y gwerthoedd a'r gogoniant a roddwyd i ni gan y rhai a fu o'n blaen, er mwyn eu trosglwyddo i genedlaethau'r dyfodol. Y 'tŷ' yw'r symbol o'r gogoniant a rhaid ei gadw.

Sylwodd y bardd wrth weld sgerbwd 'Geneth Ifanc' fod yna gysylltiad rhwng y gorffennol pell a'r presennol wrth iddo gysylltu'r sgerbwd â'i chwaer ei hun, Morfudd. Saif y 'tŷ' yn symbol o'r cyswllt hwn:

Dyfnach yno oedd yr wybren eang
Glasach ei glas oherwydd hon.
Cadarnach y tŷ anweledig a diamser
Erddi hi ar y copâu hyn. (D.P. 23)

Fel y nododd John Rowlands mae'r sgerbwd:

> yn creu ymwybyddiaeth ym meddwl Waldo Williams o'r preswyl anweledig sy'n ymestyn ar draws amser.

Gwelsom eisoes fod y bardd yn aml yn trafod profiad personol sydd yn ei dro yn ehangu'n brofiad cymdeithasol. Cerdd yn ymateb i ymweliad â Mr. Mardy Jones, Seven Sisters, oedd 'Yn y Tŷ' yn wreiddiol. Gwelodd y bardd dristwch sefyllfa Mardy wrth iddo fod yn glaf yn ei gartref, yn dioddef effaith y 'gwaith dan ddaear'. Yn ei fyfyrdod fe drodd y profiad personol yn un cymdeithasol wrth i'r 'tŷ' erbyn y pennill olaf ddyfod i olygu llawer mwy na thŷ. Noda:

Yn y *tŷ* mae Gwlad. Daw gwlith
O'i harhosol wybr i lawr. (D.P. 55)

Ehengir y muriau i gynnwys y ddaear. Fel y soniodd Dafydd Owen, daeth i'r tŷ:

> waddol treftadaeth, arddeliad nef, atgof am hen ogoniant, a rhoed arni'r cyfrifoldeb i warchod a chyfoethogi ei thraddodiad fel y claf hwn.

Daw'r 'tŷ' i'n cysylltu â hanes a threftadaeth ein gwlad. Nid brenhiniaeth sydd gennym yng Nghymru ond traddodiad o feirdd:

Mynych ddyfod siriol rith
Yma, o'r blynyddoedd mawr
Yn y tŷ, lle clymir clod
Bardd a beirdd oedd cyn ein bod. (D.P. 55)

Yn 'Cymru a Chymraeg' gwelwn y mynyddoedd yn gwarchod yr iaith, hwy yw muriau amddiffynnol y 'tŷ':

Tŷ teilwng i'w dehonglreg! Ni waeth a hapio
Mae'n rhaid i ni hawlio'r preswyl heb holi'r pris. (D.P. 100)

Nid proses rhwydd yw cynnal y 'tŷ' 'rhag y bwystfil' gan fod bygythiad o hyd. Rhaid wrth frwydro parhaus ac aberth i'w gynnal. Gwelir nad rhywbeth newydd yw'r brwydro hwn i gadw'r 'tŷ'. Yr oedd y frwydr i drigolion Cymru yn ôl yn nyddiau

Harri'r Ail. Clywn ffydd a sicrwydd 'Hen Ŵr Pencader' wrth i'r bardd ei foli yn 'Bydd Ateb':

> Bydd cynnal nerth a bydd canlyn Arthur.
> Bydd hawlio'r tŷ, bydd ail alw'r towyr,
> Bydd arddel treftâd yr adeiladwyr. (D.P. 87)

Y mae sicrwydd yn ei eiriau a gwelwn fod y pendantrwydd a'r penderfyniad hwn yn nyddiau teyrnasiad Harri'r Ail wedi eu rhoi i ni'r Cymry sydd yma yn yr ugeinfed ganrif. Fe lwyddodd ef i 'hawlio'r tŷ'.

Yn 'Cwmwl Haf' ceir cyfeiriad at 'dŷ' y bardd, yr hyn a gynhalia ef:

> Enw'r hen le a tharddle araf amser
> Yn yr ogof sy'n oleuach na'r awyr
> Ac yn y tŷ sydd allan ymhob tywydd. (D.P. 48)

Myfyrio am y Fynachlog-ddu y mae yma, bro a chymdeithas ei febyd. Rhoddodd iddo'r cadernid i fedru wynebu pob 'tywydd', pob anhawster a her a ddaeth i'w ran, fel y soniodd Dilys Williams, ei chwaer:

> ystyried ei fyw yn yr ardal honno a chymdogaeth yn rhinwedd mor nodweddiadol o'r fro a roddodd iddo'r 'tŷ' sydd allan ymhob tywydd.

Nid oes un helynt arwynebol felly yn medru ei ddifetha oherwydd cadernid y gymuned. Fe unai pobl mewn adegau o gyfyngder gan gryfhau'r muriau a'r seiliau. Gwelwn felly mai:

> Caredigrwydd oedd y *tŷ*. (D.P. 48)

Llwyddodd Waldo i gyrraedd y 'tŷ cadarn' trwy ei berthynas â Linda Llywelyn. Trafod y berthynas a'r syniad yma a wna yn 'Oherwydd Ein Dyfod'. Fel y nododd J. E. Caerwyn Williams, y tŷ ar y graig sydd yma ac nid y tŷ ar y tywod. Gwelwn gadernid a sicrwydd eu cariad wrth iddynt ddyfod, o'r diwedd i furiau diogel, sicr y 'tŷ':

> Oherwydd ein dyfod i'r *tŷ* cadarn
> A'i lonydd yn sail i lawenydd serch
> A dyfod y byd i'r dyfnder dedwydd
> O amgylch sŵn troed fy eurferch. (D.P. 40)

Cyfeirir at y 'tŷ' yn yr awdl 'Tŷ Ddewi'. Fe'i defnyddir yn ei gyflwr diriaethol ar ddechrau'r gerdd wrth gyfeirio at 'dŷ' Dewi, hynny yw, yr eglwys:

Hŷn na'i *dŷ* awen Dewi. (D.P. 21)

Wrth i'r gerdd fynd rhagddi ac wrth i'r bardd fyfyrio daw'r 'tŷ' i olygu rhywbeth amgenach. Try o'r diriaethol i'r haniaethol wrth i'r pwyslais droi o'r allanol i'r mewnol. Fe dry yn dŷ anweledig, ysbrydol erbyn diwedd yr awdl wrth i'r bardd ymbilio:

Dyro i ni,
Yr un wedd, yr hen addaw
A thŷ llwyth nid o waith llaw. (D.P. 22)

Fe drafododd Tony Bianchi y ddelwedd hon gan nodi mae'r hyn sydd yma yw:

> cymuned y mae Duw, trwy ysbryd arloesol Dewi, yn ei chynnal a'i hadnewyddu.

Trwy ei gerddi fe gynigiodd Waldo gysur, hyder a ffydd i'w genhedlaeth ef a chenedlaethau'r dyfodol. Daethom i'w 'adnabod' yn ei onestrwydd agored wrth iddo rannu ei brofiadau â ni. Yn ei ddefnydd anarferol ac arbennig o eiriau haniaethol a diriaethol try ei brofiadau personol yn brofiadau cymdeithasol y medrwn oll ymateb yn reddfol iddynt. Ynghanol yr holl ryfeloedd led-led y byd fe'n sicrha na all y 'deddfau'a'r 'dur' rannu'r 'hen deulu am byth'. Fe ddaw 'brawdoliaeth' i goncro'r lladd dideimlad ac fe brofwn yr 'heliwr distaw yn bwrw ei rwyd amdanom.' Trwy ei weledigaeth rhydd i ni y 'tŷ cadarn' a all wrthsefyll pob tywydd, gan fagu ynom y penderfyniad i gadw'r 'mur rhag y bwysfil' a'r 'ffynnon rhag y baw'. Y mae sicrwydd ei eiriau a'i ffydd yn llwyddo i roi i ni, Gristionogion ac anffyddwyr o bob cenhedlaeth, y gobaith a'r dyhead am doriad y wawr pan:

Daw dydd y bydd mawr y rhai bychain,
Daw dydd ni bydd mwy y rhai mawr,
Daw bore ni wêl ond brawdoliaeth
Yn casglu teuluoedd y llawr. (D.P. 68)

RHWYSTRAU YN *MONICA*

gan MIHANGEL MORGAN

Pan ddarllenais *Monica* yn ddiweddar fe'm trawyd am y tro cyntaf gan fynychder un ddelwedd mewn cyd-destun arbennig. Mor aml yr ymddangosai'r ddelwedd hon nes ei bod yn ffurfio motiff, i'm tyb i, yn y naratif. Meddwl yr ydw i am yr holl sôn am ddrysau sydd yn y nofel, yn enwedig pan fo naws serch yn yr awyr.

Wrth iddynt drafod *Monica* defnyddia nifer o feirniaid (neu adolygwyr, yn hytrach) y term hwylus 'pechod',[1] gair y mae Saunders Lewis ei hun yn ei ddewis wrth drafod y nofel, er nad oes cydsyniad hollol rhwng defnydd yr awdur a defnydd y darllenwyr ar ei ddiffiniad. Fe'i collfarnwyd yn llym gan Iorwerth Peate, er enghraifft, am ei 'haflendid' a'i 'baster',[2] mewn geiriau eraill, am ei hanfoesoldeb. Ond y gwir amdani yw mai moeswers bur o'i dechrau hyd ei diwedd yw *Monica* sy'n ein rhybuddio rhag peryglon ymroi i ryw. Am 'bechod' darllener 'rhyw'; am 'ryw' darllener 'anfoesoldeb'.

Gadewch inni edrych ar y nofel hon, felly, gan sylwi a chraffu yn benodol ar y golygfeydd carwriaethol sydd ynddi.

Yn gynnar yn y testun y mae Monica yn cyfarfod â dyn ifanc am y tro cyntaf wrth i hwnnw ddod ati hi ac esgus ei gyflwyno'i hun gan honni bod Monica wedi gollwng maneg.[3] Wedyn mae'r ddau yn mynd i'r 'pictiwrs' ac yn cusanu yno ac yna'n mynd i gaeau Llandâf lle mae'r dyn ifanc yn ceisio cymryd mantais ar Monica os nad yn ceisio'i threisio hi.[4]

A ellid meddwl am ddyfais mwy archaeolegol o ramantus na'r

[1] T. Parry. 'Llenyddiaeth Newydd Cymru 1930', *Yr Efrydydd,* Mawrth 1931, 162; E. Tegla Davies, *Yr Eurgrawn,* 1931, 151-2.

[2] Iorwerth Cyfeiliog Peate, 'Monica', *Y Tyst,* 12 Chwefror 1931, 9.

[3] Saunders Lewis, *Monica,* Llandysul, 1930, 19.

[4] *ibid.,* 22.

faneg/hances a ollyngir?[5] Er nad yw Monica yn dod o hyd i serch – fel y cyfryw – yn y modd hwn, fe welir yma hen fotiff llên gwerin rhyngwladol yn cael ei ddefnyddio i ddod â mab a merch at ei gilydd ar ddechrau'r ugeinfed ganrif. Yr hyn a welir yma yw fframwaith yn cael ei lunio er hyrwyddo sefyllfa garwriaethol. Codir yr holl arwyddion ffurfiol, traddodiadol, ystrydebol i feithrin serch, ond yr hyn a geir yw braw a siom Monica – sef methiant yr hen ddulliau traddodiadol a methiant serch.

Cynrychiola llais Monica unigedd eithafol y carwr/es heddiw, yn siarad o'i fewn ei hunan, yn wynebu gwrthrych ei serch, yr hwn nad yw'n siarad. Mae'r disgwrs ymsonol hwn yn parhau wrth i Monica ymserchu yn Bob Maciwan.

> Esgynnodd y grisiau'n hamddenol, agorodd ddrws y parlwr. Safodd yn stond. Gwelodd de prynhawn wedi ei osod ar fwrdd bychan ger y tân, a'i thad a'i chwaer yn eistedd o'i gylch gyda gŵr ifanc dieithr. Yr oedd y tri'n chwerthin a'u cefnau ati ac ni syflasant pan agorodd y drws. A allai hi ddianc yn ei hôl? Ond tra neidiai'r syniad i'w hymwybod, eisoes yn ei syfrdandod caeasai'r drws. Cododd y dieithryn ar ei draed.
> 'Monica', ebr Hannah, 'dyma Bob Maciwan, fy ngŵr darpar i.'[6]

Fel hyn y mae Monica a Bob yn cwrdd am y tro cyntaf. Mae'r olygfa yn llawn disgwyl a thyndra. Meglir Monica gan ei nerfusrwydd ei hun, synia am 'ddianc yn ei hôl', ond caeir y drws megis gan ryw rym arall; o'i hanfodd caeir Monica ynghyd â'i thynged; gorfodir hi gan y sefyllfa sydd y tu hwnt i'w rheolaeth ac allan o reolaeth, i wynebu y 'gŵr ifanc dieithr'. Ond fe gaeir Monica allan wrth ei chau i mewn hefyd. Ar ddamwain y daw hi i'r sefyllfa hon, nid yw'n wahoddedig. Daw i'r parlwr ar ei phen ei hun ac yn annisgwyl iddi, dyma ei thad a'i chwaer a dieithryn 'yn chwerthin a'u cefnau ati'. Caeir Monica allan o'r holl hwyl gan y cefnau, 'ac ni syflasant pan agorodd y drws' fel petai Monica yn anweladwy, yn sicr 'dyw hi ddim ar eu meddyliau hwy ar y pryd. Rhaid iddi dorri i mewn i gael sylw'r bobl eraill hyn. Wedyn wrth ei chyflwyno i'r dieithryn y mae ei chwaer

[5] Rhestrir y ddyfais yn Stith Thompson, *Motif Index of Folk Literature,* V, Bloomington, dd, 334; fel hyn: 'T11.4.5. *Love through finding lady's handkerchief. [. . .]* T11.4.6. *Love through finding lady's ornament (ring, comb, etc.).'*

[6] Saunders Lewis, *op.cit.,* 27-8.

megis yn rhybuddio Monica, yn ei chau hi allan, gyda'r geiriau meddiannol, tiriogaethol bron, 'fy ngŵr darpar i'.

> Daeth cnoc ar y drws. Agorodd Monica ei llygaid a gwelodd Bob Maciwan yn eglur o'i blaen.
> "Esgusodwch fi, gadawodd Hannah ei ffwr ar ei hôl. A welsoch chi ef?"[7]

Dyma'r ddau ar eu pennau eu hunain am y tro cyntaf a dyma eto ddyfais y faneg, dyfais i gael y cariadon at ei gilydd i hwyluso'u carwriaeth. Yn yr olygfa hon darlunnir rhagrediad i serch. Egina cyd-ddealltwriaeth lechwraidd rhwng y ddau, ond fe adewir Monica ar ei phen ei hun eto, yn yr ystafell, y tu ôl i'r drws.

> Agorodd ei drws ac aeth allan i'r landing. Cipiodd Bob Maciwan hi dan yr uchelwydd a thynnodd hi ato i'w chusanu. Yn ddisymwth teimlodd ddwy wefus yn gwthio'i wefusau yntau'n agored a thafod yn llyfu oddi tan ei dafod ei hun. Fel dyn a gafodd ergyd sydyn gollyngodd ef ei afael yn y ferch a llithrodd hithau'n ei hôl i'w hystafell. Ni buasai un gair rhyngddynt.[8]

Mae'r drws yn agor. Er bod Bob yn tynnu Monica ato, hyhi sy'n llywio'r gusan. Ar y naill law mae hi'n ildio, ar y llaw arall hyhi sy'n gweithredu. Yn ei chusan mynega Monica ei hawydd i agor Bob drwy wthio ei 'wefusau yntau'n agored', dim ond i gael ymateb caeedig a syfrdanol o oeraidd oddi wrtho. Y mae modd gweld ymdrech wyllt ond truenus yn yr olygfa hon wrth i Monica geisio torri allan o'i hunigrwydd a thorri trwodd at Bob – dim ond iddo ef ei gollwng fel colsyn poeth, wedi'i frawychu gan ei thanbeidrwydd. 'Does dim byd amdani ond 'llithro' yn ôl i'w hystafell, y tu ôl i'r drws, i'r arwahanrwydd hwnnw eto. Ac yn y mynegiant corfforol o deimlad angerddol yn yr olygfa nid oes geiriau eithr y mae iaith yn methu ac nid yw'r gusan yn gwneud iawn am y diffyg cyfathrach eiriol gan fod y cyfan mor frysiog ac euog.

> Ni byddai ef yn gwbl esmwyth na diogel onis gwelai hi. Pob tro yr agorid y drws codai ei lygaid yn eiddgar-betrus i'w hwynebu, eithr nid oedd yno ond Hannah neu Mr. Sheriff . . . Dwywaith

[7] *ibid.*, 30.
[8] *ibid.*, 34.

> agorodd Bob y drws. Tybed ai i lawr yn y gegin yr oedd hi neu yn ei llofft gerllaw iddo? Bu ar fin mynd i guro yno.[9]

Taflunnir y sylw ar gyflwr y gwrthrych serch gan droi oddi wrth y canolbwyntio ar Monica a chan ddangos, yn yr achos hwn, ei fod yntau yn coleddu teimladau serchus tuag at yr un sydd yn ei garu. Ond eto y mae rhwystredigaeth. Unwaith eto ceir drws, a rhwystredigaeth waeth na'r drws efallai, sef pobl. Yma mae'r drws fel petai'n adlewyrchu neu'n cynrychioli diadlamrwydd ymddangosiadol sefyllfa gymdeithasol y cariadon.

Mae Bob yn methu cuddio'i ddiddordeb cynyddol ym Monica rhag Hannah. Wrth iddo holi amdani heintir eu perthynas hwythau gan amheuon a drwgdybiaeth ac oera eu teimladau tuag at ei gilydd. Yn gyfochrog â'r dirywiad hwn tyf ysfa Bob am gael gweld Monica nes iddo benderfynu mynd i'w chartref liw nos. Wedi iddi ddringo dros y wal gefn i'r tŷ teifl gerrig at ei ffenestr er mwyn tynnu ei sylw.

> Dechreuodd ci y tŷ nesaf gyfarth yn llidiog. Clywodd ddrws yn agor a lleisiau'n galw, gwelodd lamp yn symud heibio i ryw ffenestr. Daeth ofn arno. Ymbalfalodd am glicied drws yr iard. Ond bariesid hwnnw ac ni allai roi ei law ar y bar. Clywodd Mr. Sheriff yn gweiddi a rhywun yn agor i'r ci drws nesaf. Rhedodd hwnnw i'r iard gan gyfarth. Ceisiodd Bob neidio'n ôl i ben y mur, ond methodd ei afael a syrthiodd. Cyn iddo godi teimlodd law yn cydio yn ei fraich. Tynnodd Monica ef at y drws, treiglodd y bar a gwthiodd ef allan.[10]

Y mae'r twrw a grëir gan y carwr wrth iddo gyrchu at ei gariad liw nos yn dwyn i gof gywydd Dafydd ap Gwilym, 'Trafferth Mewn Tafarn'; dygir i gof hefyd *Romeo and Juliet* gan y ddelwedd o'r carwr yn edrych i fyny at y ffenestr. Amlwg hefyd yw naws y serenâd a cheir adlais arall, sef cyfieithiad Saunders Lewis o Buraf a Thisbe, Ofydd (" 'Eiddig o wal, ebr hwy, 'paham y rhwystri gariadon?' ").[11] Lluosogir y rhwystrau sy'n cadw'r cariadon ar wahân o hyd; y wal, y ffenestr, y ci, y tad ac, wrth gwrs, y drws sydd yn dod yn fotiff cyfarwydd. Y tro hwn caeir y cariad i mewn gan y drws gan ei rwystro rhag dianc rhag dicter y

[9] *ibid.*, 38.
[10] *ibid.*, 41.
[11] Saunders Lewis, 'Puraf a Thisbe', *Siwan a Cherddi eraill,* Abertawe, 1976, 27.

tad a llid y ci. Mae'r olygfa hon yn adlewyrchu sefyllfa Monica yn gynharach pan gaewyd hi i mewn a'i maglu i wynebu ei theulu a Bob – ond y tro hwn daw i'r adwy. Wrth iddi ei ollwng yn rhydd, fel petai, y mae Monica yn torri delwedd y drws sydd wedi bod yn eu gwahanu yn symbolaidd. Ar ôl y newid hwn y mae eu carwriaeth yn siŵr o ddatblygu a symud i ryw gyfeiriad mwy penodol. A dyna a wna.

> Mi gymerais fy hances a mynd ato a sychu ei dalcen. Ond mewn munud gafaelodd ynof a'm cusanu dan lefain, Monica, O Monica.
> Fel yna'n gwelodd Hannah ni. Yr oeddwn i wedi ei chlywed hi ar y grisiau, ond i ba beth y ceisiwn i ymryddhau?[12]

Yn naturiol dieithrir Monica oddi wrth ei theulu ar ôl hyn. Ynysir y cariadon yn gymdeithasol, ond am y tro cyntaf cydnabyddir eu perthynas, felly ceir rhwyg a rhyddhad yn sgil cael eu dal.

> Tynnodd fy wyneb i lawr ar ei wyneb ef. Yr oedd yn ei roi ei hun yn gyfan gwbl imi fel plentyn ystyfnig yn sydyn yn dofi ac yn ufuddhau . . . Sibrydiais innau wrtho: paid â gofidio, myfi piau ti yn awr. Dyro di dy hun yn fy nwylo i.[13]

Ond yn ymhlyg yn y cofleidiad y mae natur dymhorol, fyrhoedlog y sefyllfa i'w chanfod yn ymwthio i hapusrwydd, os hapusrwydd, y cariadon. Perthyn iddi dristwch cynhenid. Dywed Monica:

> Ydych chi'n meddwl, Miss Evans, fod serch yn dwyn hapusrwydd? Amcan serch yw hyn (gan awgrymu â'i llaw ei beichiogrwydd), er mwyn hyn mae'n rhaid i ddeuddyn ddyheu am ei gilydd, ac er casáu, fethu â gadael llonydd i'w gilydd.[14]

A dyna gloriannu'r holl olygfeydd caru, i bob pwrpas (hyd y gwelaf i), yn *Monica.* Ar ôl cyflawni'r uniad diffoddir dyhead a fflam serch.

Y mae un darn arwyddocaol o safbwynt serch ymhellach ymlaen yn y nofel ym mreuddwyd rhywiol Freudaidd Monica lle mae hi'n dienyddio Bob Maciwan. Goroesa serch a rhyw mewn

[12] *op.cit.,* 44.
[13] *ibid.,* 45.
[14] *ibid.,* 47.

ffantasi – hyd yn oed ffantasi negyddol ei diwedd, fel hon – ond nid mewn bywyd beunyddiol cyffredin lle bo rhaid wynebu cyfrifoldebau – beichiogrwydd, plant – neu ymollwng i'r canlyniadau.

Wrth gwrs, fe geir golygfa garu bwysig arall yn y stori, eithr nid rhwng Bob a Monica. Yn hon â Bob gyda phutain. Tywysir Bob gan y fenyw i'w hystafell (gan awgrymu, yn gyfleus iawn, nad ar Bob y mae'r 'bai' ond iddo gael ei hudo gan yr hoeden). Yn null yr hen ffilmiau neidir yn syth o'r olygfa sy'n dangos y ddau yn cyrraedd yr ystafell, ac yn mynd drwy ddrws ('Mae gen i allwedd', meddai'r ferch,[15] gyda bwlch i ddynodi bod amser wedi cerdded, at yr olygfa nesaf gan bwysleisio'r amser â sŵn cloc. Fel hyn osgoïr yr angen i ddarlunio unrhyw olygfa garu yn ei manylder. Perthyn y ddyfais hon i ledneisrwydd y cyfnod, mae'n wir, ond hefyd, gellid dweud bod y cynildeb yn arwydd o swildod neu o sensoriaeth (hunansensoriaeth).

Ar wahân i'r darn lle mae Bob a Monica yn cysgu yng ngwely brwnt Monica, dyna'r cyfan, ac mae'r olygfa honno yn wahanol i'r lleill gan fod modd canfod ynddi gyfaddawd a chariad, hwyrach, yn hytrach na serch cnawdol.

Ar ddiwedd yr arolwg hwn fe welir taw prin, mewn gwirionedd, yw'r dramateiddiad o serch yn y stori. Pe buasai 'Monica' wedi dibynnu ar yr awdur i ddisgrifio ei charwriaeth gorfforol ni fuasai wedi beichiogi o gwbl. Nid yw gorledneisrwydd Saunders Lewis yn caniatáu iddo ddisgrifio pechod sydd – meddai ef – yn hanfodol i lenyddiaeth. Ym meddyliau'r adolgwyr mursenaidd yr oedd y pechadurusrwydd a gollfarnwyd ganddynt. Yr unig weithred rywiol sy'n cael ei darlunio – a hynny, fel y nodwyd – yn llechwraidd iawn yw'r un rhwng y butain a Bob Maciwan. Oni ddeellir dyheadau a ffantasïau Monica (a'i hawydd i ladd ei phlentyn yn ei chroth) fel pechodau mae'r nofel yn gwbl amddifad o'r hyn y mae'r awdur (o safbwynt positif ond rhybuddiol o foeswersol) a'r adolygwyr (o safbwynt piwis o negyddol a hunangyfiawn) yn gweld fel ei chnewyllyn. I Saunders Lewis stori sy'n ein hannog i ochel rhag ymhyfrydu gormod mewn rhyw yw *Monica*. Stori sy'n cynnwys gormod o ryw yw hi i'r adolygwyr. Ond nofel ddiryw yw hi yn y

[15] *ibid.*, 84.

bôn a hwyrach bod yr holl rwystrau i serch – y waliau, y drysau, y ci – yn adlewyrchiad o hinsawdd y cyfnod wrth synio am serch cnawdol. Datguddia *Monica* agweddau ei hawdur a'i beirniaid cyntaf tuag at y corff a'r cnawd gan fradychu'u hofnau ynghylch eu rhywioldeb eu hunain.

GOLWG AR Y LLAFAR A'R LLENYDDOL[1]

gan CHRISTINE M. JONES

Er bod y rhan fwyaf ohonom yn ymfalchïo yn ein gwahanol dafodieithoedd, bu perthynas yr iaith lafar â llenyddiaeth yn destun sawl trafodaeth a chryn anghydfod ar hyd y blynyddoedd. Yng ngeiriau Toolan:

> While few deny the significance of dialect in the everyday world to such matters as education and personal and cultural development, many regard the relevance of actual dialect to literary fiction as obscure if not irresolvable.[2]

O safbwynt y Gymraeg cofiwn am ddadleuon John Morris Jones ac Owen M. Edwards ar droad y ganrif hon ac erthygl enwog Kate Roberts, 'Tafodiaith mewn Storïau', lle y pwysleisia'r angen i ieuo'r llafar a'r llenyddol onid amhara hynny ar werth y llyfr fel gwaith celfyddyd.[3] Yr un yw hanfod stori dafodieithol dda heddiw mewn gwirionedd : rhaid bod yr awdur yn feistr ar ei dafodiaith a rhaid i'r elfen lafar fod yn rhan o'r hyn sydd ganddo i'w ddweud. Yn ddelfrydol ni ddylai fod angen i'r darllenydd sylwi ar iaith nofel.

Er tegwch dylid gwahaniaethu efallai rhwng nofel sydd wedi ei hysgrifennu'n llwyr mewn tafodiaith, megis *Un Nos Ola Leuad,* a nofel lle y mae iaith y disgrifio ac iaith y sgwrsio'n bur wahanol i'w gilydd. Sut bynnag, wrth drafod gwerth llenyddol y ddau *genre,* rhaid cofio bod yr awdur yn artist yn bennaf oll; nid yw'n ieithydd nac yn gymdeithasegydd, ac o ganlyniad bydd y dafodiaith yn fynych yn anghyflawn yn fwriadol. Ar yr un pryd y mae gwahaniaeth rhwng tafodiaith ac artist iaith yn rhoi

[1] Carwn ddiolch i'r Dr David Thorne, Adran y Gymraeg, Prifysgol Cymru , Llanbedr Pont Steffan, am ddarllen yr erthygl hon ac am ei awgrymiadau gwerthfawr.

[2] Michael Toolan, 'The significations of representing dialect in writing', *Language and Literature* , Vol. 1, No. 1, 1992, 31.

[3] Kate Roberts, 'Tafodiaith mewn Storïau', *Y Llenor,* 1937, 55.

rhywfaint o arlliw lleol i'w ysgrifennu, trwy ddefnyddio nifer o eiriau cartrefol, dibwys ac arnynt flas y pridd hwyrach. Yn fynych hefyd gwelir enghreifftiau o slang Seisnigaidd neu 'calque' mewn nofel, er mwyn cadw'r iaith yn fwy gwerinaidd neu fodern. Nid yw tafodiaith lenyddol yn gyfystyr â defnyddio gramadeg gwael ac mae'n bwysig gwahaniaethu rhwng geiriau anllenyddol a geiriau tafodieithol. Un o rinweddau Kate Roberts, D.J.Williams a'u tebyg yw iddynt bob amser fod yn gwbl gyson â theithi naturiol y Gymraeg.

Wrth gwrs, nid yw'n dilyn y bydd unigolion o gig a gwaed yn meddu ar yr union nodweddion ieithyddol a gynrychiolwyd ar bapur. Rhyw iaith lafar ddyrchafedig a geir mewn llenyddiaeth gan amlaf. Ym marn Hardy os yw awdur yn ceisio rhoi ar bapur acenion manwl gywir ei bobl, y mae'n tynnu sylw oddi ar yr hyn y mae'r cymeriad yn ei ddweud at beth o ddiddordeb dibwys.[4] Mynegir teimlad cyffelyb gan yr ieithydd George Krapp, a wnaeth lawer yn Yr Unol Daleithiau yn ystod ugeiniau a thridegau'r ganrif hon i hybu'r defnydd o dafodiaith lenyddol:

> The more faithful a dialect is to folklore, the more completely it represents the actual speech of a group of people, the less effective it will be from a literary point of view.[5]

Canmolir D.J. Williams gan Kate Roberts am beidio â chyflwyno ei dafodiaith, 'yn hollol i drwch y blewyn fel y siaredir hi', ac o ganlyniad tynnu sylw dianghenrhaid at y dafodiaith honno.[6] Efallai mai un o wendidau D.Tegfan Davies yw iddo gyflwyno gormod o eiriau Sir Gâr yn ei waith o'i gymharu â D.J., ar y llaw arall, sy'n dewis ffurfiau llenyddol gan mwyaf ar gyfer ei iaith adroddol ac yn fynych ar gyfer ei gymeriadau yn ogystal.[7] Gwelir yr un plethu cywrain o'r llafar a'r llenyddol yn llyfrau Hardy ac yn ei achos yntau, y dechneg hon, bid siŵr, oedd y ffordd orau o sicrhau derbyniad llwyr i'w

[4] Thomas Hardy, Llythyr i'r *Athenaeum* ar y testun Tafodiaith mewn Nofelau, 30 Tachwedd, 1878. Ailargraffwyd yn N. F. Blake, *Non-standard Language in English Literature,* Andre Deutsch 1981,166.

[5] G. P. Krapp yn J. Williamson a V. Burke, (goln.), *A Various Language,* Efrog Newydd 1971, 24.

[6] Kate Roberts yn John Gwyn Griffiths, (gol.), *D. J. Williams, Abergwaun Cyfrol Deyrnged,* Gwasg Gomer 1965, 133.

[7] Trafodir arddull D. J. Williams yn fanwl gan Ceinwen H. Thomas yn 'Rhyddiaith D. J. Williams, *Llên Cymru,* Cyfrol 17, 1992-3, 291-303.

waith yn ôl safonau llenyddol y dydd. Ac eto wrth ystyried llenyddiaeth dafodieithol dyma ddau enw a ddaw i'r cof yn syth. Nid yw'n gyfrwng hawdd a'r perygl mwyaf yw bod y llenor yn canolbwyntio i'r fath raddau ar gyflwyno'r dafodiaith nes iddo esgeuluso'r ochr lenyddol gan greu, ar yr un pryd, ryw fath o arddull dafodieithol afreal. Canlyniad hyn yw bod y gwaith yn troi yn rhyw fath o ymarfer tafodieithol academig. Wrth drafod hanes a datblygiad y nofel Gymraeg, cyfeiria Glyn Ashton, er enghraifft, at lyfrynnau Brynfab a Glynfab ymhlith eraill, gan eu cyhuddo o gampio er mwyn arddangos eu tafodieithoedd. San Ffagan yw cartref naturiol gweithiau o'r fath yn ei dyb ef.[8] Hwyrach ei fod yn iawn. Ystyrier yr enghraifft hon:

> Cyn starto mas, i ishtedson diccyn. O ni'n gweld Dai fel sa fa'n stidio, a chympohir i dorrws mas i ganu. Odd Dai yn diccyn o fardd, a weti ennill llawer peeshin wech miwn cwrdd attrodd. O nw'n wispran fod boys yr ysteddfota mawr a ofan Dai, yn i gatw fa mas o'r ring o spite. On rwng gŵyr y clecs a'u busnes. Weetha odd i ganion a yn ddiccon i ela ceffyl i wyrthin, on nawr, wrth feddwl am fatal, i dynsa ddŵr mas o fricsan.[9]

Cyhuddwyd nifer o'n hawduron gorau o'r un trosedd - sef o ddefnyddio'r iaith lafar at eu pwrpas eu hun. Y mae sawl beirniad, er enghraifft, wedi honni i Kate Roberts ddyrchafu tafodiaith Rhosgadfan a'i gosod ar yr un lefel â'r iaith lenyddol, onid yn uwch ar brydiau. Wrth adolygu *Deian a Loli* yn *Y Llenor* ym 1927 lleisiwyd y farn gan Gwenda Gruffydd mai mewn un ardal yn unig yng Nghymru y llawn ddeellid y gyfrol.[10] Parhau a wnaeth yr anfodlonrwydd hwn yn achos rhai agweddau ar ei defnydd o'r iaith lafar, fel y gwelir yn adolygiad Bruce Griffiths o *Prynu Dol* ym 1970:

> .....ond teg cofio nad geiriau a anghofiwyd gan weddill Cymru mo'r geiriau a ddyfynnir ganddi, ond geiriau sy'n gyfyngedig, hyd y gwn i, i dafodiaith un ardal yn unig. Rhaid osgoi'r duedd i ganmol hen eiriau am eu bod yn hen : dylid eu defnyddio am eu bod yn mynegi rhywbeth, waeth beth fo blwyddyn eu bathiad.[11]

[8] Glyn Ashton yn Geraint Bowen, (gol.), *Y Traddodiad Rhyddiaith yn yr Ugeinfed Ganrif,* Gwasg Gomer 1970, 112.
[9] Glynfab, *Ni'n Doi,* W.M. Evans, Caerfyrddin, d.d., 11.
[10] Gwenda Gruffydd, *Y Llenor,* 1927, 61.
[11] Bruce Griffiths, *Y Genhinen,* Haf 1970, 108.

Y mae'r hyn a ddywedir ganddo am hen eiriau yn berffaith wir ond, ar yr un pryd, dadleua John Emyr fod ganddo yntau dystiolaeth fod nifer o eiriau Kate Roberts yn deillio o ardal ehangach o lawer na Rhosgadfan a bod amryw ohonynt i'w clywed hyd heddiw.[12] Ac wedi'r cyfan, ceir Kate Roberts ei hun yn ysgrifennu mewn llythyr at Winnie Parry yn y flwyddyn 1926, wrth ei chynghori parthed ei defnydd o'r iaith lafar, 'mai'r gyfrinach yw cadw oddi wrth y gair prin mewn tafodiaith'.[13] Awgrymodd Yr Athro Thomas Parry ac eraill y buasai *Sioned* a gweithiau eraill gan Winnie Parry ar eu hennill pe rhoesid ffurf fwy cynnil a chryno iddynt.[14] Clywir yr un cwynion o hyd; disgwylir i iaith nofel fod yn ffres ac yn fyw ond rhaid iddi hefyd fod o fewn cyrraedd i bawb. Siomwyd llawer er enghraifft, gan *How Late it was, How Late,* a enillodd y Wobr Booker i'w awdur James Kellman ym 1994. Yr eironi yw'r lladd ar James Kellman, nid am y rhegfeydd cryf sy'n britho pob tudalen o'i waith, ond am ei ddefnydd o 'dafodiaith annealladwy' Glasgow.[15] Efallai fod i ni wers neu ddwy i'w dysgu o hyd oddi wrth un a frwydrodd yn galed i geisio ennill lle teilwng i ieithwedd lafar yn y nofel Saesneg yn ystod y ganrif ddiwethaf, sef George Eliot:

> It is a just demand that art should keep clear of such specialities as would make it a puzzle for the larger part of the public, still one is not bound to respect the lazy obtuseness or snobbish ignorance of people who do not care to know more of their native tongue than the vocabulary of the drawing room and the newspaper.[16]

Mewn dwylo medrus felly y mae gan dafodiaith y potensial nid yn unig i gyfoethogi arddull y gwaith dan sylw, ond i ddyfnhau profiad y darllenydd yn ogystal. Yn draddodiadol y mae naturioldeb yn nodwedd bwysig ar ymddygiad cymeriadau mewn nofelau ac yn arbennig ar eu siarad; a defnyddir tafodiaith yn fynych er mwyn cyfleu didwylledd a chynhesrwydd.

[12] John Emyr, *Enaid Clwyfus,* Gwasg Gee 1976, 174.

[13] Gweler Margaret Lloyd Hughes, Rhagymadrodd i *Sioned* gan Winnie Parry, Clasuron Honno 1988, xiv.

[14] Thomas Parry, *Llenyddiaeth Gymraeg 1900-1945,* Gwasg y Brython 1945, 22.

[15] Gweler, er enghraifft, yr ymdriniaeth yn *Independent on Sunday,* 16 Hydref, 1994, 22.

[16] George Eliot mewn llythyr a anfonwyd at Skeat, Ysgrifennydd y Cylch Tafodieitheg. Ailargraffwyd yn Tony Crawley, *The Politics of Discourse,* Macmillan, 1989, 140.

Cymerer, er enghraifft, *Nedw* gan E. Tegla Davies neu'r *Llyffant* gan Ray Evans. Ceir yng ngwaith y ddau ryw ymdeimlad o agosatrwydd yn rhinwedd eu triniaeth o'r iaith lafar. Yn *Y Llyffant* cyfeiria Ray Evans at y modd y gellir dewis tri therm yn yr ail berson unigol yn nhafodiaith Llanybydder a'r cyffiniau ac y mae enghreifftiau o'r nodwedd hon hefyd i'w gweld mewn cyfarchion yng ngwaith nifer o awduron eraill megis D.J.Williams neu Edgar Jones.[17] Yn ogystal ag ychwanegu at yr ymdeimlad o agosatrwydd, y mae'r weithred hon yn meddu ar ryw awgrym o fonedd a pharch. Gwelir yr un elfen o barch tuag at yr iaith lafar yng ngwaith Winnie Parry a dengys hithau ei hoffter o'i chymeriadau trwy ei defnydd o'i thafodiaith. Wedi gael ei beirniadu am ei defnydd o'r iaith lafar, pwysleisiodd y buasai Sioned wedi peidio â bod iddi pe buasai hi heb ysgrifennu amdani yn iaith naturiol ei hardal. Teimlir yr un naws gymdogol, naturiol yn *Gwilym a Benni Bach* gan W. Llywelyn Williams, fel y noda D.J.Williams:

> Y mae pob cymeriad a lunnir gan y storïwr yn bod rywle yn ei natur ef ei hun yn gyntaf. Nid yn unig y maent hwy yn byw y tu mewn iddo ef ond y mae yntau yn byw y tu mewn iddynt hwy.[18]

Diddorol yw nodi fod nifer o'r llyfrau a enwir uchod yn llyfrau am blant - ac y gellid ychwanegu amryw o lyfrau eraill tebyg i'r rhestr megis *Te yn y Grug* neu *Un Nos Ola Leuad.* Y mae'r ymdeimlad o gynhesrwydd a symlrwydd a diniweidrwydd a grëir gan y defnydd o dafodiaith yn gweddu i'r dim i gyfrol o'r fath.

Y mae'r hyn a ddywedir gan D.J. uchod am W. Llywelyn Williams yr un mor wir am Islwyn Williams gan iddo yntau lwyddo i argyhoeddi ei ddarllenwyr a'i wrandawyr trwy ddarlunio ei bobl ei hun yn eu hiaith hwy eu hunain. Teimlai Islwyn Williams mai un o rinweddau tafodiaith fel cyfrwng neu ddull yw ei bod yn cadw'r llenor rhag mabwysiadu dyfeisiadau gor-gelfydd er mwyn cyflwyno yr hyn sydd ganddo i'w ddweud.[19]

[17] Ray Evans, *Y Llyffant,* Gwasg Gomer 1986, 69.
[18] D. J. Williams, *Y Fflam,* Rhifyn 2, 1947, 64.
[19] Islwyn Williams yn J. Saunders Lewis, (gol.), *Crefft y Stori Fer,* Gwasg Gomer 1949, 63.

Yn achos straeon megis 'Cap Wil Tomos' defnyddir tafodiaith Cwmtawe ganddo'n gywrain ac yn fedrus i gyfleu digrifwch, tra dengys straeon dwys megis 'Y Neges' ei feistrolaeth ar yr iaith lenyddol. Ceir yr un amrywiaeth yng ngwaith Jacob Davies a Gruffydd Parry. Yng ngwaith y ddau y mae eu tafodiaith yn rhan annatod o'u hiwmor a'u profiad a phrofiad eu cymeriadau.

Wrth gwrs, nid yw'r duedd hon i gysylltu tafodiaith a chomedi yn rhywbeth diweddar. Defnyddiwyd tafodiaith gan nofelwyr Saesneg oes Fictoria i sicrhau ysgafnhad comig wrth bortreadu cymeriadau o statws isel. Trinnid materion pwysig gan y prif gymeriadau yn yr iaith safonol. Manteisiodd Daniel Owen yntau ar fympwyon yr iaith ansafonol er mwyn cyfleu comedi, yn enwedig yn achos y cymeriad hoffus hwnnw, Wil Bryan, yn *Rhys Lewis.* Cyfyd llawer o ddoniolwch ymadroddi Wil o'i arfer i gymysgu geiriau a ieithwedd Gymraeg â ieithwedd Seisnig. Dylid nodi, sut bynnag, fod E.G. Millward yn pwysleisio fod y Gymraeg a siaredid yn yr Wyddgrug y pryd hynny yn llawn geirau ac ymadroddion Saesneg a bod arddull sgwrsio Daniel Owen yn gyffredinol felly 'yn llenyddol gywir os nad yw'n ramadegol gywir'.[20] Yma eto awgrymir statws cymdeithasol a chefndir addysgol cymeriadau gan eu hieithwedd. Yn wahanol i Wil, er enghraifft, sieryd Mari Lewis ac Abel Hughes iaith ffigurol, Feiblaidd a Thomas Bartley iaith gartrefol, blaen.

Pygmalion gan Shaw yw un o'r portreadau llenyddol mwyaf adnabyddus yn Saesneg sy'n arddangos pwysigrwydd cymdeithasol iaith. Ceir yr un argraff wrth ddarllen gweithiau Kate Roberts - awgryma hithau sut rai yw ei chymeriadau trwy eirfa eu sgwrs. Y mae iaith wledig, hynafol Wncwl Edward yn *Y Byw sy'n Cysgu,* er enghraifft, yn wahanol iawn i iaith Lora, Aleth Meurig a'u tebyg a thrwy'r amrywiaethau hyn daw'r darllenydd i werthfawrogi'r gwrthdaro sy'n bodoli rhwng y wlad a'r dref, rhwng hen arferion yr oes a fu a'r oes newydd, ffasiynol. Ceir gwrthdaro cymdeithasol tebyg yn *Te yn y Grug* lle y gwrthgyferbynnir iaith dafodieithol, ffraeth Winnie, â Chymraeg di-liw, academaidd Mair. Gwelir hoffter Kate Roberts o'i hiaith naturiol yn ei phortread o Winnie, a dadansoddir yr amryw

[20] E. G. Millward, 'Enoc Huws', ailargraffwyd yn Urien Wiliam, (gol.), *Cyfres y Meistri (5) Daniel Owen,* Cyfrol 2, Christopher Davies 1983, 493.

haenau cymdeithasol yn anuniongyrchol trwy enau ei chymeriadau.

Y mae cymeriadau dwyieithog, sef cymeriadau sy'n cyfathrebu mewn tafodiaith a'r iaith safonol, yn weddol anghyffredin yn y Gymraeg a'r Saesneg, ond y mae Mellors yn *Lady Chatterley's Lover* yn un enghraifft. Defnyddir tafodiaith gan Lawrence er mwyn dwyn anfri ar y dosbarth canol hocedus, rhagrithiol yn union fel y gwna Daniel Owen trwy lafar chwithig a rhodresgar Capten Trefor yn *Enoc Huws*. Er mwyn cyfleu rhyw bwynt cymdeithasol, gwleidyddol neu foesol mewn llenyddiaeth, y mae tafodiaith lenyddol ymhlith un o'n harfau mwyaf cynnil, grymus a chraff.

Ond fel pob arf, nid yw heb ei beryglon. Ni ellir beio awdur am fod yn anghyson yn ei ddefnydd o dafodiaith am fod tafodiaith yn newid yn barhaol, ond y mae'n hanfodol ei fod yn gyson yn y lleoedd cywir ac yn anghyson yn y lleoedd cywir. Hynny yw, rhaid bod y darllenydd yn teimlo bod y dewis priodol wedi'i wneud yn ôl y sefyllfa a'r cymeriadau a grëwyd. Diddorol yw darllen awgrym John Emyr fod llwyddiant Winnie wedi temtio Kate Roberts i osod elfennau o'r un dafodiaith yng ngeiriau cymeriadau eraill mewn straeon diweddarach megis 'Teulu Mari' lle nad yw'r iaith lafar mewn gwirionedd yn gweddu cystal.[21] Fel y nodwyd ar ddechrau'r erthygl hon, un o hanfodion tafodiaith lenyddol yw bod yr ieithwedd yn gweddu ar gyfer y cymeriad sy'n ei harfer o ran syniad ac arddull.

Pa ddyfodol felly sydd i dafodiaith lenyddol? Yn ôl yr Athro John Rowlands y mae'n mynd yn anos ysgrifennu nofel yn Gymraeg oherwydd bod iaith y gymdeithas Gymraeg yn mynd yn fwy a mwy briwsionllyd. Wrth i iaith ein cymdeithas a'n nofelau ddirywio, collir y cysylltiad byw a ddylai fod rhwng llenyddiaeth a phobl go iawn yn ei farn ef.[22] Nid yw'n gyd-ddigwyddiad fod prif ladmeryddion y dull tafodieithol, o Joyce yn Nulyn, i Hardy yn Wessex, i D.J. Williams yn Rhydcymerau, i gyd wedi, 'cael darn o gomin iddynt eu hunain' i ddyfynnu'r Athro Derec Llwyd Morgan.[23] Wrth i bobl golli'r ymdeimlad o wreiddiau ac o berthyn

[21] John Emyr, *Enaid Clwyfus,* Gwasg Gee 1976, 181.
[22] John Rowlands, *Ysgrifau ar y Nofel,* Gwasg Prifysgol Cymru 1992, 245.
[23] Derec Llwyd Morgan yn Geraint Bowen, (gol.), *Y Traddodiad Rhyddiaith yn yr Ugeinfed Ganrif,* Gwasg Gomer 1970, 185.

i ardal, dirywia'r defnydd o'r tafodieithoedd traddodiadol o fewn y nofel a gwelir ieithwedd ac ymadroddion newydd yn datblygu. Beirniadwyd John Owen am ieithwedd ei lyfrau droeon ond a ellir ystyried iaith plant ysgolion Cymraeg De Cymru yn rhyw fath o dafodiaith 'newydd' ? Rhaid i ni ofyn i ni'n hunain sut a pha bryd y mae tafodiaith yn troi'n fratiaith?

Er bod y cwestiwn hwnnw yn mynd yn anos ei ateb yn flynyddol, y gwir syml yw bod cynnwys geiriau Saesneg mewn nofel Gymraeg yn wahanol i gynnwys cystrawennau ac idiomau Saesneg. Dengys gwaith nifer o'n hawduron cyfoes megis Robin Llewelyn fod modd trafod themâu newydd, modern trwy gyfrwng tafodiaith naturiol a chroyw heb golli teithi naturiol y Gymraeg. Hyderir felly y geill yr iaith lafar barhau i fod yn arf grymus yn llaw'r nofelydd talentog. Fodd bynnag nid yw'n hawdd rhagweld sut y digwydd hyn yn y ganrif nesaf. Y mae sut y'i defnyddir y tu allan i'n rheolaeth i raddau, gan ei fod yn dibynnu ar dwf graddol y gymdeithas ddwyieithog y mae bellach yn rhan ohoni. Amser a ddengys felly.

LLYFRYDDIAETH SYR THOMAS PARRY

gan ELEN OWEN

Ychwanegiadau at y rhestr yn *Ysgrifau Beirniadol X*

1935

Baledi'r Ddeunawfed Ganrif – *Ychwaneger* Ail Argraffiad 1986.

1962

The Oxford Book of Welsh Verse Reprinted from corrected sheets 1964 – *Add* and 1981.

1975

Cyflwyniad: *Llyfr o Idiomau Cymraeg* – *Ychwaneger* Ail argraffiad 1979.

1952

Gwaith Dafydd ap Gwilym – *Ychwaneger* Ail argraffiad 1963, trydydd argraffiad 1979. (Gellir dileu y nodyn dan y flwyddyn 1963).

1944

Hanes Llenyddiaeth Gymraeg hyd 1900 – *Dileu* pedwerydd argraffiad 1964, xii, 325 tt. *Rhoi yn ei le* Adargraffwyd 1964, 1974, pedwerydd argraffiad 1979.

1958

Rhagymadrodd: *Englynion a Chywyddau* (detholwyd gan Aneirin Talfan Davies). Hefyd, yn yr un gyfrol, gywydd 'Mam wrth ei Phlentyn' (o awdl 'Mam'), Llyfrau'r Dryw, 1958, tt.v-xv, 193-195.

1972

'Enaid digymar heb gefnydd' – *Ychwaneger* Adargraffwyd yn *R. Williams Parry* (gol. Alan Llwyd), Abertawe, 1979, tt. 45-57.

1976 (parhad)

'Ateb gan Dr. Thomas Parry' (ar dderbyn Medal Anrhydeddus Gymdeithas y Cymmrodorion), *Transactions of the Honourable Society of Cymmrodorion,* 1976, tt. 33-37.

'Emynwyr Eifionydd', *Bwletin Cymdeithas Emynau Cymru,* 1976, tt. 245-57.

1977

'Y Geiriau ar hen Eiriadur', *Y Casglwr,* Rhif 1, Mawrth 1977, t. 7.

'Gwilym R. a Mathonwy', *Y Faner,* Mawrth 4, 1977, t. 3.

'Gormes y Gynghanedd', *Barddas,* Rhif 13, Tachwedd 1977, tt. 1-2.

Beirniadaeth (gyda Geraint Bowen ac Emrys Roberts): Awdl 'Llygredd', *Eisteddfod Genedlaethol, 1977, Wrecsam a'r Cylch, Cyfansoddiadau a Beirniadaethau,* tt. 1-5.

Adolygiad: *Rhwng Dau Fyd. Darn o Hunangofiant* (Iorwerth Peate), *Y Genhinen,* Cyf. 27, Rhif 2, 1977, tt. 87-90.

1978

'Gweisg Preifat', *Y Casglwr,* Rhif 4, Mawrth 1978, t. 12.

'Dafydd ap Gwilym', *Y Traethodydd,* Ebrill 1978, tt. 64-79.

'Henry Parry-Williams', *Y Genhinen,* Cyf. 28, Rhif 2, 3, 1978, tt. 66-70.

Cyflwyniad: *Rhwng y Silffoedd* (Ysgrifau gan Dr. Thomas Richards, gol. Derwyn Jones a Gwilym B. Owen), Gwasg Gee, 1978, tt. 11-13.

Adolygiad: *Y Flodeugerdd Englynion* (gol. Alan Llwyd), *Barddas,* Rhif 21, Gorffennaf/Awst 1978, tt. 12-13.

1979

'William Morris: y Bardd a'r Llenor', Crynodeb o deyrnged a draddodwyd yn y gwasanaeth angladdol, *Y Goleuad,* Mai 2, 1979, t. 5.

'Arthur Hughes 1878-1965', *Taliesin,* Cyf. 38, Gorffennaf 1979, tt. 6-23.

'Gwyneth Vaughan', *Cylchgrawn Cymdeithas Hanes a Chofnodion Sir Feirionnydd,* Cyf. VIII, Rhan III, 1979, tt. 225-236.

'Thomas Richards, 1878-1962', *Trafodion Cymdeithas Hanes Bedyddwyr Cymru,* 1979, tt. 30-46.

'Cytseiniaid heb eu hateb' (adargraffiad o ysgrif yn *Bwletin y Bwrdd Gwybodau Celtaidd,* Cyf. 10, Rhif 1, Tachwedd 1939), *Barddas.* Rhif 33, Medi, 1979, tt. 6-7.

'Gloywi Iaith', *Y Faner,* Mai 4, 1979, t.11; Mai 11, 1979, t.11.

'Y Seren Fore', *Y Casglwr,* Rhif 9, Nadolig 1979, t.14.

Beirniadaeth: Awdl 'Gwynedd', *Eisteddfod Genedlaethol, 1979, Caernarfon a'r Cylch, Cyfansoddiadau a Beirniadaethau,* tt.9-19.

1980

Cerddi Robert Williams Parry: detholiad gyda rhagymadrodd, Gwasg Gregynog, Y Drenewydd, 1980, xiv, 113 tt.

'Williams Parry o Wasg Gregynog', *Llais Llyfrau,* Haf 1980, t.7.

'Dafydd Ddu Eryri, 1759-1822', *Trafodion Cymdeithas Hanes Sir Gaernarfon,* Rhif 41, 1980, tt. 59-81.

'Cyfres y Sant', *Y Casglwr,* Rhif 10, Mawrth 1980, t. 5.

'Gair y Gwybod', *Y Casglwr,* Rhif 11, Awst 1980, t. 12.

'Cyflwyno'r Byd i Werin Cymru', *Y Casglwr,* Rhif 12, Nadolig 1980, t. 13.

'Caradog Pritchard', *Y Faner,* Mawrth 14, 1980, t. 4.

'Mae'r Bryddest yn well na'r Awdl', *Y Faner,* Awst 22, 1980, tt. 3-4.
'Cymwynas y Cyfieithydd' (gwerthfawrogiad o waith J. T. Jones), *Y Faner,* Hydref 3, 1980, tt. 3-4.
'Syr Thomas Parry'n Cofio Cyfaill' (sef R. Meirion Roberts), *Y Goleuad,* Rhagfyr 10, 1980, t. 4.
Cyflwyniad: *O Ben Cilgwyn:* cerddi O. Alon Jones, Cyhoeddiadau Mei, Y Groeslon, 1980, t. 2.
Adolygiad: *Golwg Newydd ar Iolo Morganwg* (Brinley Richards), *Y Faner,* Chwefror 29, 1980, tt. 10-11.
Adolygiad: *Y Celfyddydau yng Nghymru 1950-75* (gol. Meic Stephens), *Taliesin,* Cyf. 40, Gorffennaf, 1980, tt. 79-83.
Adolygiad: *Y Flodeugerdd Sonedau* (gol. Alan Llwyd), *Llais Llyfrau,* Hydref 1980, t. 25.

1981

'Daniel Silvan Evans, 1818-1903', *Trafodion Anrhydeddus Gymdeithas y Cymmrodorion,* 1981, tt. 109-25.
'Prifysgol a Gwerin', *Y Casglwr,* Rhif 13, Mawrth 1981, t. 6.
'Rhyfeddol ei Gamp' (talfyriad o anerchiad ar achlysur dathlu canmlwyddiant geni Syr Ifor Williams), *Y Faner,* Hydref 23, 1981, tt. 12, 13.
'R. T. Jenkins – Hanesydd a Llenor', *Y Faner,* Rhifyn yr Eisteddfod, 1981, tt. 10-11.
'[Llawysgrif] Hendregadredd', *Y Casglwr,* Rhif 15, Nadolig 1981, t. 5.
'Rhagor o Ysgrifau Saunders Lewis' (adolygiad o *Meistri a'u Crefft,* gol. Gwynn ap Gwilym), *Taliesin,* Cyf. 43, Rhagfyr 1981, tt. 9-17.
Adolygiad: *Cwysau* (Ffransis G. Payne), *Llais Llyfrau,* Gwanwyn 1981, tt. 20, 22.
Adolygiad: *E. Prosser Rhys, 1901-1945* (Rhisiart Hincks), *Llais Llyfrau,* Haf 1981, t. 19.
Adolygiad: *Omar* (J. Griffith Williams), *Y Faner,* Gorffennaf 3, 1981, t. 11.
Adolygiad: *Symud y Lliwiau* (Gwyn Thomas) *Barddas,* Rhif 57. Tachwedd 1981, tt.3-4.
'Trwm ac Ysgafn' (llythyr), *Barddas,* Rhif 57, Tachwedd 1981, t. 2.

1982

'Eu Gwahodd yn Ôl (un o bump o gymwynaswyr heddiw yn gwahodd pump o gymwynaswyr ddoe i ddathliad Gŵyl Dewi 1982),*Y Faner,* Chwefror 26, 1982, t. 12.
'Yr Hen Ryfeddod o Langwm', *Y Casglwr,* Rhif 16, Mawrth 1982, t. 16.
'Trigainmlwyddiant Gwasg Prifysgol Cymru', *Llais Llyfrau,* Haf 1982, tt. 9-10.
'Cofio Cyfaill' (teyrnged i'r Dr. Iorwerth Peate), *Barn,* Rhif 238, Tachwedd, 1982, tt. 339-40.
Adolygiad:*Y Geiriadur Cymraeg Cyfoes,* (gol. H. Meurig Evans), *Llais Llyfrau,* Gwanwyn 1982, tt. 13-14.
Adolygiad: *Ysgrifau Beirniadol XII* (gol. J. E. Caerwyn Williams), *Llais Llyfrau,* Gaeaf 1982, tt. 20-21.

1983

'John Owen – Epigramydd', *Y Casglwr,* Rhif 19, Mawrth 1983, t.3.

'Gwella'r Da yn America' (Y Wasg Gymraeg yn Utica, talaith Efrog Newydd), *Y Casglwr,* Rhif 20, Awst 1983, t.16.

'Y Rhagwant' (llythyr), *Barddas,* Rhif 74, Mai 1983, t.2.

Adolygiad: *Marwnad o Dirdeunaw a rhai cerddi eraill* (Alan Llwyd), *Barddas,* Rhif 72, Mawrth 1983, t.4.

Adolygiad: *Personau* a *Cerddi Diweddar* (Iorwerth C. Peate), *Llais Llyfrau,* Haf 1983, t.12.

1984

'Syr Thomas Parry yn trafod Geiriadur Anarferol Hen Gymro Cartrefol', *Y Casglwr,* Rhif 22, Mawrth 1984, t. 7.

'Ai yn Nhalyllychau y Claddwyd Dafydd Dafydd ap Gwilym?' *Barddas,* Rhifau 87 ac 88, Gorffennaf/Awst 1984, t.15.

Adolygiad: *Lewis Glyn Cothi (Detholiad),* (gol. E. D. Jones), *Llais Llyfrau,* Haf 1984, t.13.

Adolygiad: *Bwrlwm Byw* (Ithel Davies), *Llais Llyfrau,* Hydref 1984, t.12.

Adolygiad: *Llywelyn y Beirdd* (gol. Alan Llwyd), *Gwaith Owain ap Llywelyn ab y Moel* (gol. Eurys Rolant), *Llais Llyfrau,* Gaeaf 1984, tt. 19-20.

1985

'Dafydd ap Gwilym a'r Cyfrifiadur', *Ysgrifau Beirniadol XIII,* gol. J. E. Caerwyn Williams, Gwasg Gee, 1985, tt.114-122.

Adolygiad: *Meddygon y Ddafad Wyllt* (Harri Parri), *Llais Llyfrau,* Gwanwyn 1985, tt. 18-19.

1993

'Dechrau amryw bethau (darn o hunangofiant)', *Y Traethodydd,* Rhif 628, Gorffennaf 1993, tt. 125-9.

1996

Amryw Bethau. Gwasg Gee, Dinbych.

1997

'Cyfieithiad Thomas Parry o olygfa gyntaf y ddrama *Saint Joan* gan George Bernard Shaw' (golygwyd gan Bleddyn Owen Hughes), *Cylchgrawn Llyfrgell Genhedlaeth Cymru,* xxx (Rhifyn 1, Haf 1997) tt. 107-125.